Alessandra e
Consuelo Blocker
com a participação de
Costanza Pascolato

O Fio da Trama

Três países,
uma guerra
e a história
de superação
de quatro
mulheres

TORDSILHAS

Às gerações que se foram e às futuras.

Alessandra

Esta é uma história que conta o passado,
mas dedico o livro ao meu maior presente: Cosimo e Allegra!
Sem eles não me entendo por gente.
Adorati, mio cuore è vostro, andate a scrivere la vostra storia!

Consuelo

TESTAMENTO

O que não tenho e desejo
É que melhor me enriquece.
Tive uns dinheiros – perdi-os...
Tive amores – esqueci-os.
Mas no maior desespero
Rezei: ganhei essa prece.
Vi terras da minha terra.
Por outras terras andei.
Mas o que ficou marcado
No meu olhar fatigado,
Foram terras que inventei.
Gosto muito de crianças:
Não tive um filho de meu.
Um filho!... Não foi de jeito...
Mas trago dentro do peito
Meu filho que não nasceu.
Criou-me, desde eu menino,
Para arquiteto meu pai.
Foi-se-me um dia a saúde...
Fiz-me arquiteto? Não pude!
Sou poeta menor, perdoai!
Não faço versos de guerra.
Não faço porque não sei.
Mas num torpedo-suicida
Darei de bom grado a vida
Na luta em que não lutei!*

---

* Manuel Bandeira. *Poesia Completa e Prosa*. Rio de Janeiro: Cia. José Aguilar, 1967, p. 308-309.

Alessandra

Gabriella Pascolato morreu no dia 22 de agosto de 2010. Eu estava em Tiradentes com minha família – Carlos, meu marido, e seus dois filhos adolescentes – promovendo um evento de trabalho quando recebi, já bastante tarde da noite, o telefonema de minha mãe. O enterro seria no dia seguinte, às 13 horas, sem atraso. Tiramos os meninos da cama de madrugada e saímos, antes mesmo de o hotel servir o café, para enfrentarmos as mais de seis horas de estrada até São Paulo.

Não chorei durante a viagem. Na verdade, não tinha vertido uma lágrima desde que recebera a notícia. Sentada, quieta, no banco do passageiro, tentava segurar uma tristeza que, de tão grande, parecia que me faria explodir se eu a permitisse.

Via passarem placas marcando os quilômetros e procurava não contemplar a possibilidade de chegarmos tarde demais para me despedir da Nonna. Em vez disso, me lembrava de tudo o que ela e o Nonno tinham feito por mim e por minha irmã para dar mais estabilidade à nossa infância conturbada. Pensava em quem ela foi, no que conquistou, em sua história que, de tão fantástica, às vezes acreditávamos ser inventada.

Mas nossa existência não era a prova de que tudo fora verdade? Ou será que houve um certo exagero? Será mesmo que foi ela, sozinha, a trazer a família para o Brasil? Enquanto o carro avançava, essa indagação, fonte constante de brincadeiras entre nós, começou a tomar conta de meu imaginário. Quanto daquelas histórias que eu ouvi milhares de vezes era verdade? Será que ela tinha sido tão amiga assim do Ferragamo? E o Proficiency, tinha passado mesmo com a maior nota da classe?

Meu fluxo de consciência foi interrompido pelo telefonema de minha mãe.

— Filhinha, o pessoal do velório disse que não podemos atrasar mais. O padre vai rezar a missa daqui a 20 minutos e depois a gente sai para o enterro.

— Segundo o Waze a gente chega em 20 minutos exatos. Será que ele não pode esperar nem cinco?!

— Parece que não.

Por sorte (e um certo chumbo no pé do meu marido), chegamos a tempo. Ao me despedir, abraçada com minha mãe, finalmente consegui chorar.

Algumas semanas depois, ainda obcecada por aquelas indagações, perguntei à Mummy onde estavam os diários que a Nonna havia mantido por anos durante sua adolescência e vida adulta.

— Estão na casa dela. Eu vou ter que limpar tudo o que tá lá. Deixa eu me organizar. Quando tiver tempo, mando pra você.

Conforme prometido, depois de algumas semanas, chegaram em minha casa numa sacola de papel de grife. Dentro, cinco volumes do mesmo tamanho embalados em plástico transparente, marca registrada de Dona Gabriella. Desde que me conheço por gente, me lembro do apartamento da minha avó em Higienópolis com armários repletos de história; objetos antigos de maior ou menor valor, embalados em sacos de plástico transparente comprados a granel no Makro. Ela se orgulhava da economia que a loja de atacado significava para suas despesas domésticas. Na época, o Makro só atendia pessoas jurídicas e Nonna, sempre pragmática, lançava mão do cartão da Santaconstancia para também comprar produtos para a casa.

Com seus diários não era diferente. Os livros pequenos, de capa dura, uns encadernados em tecido vermelho, outros em couro ou papel estampados à mão, vinham com fechos e cadeados que, havia muito, não guardavam mais segredos. Ou assim eu acreditava. As páginas pautadas, manchadas pelo tempo, continham uma forma de registro chamada *One line a day*. Cada página dedicada a um dia do mês, mas separada em cinco anos diferentes. Um parágrafo para cada um. Seis livros, 30 anos. A caligrafia a caneta-tinteiro em cores que variavam do preto ao azul-claro, dependendo da época, transbordava o espaço delimitado, ocupando as margens na tentativa de narrar com maior precisão a trajetória de uma jovem muito além de seu tempo.

One line a day, uma linha por dia. Eu não podia deixar de enxergar poesia naquele nome. Parecia feito sob medida para uma história tão complexa e elegante que lembrava os tecidos feitos por Dona Gabriella. Sua vida foi como os *jacquards* de seda pura que fizeram dela uma lenda no mundo da moda. Milhares de linhas de cores diversas se cruzando para formar padrões intricados, desenhos únicos. Um fio fora do lugar mudaria tudo: distorceria a cor, quebraria a proporção, interferiria no todo. E agora, que estava terminada, seria tentador enxergá-la como quem vê o tecido pronto na mão e pensa que "caiu do céu". Mas eu sabia que não tinha sido assim e queria entender o que fora preciso para aquilo acontecer, para as coisas "caírem do céu"; os anos de estudo, as horas de planejamento e uma determinação inabalável. Isso sem falar nos fios perdidos, nas máquinas enguiçadas, nos milhares de problemas que poderiam ter parado qualquer outra pessoa, menos a minha avó.

Eu abria o primeiro volume com uma reverência e cuidado exagerados, como se estivesse diante de um artefato sagrado, milenar. Talvez pela riqueza de conteúdo ou por me dar conta das proporções mastodônticas da tarefa à frente. Decidi que o único jeito de entender alguma coisa seria fotografar página por página com meu celular, passar tudo para o computador, ampliar a imagem, transcrever e traduzir do italiano as partes que considerava mais importantes.

Para minha surpresa, à medida que progredia, fui descobrindo uma pessoa que não conhecia. Numa estranha dobra no tempo, eu, com quase 50 anos, me apaixonei pela moça de 18 que um dia se tornaria a Nonna que eu tanto amava. Era a mesma Gabriella e, ao mesmo tempo, não era. Eu, o produto de toda aquela vida, sabia o final da história. Mesmo assim, não conseguia me controlar e segurava a respiração nos momentos mais tensos como se estivesse lendo um livro de suspense, me alegrava com as realizações, chorava com as perdas e ficava com o coração apertado diante de seu sofrimento. A tal ponto que, numa inversão de papéis, me vinha a vontade de estender a mão através das páginas e dizer a ela que tudo ia dar certo.

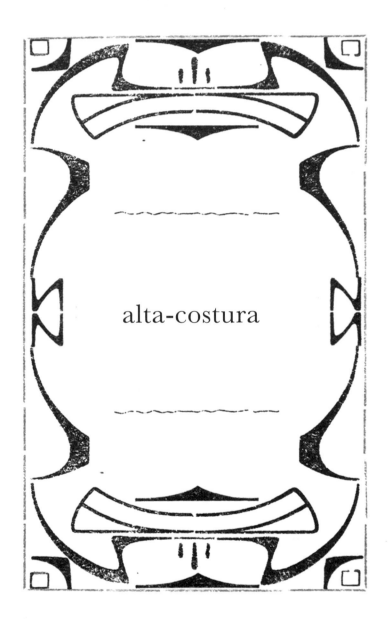
alta-costura

1940 Venerdì. Salutato Titti, levata alle 6 ½. Cappellina, stata in 500 con Montanari alle 8 ½. Parlato, saputa varie cose... a alle 11, erano tutti partiti poco prima per Firenze. Ri...per telefono, cambiata, visto posta, mangiato, a Siena. Costanza... e ha messo fuori l'altro dentino. A Firenze alle 5. ...

1941 Saluto. Bagno. Venuta tu, sola, alle 12. Telef. Titti, non è ancora salito, forse domani viene. Colazione, poi riposo in spiaggia. Thè, venuti anche i ... poi le Savini. Visto figlio... ...amicizia Costanza con una piccola di Titti... accompagnato... in Vercede... visto Pier... e dentro...

1942 Domenica. Niente messa, con Costanza dalle 10 in poi fuori passe... letto, pasticcio con tu anime. Dalle 5 alle 8 con Ugo e Costanza a ... Continuano a mietere. Alle 5 arrivato Pepo dall'alta Italia... telef. alle 12. Dopo una letto Pirandello fino alle...

1943 Lunedì. Sto bene. Levata tardi un momento da tu. Sole Bo... con Titti, poi fuori 7 ½ raggiunto lui all'Excelsior, poi il bagno... di spiaggio, così così. Tornati alle 9 ½. Letto all'ine... le 3 idee... Alessandro aveva promesso... ...potuto da domani... con tutta notte, dopo era calmo.

1944 Mercoledì. Titti con fav. stona a casa oggi alle 8 telef. Enrico, a loro per la giornata, voleva parlare. Partito in fretta. Ritorno a dentro... giorno. Lavorato sempre in casa con i panni. Tutto asciuga quelli fini... di Titti in bagno dei bambini, e nel forno stirato. Titti tornato alle... ha portato un giornale repubblicano, con un pezzo attacco con tu di tui. Dopo... a domani... non era molto entusiasta. L'articolo...

1.

Gabriella
10 de abril de 1945

Eu passei o dia terminando o que sobrou de nossas bagagens pessoais e fechando a casa. Estava emocionadíssima. Finalmente tinha chegado a hora pela qual ansiamos e trabalhamos tanto. Foi a primeira vez em muito tempo que me senti otimista em relação a nosso futuro. Estudamos todos os pormenores. Não conseguimos o visto de Miki, verdade, mas tínhamos uma carta do cônsul suíço atestando a boa índole de meu marido. Se por acaso fôssemos pegos na fronteira, poderíamos usá-la como uma última cartada, desculpe-me o trocadilho.

Miki carregava uma tristeza tão profunda que parecia privá-lo do pleno controle de suas faculdades. Repetia as mesmas coisas várias vezes e até se irritou com Costanza sem motivo aparente. Nada disso é de seu feitio, sempre tão bem-humorado, prestativo e atento a tudo e a todos. Coitada, só tem cinco anos, ficou assustada, sem entender por que o pai estava naquele estado.

De manhã ele foi a Como para cuidar dos últimos detalhes da partida para a Suíça. Em seguida, veio buscar a Blanche a fim de levá-la à estação. Às três da tarde, ela pegou o ônibus, para atravessar a fronteira com o grosso das malas e se instalar na casa do Tarchini, um advogado judeu amigo nosso que, a conselho de Miki e com nossa ajuda, saiu da Itália logo antes da invasão nazista. Agora, em retribuição, ele nos dará abrigo enquanto não regularizarmos a papelada de imigração.

Cidadã suíça, nossa esperança é que Blanche tenha passado pela polícia sem maiores problemas. Para nós, será muito mais difícil. Nestes últimos tempos de guerra, a vigilância está extremamente rigorosa com italianos saindo do país. Teremos que atravessar clandestinamente, de noite, com a ajuda de um guia que conhece bem as trilhas do Parque Spina Verde, o bosque nas montanhas entre Como, na Itália, e Chiasso, na Suíça. Depois de levar Blanche, Miki voltou para casa e ficou rondando de lá para cá sem saber o que fazer, até que no final do dia saímos todos, nós dois e as crianças.

Tomamos uma sopa na casa de nossos amigos, os Colombo. Deveríamos ter saído às oito para o ponto de encontro, mas atrasamos devido a um alarme antibombas. Assim que pôde, Colombo nos deixou no lugar marcado na entrada do Parque Spina Verde e foi embora. Para nossa angústia, o guia disse que estava tarde demais. Além dos guardas que rondavam a fronteira, a trilha era complicada e o terreno muito irregular. Não podia estar escuro a ponto de não conseguirmos enxergar o chão, nem claro o suficiente para sermos vistos. Usar lanternas estava fora de questão. Tínhamos perdido a pequena janela de tempo para atravessar.

Era uma noite sem lua, mal enxergávamos uns aos outros. Eu olhei para onde estava meu marido e, mesmo não conseguindo ver direito, reparei que havia algo de errado. Ele parecia irrequieto. Do nada, decidiu:

— Nós vamos!

E se embrenhou floresta adentro com Alessandro no colo. Eu queria gritar para que ele parasse, mas não podia. O guia ficou paralisado. Eu segurava Costanza com uma mão para impedi-la de correr atrás do pai e tapava sua boca com a outra. Ao nosso redor, as malas e um breu absoluto. Só ouvia meu filho berrando desesperado. De repente, um barulho surdo e um gemido. Miki não tinha andado nem 100 metros quando escorregou, caiu e machucou a perna.

Por fim, fomos para o vilarejo mais próximo onde nosso guia conseguiu um quarto pequeno, úmido, com uma cama estreita. Nos refugiamos ali durante a noite e o dia seguinte. Precisávamos ficar em silêncio absoluto, não podíamos arriscar sermos pegos pelos soldados alemães. Mas como permanecer quietos durante 24 horas com uma menina de cinco anos e um bebê com febre e infecção no ouvido? Miki sussurrava histórias e fazia brincadeirinhas para distrair Costanza. Ele não reclamava, mas eu via sua expressão de dor toda vez que tentava mexer a perna, ou talvez fosse de profunda tristeza e humilhação por ver seu mundo desmoronando. Ainda não descobri. Só sei que foi um martírio.

11 de abril de 1945

O guia apareceu na nossa porta e partimos a pé. Não fazia frio nem calor e a noite estava clara, o céu completamente estrelado, o que não era bom, pois nos deixava mais vulneráveis, visíveis para os aviões que sobrevoavam o bosque com holofotes. O seguíamos pela trilha em direção à Suíça. Ele carregava a minha mala enquanto Miki, que continuava com muita dor na perna, segurava Costanza com uma mão e a bagagem das crianças com a outra. Eu levava Alex e a mala de Miki. Coitadinho do meu filho, seu sofrimento era palpável e, pior, extremamente audível. Berrava tanto que tive que amordaçá-lo com um lenço de meu marido. Mas foi inútil. Caminhávamos devagar, sempre atrás do guia, e, embora a noite estivesse cada vez mais escura, nossas vistas foram se acostumando e nos mantínhamos juntos.

Não faço ideia de quanto tempo caminhamos. Já com quase dois anos meu filho virava chumbo nos meus braços. Quanto mais forte eu o segurava, mais ele se debatia. Cada movimento, cada gemido eram uma punhalada no meu peito, mas sempre fui uma pessoa prática. Se algo precisa ser feito, eu faço. E assim segui adiante até que comecei a avistar um pequeno brilho por entre as folhas. Meu coração congelou. Seriam estrelas ou lanternas da guarda de fronteira? À medida que avançávamos, a quantidade de luzes aumentava e reparei que elas eram grandes demais para serem estrelas e muito pequenas e numerosas para eu acreditar que fossem lanternas. Me dei conta de que nos aproximávamos do perímetro urbano. Na excitação de chegar logo, aceleramos o passo.

Terminando a trilha, iríamos até a estrada onde um caminhão nos aguardava. Segundo o guia, faltavam apenas cinco minutos. As árvores estavam rareando. A essa altura, andávamos agachados atrás de arbustos para não sermos vistos. Eu começava a sentir o gostinho da liberdade quando ouvi um grito:

— Alto!

Na minha memória, tudo ocorreu em câmera lenta e acelerada, simultaneamente. Físicos poderiam montar teorias sobre a elasticidade do tempo baseados na experiência que tive naquela fração de segundo. Me virei na direção de onde veio o comando e não vi nada. Me voltei para perguntar ao guia o que estava acontecendo, mas no lugar onde ele havia estado só restava minha mala, caída no chão. Baixei a vista e quando a levantei novamente estávamos cercados por meia dúzia de guardas. Nunca vou entender de onde apareceram. Foi como se tivessem se materializado do nada.

Fomos escoltados até a sede da polícia de fronteira. Miki entregou os documentos e a carta do cônsul. Ficamos lá durante o que pareciam ser horas, enquanto os oficiais examinavam nossos papéis, conversavam entre si e nos olhavam de soslaio. Finalmente disseram que teriam de telefonar para Berna, o que eles só conseguiriam fazer na manhã seguinte. Queriam nos escoltar até Chiasso, a cidade onde sonhávamos chegar naquela noite, sob circunstâncias totalmente diferentes. Lá nos poriam sob custódia até vir a liberação de Berna, mas meu marido se recusou a ir com medo de ser preso. Se ele fosse entregue à polícia nazifacista por tentar fugir do país, seria julgado por deserção e talvez executado. A opção foi dormir num monte de feno, ao relento, no lado italiano da fronteira.

Estranhamente, naquela noite, no feno, dormimos o sono dos deuses. Acordamos revigorados e, às cinco da manhã seguinte, entramos novamente no quartel da polícia de fronteira. Miki ligou para Berna, que recusou seu pedido de passagem. Caso ele não voltasse imediatamente, todos nós seríamos extraditados. Foi terrível. Nos despedimos às pressas, sem choro, sem drama, apenas com uma profunda melancolia, que se prolongou enquanto eu, rodeada de malas, segurando Alessandro no colo e Costanza pela mão, olhava incrédula meu marido ser escoltado para sabia Deus onde. Ele não merecia aquilo que estava acontecendo.

Eu e as crianças fomos levadas de carro para um campo de refugiados onde íamos passar a quarentena.

2.

12 de abril de 1945

Cheguei ao Asilo Bel Giardino sem poder sequer perguntar o que estava acontecendo com Miki. Eu e as crianças tivemos que passar por uma assepsia, como se fôssemos indigentes imundos, sempre vigiados por enfermeiras extremamente ríspidas. Já desinfetados, fomos submetidos a um exame médico, de novo sendo muito maltratados e, por fim, fui separada dos meus filhos – que estavam sem comer – e interrogada pela polícia durante horas. Só de imaginar que minha vida seria assim daquele momento em diante, fiquei desesperada. Mas respirei fundo e, como de costume, meu lado prático falou mais alto. Calculei que, com o tempo, me conhecendo melhor, a antipatia e hostilidade desapareceriam. O que me doía mais era pensar que as calúnias proferidas contra meu marido pelos policiais durante o interrogatório também teriam sido revistas caso eles tivessem tido a chance de conhecê-lo. Mas isso, é claro, não seria possível, pois, até onde eu sabia, ele estava trancado em alguma prisão da República de Saló, no norte da Itália.

Pelas próximas semanas, eu e meus filhos teremos que ficar confinados em um dos campos feitos para abrigar a quantidade enorme de pessoas – judeus, militares desertores, exilados políticos – que foge para a Suíça diariamente. Daqui será possível buscar um visto de permanência ou de passagem para outro país. São prédios de escolas, jardins de infância (como era nosso caso), hotéis adaptados para servirem como campos de refugiados. Dirigidos pelos militares, são organizados seguindo uma mesma ordem. Quando possível, os dormitórios femininos e masculinos ficam em andares diferentes. O nosso está no segundo, em uma sala comprida com camas de ferro pintadas de branco meticulosamente enfileiradas. Há samaritanas da Cruz Vermelha para nos acomodar, enfermeiras e médicos para cuidar de emergências, fazer a desinfecção e exames. Os serviços cotidianos como limpeza, cozinha etc. são feitos por nós, imigrantes.

13 de abril de 1945

O trabalho é monótono. Tenho descascado batatas na cozinha, mas parece que, em breve, serei transferida para a horta para cuidar dos tomates. Acho que vai ser melhor. Durante o dia, as samaritanas cuidam das crianças e, a partir do final da tarde, eu fico com elas no dormitório feminino. Alessandro chora sempre com dor no ouvido, sem parar. Seus berros ecoam pelas paredes ascéticas do alojamento. Eu o seguro no colo a noite toda na tentativa de acalmá-lo, mas nada adianta. Sem dormir, eu choro de desespero e de puro cansaço. Isso desperta a compaixão de algumas das minhas colegas de quarto e a antipatia de outras. As enfermeiras tentam curá-lo com azeite quente e compressas, mas está muito claro que meu filho precisa de tratamento médico.

14 de abril de 1945

Levaram Alessandro para Lugano. Me apertou o coração ver meu filho sendo carregado, sozinho, para outra cidade, para um hospital desconhecido, mas foi a única solução. Ele sofria tanto e a enfermaria não estava dando conta. Por sorte, ontem ao anoitecer eu me encontrei com o Tarchini no portão do asilo. Em teoria, a quarentena não nos permite ter contato com ninguém de fora, mas, durante os anos que viveu em Chiasso, o Tarchini conquistou bastante influência local e, uma vez por semana, vem me ver por entre as grades de ferro que nos separam do resto do mundo. Pedi que se ocupasse do meu filho, e ele imediatamente me garantiu que enviaria a Blanche para ficar com Alessandro no hospital em Lugano.

Se tem uma coisa maravilhosa na minha vida e na de Miki é que, mesmo nos piores momentos, sempre podemos contar com o apoio dos amigos. Embora eu saiba que devamos muito disso à sorte, também gosto de atribuir essa bênção à nossa boa vontade em ajudar os outros todas as vezes que a oportunidade se apresenta.

Acho que as samaritanas ficaram com pena de mim, pois, de noite, consegui algo muito especial: um balde de água quente para lavar Costanza. Nós temos direito de tomar banho uma vez por semana, às quartas-feiras. O resto do tempo, fazemos o que podemos. Aquele balde era um privilégio único. Eu enxaguava o cabelo de minha filha quando uma das enfermeiras veio me avisar que Alex estava bem. Haviam feito uma punção em seu ouvido esquerdo, agora passava muito melhor e dormia com a Blanche, na casa de amigos do Tarchini em Lugano. Que alívio!

15 de abril de 1945

Acordei com o toque de despertar. Sem a constante preocupação com Alessandro, consegui a primeira noite de sono desde que chegamos à Suíça. Tive a sensação de estar renascendo.

Costanza e eu fomos à missa. Depois, finalmente, consegui organizar nossas coisas no pequeno espaço que tinham nos cedido no longo armário em uma das paredes do dormitório feminino. Quando terminei, fui ver o médico, pois ainda me sinto muito fraca. Ele disse que meu problema são os nervos, mas, por causa da escassez de tranquilizantes, prescreveu injeções de cálcio endovenoso, que devem me dar um pouco mais de energia. Tomei a primeira dose com a certeza de que, enquanto não souber que meu marido está bem, não vou conseguir me acalmar.

21 de abril de 1945

O asilo abriga gente de todo tipo. Tem judeus da Europa inteira, é claro, um indiano anti-inglês muito simpático, que me lê a mão e as cartas, e uns hussardos sujos e barulhentos. É claro que minha filha se encantou com eles. Costanza os acha divertidíssimos e, mesmo que eu peça a ela que não fique com eles, basta me distrair um pouco que lá está, dançando ao som das canções eslavas. Tenho medo de que ela pegue piolhos, fico imaginando a dificuldade que será me livrar dos pequenos parasitas com o racionamento de água e a falta de acesso a medicamentos!

Como previ, hoje encontrei nela um único piolho enorme! Sem remédio para tratá-la, encharquei uma toalha com água-de-colônia e embrulhei sua cabeça. Se tiver sorte, ficará só nisso.

A maior parte dos refugiados é italiana. Entre eles, um senhor de mais idade, que conheceu Mussolini quando jovem. Gosto de me sentar ao lado dele durante o jantar para ouvir suas histórias. Também tem o maestro Fontana, um empresário musical que representara alguns dos maiores artistas da Europa, e, por fim, comunistas da resistência italiana que fugiram da perseguição nazifascista.

Procuro me dar bem com todos, tentando não chamar a atenção para quem eu sou, mas ontem um dos comunistas, ao ouvir meu nome, veio tirar satisfações:

— A senhora é o quê do Pascolato que foi *federale* de Veneza?

— É meu marido – respondi gentilmente, já antecipando que isso me causaria problemas.

Ele fez um escândalo, queria chamar o coronel responsável para me extraditar para a Itália, pois "não pode haver refúgio para fascistas".

— Todos merecem a cadeia, inclusive as crianças! – esbravejava apontando para minha filha, que olhava assustada para ele.

Eu me mantive calma, tentei argumentar que ele não conhecia a minha história. Não tinha ideia da pessoa íntegra que era meu marido, de tudo o que ele fez para evitar a aliança da Itália com a Alemanha. Não sabia o quanto arriscamos para proteger nossos amigos judeus, nem as dificuldades pelas quais passamos. Mas, graças a

Deus, com exceção da meia dúzia de partidários da resistência que gritavam palavras de ordem em minha direção, todos ali me defenderam e apoiaram.

Com tanta gente diferente, numa situação tensa, *sui generis* mesmo, é natural que haja desavenças. Eu tenho um talento especial para a diplomacia e, sempre que posso, procuro ajudar as pessoas a se entenderem melhor. Com isso, venho conquistando a amizade de meus companheiros de asilo, o que acabou pesando a meu favor naquele momento.

Depois que terminou o rebuliço, fui me deitar. Procuro ser forte, especialmente por causa de minha filha, mas ontem à noite não aguentei. Esperei Costanza dormir e comecei a chorar, chorar, chorar. Só parei quando adormeci.

Nossa família toda separada, a situação de meu marido uma incógnita, eu realmente não sei o que fazer para nos ajudar. Não tenho nem ideia por onde começo. A única coisa que sei é que não mereço ser agredida dessa maneira. E o pior é que ainda faltam dez dias para terminar a quarentena, o que me parece uma eternidade.

Só uma vez na vida senti uma angústia e claustrofobia tão grandes quanto as que sinto aqui no campo de refugiados. Há mais de 20 anos, no internato em Tortona.

3.

Setembro de 1923

Quando entrei na idade de ir à escola, Mamãe resolveu manter a tradição da família e me pôr no mesmo internato onde ela estudou, o Sacré-Coeur em Tortona, no Piemonte. Eu odiava tanto aquele lugar! Estava todo errado para mim. Como eram sujos! Eu me sentava no refeitório gelado, um silêncio. Não podíamos conversar, rir, brincar. Não existia espaço para expressarmos nossas ideias. Era tudo muito impessoal. Tínhamos que olhar para a frente e comer. O cheiro daquele prato rançoso me dava enjoo. Passavam um pano, depois outro e só, sem sabão, sem nada. Eu, que herdara a mania de limpeza de minha mãe, me recusava a comer e adoeci. Ao sinal de um princípio de pneumonia, Mamãe, desesperada, me tirou do colégio e decidiu que não ia mais me pôr em escola alguma.

Ela contratou tutores para me ensinarem em casa. Mas o que não percebeu foi que o problema não era o fato de eu estar num internato. Além da sujeira, eu também não suportava a rigidez, a mentalidade retrógrada do colégio de freiras, que agora eu comparava com a austeridade dos suíços do campo de refugiados. Passei os cinco anos seguintes recebendo aulas particulares e viajando para lá e para cá com meus pais enquanto eles cuidavam das propriedades da família.

Meu pai, homem de negócios habilidoso, tinha fazendas espalhadas por todo o país, desde o Piemonte, onde eu nasci, até Siena, onde mais tarde eu teria meus filhos. Por isso, tanto ele quanto minha mãe, que o ajudava, viajavam muito e, por vezes, nos levavam com eles. Eu tinha um irmão mais novo, Nino, e um 14 anos mais velho, Ugo. Este último era filho da primeira mulher de meu pai, que morreu quando Ugo ainda era menino.

Minha vida passou do extremo da rigidez do internato a uma liberdade absurda para uma criança. Até gostava da vida do campo, de passear pela fazenda de charrete com Papai, de conversar com os camponeses, olhar as plantações, mas, para mim, o importante sempre foi a educação. Com tanta viagem, sentia que não estava aprendendo o suficiente, então uma hora bati o pé:

— Chega dessa vida cigana! Eu quero estudar. Vocês precisam me pôr num colégio interno, não posso mais ficar viajando assim, não consigo me concentrar!

— Mas você já frequentou um colégio, não gostava de lá. Quase morreu... – disse minha mãe.

— Aquele lugar era horrível! Não é possível que todas as escolas sejam assim! O Nino é só uma criança e já está numa boa escola em Fiesole, ele gosta de lá. Por que eu, que sou quatro anos mais velha, não posso encontrar um lugar bom?

— É diferente, o seu irmão é homem, ele vai precisar dos estudos quando for adulto.

— E eu não? Eu também preciso conquistar minha independência.

Mamãe morreu de rir de mim tentando me afirmar aos 11 anos. Hoje em dia eu entendo a graça que ela viu naquela cena, mas na época fiquei com uma raiva!

Aquele não foi o primeiro nem seria o último desentendimento entre nós duas, com vozes e espíritos exaltados, lágrimas e portas batidas. Ela não entendia por que me empenhava tanto nos meus estudos, achava que eu tinha que me dedicar a coisas mais femininas como costurar, cozinhar, cuidar da casa. Irônica, perguntava:

— Mas que vida independente é essa que você quer?

E eu, muda de ódio e frustração, só conseguia chorar.

Sim, é verdade que ainda era jovem demais para conseguir pôr em palavras o que sentia, mas isso não queria dizer que já não tivesse muito claro na minha cabeça o que eu achava bom para mim. Pensava na minha tia Nena, em como a vida dela era tudo o que eu não queria. Linda! Os cabelos longos, lisos, pretos, pretos, sempre presos num coque, o corpo comprido, delgado e os olhos verdes, tão melancólicos quanto profundos. Ela morava com seus pais por nunca ter se casado. Sua ocupação era cuidar da mãe doente e, quando os pais morreram, não teve para onde ir. Foi viver com a irmã, minha mãe. Muitos anos antes, Nena teve um amor. Um rapaz de boa família, mas saúde fraca. Meu avô, do alto da autoridade dos patriarcas daquela época, proibiu o romance com medo de que ela se tornasse viúva logo após o casamento. Moral da história: ele se casou com outra e teve uma vida longa e feliz. E minha tia mergulhou na sua própria frustração, numa vida solitária...

Eu também pensava na minha mãe, a boa e dedicada samaritana, sempre atenta às menores necessidades dos outros. Ela poderia ter estudado para se tornar médica, ido atrás de seu sonho, ganhado dinheiro, construído uma "vida independente". Mas, naquela época, o que uma moça de boa família podia fazer senão se casar e dedicar a vida ao marido e aos filhos? Com 20 anos, ela conheceu meu pai, Alfredo.

Ele era um viúvo de meia-idade, com um filho adolescente. Às vezes me perguntava se Papai a escolhera simplesmente porque ela era de boa família e estava na idade de se casar. Na minha cabeça, amor não parecia se enquadrar naquele acordo. Nem para ele nem para minha mãe, que talvez tivesse entrado no casamento com ideais românticos, mas logo se decepcionou. As frequentes crises de nervos, descarregadas em quem estivesse pela frente, pareciam comprovar minha tese. Eu observava essas mulheres inteligentes presas a suas vidas sem alternativa e ouvia meu instinto dizendo que talvez, se estudasse, conseguiria ter um caminho diferente. Não me arrependo de ter ouvido minha intuição.

Existem qualidades que nos acompanham sempre, como amigas ou mentoras. No meu caso, é uma determinação quase obsessiva. Diante dela, meus pais não tiveram alternativa senão ceder e me procurar um bom colégio. Acho que foi uma prima de minha mãe que falou pela primeira vez do Poggio Imperiale, um excelente internato para moças em Florença. Pragmáticos, Papai e Mamãe devem ter adorado a ideia. Afinal, ficava a apenas 40 minutos de Resta, nossa fazenda na Toscana, e praticamente na mesma cidade do colégio que Nino frequentava. Pragmatismo ou não, pela sorte que me acompanha, encontrei na filosofia moderna daquele colégio o refúgio perfeito para meu caráter. Ao contrário do Sacré-Coeur, o Poggio seguia uma filosofia muito particular.

Tudo começou por volta de 1820, quando o marquês florentino Gino Capponi, um viúvo de mentalidade liberal, procurava uma boa escola para suas filhas. Embora fosse religiosíssimo, ele queria que elas tivessem uma educação secular, dissociada de tradições e dogmas cristãos. Capponi acreditava que a educação era a chave da civilização de um povo. Como não encontrou em Florença nenhuma instituição que o satisfizesse, resolveu fundar lá um colégio laico para meninas e jovens mulheres de boa família. Foi assim que nasceu o Poggio Imperiale, que ganhou esse nome por causa do magnífico palácio – uma antiga casa de veraneio dos Medici – onde está sediado desde 1865.

Gabriella, no Poggio Imperiale, aos 14 anos de idade.

Setembro de 1929

Eu me lembro do enorme frio na barriga que senti da primeira vez que fui ao colégio, com 12 anos. À medida que nosso carro subia a larga avenida que ia da Porta Romana ao Poggio, via crescer aquele gigantesco palácio de fachada neoclássica. Dois andares de proporções perfeitas que seguiam imponentes, simétricos. O sol estava se pondo e, por trás das cortinas entreabertas de uma das amplas janelas centrais, vi a sala de estar iluminada por uma pálida luz de leitura. Aquilo provocou em mim uma imediata sensação de aconchego, ao imaginar alguém sentado numa poltrona, perdendo-se na trama de um livro maravilhoso.

Até eu, que nasci em um lindo castelo de 1400, fiquei impressionada com a beleza daquele lugar. Fomos recebidos com muita cordialidade pela diretora, que nos levou para um *tour* pelo colégio, mostrando sala magnífica após sala magnífica, todas conservadas exatamente como eram na época em que o palácio pertencia aos Medici. E, enquanto passávamos da belíssima capela à sala do trono (inteira de afrescos barrocos que só podiam ter vindo das mãos de um mestre), ao salão de festas (todo branco, enfeitado com relevos de estuque), percebi que aquele era, sim, o meu lugar.

É claro que não foi apenas a beleza do Poggio que me conquistou. Aquele lugar, onde eu tive a liberdade de crescer e desenvolver minha personalidade, se tornou minha casa. A Itália é um país muito tradicional, centrado em sua história e costumes. Mesmo para mim, que vim de uma família de sucesso, com um pai que sempre fez negócios em toda a Europa e América, ter contato com pessoas do resto do mundo não era coisa comum. No Poggio, conheci moças da China, Pérsia, França, Inglaterra, Estados Unidos, Brasil... Eu era fascinada por todas as culturas e religiões, e esse contato me deu uma compreensão do outro e uma habilidade no traquejo social que foram muito úteis ao longo da vida. Inclusive naquele campo de refugiados na Suíça, tantos anos mais tarde...

4.

25 de abril de 1945

Depois daquele episódio com o jovem da resistência italiana, comecei a ficar cada vez mais triste. Me sentia oprimida, desesperançosa, completamente sem direção. Graças a Deus, a visita do Tarchini hoje cedo mudou tudo. Ele conseguiu permissão para que meu filho termine o tempo de quarentena com a Blanche em sua casa. E ainda me fez uma surpresa, me entregou uma carta de Miki, que já está na Suíça!

Enquanto os soldados o escoltavam de volta para a Itália naquele dia fatídico, meu marido começou a falar sobre nossa família e contar histórias de guerra. Os jovens oficiais se compadeceram dele:

— O senhor tem uma família tão bonita – disseram –, podemos ver que é uma boa pessoa. É claro que temos que entregá-lo às autoridades, mas espere um minuto, que precisamos amarrar as botas.

Miki entendeu, de um soldado para outro, o que queriam dizer: "vamos fazer de conta que nos distraímos, é o momento de você fugir". Correu sem ter certeza de que os suíços não usariam aquela oportunidade para atirar nele pelas costas. Na verdade, dispararam, mas para o alto, como defesa caso fossem interrogados por seus superiores.

Ele se escondeu na floresta e conseguiu voltar para aquele quarto úmido com uma cama só no vilarejo próximo ao bosque, onde passamos o dia antes de nossa travessia. Lá ficou até conseguir trilhar o mesmo caminho que tínhamos feito. Dessa vez, sozinho e com sucesso. Uma vez em Chiasso, foi até a casa dos Tarchini, que o puseram num quarto no sótão onde ficará escondido até que eu encontre uma maneira de conseguir seu visto.

26 de abril de 1945

Hoje a brigada da resistência italiana tomou Milão e está chegando próximo à fronteira. Agora a Itália está quase toda ocupada pelos Aliados. Mais uma vez, a guerra acontece a uma questão de quilômetros de onde estamos.

29 de abril de 1945

Consegui uma autorização especial para visitar meu filho. É a primeira vez que saímos do asilo. Preparei Costanza, o *avvocato* Tarchini veio nos buscar de carro e levou até sua casa, muito gostosa, austera, decorada com madeiras escuras (talvez escuras demais) e espaçosa. A frente não tem recuo, dá diretamente para a calçada, mas nos fundos há um lindo jardim. O casal sem filhos acolheu nossa família calorosamente. A *signora* Tarchini me deu uma série de coisas, pequenas amenidades que tornarão minha vida no asilo um pouco mais confortável. Aquilo me tranquilizou muito. Não só pelas coisas em si, mas pelo fato de me sentir amparada num momento muito frágil de nossa vida. Sei que posso contar com eles para tudo. Vi Alex, que estava muito melhor embora ainda magrinho. Coitadinho, depois do que passou é natural que precise se recuperar. Por fim, Blanche foi passear com as crianças enquanto subi para ter com meu marido.

Entrei no pequeno quarto no sótão com o teto inclinado e uma janelinha por onde mal entrava luz. Ao lado dela estava Miki, que observava de longe nossos filhos brincando na rua com a Blanche, seus olhos cheios de lágrimas. Costanza não pode ver o pai. Está naquela idade em que fala tudo e ainda não sabe guardar segredo. Resolvemos que é mais prudente que meu marido a veja apenas de longe. Aquela cena me partiu o coração. Os dois são tão próximos! Todos os dias Costanza pergunta por ele, e eu estou privando minha filha dessa alegria. Mas, se ela falar para alguém do asilo que viu o pai, estamos perdidos. Ainda mais agora, que eu estou na mira dos partidários da resistência.

Nós passamos uma hora juntos. É claro que o encontro não foi exatamente feliz, nem poderia ser, mas nos entendíamos tão bem! Conversamos de tudo e, juntos, traçamos um plano de ataque para unir nossa família novamente. Há várias etapas a serem cumpridas. Em primeiro lugar, eu preciso descobrir se ele está na lista negra dos Aliados. Essa informação será determinante para saber que providências tomar. Preciso ir aos consulados inglês e americano para tentar ter acesso à tal lista. Me despedi de Miki um pouco mais aliviada, embora o coração continue pesado.

Chegando ao asilo, fiquei sabendo que, perto de Como, Benito Mussolini, sua amante, Clara Petacci, e outros 17 oficiais foram fuzilados pela resistência. A multidão cuspiu nos cadáveres, espancou-os, apedrejou-os e, por fim, pendurou-os de cabeça para baixo na Piazza Loreto em Milão. Durante horas, o povo enfurecido continuava a berrar e jogar pedras nos corpos expostos. Foi um fim violento para um líder igualmente violento.

30 de abril de 1945

Chegou a vez de Hitler. Sua morte foi menos bestial que a de Mussolini. Ele preferiu tirar a própria vida a se render ou ser testemunha da derrota da Alemanha.

Agora que a guerra chegou ao fim, não posso deixar de me lembrar de quando comecei a avistar seus primeiros sinais. Faz pouco mais de dez anos. Estava prestes a me formar no Poggio, ainda uma menina. Não tinha ideia de que, em tão pouco tempo, minha vida mudaria tanto nem que o mundo viraria de cabeça para baixo. Não podia imaginar a devastação que estava por vir...

5.

1º de janeiro de 1935

— Que bonito seu colar! – disse a filha do xá da Pérsia, já estendendo a mão para pegar, sobre a mesa, as pérolas que eu tinha ganhado de minha avó.

— Muito obrigada! – respondi e, conhecendo bem a tradição muçulmana, agarrei-o de volta.

— Já não te disse que, na Pérsia, quando elogiamos o objeto de alguém, essa pessoa tem que nos dar aquilo de presente? Se você não me der seu colar, ele vai ficar com mau-olhado.

— Já explicou, sim, e eu já disse que na Itália não é assim que funciona. A minha querida avó, que está no céu, me protege do seu mau-olhado. – E saí dando risada, enquanto ela vociferava que seu pai era muito amigo de Mussolini e que iria reclamar da minha insolência diretamente com o Duce.

— Pode ir! – ainda respondi de longe, já descendo a escada que ligava a enfermaria ao resto do internato. Eu estava com 17 anos e começava meu último semestre no Poggio.

Enquanto me dirigia ao salão principal, fazia uma lista mental de todas as minhas tarefas, mas não conseguia me concentrar, pois, a cada degrau, sentia a saia do uniforme apertando meus quadris. Devia ter engordado pelo menos um quilo e meio. Claro, fiquei a semana toda parada, sem jogar tênis nem fazer caminhada, e ainda por cima a comilança do Natal e Ano-Novo! Para cortar o mal pela raiz e evitar o maldito e costumeiro efeito sanfona, prometi para mim mesma que não ia comer doce até a formatura, em setembro.

Quando a escada menor se abriu para a imensa escadaria, parei para olhar o busto de mármore ao meu lado e os afrescos lá embaixo no saguão. Como iria sentir falta daquele lugar! Encontrei Miss Frances Le Mâitre, que tinha acabado de chegar de Londres, onde passou as festas com a família. Ela foi minha professora de língua e literatura inglesas durante os últimos dois anos. Nós dividimos o mesmo amor pelos livros e, por causa dela, escolhi cursar a faculdade de Letras. Miss Le Mâitre ainda é jovem, muito magra e alta, não exatamente bonita. Carrega aquele ar ao mesmo tempo gentil e austero que só os ingleses conseguem ter. Sua relação com as alunas é ótima, e todas no colégio a adoram. Mas, mesmo ela, com suas excelentes qualificações acadêmicas, não escapa do escrutínio preconceituoso da sociedade em relação às moças solteiras e independentes. Como as pessoas podem ser más! Por que não cuidam da própria vida?

Começamos uma conversa cordial, que aos poucos foi se transformando em monólogo. Eu fiz uma relação elaborada dos meus planos para o futuro:

— Tenho que estudar sem parar até setembro. Pelo menos quatro horas por dia. Já fiz um cronograma. Acho que assim consigo passar bem nas provas. Talvez até receber uma menção. Com boas notas e um diploma do Poggio, acredito que vou ser aceita na Ca' Foscari e...

Ela me interrompeu com um olhar doce, mas melancólico. Segurando minhas mãos, disse:

— Para nós, mulheres, em um mundo masculino, não basta esforço. Mesmo que tenhamos uma excelente educação.

Com um sorriso, afastou uma mecha de cabelo de minha testa e me beijou o rosto, mas eu não entendi o que ela quis dizer com aquilo. Tive quase a sensação de que estava torcendo contra mim. Fiquei tão irritada que simplesmente virei as costas e fui embora.

No final da tarde, Mamãe e Papai chegaram do Piemonte para uma visita. Tivemos uma conversa rápida, contei como foi divertida nossa comemoração de Ano-Novo: nós todas reunidas no salão de festas para uma taça de espumante, ouvindo música no toca-discos e dançando. Fizemos de conta que estávamos num enorme baile do século passado, dançando, umas no papel de cavalheiros e outras como damas, com gestos e trejeitos exagerados. Como rimos! Mas eu sabia que aquele era o último ano que passaria ali com minhas amigas, e junto com a alegria das festividades também senti uma pontada de melancolia pela despedida e pela incógnita do que estava por vir.

Depois me contaram da festa deles, de como andava o Castello no Piemonte e os planos para os próximos dias. Como de costume, Papai seguiria aquela noite para Resta, enquanto Mamãe ficaria no apartamento de Florença.

Estávamos sentados na sala de estar. Eu adorava aquele lugar, bem menos grandioso do que os outros salões do Poggio e, portanto, mais aconchegante. As paredes, em vez de terminarem numa junção dura, angular com o teto, traçavam um arco suave até o forro criando uma abóboda. Esse detalhe, tão simples, dava uma continuidade delicada ao afresco que corria em 360 graus: uma paisagem bucólica, rochosa. Em primeiro plano, um cachorro galgo malhado olhava para cima como se estivesse observando, solitário, dois pássaros que voavam em direção a um céu azul entre nuvens. Me esforçava para ouvir o que minha mãe dizia, era algo sobre Nino e como ele tinha aprontado mais alguma, mas só conseguia prestar atenção naquela imagem silenciosa. De repente desatei a chorar. Assim, sem mais nem menos, sem conseguir entender o motivo.

Meus pais me olharam espantados com a falta de explicação para aquele desabafo. Esse tipo de demonstração de fraqueza não é do meu feitio. Explosões de raiva e de indignação, sim, mas de fragilidade, não. E, embora eu percebesse neles uma preocupação, também sei que ficaram constrangidos, sem saber o que fazer. Nós somos todos muito formais. Abraços e afagos não fazem parte de nosso repertório. A conversa continuou desajeitada por algum tempo. Ainda tentei falar dos meus planos para depois da formatura, mas logo Papai e Mamãe se foram. Eu continuei ali sentada, sozinha, irritada comigo mesma por ter perdido o controle e causado uma apreensão desnecessária. Fui jantar e, como de praxe quando me sinto frustrada, mandei às favas minha promessa de não comer doce.

Os dias correram e eu junto com eles. Voltaram também as caminhadas diárias, algumas vezes com as amigas e professoras, outras sozinha. Quando virávamos à esquerda saindo do Poggio, a Via San Felice a Ema nos levava ao Galluzzo, o vilarejo vizinho, com seus morros cheios de ciprestes e oliveiras de um verde suave, acinzentado. No caminho passávamos à direita por uma casa enorme que pertenceu ao descobridor Américo Vespúcio e, um pouco mais adiante, à esquerda, uma igreja do século XI.

Se fôssemos na direção oposta, a paisagem era mais urbana, de ruas estreitas e sinuosas que levavam até a Piazzale Michelangelo, com aquela vista magnífica de Florença e seu misterioso Duomo. Quando não queríamos andar tanto, seguíamos reto, descendo a colina que levava à Porta Romana, entrada da cidade, onde tomávamos um sorvete. Conversávamos muito sobre nossa obsessão coletiva: o futuro e o que ele guardava para nós. Muitas de minhas amigas queriam conhecer um bom partido e se casar, mas eu só pensava em entrar na universidade.

Recebera a resposta ao meu pedido de matrícula na universidade dos meus sonhos, a Ca' Foscari: um sonoro não. Então era verdade tudo que Miss Le Mâitre tinha dito. Não bastava estar sempre entre as primeiras da minha classe em um dos colégios mais conceituados da Europa. Eu sou mulher, e isso era suficiente para me impedir de cursar uma universidade de primeiro nível. Sim, podia frequentar outras universidades mais fracas, mas por que, depois de tanto esforço, tinha que me contentar com menos? Desesperada após receber a notícia, saí sozinha para passear, refletir e colher trevos de quatro folhas que ainda guardo no meu diário como um amuleto.

6.

Fevereiro de 1935

Durante minhas caminhadas, comecei a sentir uma forte dor no calcanhar. Tentei ignorá-la, mas só piorava e, em pouco tempo, mal conseguia andar. Veio um podólogo tentar resolver o problema. Ele era uma figura! Metido a intelectual, enquanto raspava calos e desencravava unhas, empostava a voz e citava Giuseppe Mazzini: "Porque crer e amar constituem a vida, toda a nossa vida".* E eu,

---

* *"Perchè credere e amare costituiscono la vita, tutta intera la nostra vita."* Giuseppe Mazzini, 1805-1872, foi político e revolucionário da unificação italiana.

além de um pouco aflita ao vê-lo divagar enquanto apontava aquele alicate afiadíssimo para o meu pé, também senti uma melancolia típica dos adolescentes e comecei a pensar que, até aquele momento, ainda não tinha acreditado ou amado o suficiente para viver intensamente. Não obstante meus temores, ele era um ótimo profissional. Conseguiu fazer com que a dor melhorasse durante um tempo. Mas, quando voltou, veio com ainda mais força. Minha mãe insistiu para que eu fosse ao médico da família, que me receitou injeções semanais de anti-inflamatório e recomendou repouso.

Nas minhas idas à cidade para tomar as injeções, observava com crescente apreensão que as ruas estavam se enchendo de soldados e recrutas. Eu tinha apenas um ano quando, em 1918, a Primeira Grande Guerra acabou, mas ainda conseguia sentir as cicatrizes profundas que ela deixara na Europa. Por isso, quando começaram os desentendimentos entre Itália, França, Inglaterra e Alemanha, meu estômago se pôs a revirar com a ideia de um novo confronto. Pouco era noticiado, só sabíamos que tinha algo a ver com a marinha alemã. Em dois meses, os atritos se intensificaram com a tentativa frustrada entre ingleses e alemães de assinar um acordo para limitar o tamanho da frota do novo e agressivo chanceler, Adolf Hitler. Enquanto isso, Mussolini vinha reforçando a fronteira de suas colônias na África numa disputa territorial com a Etiópia.

Mas a guerra ainda era uma ameaça distante e a vida continuava. Chegara a hora de cuidar de assuntos mais corriqueiros e divertidos: meu guarda-roupa para o verão. Como sempre, Mamãe mandou vir de Torino nossa costureira, a Serra. Sentamos durante horas diante de um enorme mostruário de tecidos e recortes das últimas revistas de moda, discutindo as peças que comporiam nossos vestuários. Fiquei empolgadíssima com o meu, muito elegante e moderno, bem em sintonia com a imagem que eu queria projetar.

Para a formatura, decidimos por um vestido azul-celeste que combinaria com meus olhos. Segurando uma amostra do tecido que escolhemos, fui ver os sapatos que tinha no armário na tentativa de encontrar algo que combinasse. Voltava desanimada, quando Mamãe reparou que eu estava mancando.

— Você continua com dor nesse pé, minha filha?

— Sim...

— Mas você já não fez o tratamento do prof. Bastai? – perguntou esboçando um tom de irritação.

— É claro que fiz! E melhorei durante um tempo, mas foi só eu recomeçar a caminhar e jogar tênis que a dor voltou – respondi já assumindo uma postura defensiva.

— E ele não falou que você tinha que ficar de repo...

— Será que o problema não seriam os sapatos? – interrompeu Serra com sua voz fina, enquanto calmamente tirava as medidas do meu busto e cintura. Após tantos anos, ela sabia que, do jeito que estava indo, a conversa não acabaria bem.

Sempre me impressionei com a habilidade da Serra. Baixinha, os dedos curtos, os óculos pendurados por uma corrente em volta do pescoço, sua fita métrica e a almofada de alfinetes na mão, o giz de tecidos no bolso. Até hoje guardo algumas das peças feitas por ela. Um trabalho impecável onde não se vê pontos, não se vê nada além de uma roupa perfeita.

— Várias clientes minhas estão fazendo sapatos com um jovem que voltou faz dois anos de Hollywood. Ele veio para a Itália depois que o negócio dele faliu por lá.

— Ah, não quero saber de americanos! – disse Mamãe.

— Ele é napolitano, se chama Salvatore Ferragamo.

— Mas se ele faliu, não seria porque os sapatos dele não são bons?

— Ele trabalhava para algumas das atrizes mais famosas. Parece que se desentendeu com os sócios e, sabe, com a crise de 1929... Todas me dizem que seus calçados são excepcionais. Além de lindos, muito confortáveis. Gabi, por que você não encomenda sapatos para sua formatura? Leva uma amostra do tecido para ele tingir o couro com a mesma cor. Quem sabe? Assim você vai poder dançar a noite toda.

Desesperada por causa da dor que não passava e sem mais opções, resolvi testar os sapatos do tal Ferragamo. Cheguei a sua loja na Via Tornabuoni, onde estão as *boutiques* mais finas de Florença, e me encontrei com um homem não muito alto nem esguio. Troncudo, com um rosto quadrado, os cabelos grossos, cheios e ondulados controlados com gel. Seu olhar era forte e o sorriso simpático.

Nos entendemos bem. Ele passou uns 20 minutos examinando e elogiando meus pés. Eu fiquei especialmente impressionada pela intensidade com que ele investigava cada detalhe. Pode parecer absurdo, mas era quase como se estivesse conversando com eles. Por fim, disse que o problema era meu arco acentuado.

— Esses sapatos que você usa não dão sustentação nem distribuem o peso adequadamente. Você acaba pisando com muita força no calcanhar.

Confiante, encomendei um par para caminhada, outro para jogar tênis e lindos sapatos de noite para combinar com meu vestido azul-celeste. Ferragamo disse que preferia fabricá-los com o próprio tecido em vez de tingir o couro, assim não corria o risco de errar no tom. Ia telefonar para Serra pedindo um pedaço maior de fazenda.

Ia ao seu ateliê com bastante frequência para encomendar calçados novos e fazer a prova daqueles em fabricação. Logo percebi que a dor no meu pé passou completamente. Dava para ver que ele sabia do que estava falando. Ficamos amigos.

Salvatore era perfeccionista, supercriativo e cheio de recursos. Adorava inovar. Inventava modelos com materiais inusitados e mandava para que eu experimentasse.

Lembro que, alguns anos mais tarde, com o racionamento do couro e a piora da qualidade da cola de sapateiro, suas clientes começaram a reclamar dos saltos que caíam ou arrebentavam. Ele então desenvolveu um salto inteiriço de cortiça muito mais firme e com a vantagem de dar maior apoio aos pés. Era o que depois ganharia o nome de salto anabela. Logo, ele me telefonou dizendo que queria que eu os testasse.

— Claro que sim! Mas já vou avisando que, se não gostar, eu devolvo e não pago nada.

— Ah, sempre a mulher de negócios! Já disse que a senhorita perde seu tempo estudando tanto. Seu futuro não é nos livros, mas nos negócios. Eu não vou cobrar nada, estou pedindo que teste meus sapatos.

Quando recebi pelo correio aquele par, achei meio estranho, com o aspecto pesado. Nunca tinha visto uma coisa semelhante. Mas eu era muito novidadeira e resolvi prová-los. Na semana seguinte, liguei para dizer que eram os sapatos mais confortáveis que já tinha calçado.

13 de junho de 1935

Minhas aulas terminaram um dia após eu completar 18 anos. Eu estava de partida para uma temporada em Resta quando recebi um telefonema de Ferragamo dizendo que as sandálias que encomendara estavam prontas. Passei para buscá-las e, como sempre, ficamos conversando durante um tempo. Na despedida, ele pegou minha mão, me olhou fixamente e disse que ia sentir minha falta... Aquilo me deu um arrepio na espinha! Me dei conta de que ele tinha uma queda por mim... Que bobinho! Não gostava daquilo, atrapalhava tudo o que tinha de tranquilo na minha alma. Imagine, a pouco mais de dois meses dos meus exames de conclusão de curso, o que eu menos queria era esse tipo de distração!

No dia seguinte, ainda sentia um frio na barriga pensando no ocorrido. Mesmo assim, decidi não ceder à vaidade e pensar nas consequências a longo prazo. Precisava ser muito hábil, afinal, não queria que aquilo estragasse nosso vínculo ainda muito incipiente. Aos poucos, sem tocar direto no assunto, sabia que conseguiria deixar clara minha falta de interesse, mantendo, contudo, nossa amizade intacta. Pelo menos era o que eu esperava.

Caso contrário, sentiria muita falta de nossas conversas. Ele me passava muita segurança.

Gostava de sua certeza ao me dizer que eu não tinha que me preocupar com o futuro. Ele acreditava que, para pessoas como nós, que corríamos atrás de nossos objetivos, a vida sempre dava um jeito de se acertar. Usava como exemplo sua própria história. Nasceu de uma família pobre em uma pequena cidade do sul da Itália. Apesar da objeção dos pais, aprendeu o ofício de sapateiro com o artesão local. Aos nove anos, foi sozinho para Nápoles, quase sem dinheiro, para aperfeiçoar sua técnica com os melhores profissionais da região. Passou fome nas ruas, mas não voltou para casa enquanto não aprendeu tudo o que eles tinham para ensinar.

Aos 15, foi para os Estados Unidos atrás dos irmãos mais velhos que haviam montado uma pequena loja de calçados na Califórnia. Em Hollywood, teve uma carreira meteórica, conquistando os pés mais estrelados. Com todo esse sucesso, resolveu expandir seu negócio para a Europa e se estabeleceu em Florença, de onde exportava sapatos para os Estados Unidos e outros países europeus. Por circunstâncias alheias à sua vontade e capacidade, o negócio faliu e ele contraiu dívidas com bancos italianos que todos consideravam impagáveis. Os amigos recomendavam que ele largasse o país e construísse uma carreira do zero em outro lugar. Ele, porém, teimou em ficar. Tudo o que queria era trabalhar. Foi atrás de clientes e, aos poucos, ampliou seu negócio. Hoje, atrizes, rainhas e políticos viajam dos quatro cantos para fazer sapatos com ele.

Convenci meu pai a ajudá-lo com suas dívidas. Ele emprestou uma boa quantia para que Ferragamo terminasse de se reerguer. Foi um dos melhores investimentos que já fez. Em pouquíssimos anos, meu amigo pagou suas contas. Ele sempre me disse:

— Você tem que ir atrás dos seus objetivos. Com sua inteligência e determinação, vai conseguir fazer o que quiser: estudar Letras, escrever livros ou virar professora. Mas, na minha opinião, você é uma mulher de negócios, não uma acadêmica.

7.

Junho de 1936

Embora eu achasse que Ferragamo estivesse errado quanto ao meu jeito para os negócios, tinha que admitir que adorava as reuniões de família em que Papai discutia conosco (Mamãe, Ugo, Nino e eu) os detalhes da administração de nossas propriedades. Homem muito prático, ele nunca fez distinção quanto à origem das colocações. Se fossem sensatas, as acatava, não importava se viessem de mim ou de meus irmãos. Acho que foi graças a ele que aprendi a fazer valer minha opinião. Já minha mãe tinha uma postura diferente. Favorecia o ponto de vista masculino e achava que nem eu nem ela deveríamos nos meter nesses assuntos. Nossa função era fazer com que, após a tomada de decisão, tudo transcorresse da melhor forma possível.

Foi numa dessas reuniões, um ano após minha formatura, que Papai anunciou que resolvera vender a propriedade de Rivalta, no Piemonte. Os reflexos da guerra territorial que Mussolini travou com a Etiópia, à sombra da crise de 1929, prejudicaram a economia do país e, por consequência, os negócios da fazenda. Mesmo com a situação melhorando – a Itália tendo vencido a guerra e a Liga das Nações suspendendo as sanções econômicas contra o país –, Papai chegou à conclusão de que não fazia sentido manter duas propriedades daquele tamanho. Afinal, com a gasolina a 3,50 liras* por litro, cruzar o país de carro duas, três vezes por semana ficara inviável. Ele resolveu continuar com Resta, na Toscana, por ser mais perto de mim e do Nino e porque o vinho que produzimos lá, principalmente o *vin santo*, sempre tinha uma boa procura. Além disso, Papai estava de olho em uma outra propriedade bem perto de Resta, em San Galgano. Por estar muito abandonada, o preço era ótimo. Ele conseguiria vender Rivalta, comprar San Galgano e ainda ficar com um bom dinheiro. Depois, poderia reerguer San Galgano e vendê-la com lucro.

---

* Quase três euros hoje em dia.

Até tentei argumentar contra a venda daquela fazenda, mas a decisão já estava tomada. Fiquei inconformada e, naquela noite, ainda sem conhecer as perdas e dores da guerra, chorei com a ideia de me despedir do lindo Castello.

Apesar da grande tristeza, entendia os motivos de meu pai para a venda. Admirava sua ousadia e esperteza para os negócios. Quase dez anos mais tarde, quando tive de deixar tudo para trás e atravessar a fronteira para a Suíça a fim de começar uma vida nova, carreguei comigo seu exemplo de determinação, objetividade e desapego. Sei que não foi fácil para ele vender aquela propriedade, que ficava em sua terra natal, onde seus filhos nasceram e passaram parte da infância. Mas era o que precisava ser feito.

— Gabi, você vem comigo organizar a casa enquanto sua mãe fica em Resta preparando tudo para a chegada da mudança.

Num primeiro momento fiquei irritadíssima com a falta de sensibilidade de meu pai. Então ele não via minha tristeza?! Como é que esperava que eu fosse desmontar aquela casa? Mas, por fim, cheguei à conclusão de que seria a melhor maneira de me despedir do lugar onde nasci. Além disso, sentia que era bom dar uma trégua para minha realidade.

Por não conseguir entrar na Ca' Foscari, passei o último ano estudando Língua e Literatura Inglesa no British Institute e Teologia Comparada na Universidade de Florença. Só que fazer cursos aleatórios à espera de algo (como, por exemplo, um marido) não estava no meu projeto de vida. Olhava o céu encoberto pela janela, tudo em volta e adiante cinza, uniforme, e enxergava nele uma metáfora da minha existência.

O que me enlouquecia era a falta de perspectiva. Nenhum plano que eu imaginava para mim dava certo. Quis frequentar a Ca' Foscari e sabemos o que aconteceu. Resolvi então passar um semestre estudando em Londres e a Inglaterra se declarou hostil às manobras militares italianas. Sem um plano de ação, eu me deprimia e perdia controle até sobre meu corpo. "É um vitupério!" escrevia no meu diário, "Estou pesando 61kg ! Tenho que encontrar uma saída logo, com inteligência, senão quer dizer que sou uma idiota...". E, algumas semanas mais tarde: "Peso 65 kg. Estou me tornando uma 'beldade', não sei fazer nada direito... O outro dia li numa revista: 'Mulher alguma tem o direito de ser feia.' Verdade. Especialmente se for jovem... Hoje não consegui concluir quase nada e comi de forma indecorosa. Cresce dentro de mim a necessidade de algo sério na minha vida. Um trabalho de verdade...".

Além disso, Mamãe não me deixava em paz. Nós brigávamos sem parar. Ela queria que eu desistisse da ideia fixa de ter um diploma universitário e me interessasse mais pelos afazeres domésticos. A fim de evitar confrontos, eu procurava não entrar no assunto e fazia de tudo: cerzia meias como ninguém, consertava roupas e, quando estávamos sem empregada em casa, ainda passava, limpava os quartos, cozinhava..., mas nada adiantava, pois ela via que meu coração não estava ali.

***

Acabou que minha ida para Rivalta foi o arranjo perfeito. Quanto mais eu trabalhava na mudança, mais calma me sentia. E trabalho não faltava! O Castello tinha quatro andares e, de tão grande, mesmo minha família toda reunida só ocupava três. O último piso estava cheio de móveis, roupas e objetos antigos que eu e Nino adorávamos explorar quando éramos crianças, fingindo ser um casal de nobres senhores de tempos passados.

Precisava organizar tudo aquilo, catalogar os móveis, quadros, livros e, junto com Mamãe em telefonemas diários, decidir quais objetos iam para Resta e quais seriam vendidos ou deixados para trás. Depois disso, supervisionava toda a embalagem dos móveis e obras de arte e o carregamento dos caminhões. Tomei cuidado especial com a biblioteca, que tinha milhares de livros antigos, alguns raros e muito delicados. Fiz uma relação por ordem alfabética de autor, embrulhamos cada um em papel de seda, colocamos nas caixas que iriam para Resta, onde construiríamos um espaço novo para eles. Também mandei desmontar todas as estantes de madeira nobre maciça que seriam refeitas na Toscana.

Apesar do trabalho intenso e da melancolia, ainda consegui aproveitar minha última temporada no Piemonte. Para relaxar, às vezes Papai me levava bem cedinho de charrete para ver a colheita do trigo e a *vendemmia*, que é como chamamos a colheita das uvas do vinho. Acho que foi a maneira que ele encontrou de nos despedirmos juntos do lugar, repetindo a mesma rotina de todos os anos desde quando me entendia por gente. Eu nem bem tinha aprendido a andar, já saíamos na carroça, ele me explicando tudo nos mínimos detalhes, parando para conversar com os camponeses, me fazendo segurar espigas de trigo na mão para analisar sua cor, textura... O mesmo com as uvas e o vinho.

Depois da *vendemmia*, era a hora do divertimento durante a *pigiatura* (o amassar das uvas com os pés) e o engarrafamento dos vinhos. Passávamos noites e noites com os camponeses em um salão enorme, transferindo o líquido aromático, já fermentado de colheitas anteriores, dos barris para as garrafas e rotulando os frascos, enquanto ríamos muito, cantando, contando histórias e provando o vinho (afinal, ninguém é de ferro!).

Mas o que guardo com maior carinho desse verão de 1936 foi o tempo que passei com Ugo, meu irmão mais velho.

— Agora que a mudança já quase terminou, você não quer vir comigo caçar codornas? – ele me perguntou.

Saímos cedinho com Baby e Leo, nossos cães *épagneul breton*. Depois de uma hora de cavalgada, amarramos os cavalos nas árvores à beira de um descampado e seguimos os cachorros silenciosamente. Eles trotavam em zigue-zague pela grama alta farejando as codornas. Ao encontrá-las, paravam e faziam pose de alerta. Era a deixa para Ugo preparar a espingarda. Quando estava pronto, dava um assobio alto e curto e os cães saíam correndo, provocando a revoada. Assim que as codornas levantavam voo, eram abatidas. Depois, Baby ia buscar a caça. Eu gostava dos dois cachorros, mas Baby era especial, um tesouro: inteligente, carinhoso, lindo! A sintonia entre ele e meu irmão nunca deixava de me impressionar. Em pouco tempo já era hora de voltar para casa com cinco aves para o jantar.

Na cavalgada de ida e volta, aproveitamos para conversar um pouco. A família toda estava preocupada com o romance de Ugo com uma tal de Baker. Meu irmão parecia enfeitiçado! Todos sabíamos que ela era infiel, tinha uma índole desonesta, faltava-lhe caráter. Mesmo assim, apaixonado, ele insistia em querer se casar. Na noite anterior, Ugo tivera uma discussão acalorada com Papai, que parecia ter dado bons resultados, mas, é claro, o deixara muito triste. O que fazer? Era completamente fascinado por aquela bruxa! Meu irmão era tão sensível, tão delicado. Eu olhava para aquele homem alto de ombros largos e traços fortes, lindo, muito parecido com nosso pai, e via, nos músculos saltados da mandíbula quadrada, o reflexo de toda a sua frustração. Queria que ele soubesse que o amava e que o apoiava, não importava o que fizesse. Deixei-o desabafar. No fim, ficamos os dois em silêncio. Sabia que entenderia aquilo como um gesto de amor e solidariedade.

Ugo também acompanhava minha aflição com o final do trabalho em Rivalta. Terminar significava me despedir do Castello e voltar para casa, para uma realidade em que me sentia profundamente solitária. Meu pai não se manifestava, mas acho que sentia o mesmo que minha mãe: a solução para minha vida seria eu encontrar um marido, me casar e ter filhos. Nino, como bom caçula, só queria me irritar e repetia os argumentos dos meus pais. Meu único aliado era o Ugo. Mas ele estava sempre viajando para cima e para baixo ajudando meu pai nos negócios. Nos víamos tão pouco!

— Eu já perdi a esperança de entrar na Ca' Foscari. Acho que agora a única saída é fazer a prova do Proficiency de Cambridge, que me dá a possibilidade de ser professora de inglês.

— O que é o Proficiency, mesmo?

— Eu já te expliquei, é um exame dado pela Universidade de Cambridge que comprova que meu inglês atingiu nível de excelência.

— Mas isso é um diploma universitário? – insistia Ugo.

— Não, mas vou poder trabalhar e ganh...

— O que eu quero saber é se isso vai te fazer feliz.

Sem pensar, comecei a recitar a ladainha que repetia para mim mesma todos os dias:

— Feliz? Eu não tenho mais essa ambição. A felicidade é muito rara! Não posso ser ingrata querendo coisas que vão além do privilégio que vivi até agora. Quais são minhas opções? Me casar? Ficar para tia? Talvez resolva virar freira! Você sabe que não sou de meias medidas. Além do mais, a situação política é muito preocupante...

Ugo começou a rir daquele discurso dramático meio sem pé nem cabeça:

— Virar freira? – disse às gargalhadas. – Gabi, você sabe que nunca vai ser feliz se contentando com menos. A única coisa que faz sentido em tudo o que você acabou de dizer é que a situação política é preocupante. O mundo está mudando e você precisa estar preparada. Estamos às vésperas de uma guerra, ninguém sabe o que vai acontecer.

De fato, quem poderia imaginar os horrores que viriam pela frente? Sorte ou intuição, quando cheguei à Suíça nove anos mais tarde, vi que eu estava mais preparada do que imaginava. Não só por causa de minha habilidade em lidar com pessoas, mas, justamente, por causa do inglês que eu fazia tanta questão de estudar.

8.

1º de maio de 1945

Agora que chegou a primavera me tiraram do turno das batatas e me puseram como encarregada da horta. A tarefa é bem pesada, mas, pelo menos, os dias passam mais rápido.

Ainda faz frio. Chega até a nevar nos pontos mais altos dos Alpes. Hoje caiu uma forte tempestade. Minha filha está muito resfriada, com tosse e a temperatura um pouco alta. Por sorte consegui um ovo para Costanza. É algo raríssimo por aqui, mas ela está precisando se alimentar melhor e uma das freiras ficou com pena. Cozinhei em água fervente e a muito custo fiz com que ela comesse só para vê-la vomitar tudo em seguida. Senti um desânimo profundo. Não é só a doença, minha filha tem um relacionamento complicadíssimo com a comida. Quando estávamos na Itália era chato, mas paciência. Agora, porém, não podemos nos dar ao luxo de desperdiçar um ovo.

Eu a coloquei na cama cedo, desci para jantar e voltei para ver como estava passando. Sentei ao seu lado e começamos a conversar. Contei que, dentro em breve, nos mudaremos para um outro centro de refugiados, um hotel em Lugano.

— O Papá vai estar lá? E o Dino e a Blanche vêm conosco?

— Não, vamos ser só nós duas.

Ela não disse nada, mas dava para ver a tristeza em seus olhinhos. Minha filha é uma menina que se molda pelo sentimento. Precisa de tanto afeto! Está claro que nossa situação a comove demais. Afinal, não é mais um bebê, já compreende bem as coisas.

Nem ela nem eu queremos ir para Lugano. Estamos ambientadas no asilo, fizemos bons amigos, Costanza já fica bem com as mulheres daqui enquanto eu trabalho ou vou à casa dos Tarchini. Além do mais, em Lugano ficarei mais longe do meu filho e do meu marido. Já não é fácil conseguir uma autorização para vê-los e, mesmo com ela nas mãos, dependo da boa vontade do major. Se ele decidir não me liberar, eu não posso sair. Quando finalmente consigo, se tem alguma visita na casa do Tarchini, não tenho coragem de ficar com o Miki. Imagine, eu subir para um quarto no sótão que, em teoria, está vazio e ficar lá mais de uma hora. Fazendo o quê? Levantaria muitas suspeitas.

Se nos mudarmos, precisarei conseguir não só uma autorização de saída, mas um visto temporário que me permita viajar de trem de uma cidade para outra. Mas o governo suíço quer fechar o asilo, não tenho alternativa.

2 de maio de 1945

Veio a lista da primeira transferência. Não é desta vez que temos que partir. Fiquei aliviada, ainda mais porque ganhamos um quarto só nosso. A Costanza não tem uma cama, dorme em um almofadão no chão, mas pelo menos temos mais privacidade.

7 de maio de 1945

Às três da tarde ficamos sabendo que a Alemanha entregou as armas. De noite subimos todos até o meu quarto para ver os fogos de artifício da janela.

8 de maio de 1945

Hoje às oito da manhã todos os sinos da cidade tocaram fazendo uma música pela paz. Foi lindo, verdadeiramente emocionante. Todos comemoramos juntos. A despeito das diferenças, nos abraçamos, rimos e choramos de alívio. Mesmo com todas as dificuldades que sabemos que virão pela frente, não podemos deixar de nos sentir, pelo menos por um dia, radiantes!

15 de maio de 1945

Costanza e eu somos as últimas duas pessoas morando no nosso andar do Asilo Bel Giardino. as outras refugiadas já foram realocadas. A única liberação a chegar foi a de Alessandro. Combinei com o major que Blanche o levará consigo para a Pouponnière em Sierre, a escola onde ela estudou. Fica a uns 200 quilômetros a noroeste de onde eu estarei. Minha ideia é mandar também a Costanza. Me corta o coração ficar longe dos pequenos, mas é o único jeito de eu ter liberdade para fazer o que tem que ser feito.

27 de maio de 1945

Quando terminou minha quarentena, a primeira coisa que fiz foi pedir ao Tarchini que requeresse junto a Berna minha liberação para circular pela Suíça. Esse visto deveria vir automaticamente, mas, até mesmo com a influência de meu amigo, faz mais de 20 dias que ouço a mesma frase: "vai chegar amanhã". É de enlouquecer. Parece que estão brincando comigo. Existe muita má vontade em relação aos italianos de uma forma geral. O pior de tudo é a incógnita. Eu não tenho como saber se todo o nosso esforço e sacrifício darão bons resultados. A qualquer momento meu marido pode ser descoberto e deportado. E então? O que será de nós?

Para piorar as coisas, além dos comunistas que continuam na minha cola, o major encarregado do asilo parece estar obcecado por mim. Eu me tornei alvo de todas as suas atenções. Estou transitando numa linha tênue, num jogo de interesses e poder. Falta saber quem está na mão de quem. Ele quer de mim aquilo que eu não tenho a menor intenção de dar, mas também, por motivos óbvios, não posso negar diretamente. Afinal, preciso dele para conseguir as autorizações especiais para ir à casa dos Tarchini.

Miki continua preso em seu quarto no sótão e caberá a mim resolver nossa situação. Terei que viajar pela Suíça, falar com oficiais do exército, diplomatas, advogados, banqueiros, exportadores. Todos homens, todos muito diferentes entre si, mas já posso adivinhar que, como sempre, terão uma coisa em comum: a condescendência com a qual me tratam. Eu, com a minha inteligência e um pouco de esperteza, tenho que me virar nesse mundo masculino. Lanço mão das armas que me são dadas. Talvez certas pessoas virem o nariz por eu me fazer de boba e tirar proveito de minha beleza. Não me importo, faço o que preciso para manter nossa família unida e com saúde.

Sinto que estou aprendendo a viver. Tenho uma noção melhor do outro e consigo controlar minhas emoções com crescente habilidade. Aprecio cada vez mais as experiências que me fazem compreender e amar a vida. Que época aventurosa esta! E está só começando!

Uma coisa é certa: lidar com homens que me tratam como se eu fosse uma bonequinha bonita, mas sem cérebro, me faz valorizar ainda mais o meu marido. Só ele me entende e me trata como uma igual. Coitado, como ele sofre por não poder fazer nada para me ajudar. Um homem que foi tão importante agora se sente praticamente um inválido.

28 de maio de 1945

Faz exatamente um ano que deixamos a Toscana e nos mudamos para Como. Só um ano! Parece que nossa temporada com Mamãe em Resta aconteceu há uma vida...

Hoje fomos transferidas para o Hotel Majestic de Lugano. O novo alojamento é muito bonito, vê-se que foi um hotel de luxo. Subimos até nosso quarto, que é bem pequeno, mas finalmente temos um banheiro com água encanada só para nós. Arrumei as coisas e, na hora do jantar, descemos para o restaurante. Encontrei vários amigos do asilo no lindo salão que se abre para um enorme terraço sobre o lago. A esplêndida vista da cidade iluminada é refletida na água. Costanza adorou o lugar, acho que podemos ficar bem aqui por um tempo.

Depois do jantar, o capitão me chamou para avisar que o advogado ligou dizendo que as liberações foram aprovadas, é uma questão de dois ou três dias até eu recebê-las. Agora estarei mais livre para me movimentar, mas ainda terei que morar no Majestic e não posso passar a noite fora sem a autorização do major.

31 de maio de 1945

Com as licenças de circulação em mãos, levei Costanza para se encontrar com Blanche em Chiasso. De lá as duas e Alessandro tomaram o trem para a Pouponnière enquanto voltei sozinha para Lugano. É Corpus Christi, e, no caminho da estação de trem até o hotel, cruzei com uma procissão. Fiquei um tempo vendo os fiéis passarem e depois continuei meu trajeto. Ao chegar, fiz minha *toilette* e desci para o jantar. O maestro Fontana, que também foi transferido para o Majestic, tocava Liszt ao piano. Depois, um grupo de moças e rapazes subiu até o meu quarto para conversar. Alguém trouxe conhaque e outra pessoa, chocolates. Lugano é uma cidade maior, aqui temos acesso a alguns mimos como doces e bebidas alcoólicas para quem puder comprar.

11 de junho de 1945

O major abusa de sua posição de poder. Ele se acha no direito de fazer joguinhos comigo. A permissão para ir morar em Chiasso com os Tarchini (e consequentemente com o Miki, embora, é claro, ele não saiba disso) já veio de Berna, só depende da assinatura dele, que ora diz que a dará, ora não. Da primeira vez que pedi, ele exigiu um beijo em troca. Me fiz de desentendida, dei risada e resolvi não insistir. Afinal, se ele perceber que aquela mudança é algo que eu desejo com todo o meu ser, ficará desconfiado. A última coisa que eu quero é um major do exército me investigando e descobrindo meu marido escondido no sótão dos Tarchini.

Uma semana se passou, toda vez que eu mencionava a liberação, era a mesma ladainha... Até que, hoje, às vésperas do meu 28º aniversário, recebi uma ligação do Tarchini dizendo que Papai e um dos meus irmãos estão em Como pedindo para se encontrar comigo na fronteira amanhã. Quero passar meu aniversário com minha família, dormir com meu marido. Então decidi dar um basta.

Após o jantar, alguns de nós subimos até o quarto de uma amiga para conversar. À meia-noite brindamos meu aniversário e depois o major me acompanhou até meu aposento. Aproveitei para pedir que assinasse minha autorização. Mais uma vez, ele me veio com a mesma história de beijo. Eu fiquei enfurecida! Se achava que era meu dono, achava errado! Já sob efeito da bebida e cheia de saudade de meu pai e de meus irmãos, subi o tom:

— Com quem o senhor pensa que está falando?! Eu não faço esse tipo de jogo! Sou casada! Meu marido pode não estar aqui, mas isso não quer dizer que o senhor tem o direito de tomar esse tipo de liberdade comigo. Onde já se viu! Agora, assine esse papel, por favor! Cumpri com minha quarentena, fiz tudo o que foi pedido de mim, me deixe viver minha vida!

Surpreso com minha determinação, ele acabou assinando a autorização. Amanhã pegarei o primeiro trem a caminho de Chiasso.

12 de junho de 1945

Deixei a bagagem nos Tarchini e fui até a alfândega, onde finalmente consegui abraçar Papai e Nino depois de mais de um ano! Que emoção! Ficamos lá meia hora. Durante a conversa, me disseram que Mamãe teve uma pneumonia durante a Páscoa, exatamente na época em que eu mais pensava nela! Agora, graças a Deus, passa bem. Que presente maravilhoso para meus 28 anos poder abraçar os meus e saber que todos estão a salvo.

Foi uma felicidade voltar para minha nova casa em Chiasso. Miki já tinha desfeito as malas. Tomei um banho, guardei as roupas de frio que estava usando e pus um vestido de verão. Me senti outra! Em seguida, desci e ajudei a senhora Tarchini com o almoço.

Esta tarde passei na cama com Miki, matando saudades, conversando e, por um breve tempo, esquecendo dos problemas que teremos que superar. Não me canso da nossa deliciosa intimidade. O simples prazer de estar junto, falar bobagens e dar risada.

Depois, abri uma carta da Blanche que trazia uma linda foto das crianças e boas notícias. Agora, termino de atualizar meu diário enquanto, ao meu lado, meu marido dorme tranquilamente.

19 de junho de 1945

Com o *status* em ordem, chegou a hora de descobrir se Miki está na famigerada lista negra. Nesta última semana tenho viajado para Genebra visitar os consulados inglês e americano uma, duas, três, infinitas vezes. Como desculpa, entrei com pedidos de vistos para mim, Blanche e meus filhos. Não posso mencionar meu marido, sempre correndo o risco de levantar suspeitas de que já esteja na Suíça. Os americanos foram muito frios e logo percebi que não conseguiria nada com eles, mas depois de muito chá, bolinhos e conversa, fiz amizade com o cônsul inglês (na verdade, acho que ele se engraçou comigo). Eu tenho ido lá diariamente, levo biscoitinhos e chocolates, jogo conversa fora durante horas na esperança de que ele se ausente pelo menos por um minuto. Nossos assuntos diplomáticos se esgotaram faz tempo e eu já estou sem desculpas para fazer mais visitas. Por sorte, ele parece não se importar, mas também nunca me deixa sozinha. Eu sei que a lista tem que estar à mão, afinal ele precisa consultá-la sempre que alguém entra com um pedido de visto, mas eu nunca consegui ter acesso a ela. Durante minhas visitas, o cônsul fala, dá risada, conta piada... e eu rio de tudo o que ele diz, fazendo de conta que acho graça, mas só aguardando uma oportunidade de consultar a bendita lista. Cansada de contar com a sorte, desenvolvi um plano que porei em prática amanhã.

20 de junho de 1945

Fui novamente ao consulado inglês me encontrar com meu amigo. Como sempre, ele ficou muito feliz em me ver. Comecei a bebericar bem discretamente da minha xícara enquanto ia enchendo a dele e o distraía com alguma conversa ou outra. Graças a Deus ele gostava muito de falar sobre a literatura de seu país. Todos aqueles anos de dedicação aos meus estudos no British e na faculdade vieram bem a calhar! A ideia era que, com aquela quantidade enorme de chá, uma hora ele teria que ir ao banheiro. Meia hora se passou, 40 minutos, quando se aproximou de uma hora, comecei a ficar desesperada. Não era possível! Até que, finalmente, minha sorte me ajudou. Sua secretária apareceu à porta com uma pergunta e ele teve de sair da sala.

Eu não fazia ideia quanto tempo ficaria fora, tinha que agir rápido. Abri sua gaveta e, de cara, vi uma pasta. Me enchi de esperança até ler a palavra *german*. Meu coração afundou um pouco dentro do peito, mas continuei a busca. Tinha que ser muito cuidadosa, não podia deixar nada fora de ordem. Dava para ver que ele era meticuloso, imagine se percebesse o que eu tinha feito. Logo embaixo da primeira pasta, porém, encontrei a da Itália. Dentro havia uma página de abertura, "Os oficiais listados a seguir devem ser detidos e julgados por suas ações durante a guerra", * e em seguida a lista dos nomes em ordem alfabética. Fui lendo... todas pessoas conhecidas, homens com quem eu e meu marido havíamos jantado, participado de eventos... A, B, C... passava meus olhos pelas folhas o mais rápido possível sempre prestando atenção no barulho do lado de fora da porta, tentando entender, em meio ao zum-zum-zum, se o cônsul estava voltando. D, E, F... e repente, ouvi passos se aproximando. Fechei a gaveta correndo e me sentei, procurando disfarçar a falta de ar e o nervosismo. Alarme falso, passaram reto. Continuei, G, H, I, J... Mais passos, mas, não, deviam ser de sua secretária, eram de um sapato de salto alto... L, M, N, O... P... nada de Pascolato! Foi o tempo de eu arrumar a pasta, deixar tudo como estava, fechar a gaveta e o cônsul entrar.

E bem na hora! Ele me pediu para jantar fora naquela noite *on a date*. Eu disse que tinha que voltar a Chiasso:

— Que pena, quem sabe da próxima vez? – respondi. Fui embora sabendo que não nos veríamos mais.

No caminho de casa, pela primeira vez desde que saímos de Como, senti uma explosão de alegria! O percurso ainda será longo e problemas não faltarão, mas a descoberta de hoje foi, provavelmente, a maior conquista de minha vida. Se meu marido estivesse naquela lista, teria de responder a julgamento no tribunal internacional, ninguém nos daria um visto de entrada a não ser que arranjássemos uma identidade falsa. Mas, graças a Deus, nada disso será necessário.

Sei que há muito pela frente até que possamos levar adiante nossa vida. O que desejo é que consigamos fazer tudo de forma digna e recuperar, pelo menos em parte, o mundo que deixamos para trás...

---

* *"The following officials are to be detained on sight and shall be judged for their actions during the war".*

9.

Julho de 1936

Logo depois de fechar o Castello, Papai e eu buscamos Mamãe em Florença para ir conosco a Roma. Ele precisava cuidar de negócios e nós duas aproveitamos para relaxar enquanto os móveis não chegavam à Toscana. Mamãe era uma companheira de viagens adorável. Longe dos problemas e responsabilidades do cotidiano, era engraçada, prática, alegre. Passávamos os dias entre turismo e compras nas mais sofisticadas *boutiques* da Itália. Começávamos cedinho, parávamos um pouco para um almoço rápido e logo recomeçávamos nossa divertida maratona. No final da tarde, encontrávamos Papai para uma sessão de cinema. À noite, assistíamos a uma peça ou um concerto e jantávamos em algum restaurante da moda.

Como foram glamourosas aquelas noites! Com o triunfo da campanha na África, o rei Vittorio Emanuele II foi declarado imperador da Etiópia. Roma era a capital de um novo império e tinha a obrigação de projetar seu *status* para o mundo. A cidade fervilhava com mulheres refinadíssimas de vestidos acinturados, cabelos curtos levemente ondulados ou mais compridos, presos em sofisticados *chignons*, com lindos colares de pérolas, broches de brilhantes, brincos enormes, estolas. Elas vinham de braços dados com homens alinhados, trajando os famosos uniformes dos *camicie nere** ou de *black tie*, iluminadas pela luz sépia dos ambientes requintados. A trilha sonora era o tilintar de talheres de prata e copos de cristal, bandas ao vivo e a risada dos comensais enquanto conversavam, ou exibiam suas habilidades no *ballo volpino*, que era como chamávamos o foxtrote. E como se comia bem! Os maiores cozinheiros do país estavam ali para ostentar a superioridade de nossa gastronomia, um orgulho nacional desde sempre. Pensando

---

* Os camisas-negras, como eram conhecidos os integrantes do partido fascista.

naquelas noites, fico imaginando se por acaso não cruzei em alguma pista de dança com o homem que se tornaria meu marido.

No último dia de viagem, fomos visitar a igreja de San Gabriele dell'Addolorata não por ser especialmente bonita, mas porque Mamãe queria fazer uma promessa de que eu voltaria para agradecê-lo caso tivesse sorte na vida. Não só San Gabriele me trouxe sorte, mas em pouco mais de dois anos me trouxe para morar em Roma, já na qualidade de Sra. Michele Pascolato.

Fiquei feliz de poder passar um tempo sozinha com Mamãe e Papai longe de tudo o que criava ruídos em nosso relacionamento. Pudemos relaxar um pouco do trabalho intenso e acertar nossas funções no que estava por vir. Resolvemos que Mamãe iria à nova propriedade de San Galgano para arrumar a casa, e eu reformaria a de Resta.

Já de volta à Toscana, meus dias eram divididos entre supervisionar os pedreiros em casa e os camponeses na fazenda, enquanto Papai ficava no Piemonte cuidando dos detalhes finais da venda de Rivalta.

O outono já estava começando e isso significava menos trabalho no campo. Todos os anos, aproveitávamos essa época de baixa para organizar aulas sobre temas relevantes para os trabalhadores da fazenda. Meu pai acreditava na educação como a melhor maneira de acabar com a fome e a ignorância na Itália. Não só isso, ele sabia que, se seus trabalhadores fossem mais capacitados, a produção da fazenda aumentaria. Assim, chamava sempre um agrônomo para ministrar palestras, que eram realizadas no salão do térreo, anexo à cozinha – o mesmo que usávamos para fazer reuniões ou serviços internos que exigissem bastante mão de obra, como escolher as uvas mais doces para a fabricação do *vin santo*, engarrafar o azeite, separar a lã que era tosada das ovelhas.

Era um salão muito comprido, com mesas e bancos de madeira rústica e uma lareira, que ficava na extremidade da sala. De tão grande, a lareira alcançava quase a altura de uma pessoa. Nas noites frias, pendurávamos um caldeirão enorme sobre o fogo para fazer o *minestrone*, um sopão de verduras que tomávamos após as aulas. Até eu gostava de assistir a essas palestras, sempre aprendia alguma coisa.

Também aproveitávamos a época de baixa na lavoura para fazermos a alfabetização dos adultos. As crianças, é claro, frequentavam a escola nova, fruto da reforma na educação do regime fascista. Mas muitos dos camponeses mais velhos nunca aprenderam a ler. Quando eu estava na fazenda, eu mesma gostava de dar essas aulas, tinha jeito para a coisa. Ficava feliz de ajudar aquelas pessoas com quem tinha uma relação antiga de respeito e carinho, e imaginava que, talvez um dia, aquela seria minha profissão.

Quanto à reforma do casarão, não foi uma obra fácil. Nós queríamos mudar as estruturas internas daquela vila do século XVI para construir uma nova biblioteca e modernizar os ambientes, sem comprometer suas fachadas renascentistas de tijolo aparente, que traziam a pátina do tempo. Tinha uma arquitetura baseada na simetria, na proporção áurea – tão reverenciada pelos artistas da época. Para garantir o bom andamento da obra, contratamos um engenheiro. Um tipo simpático, muito solícito, competente, embora um pouco rústico. Tinha as mãos grandes, ásperas e seu sotaque napolitano, de tão forte, mais parecia um dialeto. No começo achei que seu excesso de cordialidade fosse uma deferência por eu ser a dona da casa, mas, aos poucos, a cordialidade foi ficando mais expansiva até o dia em que ele se declarou.

— Mas eu não gosto do senhor dessa maneira.

— Não importa, só quero que a senhorita me dê permissão para amá-la em segredo e admirar sua beleza.

— Bom, isso eu não posso proibir, mas já vou avisando que não vou mudar de ideia.

Que moça não gosta de se sentir admirada? Como aconteceu com Ferragamo, aquela atenção toda mexia com minha autoestima. Eu sabia que não podia contar a ninguém. Afinal, era só um admirador e, além do mais, meus pais nunca aprovariam. De novo, o diário foi meu único confidente. Só para ele confessei, em inglês para que minha mãe não entendesse, que estava louca de felicidade, simplesmente boba. Estava tão feliz com a admiração do engenheiro! Ele gostava de mim e não queria ser descoberto. Eu costurava, lia, fazia jardinagem, cavalgava, passeava, tudo para encontrar com o engenheiro. Coitado, ele se irritava com frequência por não ser correspondido em seus sentimentos, mas eu lidava com habilidade e fazia um jogo duplo. Oh, vaidade!*

Meu grande orgulho foi a biblioteca que mandei fazer com a madeira das estantes que trouxemos de Rivalta. As prateleiras cobriam as quatro paredes do teto até mais ou menos um metro e dez do chão. Na parte inferior havia armários com portas de vidro, que deixavam à vista as obras mais raras e delicadas. Preciso pôr a modéstia de lado e dizer que ficou espetacular, não só pela habilidade excepcional dos marceneiros, verdadeiros artesãos, mas por causa do meu cuidado e bom gosto.

Refizemos também toda a capela, que estava já muito dilapidada. Ela era bem pequena, não comportava mais de 15 pessoas, mas muito charmosa. Mandamos trocar todas as vigas e telhas, pintamos seu interior e compramos bancos novos. Para a santa e o altar, chamamos um restaurador que trabalhou mais de um mês. Ficou tão linda que resolvi fazer uma inauguração dali a alguns meses, na noite de Natal, com toda a família, os empregados e os camponeses da região.

---

* *I was wild with joy, just silly. I'm so happy at the engineer's admiration! He's fond and doesn't want to be discovered. Cucito, letto, fatto giardinaggio, cavalcato, passegiato, all just to meet with the engineer. He's often crossed. I deal artfully with him, poor wretch, & play double. Oh vanity!*

10.

Ugo ficou encarregado de reerguer a fazenda de San Galgano. Sempre simpático e sociável, ele logo fez amizade com nossos vizinhos, os condes Spalletti, que nos convidaram para uma caça ao javali. Ao contrário da caça às codornas, que é relativamente simples, a do javali exige uma produção mais elaborada. Meu irmão veio me buscar em Resta com seu *Topolino** conversível vermelho e fomos a Florença comprar casacos, botas, calças cáqui. Afinal, precisávamos estar bem-vestidos e adequados ao esporte. Nino conseguiu uma permissão especial para sair do colégio e vir conosco a San Galgano, onde passaríamos a noite antes do grande evento.

A casa já começava a tomar forma. Mamãe e *zia* Nena tinham colocado os móveis no lugar, escolhido as cores das paredes, os tecidos dos sofás e das cortinas e forrado as gavetas dos armários. Com sua mania de limpeza, Mamãe forrava as gavetas de nossos móveis centenários com um papel perfumado de lavanda, trocado a cada estação. Contudo, cozinha e sala de jantar ainda estavam de pernas para o ar e por isso fazíamos nossas refeições na cantina, junto com os empregados. A comida era boa como sempre – preparada com os ingredientes frescos da Toscana, tudo à base de azeite, muitos legumes, queijos frescos – e o ambiente animado.

Fiquei impressionada com a beleza da fazenda que eu ainda não conhecia. A sede ficava no topo de um morro com vista para o campo. Ao longe, se avistavam as ruínas de uma enorme catedral de pedra em estilo medieval com seus arcos e janelas longos, estreitos e pontudos e um imenso círculo no topo da fachada central. Em uma época distante eles abrigavam ricos vitrais coloridos. Agora, aquele esqueleto de paredes espessas era um eco distante, melancólico, da opulência de tempos passados.

---

* Topolino (que em italiano significa "camundongo") era o nome popular do Fiat 500, o menor e mais popular carro produzido na época. Ele era um orgulho nacional por seu *design* moderno e sua tecnologia avançada.

No dia seguinte, acordamos às cinco da manhã e fomos encontrar os Spalletti na propriedade deles. Fui apresentada à condessa, ao conde e a seus cinco filhos. O mais velho, Angelo, era simpaticíssimo. E bonitão. Esguio, com olhos verdes e cabelos castanhos penteados displicentemente para trás, exceto uma mecha rebelde que teimava em escapar e caía sobre a testa. De cara gostei dele. De cara a mãe dele gostou de mim.

Fomos todos até um descampado no topo do morro mais alto da propriedade, onde estavam montadas duas tendas gigantescas. Na primeira, havia uma mesa opulenta posta com toalha de linho, porcelana Wedgwood, copos de cristal e talheres de prata. Copeiros de luvas e uniformes brancos se enfileiravam feito formigas, carregando enormes bandejas de prata, repletas de frutas, jarras de suco, geleias, manteiga, ovos, salsichas, pães e bolos quentinhos, além de bules fumegantes de café e de leite. Eles se movimentavam entre a nossa tenda e a outra, que fazia as vezes de cozinha, com uma rapidez e agilidade que não pareciam possíveis dados o tamanho e o peso das baixelas. Nos sentamos à mesa, e a condessa, estrategicamente, me colocou ao lado de Angelo. Confesso que, a partir daquele momento, não prestei muita atenção na comida. Eu olhava aqueles olhos e só o que me vinha à cabeça era *zia* Nena, que naquela madrugada viera, muito agitada, me acordar:

— Gabi, esta noite sonhei que você se casaria aos 25 anos com um jovem nobre.

Eu estava longe de fazer 25 anos, mesmo assim, completamente tomada por aquele sorriso, me perguntava se aquilo não seria um sinal divino.

Terminado o café, os caçadores se encaminharam para o vale enquanto eu e a condessa Spalletti ficamos no topo do morro para acompanhar a caçada de longe com binóculos. A neblina se dissolvia, e o sol que aparecia já quebrava o gelo daquela manhã de outono. À frente da comitiva saíam dois rastreadores que, no dia anterior, tinham percorrido a região à procura dos esconderijos dos javalis. Um pouco atrás, vinham os homens armados e seus cachorros. Na verdade, a filha mais velha dos Spalletti estava com os homens, também armada, mas eu, que nunca fui muito de atirar, preferi ficar com a condessa conversando em voz baixa. De manhã, não tiveram muita sorte, os javalis foram mais espertos e se esconderam bem. Voltamos à mesma tenda, já arrumada para o almoço que, se é que era possível, superava o café da manhã, mas, novamente, eu estava mais interessada no meu vizinho do que na comida.

A sorte dos caçadores melhorou à tarde. Assim que os rastreadores localizaram os porcos selvagens, deram sinal para os cachorros montarem a emboscada. Eles arrancaram um para cada lado encurralando os javalis no pé de uma encosta. Só então os caçadores entraram para a matança. Eu achei aquilo horrível e profundamente injusto com os animais, que não tinham como se proteger.

Até que, de repente, um dos filhos mais novos dos Spalletti errou o tiro ferindo, mas não matando o javali. O animal atordoado pela comoção, ao sentir o choque da bala, arrancou para cima do atirador com uma agilidade que não acreditei ser possível para uma criatura daquele tamanho. Em uma fração de segundo ele estava praticamente em cima do rapaz, que não teve tempo de atirar novamente ou mesmo de fugir. Aquele porco selvagem de quase 150 kg estava ali, na sua frente, pronto para dar o bote, urrando de dor e ódio. Os caçadores paralisados olhavam enquanto os rastreadores puxavam seus facões, correndo em direção ao jovem na improvável tentativa de chegar até o animal antes que ele atacasse. A condessa ao meu lado soltou um grito, largou os binóculos e cobriu a boca com as mãos e eu, hipnotizada, não conseguia parar de assistir àquela cena, que parecia se desenrolar em câmera lenta. De repente, ouvi um tiro e tudo ficou quieto. O javali caiu morto aos pés do jovem Spalletti. Os pequenos olhos do animal, que havia um instante carregavam toda a dor e raiva do mundo, agora pareciam de vidro. Atrás dele, vi Ugo, e um fio de fumaça saindo do cano de sua espingarda.

No total foram cinco porcos-do-mato abatidos. Nós levamos dois para casa, inclusive aquele morto pelo meu irmão. Um deles Mamãe mandou assar e servir no jantar da cantina, o outro seria transformado em linguiça, salame, presunto e o resto congelado na câmara de gelo de Resta, um resquício de tempos passados. Na cidade nós tínhamos geladeira, mas no interior, não. Existia um quartinho cavado na terra com teto baixo e sem janelas, apenas uma portinhola pela qual passava uma pessoa agachada. Durante o inverno, Mamãe mandava fazer blocos enormes de gelo, que eram enfiados em compartimentos especiais formando prateleiras dentro da câmara. Estes eram forrados com neve e serragem. O gelo durava o verão todo, e nós conseguíamos armazenar os perecíveis que não estavam em conserva. Dava até para fazer sorvete, e todos da região vinham guardar seus víveres ou buscar gelo conosco.

Os dois meses seguintes passaram muito rápido. Mais uma vez, me vi numa situação onde não podia deixar a vaidade comprometer o bom andamento das coisas. Conforme o fim dos trabalhos em Resta foi se aproximando, o engenheiro começou a passar dos limites e exigir mais atenção do que eu estava preparada para dar. Além do mais, não conseguia parar de pensar em San Galgano. Depois da caça, nós e os Spalletti passamos a nos encontrar com frequência e meus sentimentos pelo Angelo ficavam cada vez mais fortes. Eu via um futuro naquilo, e sabia que tinha a bênção das nossas mães. Até colei o brasão da família dele em meu diário!

Era preciso resolver aquela situação com o engenheiro. Tinha de exigir decoro. Afinal, ele estava na minha casa, trabalhando para minha família. Eu não conseguiria terminar a reforma sem ele. Ele sabia disso e, como o major no campo de refugiados tantos anos mais tarde, estava se aproveitando da situação.

Comecei a evitá-lo, apenas passando na obra quando ele não estava lá. Nas poucas vezes que nos encontrávamos, era simpática, mas distante, sempre recusando seus presentes, fingindo não ouvir seus elogios. Quando ficava muito mal-humorado, eu lembrava a ele que nossa relação era profissional e que aquilo não estava certo. Afinal, eu tinha avisado que meus sentimentos não iriam mudar. Fui levando a coisa com jeitinho, sendo delicada sem dar trela. Em um mundo masculino, nós, mulheres, temos que usar a esperteza e a sutileza.

A casa finalmente ficou pronta, chegou o Natal e com ele Mamãe, Papai, Ugo, Nino, *zia* Nena e eu nos reunimos para as festividades.

Era a hora de inaugurarmos a capela. Chamamos um padre amigo nosso para abençoá-la durante a Missa do Galo. Família, empregados de casa e do campo e seus filhos, todos em frente à igrejinha, cada qual segurando sua vela, protegendo com a mão a chama da neve que caía, cantando as canções que ensaiamos tanto durante os últimos meses. Tudo transcorreu maravilhosamente. Depois servimos a ceia. Papai mandou matar dois leitões, que comemos todos juntos no salão. De tão especial, eu interpretei aquela noite como o presságio de tempos melhores por vir. Mal sabia eu das dificuldades que ainda teríamos que enfrentar.

11.

No começo de 1937, após a inauguração da capela, voltei para Florença e retomei a rotina de sempre: acordava cedo, estudava, ia às aulas do British, fazia pequenas compras para a casa. Voltava para o almoço, estudava durante quatro horas, tomava chá com amigas. Junto com Mamãe, visitava algum conhecido da família, como a condessa Spalletti, que insistia em querer me casar com seu filho, embora ele não demonstrasse o menor interesse por mim. À noite íamos ao cinema e fazíamos trabalhos pelo apartamento enquanto ouvíamos o rádio. Às vezes, quando Papai não estava, Mamãe tinha medo de dormir sozinha e eu dormia com ela.

Miss Le Mâitre havia me dito que, se eu passasse no Proficiency com uma boa nota, teria a possibilidade de entrar na Ca' Foscari no quarto ano. Aquela universidade se tornara uma obsessão, e a perspectiva de cursá-la me fez abdicar da rotina e passar todo o meu tempo livre estudando. Eu estava em pânico, achava que meus exames seriam um fiasco absoluto. Tinha pesadelos onde me via nas provas orais muda, em frente à bancada de professores ingleses, que me olhavam, constrangidos diante do meu despreparo. Comecei a me sentir cada vez mais fraca e desanimada. Mamãe, já cansada de brigar comigo, resolveu chamar o prof. Bastai. Ele declarou que eu estava com...

— ... esgotamento físico e mental. Você precisa ir com calma, Gabi, está acabando com a sua saúde. A capacidade de concentração de uma pessoa tem limite. Se continuar assim, seu cérebro não vai mais absorver nada e todo o seu esforço irá por água abaixo.

Mas eu não conseguia. Parecia possuída e quanto mais estudava, menos achava que sabia. Desesperada, Mamãe convidou minha melhor amiga, Letizia, para tomar chá conosco. Ela sabia que todas as minhas colegas iam passar a temporada de esqui nas montanhas e, apesar de eu já ter dito que não iria, achou que Letizia conseguiria me fazer mudar de ideia. Quando ela me viu levou um susto:

— Gabi, dê uma olhada no espelho, você está pálida, parece uma folha de papel! E magra! Precisa relaxar um pouco! Tem que vir conosco para Madonna di Campiglio. Eu sei que já disse que não quer ir, mas pense de novo. Todo mundo vai! Aqueles rapazes lindos do GUF*! Vai ser muito divertido.

— Primeiro, desde quando que você acha que estar magra é ruim? Segundo, ainda tenho uma montanha de livros para ler, imagine, as obras completas de Shakespeare! Depois, preciso escrever um relatório sobre *King Lear*, escolher o assunto da minha tese...

— Vá, minha filha – interrompeu Mamãe. – Se te conheço bem, você já deve estar com seus trabalhos adiantados. Tire esse tempo para você.

Naquele instante percebi que devia estar mal mesmo. Mamãe jamais diria que eu "precisava de tempo para mim" se não fosse um

---

* Gruppi Universitari Fascisti: o partido fascista organizava esses grupos de universitários para atrair a massa jovem para a causa. Era uma espécie de lavagem cerebral, embora na época não nos déssemos conta disso. Para mim, era uma maneira de fazer amigos e encontrar pessoas diferentes. Praticávamos esporte e fazíamos obras de caridade, como visitar hospitais e alfabetizar adultos.

caso de vida ou morte. Ainda mais porque, pela primeira vez na vida, eu viajaria sozinha, sem supervisão de ninguém da família. Era verdade que me sentia tão esgotada que meu estudo não rendia, e a ideia de viajar só com amigas acabou me convencendo. Já tinha 19 anos, quase 20, e achei que estava na hora de me aventurar um pouco. Sem falar que eu sabia que haveria muitas festas e eu nunca perdia a chance de dançar.

Partimos de trem rumo às Montanhas Dolomitas. Em Bolonha vimos embarcar uns bonitões carregando esquis e, como eu nunca tive dificuldade em puxar conversa, chegamos ao nosso destino com novos amigos e vários convites na agenda.

A temporada estava animada, só tinha jovens e, numa cidade tão pequena, em pouco tempo fizemos uma turma grande, divertidíssima. Cada dia jantávamos num lugar diferente, sempre em frente a lareiras de restaurantes aconchegantes, com lambris de madeira, naquela arquitetura típica dos Alpes. Conversávamos e ríamos muito, bebíamos, eu tentava fumar. Achava que fumando pareceria mais adulta, com um ar sofisticado como o das glamourosas e sedutoras atrizes de Hollywood. Eu fazia um esforço danado para ver graça naquilo. Dançávamos até três, quatro da manhã. Um dos rapazes, o mais bonito, disse que eu dançava "fantasticamente"!

De manhã, ainda tínhamos energia para acordar cedo e esquiar! Em duas semanas, acho que me diverti mais do que em toda a minha vida até aquele momento. Graças ao esqui e aos universitários e, vá lá, à liberdade. Como eu dancei, quantas conquistas!

No final das contas, a viagem me deu o distanciamento de que eu precisava. Ainda estávamos em março, tempo de sobra para me preparar para as provas em setembro. De volta a Florença, montei um cronograma de estudos, retomei a rotina de forma mais saudável e resolvi aproveitar o que a cidade tinha de melhor: a cultura.

Me lembro até hoje da exposição *Moda di altri tempi* a que assisti no Palazzo Vecchio. Era magnífica! Salão após salão com vitrines enormes exibindo roupas da nobreza e da alta burguesia europeias ao longo dos séculos. Eu fiquei horas examinando aqueles modelos, a riqueza de detalhes, a qualidade dos tecidos, os trabalhos de bordado e brocado. Por muito tempo eu sorria só de pensar naquelas peças!

Outra ocasião que me marcou foi o concerto a que assistimos no Jardim de Boboli. Naquela noite, Mamãe e eu tínhamos acabado de voltar de um chá com o Franco Lubi – um dos bons partidos que meus pais insistiam em me apresentar. Tentávamos decidir se iríamos ou não ao cinema antes do jantar. A fita que estava passando na sala perto de nosso apartamento era uma comédia romântica americana. Eu achava divertido aquele tipo de filme, mas estava cansada e não tinha vontade de sair de casa para ver uma bobagem. Mamãe, porém, queria muito. A conversa já estava se encaminhando para uma discussão acalorada quando tocou o telefone. Fui atender, era um amigo da família de longa data:

— Boa tarde, Gabi, aqui é o Di Piero, como vai? Eu e a Chiara estamos indo para o Palazzo Pitti ver Maria Caniglia cantar. Você e sua mãe não querem vir conosco?

— Como vai, *signor* di Piero? Que delícia! Vou consultar a Mamãe. – E fui correndo perguntar. É claro que ela concordou na hora...

— Ótimo, passamos para buscá-las de carro em 30 minutos.

Nos arrumamos às pressas e saímos sem jantar. O Palazzo Pitti – àquela altura já um museu – tinha sido a residência oficial dos Medici em Florença. O concerto foi no Boboli, o famoso jardim do palácio, uma área verde gigantesca planejada e cuidada à perfeição. Quilômetros de caminhos cheios de fontes e esculturas. Construído no século XVII, o anfiteatro tinha duas arquibancadas de mármore branco que corriam paralelas, adornadas com esculturas neoclássicas na parte superior.

Era uma linda noite de maio, a lua cheia, e uma brisa fresca trazia o cheiro da primavera. O anfiteatro estava lotado. *La* Caniglia acompanhada por um piano cantava maravilhosamente árias famosas de óperas de Verdi, Puccini, Wagner, Respighi.

Nos sentamos quase ao lado da princesa Maria José, esposa do príncipe Umberto, herdeiro do trono. Como era linda! Já com uns 30 e poucos anos, tinha os olhos azuis, azuis, o nariz arrebitado e os lábios cheios, bem desenhados e vermelhos. Emoldurando seu rosto, os cabelos negros, ondulados estavam presos num coque com uma fivela de diamantes à moda da época. Um pouco mais adiante avistei uns amigos nossos, os Ojetti e sua filha Nada, aquela maldosa. Ela me cumprimentou de longe com cara de sonsa, como se no dia anterior não tivesse falado mal de mim para a Letizia. Era evidente que estava com inveja porque o cobiçado Franco Lubi não prestava atenção nela. Acenei com um sorriso, fingindo não saber de nada, e ignorei-a o resto do tempo. Afinal, não poderia deixar que estragasse uma noite inesquecível.

Voltamos para casa felizes, contagiadas pela magia do espetáculo. E o melhor, tudo de graça!

12.

23 de junho de 1945

Agora que descobri que Miki não está na lista dos Aliados, estou livre para buscar um destino. Queremos a América Latina, pensamos que a Argentina seria a opção mais lógica, por causa da ligação de meu pai com aquele país. Que figura é Papai! Como me faz falta! Nossos encontros são tão breves, sempre supervisionados pelos guardas de fronteira.

Temos uma conexão forte, deve ser porque puxei muito a ele. Não gostamos de ficar parados em um só lugar. Quando eu ainda morava em casa, lembro que ele vinha se encontrar conosco frequentemente, mas por curtos períodos. Raramente pousava em casa durante mais de uma semana. Tinha sempre que tratar de negócios em alguma parte da Itália, da Europa e até da América ou da China.

Mamãe ficava louca. Tinha que cuidar das nossas casas, e não era a toda hora que ela podia acompanhá-lo em suas viagens. Quando Papai partia sozinho, ela morria de ciúme. Acusava-o de correr atrás do primeiro rabo de saia que aparecia pela frente. Como ele fugia de qualquer tipo de confronto e perturbação, muitas vezes encurtava suas temporadas conosco por causa das crises de nervos de Mamãe. Não sei se seu ciúme tinha fundamento – era fato que ele fazia muito sucesso com as mulheres –, mas eu tentava de tudo para agradá-lo e mantê-lo o maior tempo possível comigo.

Lembro que uma vez – pouco antes de Papai anunciar que venderia o Castello –, eu estava em Florença frequentando as aulas do British e de Teologia, Mamãe e *zia* Nena tinham ido para Resta arrumar não sei o quê. Era 9 de maio de 1936, um sábado que entraria para a história, embora eu ainda não soubesse disso. Tomava o café da manhã na copa, sentada ao lado da janela, aproveitando o calor do sol que entrava pelas leves cortinas de algodão. Gigetta, nossa cozinheira, tinha acabado de tirar uns brioches fresquinhos do forno. Enquanto me servia de café com leite, via a manteiga derreter no pãozinho fumegante, perfumado. Peguei um pedaço, molhei-o na bebida castanho-clara, parando um segundo para observar a gordura que se espalhava sobre sua superfície.

Comecei a comer distraidamente enquanto percorria as manchetes atrás de algo interessante para ler. Foi uma notinha sobre o Duque de Windsor, antigo rei Edward VIII da Inglaterra, que me chamou a atenção. Ele havia embarcado em mais uma viagem com sua noiva, Wallis Simpson. Na foto, os dois, sempre muito elegantes, se olhavam com aquele sorriso apaixonado. Eu ficava imaginando como um amor podia ser tão profundo a ponto de fazer um rei abdicar do trono de uma das maiores potências mundiais. Será que eu um dia viveria uma história assim tão intensa?

Interrompi meu devaneio quando ouvi Papai subindo a escadaria que levava ao apartamento. O *hall* comum era largo, com degraus de pedra que ampliavam o som e faziam com que ouvíssemos tudo o que se passava lá fora. Eu aprendi a identificar cada um que chegava por suas passadas. As de Papai eram fortes, decididas, diferentes das de Ugo e de Nino, menos incisivas, embora mais ágeis, e as de Mamãe, mais leves e lentas...

Ele entrou sorridente, como sempre, me deu um beijo na testa e foi se sentar à minha frente já com um prato e uma xícara nas mãos para aproveitar o pão e o café frescos. Me deu notícias da fazenda, onde tinha estado com Mamãe, que mandava uma caixa cheia de víveres. Conversamos mais um pouco, olhei o relógio e me assustei com o avanço da hora. Estava atrasada para meu grupo de estudos. Depois ainda teria de passar no chapeleiro para mandar enformar um chapéu que eu adorava e que tinha perdido o molde.

Algumas horas mais tarde, chegando em casa para o almoço, fui imediatamente ligar o rádio. Já corria pelas ruas a notícia de que a guerra na África tinha terminado. Ouvimos o anúncio de que a Itália conquistara a Abissínia*. Na época, não sabíamos da carnificina que acontecera lá, nem de como esse confronto iria contribuir para o início da Segunda Grande Guerra. O uso de armas químicas não era noticiado e não nos dávamos conta de como essa luta por territórios africanos era só uma estratégia de Mussolini para ampliar ainda mais sua influência. A Itália tinha se unificado havia menos de 100 anos. Todo tipo de movimento que aumentasse o sentimento ufanista era recebido com alegria e, nesse tipo de coisa, Mussolini era mestre.

— *L'Italia ha il suo impero!* – dizia o locutor, emocionadíssimo, quase às lágrimas.

Nós não éramos partidários do fascismo. Eu tinha me associado aos Grupos dos Universitários Fascistas, os GUF, porque era o que os meus amigos faziam, além de ser um bom lugar para conhecer bons partidos. Gostava dos esportes, das obras de caridade das quais participávamos e dos seminários que discutiam o futuro do país. Mas, fanáticos ou não, era impossível não nos comovermos com o que estava acontecendo naquele dia.

À noite, fomos passear pelas ruas para ver as comemorações. O povo alegre pendurava bandeiras de suas sacadas e iluminava as janelas

---

* Hoje conhecida como Etiópia.

com lampiões. Chegamos à Piazza della Signoria, onde, como sempre, seria transmitido o pronunciamento de Mussolini, ao vivo, do Palazzo Venezia em Roma. O Duce era um excelente orador, carismático, com uma linda voz de barítono. Seus frequentes discursos eram ouvidos pelo país inteiro em cadeia de rádio e em alto-falantes instalados pelas praças principais das cidades, sempre lotadas por uma população atenta. Hoje, depois dos horrores que se seguiram, é difícil de entender, mas naquela época a Itália era um país jovem que procurava desesperadamente uma identidade. Testemunhávamos o princípio do fascismo, no qual o Duce, com seu populismo inflamatório, dizia revelar essa identidade e levava uma enormidade de gente a se encantar por seus ideais. As ruas foram tomadas pela animação. Depois do discurso houve o desfile de soldados e *camicie nere* ao longo do Arno. Um espetáculo imponente.

Chegamos em casa quase à meia-noite. A cozinheira também saíra às ruas sem deixar nada para o jantar. Exausta e com fome, eu só pensava que tinha que acordar muito cedo para ir ao GUF encontrar amigas e tirar minha carteirinha. Já começava a mostrar irritação quando Papai disse:

— Se você não contar nada a sua mãe, preparo um risoto para nós.

De repente conheci uma outra pessoa. Papai se movimentava pela cozinha, cortava cebola, descascava alho como um profissional. Parecia que eu tinha entrado em um universo paralelo. E, na hora de comer... foi um dos melhores risotos que experimentei na vida! Como, então, aos 19 anos não sabia que Papai era um cozinheiro de mão-cheia?!

— Eu aprendi quando estava na Argentina – me disse como que respondendo ao meu olhar atônito.

Essa história eu conhecia bem. Aos 13 anos, Papai resolveu que queria visitar sua tia casada com o maestro do Teatro Colón, em Buenos Aires. Ele pediu dinheiro para meu avô, que disse:

— Tem uma série de pessoas com dívidas em aberto comigo. Se você conseguir cobrar deles o suficiente para pagar sua passagem, pode ir.

Meu avô certamente imaginava que assim evitaria que o filho viajasse sem precisar negar seu pedido. Mas não é que Papai conseguiu?! Depois disso, meu avô não teve moral para proibi-lo. Então lá foi ele, aos 13 anos, embarcar sozinho num navio com destino à capital portenha. Ficou cinco anos. Abriu um negócio de importação e exportação e só voltou para a Itália porque, caso não se apresentasse para o serviço militar, perderia a cidadania. Suas aventuras já eram famosas e assunto frequente em almoços e jantares de família (depois reclamavam que eu era muito irrequieta!), mas eu nunca soube que ele tinha aprendido a cozinhar!

— Acho que cresci uns dez centímetros durante o mês e meio que passamos no navio e minha calça foi ficando apertada. Justo na descida da rampa do navio na nossa última parada, minha carteira, que já não cabia mais direito no bolso, escorregou e caiu na água. Perdi todo o meu dinheiro.

Não querendo aparecer na casa da tia com uma mão na frente e outra atrás, ele encontrou um emprego de assistente de cozinha em um restaurante. Enquanto lavava os pratos, observava os *chefs* e chegou à conclusão de que aquilo ali não era tão difícil. Conversava com todos, fazia perguntas... Aos poucos foi subindo na hierarquia até virar o *sous chef*, tipo um braço direito do cozinheiro do restaurante.

— Quando achei que tinha juntado dinheiro suficiente, peguei meus trapos e segui viagem. O pessoal do restaurante ficou triste por me ver partir – disse rindo.

— E como é que hoje é a primeira vez que eu ouço essa história?

— Porque se sua mãe souber que eu sei cozinhar, vai me pôr para trabalhar. A última coisa que quero fazer quando estou em casa é trabalhar – e dava risada.

Até hoje ainda tenho parentes que vivem em Buenos Aires. Contudo, as pessoas na Embaixada da Argentina foram tão antipáticas, grossas e desinteressadas, que estou mais inclinada a buscar abrigo no Brasil. Conheço a Olga Pignatari, do Poggio. Ela é neta do conde Francisco Matarazzo, sei que são uma família com bastante dinheiro e influência em São Paulo. Talvez esse país possa nos abrigar bem.

Quando estávamos no hotel em Lugano, o maestro Fontana me fez uma proposta. Entre os artistas que ele empresariou, está Gabriella Besanzoni, uma das maiores contraltos da ópera mundial. Depois de se aposentar, casou com o empresário carioca Henrique Lage e foi morar no Brasil. Viveram uma linda história de amor. Fontana me disse que ele até construiu para ela um maravilhoso palacete ao lado do Jardim Botânico do Rio de Janeiro, que chamou de Parque Lage. Lá mantiveram saraus com toda a intelectualidade carioca. *La* Besanzoni já é viúva, mas ainda goza de bastante prestígio junto a Getúlio Vargas. Fontana pediu a ela que interviesse em seu favor para conseguir uma carta do governo brasileiro dando-lhe as boas-vindas e ofereceu-se para fazer o mesmo para mim e minha família.

— Eu vou partir no *Cabo de Hornos*, o primeiro navio de passageiros a zarpar da Europa rumo à América! Ele sai no dia 2 de outubro do porto de Cádiz, na Espanha.

— Me interessa muito partir nesse navio, mas isso quer dizer que vamos ter de atravessar a França e a Espanha toda!

— Sim... infelizmente o Mediterrâneo e o estreito de Gibraltar estão repletos de minas marítimas, o porto seguro mais próximo é o de Cádiz. Se você achar que consegue, faço uma reserva para vocês também.

Como não vejo a hora de sair da Suíça, mesmo sem garantia de que conseguiremos os vistos, hoje fui visitá-lo no Majestic e pedi que escrevesse para a Besanzoni e reservasse para nós duas cabines: uma para mim e meu marido, outra para a Blanche e as crianças.

13.

1º de julho de 1945

Ontem dormi na estação de trem na Basileia. Fui ver nossa seda e colher algumas amostras. Ela está guardada no armazém de uma das maiores transportadoras do mundo, a Danzas. O contrato de compra estipula que eles enviarão nosso estoque para qualquer país ocidental. Mas, para que eu possa dar instruções precisas de transporte, é necessário antes negociar a venda da parte da seda que vai financiar nossa viagem para o Brasil. Quando ainda estávamos em Como, nosso amigo Nava nos indicou alguns compradores em potencial na Suíça. Tenho tratado com eles por telefone. Que gente chata e mau-caráter!

Não sei de onde tiro forças para lidar com esses homens e com todos os outros milhares de problemas que se apresentam. Burocracias infinitas, imprevistos a cada momento e eu, sozinha, vagando por esse país desconhecido. Durmo em hotéis de segunda a sábado, faço minhas refeições nos trens. Ontem cheguei tarde demais à estação, perdi o último trem. Sem forças para procurar um hotel que me acolhesse àquela hora, resolvi me acomodar na estação mesmo.

Tenho muito medo de não ser capaz de fazer tudo o que preciso para reunir nossa pequena família. Uma coisa sei, não posso deixar que tirem vantagem de mim. Os compradores da seda não me tratariam tão mal se eu fosse homem. Talvez minha raiva ao me dar conta disso me dê energia para seguir lutando. Talvez... Vou em frente dia a dia e, com a ajuda de meus pais e amigos e o apoio de Miki, consigo traçar nosso caminho.

Além de tudo isso, me corta o coração estar longe das crianças, que continuam na Pouponnière. Eu falo com a Blanche e com a diretora da escola quase diariamente. Coitados, os pequenos não estão felizes lá. Toda vez que os visito ou converso com Costanza ao telefone, ela chora e me pede para voltar a morar comigo. Que tristeza! Mas não tenho alternativa. É muito arriscado nossa filha ter contato com o pai.

Quanto à documentação, agora que tenho a garantia de entrada no Brasil e a data certa de nossa viagem, vou pedir uma licença de trânsito válida por 48 horas para que meu marido possa atravessar a Suíça. O que me parece impossível é tirar cinco vistos para dois países diferentes. Caso não consiga, não poderemos atravessar a França e a Espanha até o porto de Cádiz. Por fim, mesmo com a carta de boas-vindas, precisamos de atestados médicos para apresentar na imigração brasileira. Eu, a Blanche e as crianças tiraremos os atestados com relativa facilidade, mas Miki terá que correr contra o relógio. Ele só poderá fazer os exames enquanto seu visto de passagem estiver vigente. Assim que começarem as 48 horas, terá de ir ao médico tirar sangue, uma radiografia do pulmão e se submeter a um *check-up* geral. Por sorte, a partida de nosso navio foi adiada de 2 de outubro para 5 de dezembro. Senão, talvez não conseguisse fazer tudo.

Meu marido me preocupa. À medida que eu – mesmo aos trancos e barrancos – me sinto gradativamente mais confiante com minhas habilidades, superando preconceitos e conquistando o respeito dos que estão a minha volta, ele vem definhando dentro das quatro paredes de seu quartinho no sótão. Quando estamos juntos conversamos longamente. Eu faço um apanhado dos acontecimentos, de nossos progressos e retrocessos. Brigamos muito, trocamos palavras duras. Ele anda agressivo, parece ter perdido o rumo. É claro, deve ser um tormento viver nessa situação. Um homem que foi tão importante de repente se vê preso, sem poder fazer nada. Eu tenho a perfeita noção de que, em seu lugar, ficaria insuportável, mas sinto que não posso tratá-lo de forma diferente por causa disso. É meu dever dizer a ele tudo com a maior sinceridade. Mesmo sabendo que isso poderá fazê-lo sofrer. Preciso ajudá-lo a recuperar o equilíbrio e o bom senso; dois de seus maiores atributos. Às vezes a discussão dura horas, mas, por fim, entramos em um acordo e traçamos juntos a estratégia para os dias seguintes. E depois, numa estranha inversão de papéis, eu saio para a rua e ele limpa o quarto, lava a roupa, costura, enfim, cuida da casa.

15 de julho de 1945

Encontrei com Papai e Nino clandestinamente. Aluguei uma bicicleta para ir até a cerca junto à fronteira. Esperamos até que não houvesse guardas e conversamos rapidamente, trocamos correspondências e pequenos contrabandos como cigarros e fotografias. Eles me disseram que Mamãe teve um ataque de angina e foi submetida a uma operação. Também me entregaram uma longa carta sua. Hoje à noite, no meu quarto, abri-a para ler com calma, mas foi só ver sua caligrafia que comecei a chorar. Mal consegui entender o sentido das palavras dançando sobre o papel. Como me faz mal a distância! De Mamãe, de Papai, de meus irmãos, de meus filhos...

22 de julho de 1945

Resolvemos não abusar mais da hospitalidade dos Tarchini. Alugamos um apartamento de dois quartos em Balerna. Mesmo não podendo sair, Miki fica melhor aqui, tem mais espaço. Dormimos separados para não levantar suspeitas.

30 de julho de 1945

Três dias atrás recebi um telefonema da irmã Geneviéve, supervisora da Pouponnière, dizendo que Costanza está com tosse convulsa e não pode mais ficar lá. Estamos com pouco dinheiro, mesmo assim eu imaginei que talvez pudéssemos alugar um outro apartamentozinho perto do nosso para as crianças ficarem com a Blanche. Na verdade, foi mais um desejo do que uma possibilidade. Afinal, eu mal consigo recuperar o fôlego, estou sempre correndo para todos os cantos. Desmarquei meus compromissos e fui até Sierre conversar com a irmã, oferecendo mais dinheiro do que já pagamos. Ela aceitou, mas isso significa que nossas economias acabarão logo e eu terei que correr ainda mais com a venda da seda. Passei lá dois dias, me certifiquei de que Costanza está recebendo o tratamento médico adequado e matei a saudade. Passeei com as crianças, dormi com Costanza, brinquei com o Alessandro. Como foi difícil me despedir deles, mais do que o normal!

De lá fui para Berna cuidar de nossos vistos. Até agora, eu tinha tratado com consulados mais próximos, mas os detalhes finais têm que ser acertados nas embaixadas. Nunca havia visitado uma cidade tão ao norte. A arquitetura não é como a da Toscana, é mais recente (talvez do século XIX) e com um estilo bem germânico. Me lembra um pouco Torino, só que ainda mais sóbria. Achei magnífica! Entre uma embaixada e outra, aproveitei para caminhar um pouco. Visitei igrejas protestantes, coisa que na Itália não existe.

2 de agosto de 1945

Fui a Zurique conhecer pessoalmente os compradores da seda. Tivemos mais discussões fúteis e conversas vazias.

7 de agosto de 1945

Não fechei negócio com os compradores da seda. Uma semana jogada fora!

Voltei para Balerna, onde encontrei Miki tenso, como de costume quando eu me ausento por tanto tempo.

— Enquanto eu estava arrumando a varanda encontrei o Gino. – ele disse.

— Quem? – perguntei.

— Aquele senhor que vive no fim da rua. Ele deu a entender que sabia que nós éramos casados.

— Mas por que você saiu? Sabe que não pode se expor desse jeito! Vai acabar sendo deportado! E depois, o que eu faço, sozinha com as crianças? Você quer jogar todo o meu esforço fora, nossos projetos no lixo?!

Eu me encontrava no fim das minhas forças. Já tinha brigado a semana toda com os compradores, não me sobrava energia para discutir também com meu marido. Saí. Fui passear, aproveitei a linda tarde de verão andando no bosque, às margens do rio Breggia. Não sei quanto tempo se passou, escurece bem tarde nesta época do ano e já era quase noite quando cheguei em casa. Na volta, enquanto colhia flores para enfeitar aquele apartamento cinzento, me deparei com um maço de trevos de quatro folhas. Colhi-os na esperança de que me ajudem a sair desse pesadelo e recomeçar nossa vida do outro lado do oceano.

Talvez assim meu marido se recupere e volte a ser o homem por quem me apaixonei em Veneza na primavera de 1938...

14.

Primavera de 1937

Sonhei que Franco tinha se declarado e me pedido em casamento. Eu aceitei, mas queria testá-lo durante algum tempo. Achei que esse se revelava um bom sonho. Presságio de uma grande herança... À tarde, vi uma aranha branca, o que significava sorte... Resolvi então sair para passear a fim de colher trevos de quatro folhas.*

Sempre que me sentia encurralada, eu saía atrás de qualquer sinal de bons presságios. Minha vida continuava uma grande bagunça. Todos os planos que fazia iam por água abaixo. Tinha a sensação de estar atolada até o pescoço. Mesmo com a nota mais alta da minha turma no Proficiency, as portas da Ca' Foscari continuavam fechadas para mim. Tinha certeza de que, se um homem tivesse minhas notas e qualificações, seria aceito na hora! Queria ir para a Inglaterra, mas Papai disse que estava fora de questão. Pensei em ir estudar alemão na Áustria ou mesmo na Alemanha, mas a situação política instável dificultava tudo. Papai até me ofereceu a administração da fazenda de San Galgano em

---

* *Stamane ho sognato che Franco made me a kind of declaration and asked me to marry him. I accepted but wanted to try him for a while. It reveals a very good dream. Omen of great inheritance... Stasera white spider good omen... Passeggiato mattino e pomeriggio e raccolto quadrifogli.*

troca de um salário. Fiquei tentada pela oferta. Além do bom aprendizado, ganhar um pouco de dinheiro não seria nada mal.

Para complicar ainda mais as coisas, Mamãe vinha sempre acompanhada de "tempestades". Parecia não querer mais me ver pela frente. De repente, encasquetou que tínhamos que dividir nosso apartamento em Florença. Disse que era grande demais e que não conseguia encontrar empregadas decentes para cuidarem do lugar quando ela não estava lá. A verdade é que suas crises eram tão violentas que ninguém as aguentava. O apartamento tinha dois andares. Seu plano era alugar um e ficar morando no outro. Só que, com isso, eu ficaria sem quarto.

— Você pode ir morar numa pensão – dizia, como se não soubesse o quanto aquilo me magoava.

As reformas começaram e eu fui para Resta aproveitando para me dar um merecido descanso. Mas, depois de tanto estresse, meu corpo não aguentou e adoeci. Não sei bem o que foi que eu peguei, só que tinha febre altíssima e icterícia. Foram 28 dias sem pôr o pé no chão e mais duas semanas de convalescença.

Quando me cansava de dormir, ler ou ouvir o rádio, ficava escutando as conversas de casa:

— O Leggerino veio trabalhar de pileque de novo – disse Mamãe para Papai a respeito do capataz da fazenda. – É quase todo dia assim. Troca tudo, dorme no serviço e sua esposa veio reclamar que começou a ficar violento.

— Eu sei, já falei com ele e até ameacei mandá-lo embora se continuasse assim. É uma pena, são tantos anos de serviço, mas não estou vendo uma saída – respondeu Papai.

— Mandar embora? E deixar a Nora e as crianças sozinhas com um bêbado e sem dinheiro? Você imagina o que pode acontecer? Fora que eu preciso da Nora, é a melhor cozinheira que já tivemos. Você sabe que se ele for embora ela vai junto e leva os filhos, coitados. Os meninos adoram a escola, estão bem aqui, não podem pagar pela falta do pai.

— Então o que você sugere que eu faça?

— Eu vou passar as funções dele para outra pessoa. Você manda ele para a casa daqueles primos que moram perto e diga que não volte até tomar jeito. Eu peço para a Nora ficar aqui com as crianças, explicando que é para dar um susto nele. Vamos ver. Quem sabe se correndo o risco de perder a mulher e os filhos não acorda?

— Não sei, acho difícil, mas vamos tentar.

Janeiro de 1938

Voltei a Florença para começar um curso de alemão no Instituto Goethe e completar o de religião. Eu agora fazia campanha para ir estudar na Áustria. Queria viajar, conhecer o mundo, sair de casa. Mesmo porque nem mais quarto para mim eu tinha. Estava dormindo no quarto do Nino, que passava a maior parte do tempo no colégio. Nos poucos finais de semana que ele vinha para casa, ficava no quarto do Ugo. Quando nós três estávamos em Florença ao mesmo tempo, era uma discussão que não acabava mais.

A campanha de Mamãe era outra. Continuava insistindo para que me mudasse para uma pensão. Imagino que fosse uma tática para me convencer de que eu precisava arrumar um marido. Em junho eu faria 21 anos e ela achava que já estava na hora de me casar. Só que minha vida afetiva estava tão sem perspectiva quanto todo o resto. Por um lado, Franco Lubi continuava suas visitas, mas só. Não pedia para me fazer a corte, não fazia nenhum tipo de declaração. Aparecia com flores ou chocolates, conversava durante horas e ia embora. Eu até gostava dele, mas não tanto assim. Meus pais, que o achavam um ótimo partido, até tentaram nos deixar sozinhos na sala, pensando que, sem a presença deles, se sentiria mais à vontade. Nada. Já o Angelo Spalletti – quem eu achava realmente interessante – estava cortejando uma moça de Siena. Aquilo me apertava o coração, mas procurei levar a notícia com filosofia. Quem não se conformava com isso era a condessa, que continuava querendo elaborar planos de ação para nos casar. Eu não sabia o que dizer. Se o filho dela não gostava de mim, mesmo eu tendo feito tudo o que podia para chamar sua atenção...

Ansiosa, comecei a comer sem parar. Aquilo não estava me fazendo nada bem. Minha pele ficou cheia de espinhas por causa das nozes que devorava e minha roupa não cabia mais. Até Mamãe foi obrigada a admitir que eu precisava fazer dieta. Então procurei um tal prof. Benini, que tinha desenvolvido um tratamento milagroso para perda de peso à base de injeções semanais. Sabia que era uma medida drástica, mas não aguentava mais me olhar no espelho. Deu certo e, embora ainda precisasse continuar, já estava me sentindo formosa, bem proporcionada. Não queria ser magra, magra. Tinha uma cinturinha fininha, "de vespa", e curvas femininas. Foi então que o prof. Benini começou a dar em cima de mim. Não era possível! De novo essa história?! Eu não tinha o menor interesse por ele, mas pelo tratamento, sim. E lá fui eu, mais uma vez, tentar contornar a situação com delicadeza, procurando não atrapalhar uma das poucas coisas que estavam funcionando na minha vida.

Não foi de estranhar então que, quando surgiu a oportunidade de passar uma segunda temporada de esqui em Madonna di Campiglio, aceitei sem pestanejar. Mais uma vez, minhas amigas e eu embarcamos no trem para as montanhas, encontrando universitários bonitões pelo caminho.

No hotel, nos dividimos, duas meninas para cada quarto. Eu fiquei com uma amiga da Letizia que ainda não conhecia, Fiorenzia Bitossi.

— Bitossi, eu conheço esse nome, você é de Florença?

— Sim, nós moramos em Florença, mas você deve conhecer o nome por causa do meu primo Piero. Ele foi *federale** de Veneza.

Meu coração parou! *Veneza?!!*, pensei, *Será que é um sinal? Será que o primo dela conhece alguém na Ca' Foscari? Será que ele me daria uma indicação?* Não tive coragem de perguntar naquele momento. Eu acabara de conhecê-la, não me pareceu certo. Além disso, nem sabia qual era a relação dela com o primo.

---

* Chefe local do partido fascista.

Mas Fiore, como a chamávamos, era um encanto de pessoa. Espirituosa e engraçada. Logo ficamos melhores amigas. Não foi por interesse que me aproximei dela, eu nunca faria isso, não é do meu feitio. Nem mesmo para realizar um sonho. Saíamos à noite, passeávamos de bar em bar conversando com estudantes, dançando e rindo muito! Às vezes nem jantávamos direito, só comíamos uma bobagem.

É claro que fui querendo saber mais sobre o tal primo e, à medida que ia descobrindo, minha animação aumentava. Quando digo que tenho sorte, não falo de maneira leviana. Seu primo Piero não só tinha sido *federale* de Veneza; a mulher dele, Sandra, era neta de Alessandro Pascolato, antigo reitor da Ca' Foscari, e sobrinha de minha heroína, Maria Pezzè Pascolato. Já falecida, Maria Pezzè foi uma das maiores intelectuais de sua época. Falava oito línguas, tinha traduzido autores como Thomas Carlyle e John Ruskin do inglês, além das obras completas de Hans Christian Andersen do dinamarquês. E, por fim, foi uma das únicas mulheres que conseguiu ser professora da Ca' Foscari!

A um certo ponto tomei coragem e perguntei, um pouco desajeitada por achar que estava parecendo interesseira:

— Será que você pode me apresentar ao seu primo? Estou há anos tentando entrar na Ca' Foscari sem sucesso. Seria tão bom conseguir alguém que me desse uma indicação.

— É claro! No mês que vem vou para Veneza exatamente para ver se consigo um lugar na universidade. Vem comigo, vai ser divertido! – minha amiga era mesmo um amor. Ela tinha um jeito de fazer tudo parecer tão simples, tão natural.

Assim que recebi o convite escrevi para meu pai pedindo permissão e dinheiro para ir a Veneza. Finalmente, depois de tanto tempo, tinha a chance de ir para a universidade!

Mas é claro que nada na minha vida era simples assim e, uma semana antes de eu viajar, o Franco Lubi inesperadamente me pediu em casamento.

15.

Alessandra
Outubro de 1978

— Nonno, você se apaixonou pela Nonna à primeira vista? – eu, profundamente romântica, com meus 12 anos, perguntei já segurando as mãozinhas com os dedos entrelaçados ao lado do rosto.

— Senti uma explosão dentro do meu peito! – respondeu sem hesitar.

Anos mais tarde, quando contei essa minha conversa à Nonna, vi um sorriso seu que não conhecia. Foi como se toda a dureza dos últimos 50 anos tivesse desaparecido e ela voltado àquela manhã de março em que se encontraram pela primeira vez.

16.

Final de fevereiro de 1938

De volta a Florença, comecei a fazer os preparativos para minha viagem a Veneza. Paguei 25 liras à Fiore, que ficou de comprar as passagens e reservar o hotel. Ela me deu o endereço da senhora Ida Pascolato, sogra de Piero, que, logo descobri, era quem realmente tinha influência na Ca' Foscari. Escrevi me apresentando e explicando minha situação.

Para passar o tempo e conter a ansiedade até o dia da viagem, resolvi organizar meu guarda-roupa de primavera. Tirei dos baús as roupas do verão do ano anterior, eliminei o que estava velho, coloquei no *closet* o que poderia ser reaproveitado e separei o que precisaria de reforma. Estava preparando um pacote para a modista, Serra, com os vestidos que precisariam de alterações, quando fui surpreendida pela chegada da carta do Franco Lubi.

Cara Gabriella,

Acredito que o amor que lhe dedico não seja mais segredo para ninguém. Minha timidez, unida à crença de que uma mulher com seus dotes seria incapaz de se apaixonar por um homem como eu, refrearam minhas ações até o momento. Contudo, chegou ao meu conhecimento que em breve você partirá para Veneza com uma boa perspectiva de matricular-se na Universidade Ca' Foscari e não mais voltar. A ideia de uma separação física é mais do que meu coração poderia aguentar e rogo, portanto, que aceite meu pedido de casamento como uma sincera demonstração de meu eterno amor por você. Se você se dispuser a ser minha esposa, eu serei a criatura mais feliz que já andou sobre esta terra.

Calorosamente,
Franco Lubi

Assim que li, fiquei enfurecida! Logo agora! Ele passou um ano me fazendo perder tempo com visitas que não acabavam nunca... Quando, finalmente, eu via uma saída possível para minha vida, ele achava que ia conseguir me impedir de ir a Veneza?!

Guardei a carta decidida a responder com um sonoro não no dia seguinte e fui cuidar da minha vida. Mas, ao longo do dia, comecei a ter dúvidas. Já tinha sido rejeitada pela Ca' Foscari tantas vezes, por que desta seria diferente? Será que estava deixando minha obsessão pela universidade ofuscar o bom senso? Não seria melhor aceitar o pedido do Franco do que apostar numa incógnita? Afinal, era uma boa pessoa. Um pouco tímido e parado, mas bom.

Naquela noite fui falar com meus pais. Ficaram surpresos com a proposta, tinham desistido do Franco fazia tempo. Conversamos muito sobre o assunto e decidimos que deixaríamos a ideia amadurecer mais um pouco. Alguns dias depois voltamos à conversa, mas, de novo, não conseguíamos chegar a uma decisão. Para minha surpresa, foi Mamãe quem bateu o martelo:

— Gabi, você se esforçou tanto para isso, brigou tanto e agora que finalmente tem uma possibilidade real de entrar na Ca' Foscari vai desistir? O Franco já teve sua chance, mas se mostrou fraco e indeciso. Você quer mesmo um marido assim? Vá para Veneza e, se não der certo, encontramos outra solução. Você ainda é muito jovem.

Que número é minha mãe! Ela se faz de durona, briga, esbraveja, mas na verdade tem um coração enorme. Que falta me faz, tantos anos depois, aqui na Suíça!

No dia seguinte, escrevi a carta de resposta ao Franco. Dois dias depois, sua mãe procurou a minha pedindo uma intervenção a favor do filho. Isso, é claro, só confirmou nossa decisão. Era isso, então, o que ele fazia quando contrariado, saía correndo para a mamãe?

12 de março de 1938

Na fatídica data em que Hitler invadiu a Áustria, meu pai mandou nossa resposta final ao Franco Lubi. Três dias depois, embarquei no trem rumo ao meu destino.

15 de março de 1938

Em Veneza, Fiore e eu deixamos as malas no hotel e, com algumas horas antes do chá marcado na casa dos Pascolato, decidimos dar uma volta para conhecermos a cidade. Que encanto! Andávamos pelas *calli* (vielas) e *campi* (praças) que, sem carros nem carroças, eram estranhamente silenciosas. Subíamos nas pontes e observávamos os barcos e gôndolas que navegavam os pequenos canais, desenhando uma cidade suspensa no tempo. Era exatamente como descrevia o livro de Marion Crawford que li no trem a caminho de lá:

Gabriella e a amiga Fiorezia Bitossi, em Veneza. À direita, o Palazzo Moro Lin, no Grande Canal, casa da família Pascolato.

Nos canais tranquilos, os lindos palácios vislumbram continuamente, com plácida satisfação, suas imagens refletidas e olham com calma indiferença geração após geração de homens e mulheres deslizarem sobre as águas. A névoa se forma nas lagoas misteriosas e se dissipa novamente diante da luz que tudo devora, dia após dia, ano após ano, século após século; Veneza é sempre ela mesma, dormindo ou acordada, rindo, chorando, sonhando, cantando ou suspirando, vivendo ao longo das eras, com uma personalidade cheia de intensa energia, que o tempo quase não muda e é completamente incapaz de destruir.*

Por fim, tomamos uma gôndola que nos levou à casa da senhora Ida Pascolato. Famoso por ser o único no Gran Canale com treze janelas, o Palazzo Moro Lin pertencia à família já fazia um século. Entrei na enorme sala de estar com seu pé-direito altíssimo e suas amplas janelas que se abriam para a água. Logo vi que aquele lugar carregava nos móveis, quadros, tapetes e muranos toda a tradição da família. Era um lar de intelectuais. Tudo lá dentro era memória e cultura. É difícil de explicar. As casas onde eu sempre morei também têm quadros, móveis, tapetes antigos, mas são cuidados de forma sistemática: obstinadamente lustrados, reformados, reestofados. O tecido da cortina combina com o do sofá que combina com as cadeiras e assim por diante. A casa Pascolato era, claro, limpa e bem cuidada, mas carregada de uma displicência aristocrática na disposição dos objetos de quem dizia: "Nós não vamos perder nosso tempo com preocupações pequeno-burguesas".

---

* *"In the still canals, the gorgeous palaces continually gaze down upon their own reflected images with placid satisfaction, and look with calm indifference upon the changing generations of men and women that glide upon the waters. The mists gather upon the mysterious lagoons and sink away again before the devouring light, day after day, year after year, century after century; and Venice is always there herself, sleeping or waking, laughing, weeping, dreaming, singing or sighing, living her own life through the ages, with an intensely vital personality which time has hardly modified and is altogether powerless to destroy." Marion Crawford. Gleanings from Venetian History.* Londres: Macmillan, 1907, p. 1-2.

O chá foi delicioso. Fiore me apresentou ao Piero Bitossi, à sua mulher, Sandra, e à senhora Pascolato. Na mesma hora, ela telefonou para o professor Longobardi, responsável pelo departamento de Letras, e marcou uma entrevista na Ca' Foscari para o dia seguinte.

A senhora Pascolato nos acompanhou até a reunião, que foi ótima. O prof. Longobardi, gentilíssimo, ficou muito impressionado com meu currículo, mas disse que a decisão não caberia a ele.

— Sugiro que as senhoritas falem com o professor Lanzillo, que é o reitor da universidade. Em seguida vamos submeter seus pedidos ao Conselho.

No caminho de volta ao Palazzo Moro Lin, comprei flores para a senhora Pascolato e paramos para tomar um café.

— Enfim, o que vocês acharam, gostaram do prof. Longobardi? E a Ca' Foscari, é tudo o que esperavam? – perguntou ela.

Eu estava tão empolgada que nem percebi a reticência no olhar e no silêncio de Fiore. Respondi animada:

— Frequentá-la tem sido meu sonho há anos, não posso dizer o quanto o que a senhora está fazendo por nós é importante!

Ela é uma mulher interessantíssima, falamos de vários assuntos, inclusive da família dela, especialmente de seu filho, Michele, que estava em Roma. Advogado, era diretor da Cassa di Risparmio[*] de Veneza.

— Todos os Pascolato têm um amor profundo pela pátria e dedicam suas vidas a ela. A Veneza antes de tudo, mas à Itália também. O avô era assim, meu marido Mario, minha cunhada Maria e Miki não foge à tradição. Quem se casar com ele vai ter que saber conviver com isso... – disse e sorriu.

Ela não é uma mulher particularmente bonita; suas feições um tanto masculinas, o rosto comprido e o nariz adunco, grande. Mas tem um sorriso lindo, largo, franco, que, de uma só vez, transmite honestidade, integridade de caráter, inteligência e generosidade. Eu não sabia que um sorriso podia ser tão expressivo.

---

[*] Caixa Econômica.

17 de março de 1938

Acordei como acordava todas as manhãs, sem imaginar que aquele seria o dia que mudaria o resto de minha vida.

Abri os olhos, senti um frio na barriga. Estava em Veneza, a cidade onde sempre quis viver e, depois de tantos anos, a caminho de realizar meu sonho. Às dez e quinze Fiore e eu chegamos ao Palazzo Moro Lin. Quem abriu a porta foi um homem de porte atlético, vestido com um terno elegantíssimo. Os cabelos bem pretos, ondulados estavam puxados para trás, presos com gel, nenhum fio fora do lugar. Os olhos de um azul tão claro e transparente pareciam uma piscina num dia de verão. Tinha vontade de mergulhar naqueles olhos. Ele deu um meio sorriso, entre o charmoso e o irônico, e se apresentou.

— Sou Miki, como vai?

A senhora Pascolato chegou naquele instante.

— Ah, Miki, essa é a Gabriella Pallavicini, a moça de quem lhe falei. A Fiorenzia, prima do Piero, você conhece. Meninas, desculpem os trajes formais de Miki, ele acaba de chegar de uma "reunião importantíssima" em Roma – disse rindo. – Venham até a sala que eu vou telefonar para o Lanzillo.

— Aqui fala Ida Pascolato, Agostino, como vai? Sim, tudo ótimo, obrigada! O Miki? Está bem! Sim, diretor da Cassa di Risparmio... Não, ainda não se casou... Não, ele não toma jeito!... As minhas filhas? Sim, as duas estão casadas. A Franca tem três, a Sandra ainda não. Passa, rápido demais!... Ah, sim, o Longobardi falou com você? Tem duas ótimas moças aqui que gostariam de uma entrevista... Sim, sei que não é uma boa época, você está ocupadíssimo, mas elas vieram de Florença, não vão tomar muito do seu tempo... Agora? Ah, fantástico! Obrigada! Venha jantar conosco semana que vem. Quarta-feira está bem? Assim você aproveita e vê o Miki e a Sandra. Vou ver se a Franca pode vir de Roma. Um abraço!

Ela desligou o telefone e se dirigiu a nós:

— Meninas, o Lanzillo disse que pode vê-las daqui a meia hora. Corram lá! Depois voltem para almoçar.

A tão esperada entrevista foi muito parecida com a do dia anterior. Falei um pouco sobre minha experiência e mostrei os diplomas. A Fiore fez o mesmo. Na volta, caminhávamos em silêncio até que ela perguntou:

— Gabi, o que você achou de tudo isso?

— Tudo isso o quê?

— Veneza, a Ca' Foscari, os Pascolato.

— Como assim? Achei tudo ótimo. Veneza é maravilhosa, a Dona Ida é encantadora, a Sandra e o Piero também. E você viu que bonitão o filho dela? Talvez um pouco velho, quantos anos será que ele tem? Uns 30?

— Imagino que sim, talvez um pouco mais. Se meu primo, que não é muito mais velho que a Sandra, tem 35... não sei, só pensei que seria diferente. Eu achei tudo tão triste, tão melancólico. Essa cidade silenciosa. Os professores severos, pouco amáveis. A senhora Pascolato praticamente sozinha naquele palácio enorme...

Eu fiquei em choque, a visão da Fiore era completamente diferente da minha. Como podiam duas pessoas vivendo exatamente a mesma situação terem opiniões tão contrastantes?!

— Veneza é deslumbrante! Dê uma olhada nas pessoas, como elas parecem estar bem e felizes! O silêncio traz uma paz! Quanto à senhora Pascolato, nunca vi ninguém tão amável e delicada! Verdade, o palácio é um tanto grande para ela e o filho, mas é lindo e estranhamente acolhedor. Por favor, não me diga que você está mudando de ideia, não consigo imaginar Veneza sem você.

21 de março de 1938

Meu discurso não adiantou nada. A Fiore desistiu de cursar a Ca' Foscari e voltou para Florença. Como eu ainda estava com meu processo em andamento, Sandra e Piero me recomendaram uma pensão para moças mais em conta do que o hotel e muito segura. Fiz minha mudança e fui ao Palazzo Moro Lin tomar chá.

— Ah, Gabi, que bom que você veio, estávamos mesmo falando de você! – disse a senhora Pascolato. – Acabo de receber uma carta da Fiore dizendo que chegou bem. Não sei o que deu nela de querer partir assim de repente. Venha, sente-se aqui do meu lado e do Miki.

O jeito de Miki sorrir discretamente, olhando de soslaio, ao mesmo tempo distinto, gentil e irônico, tornava muito difícil saber o que estava pensando.

— Você estuda Letras e Literatura? Então deve conhecer o trabalho da minha tia, Maria Pezzè Pascolato – disse.

— Conheço, muito! Suas traduções são excepcionais. Devia ser uma pessoa fascinante. Você teve muito contato com ela?

— Minha tia morava conosco. Teve um casamento infeliz, então, em 1896, abandonou o marido e voltou para Veneza. Para evitar o escândalo por causa da separação, dizia que veio cuidar do meu avô viúvo. Eu só tinha sete anos quando meu pai morreu. Mesmo com todas suas responsabilidades, minha tia ajudou Mamãe a me criar. Foi muito mais do que uma tradutora, trabalhou como professora da Ca' Foscari (coisa rara para uma mulher) e como presidente da Cruz Vermelha de Veneza, que minha avó tinha fundado 30 anos antes. Dizia que a desilusão de não ter tido filhos despertou nela a vontade de cuidar das crianças dos outros. Acabou se apaixonando pela pedagogia.* Achava que as crianças aprendiam melhor quando se divertiam. Por isso traduziu as fábulas de Andersen e presidiu o comitê de seleção dos livros infantis, comprados pelo governo para as escolas públicas do país. Montou as bibliotecas ambulantes do *fascio* e a primeira biblioteca infantil italiana.

— Então ela já estava envolvida com o partido?

— Para nós, Pascolato, a política é segunda natureza. É nossa maneira de contribuir para as questões sociais deste país tão jovem e carente. Meu avô pensava assim e meu pai estava no mesmo caminho, mas morreu cedo. Minha tia não era fascista, mas,

---

* La speranza delusa di avere figlioli miei mi ha spinta ad occuparmi con amore di quelli degli altri e ad appassionarmi per tutte le questioni educative. La frase è parte della domanda che nel 1924 Maria fa al Ministero per ottenere la libera docenza in didattica. Si veda L. Passarella Sartorelli (a cura di), Maria Pezzè Pascolato: notizie raccolte da un gruppo di amici, Firenze, Le Monnier, 1935.

com toda a sua atividade, desenvolveu uma relação estreita com vários membros do partido que entravam e saíam daqui de casa. Até a Sandra casou com um político. Eu trabalhava como advogado quando recebi o convite para ser *federale*. Tinha só 27 anos! Conheci muita gente interessante. Recebi muitos políticos e celebridades que, não querendo ligar sua imagem diretamente ao fascismo, vinham fazer "turismo" em Veneza em vez de uma visita oficial a Roma. A Itália ainda é muito nova, com enormes problemas de identidade, de miséria. Nosso objetivo é acabar com isso, é criar uma nova Itália.

— Interessante. Meu pai também, à sua maneira, pensa assim. Acredita que precisamos modernizar e unir o país, dar mais educação ao povo e despertar um sentimento de patriotismo em nível nacional, menos regional. Mas ele não é filiado ao partido, tem suas restrições quanto à associação de Mussolini com Hitler.

— Hitler é um louco! Muitos de nós no partido já advertimos o Duce para não se associar a ele. Mas Mussolini só faz o que quer...

— Sim... Ainda sinto que o regionalismo na Itália é muito forte. Você acredita mesmo que dá para construir uma "nova Itália"?

— Se não acreditasse não estaria fazendo o que faço. Só tenho pena de não ter mais tempo de me dedicar à música.

— Você toca?

— Eu era segundo violoncelo na orquestra do conservatório de Veneza e tinha uma banda de *jazz*: Miki Checo's Indian Jazz.

— Hahaha! Que nome divertido!

— Uma vez, estava remando aqui em frente quando ouvi de uma janela alguém compondo uma canção ao piano. Era tão linda que parei para escutar. A um certo ponto, o compositor ficou preso num acorde, não conseguia continuar. Como tinha o ouvido bem treinado, achei uma saída e gritei lá de baixo: "Ré sustenido". Ele foi à janela e agradeceu com um fortíssimo sotaque americano: "*Grraziay millay*". Era o Cole Porter. Veneza é assim, mágica. Se você vai morar aqui, precisa conhecer essa nossa *piccola Venezia*. A que só nós, venezianos, conhecemos... O que você vai fazer hoje à noite? Podemos começar a apresentá-la a você desde já. Sandra, Piero, vamos todos jantar fora!

— Obrigada, vou adorar sair com vocês, mas ainda não sei se vou morar aqui – eu disse, tímida.

Ele sorriu...

17.

Consuelo
2018

Eu conheci o Nonno antes do ministro e piloto Michele Pascolato. Uma alma gentil, do sorriso doce e fácil, que nos trazia berloques de prata para colecionarmos em braceletes que ele nos havia dado. Meus pingentes eram diferentes daqueles da minha irmã Alessandra, todos escolhidos a dedo, refletindo os interesses e paixões de cada uma... O Nonno era divertido, adorava contar histórias; algumas da mitologia grega, outras inventadas e outras ainda de seu passado. Foi em uma dessas que contou do partido ao qual, bem jovem, se afiliou e do idealismo que o inspirava. Essa palavra, "idealismo", eu não sabia o que queria dizer, mas ele repetia tantas vezes com um olhar um pouco triste que, ainda menina e sempre curiosa, indaguei sobre. Foi então que o Nonno contou como o ideal que aqueles jovens vislumbravam, para uma nova Itália, veio abaixo quando a vaidade e ambição de Mussolini, alimentadas pela vitória rápida da Alemanha sobre a França, o fizeram se unir ao partido nazista na Segunda Guerra Mundial.

— Nós, jovens do partido, não queríamos a guerra, não acreditávamos que o país estava pronto, mas quando a pátria chama, um soldado não dá as costas.

Sempre aceitei essa história. Soube depois que ele também ajudou várias famílias judias a fugir da perseguição nazista, uma das quais o socorreu quando foi a sua vez de sair da Itália.

Michele Pascolato aos 27 anos de idade.

18.

21 de março de 1938

Ainda molhado pela chuva, o chão refletia o céu que acabava de se abrir, nos dando a sensação de caminhar sobre estrelas. Miki, Sandra, Piero e eu passeávamos pelas *calli*, cada canto trazendo uma lembrança, relatada com muitas risadas. As pessoas com que cruzávamos nos cumprimentavam com um largo sorriso e eram correspondidas na mesma medida, sempre em dialeto veneziano. Por fim, cansados de andar e com fome, pegamos uma gôndola até a Piazza San Marco. Miki me deu a mão para que eu embarcasse e, por um segundo, senti as pernas fraquejarem. Em seguida, falou algo em dialeto para o *gondoliere* que, com um olhar de cumplicidade, lhe passou o remo. Ele começou navegar com a habilidade de quem fez aquilo a vida toda. Estava claro que Miki se exibia para mim, e tenho que admitir que deu certo. Chegamos ao Harry's Bar, onde todos pareciam se conhecer, a começar pelo próprio Cipriani, que abraçou os Pascolato com entusiasmo. Quanto rimos! Por volta da meia-noite, eles me deixaram na pensão com a promessa de um reencontro e eu fui dormir sorrindo.

A partir daquela noite, tudo o que não estava dando certo na minha vida começou a se encaixar. Fui aceita na Ca' Foscari, já podendo ingressar no terceiro ano a partir de setembro. A pedido de minha mãe, procurei a Escola Naval em Veneza para ver se poderíamos matricular o Nino. Ele veio para uma entrevista e se alistou na hora. Finalmente eu iria cursar a faculdade dos meus sonhos, teria a companhia de meu irmão e estava apaixonada!

Nosso romance cresceu de forma muito natural. Era como se ele já soubesse que iríamos nos casar... e eu fui me deixando levar por aquela sua certeza. Para mim, encontrá-lo ou ouvir sua voz ao telefone causava um arrepio na espinha que durava o resto do dia. Ele continuou no projeto de me mostrar a *piccola Venezia* e, aos poucos, percebi que conhecer aquela cidade significava conhecer Miki. Acho que foi a forma que encontrou de se apresentar para mim.

Foi tudo muito respeitoso, é claro. Sempre tinha alguém junto conosco e Miki só me deu o primeiro beijo depois de pedir minha mão em casamento. Existe uma sabedoria por trás disso. Dessa maneira, tivemos mais tempo para nos concentrar um no outro e não perder tanta energia com "outras coisas", que, é claro, viriam com o tempo. Nós conversávamos durante horas, e a atração inicial foi se transformando num profundo afeto. Desde o primeiro momento fui estranhamente sincera com ele, mesmo não conseguindo decifrar o que se passava por trás de seus olhos, seu jeito reticente de falar. Por ironia, nunca encontrei ninguém mais direto. Apaixonado talvez seja o melhor adjetivo para descrevê-lo. Fazia tudo com um entusiasmo quase violento e, de repente, vi aquela paixão dirigida a mim. Às vezes pensava em como as coisas aconteceram tão rápido e me assustava.

Um mês depois de começarmos nosso romance, às vésperas de minha volta a Florença, ele me telefonou na pensão e pediu para nos encontrarmos. Queria conversar seriamente. Meia hora depois, no café ao lado, disse que tinha a intenção de conhecer meus pais e me pedir em casamento. Não foi exatamente uma surpresa, já esperava por isso, mas uma coisa é a ideia, outra diferente é ouvir o pedido. Fiquei feliz, emocionada, sem saber o que falar! Quando me recompus, conversamos mais um pouco e acertamos que ele me daria tempo de voltar e preparar meus pais, para então marcarmos sua visita.

E foi o que fiz. Na mesma noite em que cheguei, tive uma conversa séria com Papai e Mamãe. Eu sabia que a maior preocupação seria em relação ao caráter e à família do Miki e já vinha munida de bons argumentos. Disse que, aonde quer que eu fosse em Veneza, com os professores da Ca' Foscari, com minhas antigas colegas do Poggio que viviam lá, ou até mesmo os recepcionistas da pensão onde fiquei, todos teciam infinitos elogios a Miki e à família Pascolato. E o melhor era que os elogios eram espontâneos. Bastava eu dizer que estivera na casa deles para todos exclamarem:

— Ah, Pascolato, ótima família!

Voltando para casa, percebi a mudança que aquela viagem tinha provocado em mim. Estava feliz, calma, serena. Só pensava no Miki com infinita ternura. Me via cada vez mais apaixonada. Ele me escreveu poucos dias depois dizendo que iria a Florença naquele domingo, perguntando se poderia vir nos visitar em casa. Fiquei paralisada, eufórica, não conseguia me concentrar em mais nada!

Às onze e trinta ele chegou. O sol estava radiante. Desci correndo a escadaria para abrir a porta e o encontrei segurando um magnífico vaso de hortênsias para Mamãe. Ela havia saído para resolver algumas coisas. Não demoraria muito, mas nos deixou numa situação estranha. Eu estava diante do homem que amava, mas que mal conhecia. Afinal, só tínhamos passado um mês juntos em Veneza algumas semanas atrás. Não sabia muito bem o que dizer. Queria lhe contar tudo a meu respeito, mas não me sentia à vontade para fazê-lo. Percebendo meu constrangimento, ele foi até o piano e começou a tocar. Imediatamente, o clima mudou. Me pus a cantar junto e rir de seus gracejos.

Não sei por que eu estava tão nervosa quando Mamãe chegou. É claro que os dois se entenderam bem! Ele é extremamente carismático e Mamãe já estava predisposta a gostar dele. A tarde passou voando enquanto ríamos com as histórias que Miki contava e com as fotos dos nossos passeios em Veneza. Por fim, fomos ao assunto.

— Sabe – disse Mamãe –, os negócios estão melhorando, mas não sei quanto o Alfredo pode dispor para o dote...

— Assim a senhora me ofende! Imagine se estou pensando em dote! Não quero falar nisso. Se o sr. Alfredo estiver com problemas, por favor, me diga. Talvez eu esteja em posição de ajudá-lo.

— Não é isso, não estamos precisando de ajuda, mas eu gostaria de saber qual sua expectativa quanto ao dote.

— Eu não quero ouvir falar em dinheiro. Eu estou apaixonado por sua filha, quero me casar com ela.

No final da tarde, de partida na plataforma do trem, ele me deu nosso primeiro, doce, beijo.

— E então, o que você achou? – perguntei ansiosa.

— Pelo menos ele não é ruivo... – foi a resposta de Mamãe, sempre irônica.

Mas de noite chegaram Ugo e Papai e o discurso dela foi completamente diferente. Não podia ser mais elogiosa, o que deixou os dois contentíssimos. Ugo gostou especialmente do fato de Miki ser piloto como ele.

Poucos dias depois, Miki telefonou para minha mãe pedindo a medida do meu dedo. Queria vir quinta-feira conhecer meu pai.

Papai estabeleceu meu dote em um milhão de liras.[*] Como Miki não quis mexer nesse dinheiro, decidimos comprar títulos do governo, caso precisássemos no futuro (e como precisamos!).

Começaram então os preparativos para o casamento. Primeiro, a data. Mamãe queria que fosse depois de meu aniversário de 21 anos no dia 12 de junho de 1938, e antes de eu começar a faculdade. Ficou marcado para dia 14 de setembro, uma quarta-feira, às dez horas da manhã. Segundo, a escolha da igreja. Essa eu já sabia. Desde quando comecei a estudar no Poggio, toda vez que íamos para Resta, avistava no topo de um morro uma linda igreja renascentista. Tão majestosa em sua simplicidade! Essas coisas são difíceis de explicar. Não é como se a Toscana fosse desprovida de igrejas maravilhosas. Mas aquela, talvez pela vista magnífica, ou pela sua singeleza... Passava e pensava: *É ali que eu vou me casar.* Era a Basilica dell'Osservanza. A cerimônia seria simples, sem festa, só com a família e pouquíssimos amigos. Meu vestido eu já tinha muito claro na cabeça. Liguei para a Serra. Em uma conversa, ela compreendeu tudo.

---

[*] O que equivaleria a 70.000 euros hoje em dia.

— Daqui a algumas semanas eu venho fazer a prova de tela.

Próximo na lista: Ferragamo. Marquei um almoço para conversar com calma. Mesmo sabendo que ele não tinha mais nenhum tipo de sentimento romântico por mim, eu queria dar a notícia pessoalmente.

Cheguei um pouco atrasada, o que não era do meu feitio:

— Desculpe, Salvatore, minha vida está uma correria!

— Como sempre! Você não está feliz se não arranja alguma encrenca.

— É verdade! – respondi rindo.

Conversamos de forma animada como sempre, até que finalmente fui ao assunto:

— Não sei se você ficou sabendo, mas eu vou me casar.

— Ah, assim, de repente?! Sem meu consentimento! – disse ele rindo. – Com quem?

— Ele se chama Michele Pascolato, é diretor da Cassa di Risparmio de Veneza.

— Então ele tem ligação com o partido?

— Sim... isso às vezes me dá medo do que pode acontecer. Hoje em dia está tudo tão polarizado. Tem os fanáticos do regime, que são terríveis, violentíssimos, e os opositores, que são tão ruins quanto. Para um lado ou para o outro, os ânimos estão muito exaltados.

— Mas vocês não têm nada a ver com isso!

— Não, mas as pessoas ouvem que vou me casar com um fascista e colocam tudo junto. Meus pais, irmãos e eu nunca fomos fascistas e meu noivo é uma boa pessoa.

— Que bom, quero conhecê-lo. Mas vamos ao que interessa! Então você vai morar em Veneza? E a Ca' Foscari?

— Consegui entrar! Vou começar em setembro.

— Que ótima notícia, meus parabéns! Eu não falei a você que, para pessoas como nós, as coisas sempre acabam se acertando? Vou criar os sapatos mais elegantes que você já viu! Me conte, como será seu vestido? A Serra já tem o tecido? Posso telefonar para ela para pedir uma amostra?

— Eu ainda não escolhi o tecido, só sei que vai ser um crepe de seda branco, um pouco mais pesado porque quero uma boa caída. Além do mais, o casamento será em setembro, já começa a fazer friozinho. A Serra vai trazer umas amostras para a prova de tela. Assim que eu decidir, peço para ela te mandar um corte.

Nada como trabalhar com gente competente. Ele também entendeu tudo direitinho e me fez um lindo par de sapatos. Em vez de usar a fazenda do vestido, Ferragamo decidiu por um nude, bem clarinho. Ele disse que assim eu poderia usar em outras ocasiões. E como usei!

Por fim, o chapeleiro. Eu queria um adereço bem simples e elegante. Branco, liso, do mesmo material do vestido, que cobrisse minha cabeça como uma tiara alta, da qual sairia um véu longo que cairia até a cauda. E estava pronto o figurino.

Conforme prometido, em algumas semanas Serra veio para Florença com a prova de tela. Essa é uma prática antiga da alta--costura. A modista faz o molde da roupa em um algodão mais grosseiro. No corpo da cliente, a costureira faz os acertos necessários com alfinetes e um pequeno giz redondo, chatinho, especial para marcar tecido. As pessoas não têm o corpo igual umas das outras e ninguém é totalmente simétrico. A prova de tela garante medidas exatas, valorizando as formas de cada um. Só depois dessa prova é que o tecido é cortado.

Seria um vestido muito discreto, o decote redondo, fechado, rente ao pescoço e as mangas justas, compridas. A silhueta alongada sublinhava o busto e ressaltava minha cintura fina. Nas costas, a saia se estendia em uma cauda de um metro mais ou menos. Como enfeite, apenas umas flores de laranjeira naturais pregadas junto ao decote. As mesmas do meu buquê e da decoração. Delicadas, brancas, perfumadas, a igreja ficaria com uma fragrância maravilhosa!

Encomendei os convites e as participações na Pineider, a papelaria mais tradicional de Florença, a mesma que fazia meus diários. Estava pronta a primeira fase dos preparativos.

Em meio à correria, Miki trabalhava sem parar. Mesmo assim, nos falávamos todos os dias por telefone, além de trocarmos cartas, cartões e telegramas. Se ele viajasse para Roma e não conseguisse me chamar, eu passava o dia todo agitada, na expectativa de uma ligação, e ia dormir numa profunda insegurança. Mas, logo no dia seguinte, ele aparecia e acalmava minhas incertezas. Eu estava completamente perdida. Àquela altura nem me envergonhava mais em admiti-lo.

Os próximos meses foram marcados por uma queda de braço entre mim e minha futura sogra, a quem, conforme a tradição, passei a chamar de Mamma Ida (Miki chama Mamãe de Mamma Tilde). Tudo começou quando, em junho, Miki foi encarregado de inaugurar a Bienale. Fiquei excitadíssima ao receber a notícia de que iria com Mamãe ver a inauguração já na qualidade de futura senhora Pascolato!

A abertura da XXI Bienal de Veneza foi maravilhosa! Cheia de figurões do partido, artistas e os glamourosos atores e atrizes da Cinecittà. Apesar de ter adorado toda a pompa e circunstância, confesso que minha cabeça estava em outro lugar. Durante aquela semana, Mamãe e eu pousamos no Palazzo Moro Lin e, embora ainda não tivéssemos discutido o assunto, estava subentendido que Miki e eu moraríamos ali com a Mamma Ida.

Começava a me sentir profundamente angustiada, oprimida. Por mais que gostasse da minha futura sogra e da casa onde ela morava, não queria começar a vida de casada com ela. Não sabia, porém, como dizer isso a Miki. Aquele palácio estava na família havia gerações, era onde ele se imaginava tendo filhos e envelhecendo. Além disso, meu noivo não iria querer deixar a mãe morando lá sozinha. Mas eu sabia que seria importante termos um lugar só nosso, então respirei fundo e falei. Estava morrendo de medo de sua reação. Como sempre, ele foi um encanto:

— Eu só quero estar perto de você. Me diga onde quer morar e vamos!

É claro que falou precipitadamente. A Mamma Ida ficou arrasada e começou sua própria campanha. Foi uma batalha acirrada. Coitado do Miki, conversava comigo e saía determinado a fazer uma coisa, conversava com a mãe, mudava completamente de ideia... Ele não tinha como agradar as duas. E nós usávamos todas as nossas armas. Ela fazia chantagem emocional, eu me irritava e falava, falava, falava...

Por fim, chegamos a um acordo. Iríamos transformar um dos andares da casa em um apartamento para nós dois. O palácio já estava mais ou menos dividido. Parece loucura, mas por causa do tamanho da casa, minha sogra morava durante a primavera e o verão no andar de baixo, que era mais fresco, e durante o outono e o inverno nos de cima. Agora ela não precisaria mais fazer essa mudança sazonal. Nós transformaríamos o primeiro andar – que já tinha as estruturas da cozinha e do banheiro montadas – em um apartamento nosso. Era preciso reorganizar e modernizar um pouco os cômodos, nada muito complicado. Foi realmente uma ótima solução! Pena que, no final, durou tão pouco.

Sentada em frente ao espelho, vi a cara de espanto do cabeleireiro ao tirar os últimos bigudinhos. Estava claro que alguma coisa tinha dado errado com minha permanente. Ele havia queimado uma mecha inteira junto à minha nuca! Eu via, mas não conseguia acreditar. A duas semanas do casamento, aquilo era tudo o que eu não precisava! Me olhava no espelho com uma ferida que aparecera nos meus lábios na manhã anterior e aquele cabelo queimado. O que o Miki iria pensar? Que se casou com um monstro!

Eu terminava de me despedir de minha vida de menina em Florença. Tinha renovado meu guarda-roupa – adequado a uma senhora, mulher de um jovem político de carreira promissora. Organizei, caloguei, encaixotei meu novo enxoval, junto com algumas joias e quadros que ganhei de Mamãe, e os despachei para Veneza. O vestido de casamento estava pronto, os convites e participações todos entregues, inclusive aqueles da condessa Spaletti, que fiz questão de entregar eu mesma. Conforme havia previsto, ela ficou furiosa! Disse que eu a tinha traído e a seu filho. Mas o que ela imaginava? Que eu fosse ficar esperando o resto da vida para que ele decidisse me dar bola?! E ainda tive a consideração de ir pessoalmente! Enfim, aquele lá não era mais problema meu.

E agora essa! Me olhava no espelho e não me reconhecia mais. Sim, a mecha tinha sido um acidente que não iria aparecer embaixo do coque e do véu. A febre no lábio logo iria passar, mas o estranhamento ia além disso. Talvez por não saber o que esperar na noite de núpcias, pela ideia de que minha vida mudaria radicalmente, ou simplesmente por minha natureza vaidosa, eu tinha crises de insegurança e me sentia cada vez mais dissociada do meu corpo.

Ainda falava e me correspondia com meu noivo diariamente, mas nos víamos muito pouco. Ele estava supervisionando a reforma de nossa casa, além de todas as viagens que fazia pela Itália a trabalho. Eu não via a hora de me casar e acabar de vez com essa separação. Talvez aí me sentiria mais completa, e aquela sensação passaria.

Quanto mais nos conhecíamos, mais nos gostávamos e respeitávamos. Nossos valores eram tão parecidos. Nos entendíamos tão bem! Já éramos um do outro em tudo, e estávamos felizes, graças aos céus. Eu rezava para que aquela sorte durasse para sempre, e esperava conseguir ser uma boa esposa. O amava tanto e ele a mim. Com ele, acreditava que era impossível não ser feliz. Rezava ao Senhor para que ele também o fosse, muito e sempre.*

---

* *Signore, fa che anche lui lo sia tanto e sempre.*

19.

14 de setembro de 1938

O dia das minhas núpcias. Às oito cheguei em Scacciapensieri vinda de Resta com a Serra. Ela e sua assistente Cesarina me vestiram. Às dez, na Basilica dell'Osservanza. Foi uma cerimônia sugestiva. Trocamos os votos; nunca fiquei tão comovida. Partimos às 12, parecia que estava sonhando. Almoçamos no restaurante Milano em Acquapendente. Às cinco, Roma, Grand Hotel. Vale a pena estar no mundo, mesmo que só por aquele momento. Vi nos olhos de Miki a felicidade completa. Estava imensamente feliz. Jantamos na Taverna... Sou a senhora Pascolato. Sonhei tanto com isto, mas a realidade superou tudo.

Cenas de um casamento: Gabriella, 1938.

20.

13 de novembro de 1945

Aos poucos as coisas vêm se desemaranhando, um nozinho de cada vez. Agora falta fazer os exames médicos do Miki e fechar a venda da seda. Para este último item, hoje fui para Zurique tratar dos detalhes. Já tínhamos acertado a quantidade e o preço por telefone, faltava pouquíssimo para concluirmos o negócio, mas eu continuava muito nervosa. Nosso dinheiro está acabando e, se não conseguirmos a venda, não sei com que recursos chegaremos até o Brasil.

Fui recebida na casa de um dos compradores com muita cordialidade. Ele me levou até a sala onde estavam os outros sócios. Nos sentamos para tomar um chá. Fiquei com um mau pressentimento na hora. Não sei explicar muito bem por que, havia algo de estranho, de condescendente na postura deles. A despeito do que meu instinto dizia, me fiz de desentendida. Tirei da sacola o mostruário que montei com o maior cuidado, abri-o sobre a mesa de centro junto com um sorriso e comecei a falar da excelente qualidade dos cortes que estariam adquirindo. A conversa continuou por uns 20 minutos. Ajustamos os detalhes de metragem e endereço de entrega até que, por fim, na hora de fechar negócio com um aperto de mão, meu anfitrião saiu com o seguinte comentário:

— Está ótimo, mas vamos ter que baixar o preço do metro.

Eu levei um tempo para entender. Era como se ele estivesse falando em chinês, sânscrito ou russo. Senti uma vontade de vomitar, comecei a enxergar tudo branco. Juntei os restos de força e calma que tinha e retruquei:

— Mas já está acertado, já passamos da fase de negociação, não posso aceitar menos do que foi acordado.

Senti a boca seca, mal conseguia respirar, mas sabia que não podia dar sinais de fraqueza. Era evidente que ele queria se aproveitar de minha inexperiência e posição de fragilidade. Deve ter pensado: *Aquela ali está desesperada. Se eu baixar o preço, não vai ter alternativa senão aceitar*. Só que estava enganado. Fechei o mostruário bem devagar, coloquei-o dentro da bolsa, me levantei com calma, em silêncio, e saí sem olhar para trás.

14 de novembro de 1945

De manhã o comprador da seda me ligou para falar impropérios. Dizer que eu tinha descumprido meus compromissos. Imagine, *eu* descumpri?!!! Composta, disse que no preço que ele sugeriu eu perderia dinheiro e não iria ceder. E não cedi. Sei que perdi a venda e que não terei mais tempo de procurar outro comprador. Também sei que nosso dinheiro não vai durar mais de uma semana. Mas tenho plena consciência de que, aconteça o que acontecer, não vou deixar que tirem proveito de mim e de minha família. Que raiva! Tudo por causa dessa maldita guerra!

21.

Setembro de 1938

Hitler se aproveitava do medo para conseguir o que queria. A memória das vidas perdidas cruel e inutilmente durante a Grande Guerra, que ainda era a única e não a Primeira, fez com que a Europa se curvasse às exigências descabidas do Führer numa política de apaziguamento. Eles acreditavam ingenuamente que assim poderiam evitar um novo conflito armado. Depois da anexação da Áustria, o chanceler alemão, numa escalada de seu projeto de poder, queria se apossar dos Sudetas: uma cadeia de montanhas na Tchecoslováquia que fazia fronteira com a Alemanha e a Polônia e tinha uma grande população de origem alemã. Como se a preocupação dele fosse, de fato, o povo alemão e não uma sede desmedida de poder e território.

Tudo isso acontecia enquanto nós chegávamos no nosso lindo apartamento em Veneza, após uma semana de lua de mel em Roma e San Galgano. Ele me carregou para dentro de casa. As portas de vidro com venezianas se abriam para pequenos terraços sobre o Gran Canale e traziam o silêncio, a tranquilidade que só a água consegue proporcionar. Barcos a motor eram um acontecimento raro e só se ouvia o som de vozes passando e de remos entrando e saindo da água. Ainda vazia de móveis, a sala estava cheia de flores e presentes de casamento. O único cômodo já decorado era o quarto de dormir, que Miki arrumara com extremo bom gosto. Espaçoso e iluminado, tinha paredes recobertas de um tecido turquesa não muito claro, nem escuro demais, um *jacquard* com listras verticais que intercalava faixas brilhantes e opacas. A primeira coisa que se via ao entrar era um lindo gaveteiro do século XVII em madeira clara, com um trabalho fabuloso de marchetaria. O tampo se abria e fazia as vezes de escrivaninha. Ao lado, uma cadeira igualmente antiga, também de madeira com o assento de couro. No canto, junto a uma das portas de vidro que se abriam para a sacada, uma poltrona de leitura revestida de couro tinha um pufe para colocar os pés e uma luz de leitura adaptada de uma antiga roca de fiar. Na parede oposta, nossa cama e dois criados-mudos. Estes eram de uma madeira mais escura do que o gaveteiro, com o tampo de mármore branco com veios verdes, que ecoavam a cor do tecido da parede. Havia alguns, poucos, quadros já pendurados com muita habilidade sobre a cama, a poltrona e ao lado do gaveteiro.

— Você gostou? Pode mudar tudo, não me ofendo – ele disse com um sorriso.

— Como não iria gostar? É o nosso quarto. Está perfeito!

Eu estava empolgadíssima com a ideia de trabalhar para deixar o resto do apartamento em ordem e construir um lar junto com

Miki. Desde quando fiz a reforma em Resta, descobri que tinha talento para decoração. Já pensava em contratar uma cozinheira, uma faxineira, pintores, marceneiros, em escolher a cor das paredes, os tecidos das cortinas e os móveis que teríamos que comprar. Mas os jornais anunciavam que Hitler ameaçava usar de força bruta contra os tchecos e Miki me pediu para ficar de prontidão. Caso houvesse uma declaração de guerra, ele queria que eu voltasse a morar em Resta, que, por ser mais ao sul (mais distante da fronteira) e longe das cidades, corria menos risco de ser bombardeada. Que golpe no coração!

Em 28 de setembro, Mussolini foi para Munique intermediar um acordo entre França, Inglaterra e Alemanha e, poucos dias depois, conseguiu que assinassem um tratado cedendo os Sudetas para a Alemanha. Em troca, Hitler prometia parar com as exigências territoriais. Hoje, todos sabemos o valor da palavra do Führer, mas, na época, Mussolini voltou para a Itália vitorioso. A Europa aplaudia sua proeza diplomática enquanto italianos se orgulhavam de estar mais uma vez entre os protagonistas da história.

Eu estava feliz na minha nova vida, embora a presença de meu marido se fizesse cada vez mais necessária em Roma. Um dia longe de Miki me parecia eterno, mas sabia que precisava ser forte e aguentar a saudade que tomava conta de mim cada vez que o ajudava a preparar as malas. Afinal, não tinha escolha, meu sonho de um diploma universitário estava em Veneza.

A Ca' Foscari era tudo o que eu esperava. O estímulo intelectual, os professores, as colegas. Não podia estar mais feliz com minha vida acadêmica. Na ausência de meu marido, Mamma Ida me fazia companhia. Comíamos muito juntas e íamos quase todos os dias ao cinema. Eu me dava bem com minha sogra, uma pessoa inteligente e ponderada. Em pouco tempo aprendi a confiar em seu bom senso e me sentia à vontade para pedir a ela conselhos sobre os mais variados assuntos, exceto um.

Desde antes de casarmos, Miki já falava em ser pai. Dez anos mais velho do que eu, ele tinha pressa em construir uma família. Eu via os olhos dele brilharem enquanto fazia planos para o futuro de crianças que nem sequer haviam sido concebidas. Como, então, falar para ele que eu não sabia se queria engravidar? Pelo menos não naquele momento. Me achava muito nova, acabara de começar a faculdade e uma vida a dois com um marido que quase nunca estava em casa. Tinha medo de que uma criança fosse atrapalhar nossa harmonia e que uma gravidez estragasse meu corpo, tornando-o indesejável. Além disso, embora a guerra tivesse sido evitada no momento, sua sombra pairava cada vez maior e mais sinistra. Eu não me via no direito de trazer uma criança a um mundo tão conflituoso. Mas eu me sentia profundamente egoísta. Miki se dobrava em dois para fazer minhas vontades, como então poderia negar a ele o que mais desejava? Incapaz de encontrar uma solução e sem coragem de discutir o assunto com ninguém, entreguei a Deus.

Dezembro de 1938

Passamos uma semana em Roma. Miki fora designado a representar o partido em um congresso sobre a autarquia, e eu, já de férias, quis acompanhá-lo. Ficamos no Grand Hotel, que se tornara nossa segunda casa. Miki tinha uma suíte permanente onde guardava suas roupas e objetos pessoais, até mesmo seu violoncelo. Meu marido adorava aquele instrumento! Era um de seus bens mais preciosos. Não tanto por ser raríssimo, o que de fato era (um del Gesù do século XVIII), mas pelo prazer que sentia ao tocá-lo. Especialmente nas noites que passava longe de mim. Dizia que assim se sentia menos sozinho.

O quarto era muito luxuoso. Além do dormitório, havia uma sala de estar, onde ele preparava seus relatórios, fazia reuniões de trabalho e onde passávamos tardes tranquilas lendo, conversando, rindo e ouvindo música no toca-discos. Durante o dia, eu saía com minha cunhada Franca e seus três filhos. Ainda hoje desconfio que minha sogra, sempre a boa observadora, sugeriu a ela que me procurasse para que eu passasse mais tempo com as crianças. Uma tentativa de despertar meu instinto maternal. Elas eram adoráveis. Me divertia muito sair para um sorvete, passear no parque, tomar sol ou ver os bichos no jardim zoológico, mas, quanto ao meu instinto maternal, só foi despertar quando nasceu Costanza.

As noites romanas continuavam esbanjando o luxo e a euforia da época de minha viagem com meus pais dois anos antes. Miki era um político de destaque e nós recebíamos convites para os eventos mais importantes da cidade: bailes, óperas, concertos, jantares. Conheci pessoas interessantíssimas! As conversas eram inteligentes, os debates acalorados, cada um defendendo uma opinião diferente sobre os mais recentes acontecimentos. Num momento tão movimentado da história, cada semana trazia inúmeras novidades.

Acabado o congresso, passamos em Resta para dar um beijo nos meus pais antes do Natal. Minha relação com Mamãe melhorou muito depois do casamento, talvez pelo fato de eu ter feito o que ela sempre quis, ou por estar mais adulta, feliz e tranquila. Comemoramos as festas em Cortina d'Ampezzo, nos Alpes italianos. O hotel era lindo, elegantíssimo. E o que dizer de Cortina? A pequena cidade ficava num vale rodeado por uma cordilheira monumental. Tudo estava coberto de neve, inclusive as florestas coníferas ao redor da cidade. O céu era tão azul que quase doía o olho, e o ar frio, limpíssimo, abria os pulmões e trazia uma energia que parecia inesgotável. Atleta nato e exímio esquiador, Miki gostava de sair cedíssimo com os amigos, antes mesmo de o sol nascer, e procurar locais fora da pista demarcada. Subia a pé e descia abrindo uma trilha na neve fofa. Eu, que esquiava bem, mas não tanto quanto ele, já preferia subir o teleférico e descer pelos caminhos tradicionais admirando a paisagem deslumbrante. No final do dia, nos encontrávamos para o chá e um descanso merecido em nosso quarto. Depois íamos ao restaurante do hotel para um jantar com amigos e saíamos para dançar.

Como vivíamos bem naquela época! Mas, embora tenha me divertido muito e aproveitado ao máximo todo o *glamour* dos meus primeiros anos de casada, não é essa a lembrança que me vem à cabeça quando penso neles. A verdade é que eu não dava muita bola para todo aquele luxo. Tanto que, quando perdemos tudo, nem sequer olhei para trás. O que me fazia feliz, mesmo, o que me deu forças para buscar uma vida nova do outro lado do oceano, era o amor que compartilhávamos. Era o jogar conversa fora em doce intimidade. Quantas risadas, quanto carinho! Nós nos dávamos bem em todos os sentidos.

Miki me dizia que amar uma pessoa era amá-la completamente: não apesar dos defeitos, mas eles inclusive. Todo aquele amor me dava a liberdade de ser quem eu era, sem máscaras. Como me fazia feliz!

Brindamos 1939 na mansão de um colega de partido, numa opulência digna da megalomania de certos membros do alto escalão fascista. Centenas de pessoas dançavam na certeza de um futuro brilhante para a Itália. O ano começou com um magnífico beijo de Miki e um sentimento de alegria e otimismo...

Era 13 de janeiro e nada de minhas regras chegarem. Eu continuava insegura sobre ter um filho, mas perto de Miki tudo me parecia bom e possível. Ele ia e voltava de Roma todas as semanas e, para não me sentir tão solitária, eu frequentava minhas colegas do Poggio que tinham se mudado para Veneza e os novos amigos que fiz na Ca' Foscari. Também passava muito tempo com minha sogra. Ela me fazia sentir mais próxima de Miki. Certo dia, voltávamos a pé do cinema, onde assistíramos a *Anjos de Cara Suja*, com Cagney e Bogart, quando joguei no ar a possibilidade de estar grávida. Ainda era cedo para dizer ao certo, mas queria compartilhar minha ansiedade com alguém. Não preciso dizer que sua reação foi a melhor possível.

Fevereiro chegou trazendo consigo a morte do Papa Pio XI e uma promoção de Miki a inspetor do partido. Ele e alguns colegas com quem compartilhava o cargo seriam responsáveis por supervisionar o trabalho dos *federales* país afora. Era oficial, agora ele teria de se transferir permanentemente para Roma, além de viajar muito mais pela Itália. Viveríamos numa situação moderníssima, cada um numa cidade. É claro que ele procurava vir todos os finais de semana, mas a separação se fazia sempre mais difícil. Não pelo que os outros diziam ou deixavam de dizer, mas pela dor da distância. Ficou acertado que eu moraria em Veneza até terminar minhas aulas em junho, depois nos mudaríamos para um apartamento em Roma. Já tinha combinado tudo na Ca' Foscari. Até o final do semestre eu frequentaria as aulas, mas no ano seguinte poderia fazer as provas sem precisar marcar presença. Trabalharia de perto com meus professores pegando toda matéria necessária e estudaria de casa.

Em março, anunciei minha gravidez para o resto da família, o que causou um *frisson* generalizado. O primeiro herdeiro Pascolato estava a caminho! Estranhamente toda a gula que tinha no final da minha adolescência, até me casar, passou. Não sei se era a felicidade de estar casada com Miki, se porque a frustração que sentia antes de entrar para a faculdade passara. Só sei que quase não engordei e, como o neném estava previsto para setembro, só precisei encomendar roupas largas para o verão.

No começo da primavera, tirei alguns dias de folga para ir a Roma assistir ao juramento de Miki em seu novo cargo. Ficamos sempre no mesmo quarto do Grand Hotel, que passei a adorar por causa das tardes e noites que vivemos ali.

Naquele tempo, o que mais me preocupava era a saúde de meu marido. Sim, verdade que com a mudança de estação ele tinha crises de rinite alérgica que só melhoravam quando voava de avião, o que fazia com cada vez menos frequência por causa da demanda de seu trabalho. Esse era, na verdade, um dos motivos por que ele gostava tanto de pilotar. Tinha alergia ao pólen, que não subia tão alto quanto seu avião. Dizia que bastava levantar voo para o nariz descongestionar e os olhos pararem de lacrimejar. Mas eu sabia que o problema era maior do que as alergias. O estresse causado pelas brigas internas no partido estava acabando com ele.

Desde sua origem, o fascismo estava dividido. Diferentes facções lutavam por uma influência maior junto ao Duce. Algumas eram mais radicais, xenófobas, antissemitas e belicosas; outras, como a do meu marido, se preocupavam em melhorar a economia e as condições de vida dos italianos, prestando pouca atenção ao viés preconceituoso. O atrito entre as facções tornava o ambiente de trabalho tenso. Temendo que seu lado estivesse perdendo espaço, por vezes Miki voltava para casa nervoso, menos atento e carinhoso do que de costume. Em momentos de fraqueza, eu tinha crises de insegurança, achando que ele me amava menos ou talvez de outra forma, agora que estava esperando um filho. Coitado, como se já não tivesse problemas o suficiente. Não era à toa que sua saúde sofria.

Março terminou e colhi os frutos dos meus esforços, mais uma vez conquistando boas notas nas provas do trimestre. Estava extremamente feliz, faltavam apenas dois meses para me mudar para Roma e viver sempre ao lado do meu amor. Pelo menos, era o que imaginava, mas não foi o que aconteceu.

Em abril, a Itália recomeçou sua campanha expansionista na África. O caráter bélico de Mussolini estava cada vez mais evidente, e era uma questão de tempo até que Hitler declarasse guerra na Europa. Sabia que Miki e seus colegas estavam fazendo o máximo para não deixar que a Itália se juntasse a ele, mas parecia que a opinião deles contava menos.

A Páscoa sempre foi um feriado importantíssimo para minha família. Já fazia um tempo que eu não ia ter com os meus e pedi a Miki para irmos a Resta. Descemos do trem em Florença, para umas compras e uma visita rápida ao Ferragamo. Comemos e partimos para Siena, onde Papai e Nino vieram nos buscar na estação.

A Semana Santa foi uma delícia, eu sempre me sentia bem na fazenda. Me orgulhava muito de mostrar tudo a Miki; as plantações, os animais, o vinho, o *vin santo*... Além disso, estava morrendo de saudades de Mamãe. É certo que nos falávamos todos os dias por telefone e nos escrevíamos quase com a mesma frequência, mas sua presença me fazia muita falta. Com quem mais poderia falar sobre minha insegurança com relação à maternidade? Eu não tinha experiência alguma. Como era do meu feitio, procurava me informar o máximo possível, mas o desconhecido me deixava muito aflita. Minha mãe apenas ria e dizia:

— Não se angustie tanto, a natureza se encarrega de tudo.

De volta a Veneza, retomei minha rotina de sempre, mas, finalmente, a distância começou a causar ruídos em nosso casamento. Miki, cada dia mais ocupado, dispunha de pouco tempo para vir me ver. Fazia o que podia, mas eu comecei a ficar possuída pelo "monstro dos olhos verdes", como dizia Shakespeare. Meu marido tinha em Roma uma ex-namorada de quem ainda era muito amigo, a Luisa Termi. Sempre falava bem dela e eu estava certa de que ela ainda arrastava uma asa por Miki. Além disso, os dois frequentavam os mesmos eventos em Roma. Claro, faziam parte da alta sociedade, era natural irem aos mesmos lugares, mas eu não via as coisas desse jeito. O ciúme foi criando raízes cada vez mais profundas até que um dia tive um acesso de ódio. Chorava e explicava os motivos de tanta desconfiança, só existentes na minha louca imaginação. Ah, como a distância comprometia minha tranquilidade! Foi a primeira vez que o vi chorar. Ele não acreditava no que estava ouvindo. Entendia minha tristeza, mas não conseguia conceber o fato de eu me sentir insegura em relação a seu amor por mim.

— Como você pode desconfiar de nós, do nosso amor? Então você não vê o quanto eu te amo? Não reparou como todos os meus conhecidos se espantam quando eu apresento minha mulher? Ninguém achou que me casaria! Eu era um *bon vivant*, saía com mulheres, mas nunca nada importante. Então encontrei você e tudo mudou. Você passou a ser minha vida, eu vivo só para você e para nosso bebê que está para nascer.

Foi através da minha cunhada Franca que encontramos um lindo apartamento na Via Stoppani. Muito iluminado, em cima de um morro, com vista para dois parques: a Villa Ada de um lado e a prestigiosa Villa Borghese de outro. Logo depois das minhas provas, me mudei para o Grand Hotel e comecei a supervisionar a reforma do apartamento. Grávida de seis meses, eu movia os móveis de lá para cá procurando o melhor lugar, coordenava os pedreiros, tapeceiros, marceneiros para garantir que tudo estivesse em ordem para o dia da mudança no final de junho. Nas últimas semanas, Mamãe veio de Florença me ajudar. Fomos tão eficientes que, em julho, só o que eu tinha para fazer era procurar uma boa maternidade. Estávamos prontos para aproveitar as poucas férias que Miki conseguira. Fomos para Castiglioncello, à beira-mar.

Depois de uma semana maravilhosa na praia, eu resolvi ficar um pouco com Mamãe em Resta. Miki ainda tinha alguns dias antes de voltar para Roma e transformamos nossa viagem em um passeio. Paramos em Florença e é claro que não pude deixar de fazer minha parada obrigatória. Ferragamo tinha me feito sandálias um pouco maiores por conta dos pés inchados. Almoçamos no lindo restaurante do Hotel Doney e depois fomos a San Galgano. No dia marcado para irmos a Resta, acordei cedo com a ideia de chegarmos para o almoço conforme tinha combinado com Mamãe. A luz do sol entrava suave pelas frestas da veneziana e era filtrada pela cortina branca de algodão. Me virei para o lado e vi Miki dormindo tranquilo. Fui buscar o café da manhã, que trouxe para o quarto numa bandeja. Despertei meu marido com um beijo, ele sorriu, me abraçou e me jogou de volta na cama...

Na manhã seguinte, Miki voltou de Resta para Roma com Bepa, uma moça que contratamos para me ajudar em casa. Na mesma noite, ele seguiu para Veneza para se reunir com Volpi.

Eu não acredito que Mussolini gostasse muito de Giuseppe Volpi; ele não era um "verdadeiro fascista", tinha convicções guiadas por interesses capitalistas, não ideológicos. Mas o magnata era extremamente influente e, portanto, um mal necessário. Um meio inconveniente para seus ambiciosos fins. Por isso, o Duce fazia vista grossa a várias atitudes de Volpi e sua turma (da qual Miki fazia parte), inclusive a negligência no cumprimento das leis raciais (leia-se antissemitas) e a forte oposição à ligação do partido fascista com o nazismo antes e depois do início da guerra.[*]

Habilidoso homem de negócios, ele se meteu na política para aumentar seu capital e poder. Dono de alguns veículos de imprensa e de uma cadeia de hotéis que incluíam o Grand Hotel e o Hotel Excelsior de Veneza, Volpi rapidamente se empenhou em aumentar o turismo na Rainha do Adriático a fim de superar Paris como a capital mundial de cultura e lazer. Suas aspirações ecoavam as do partido, que queria transformar Veneza no ponto turístico mais desejável do mundo.[**] A despeito de sua ambição, ou provavelmente por causa dela, ele trouxe inúmeras riquezas e melhorias para o país.

Como ministro das Finanças, cargo que ocupou entre 1925 e 1928, conseguiu renegociar com os Estados Unidos e a Inglaterra o pagamento da dívida que a Itália contraiu após a Primeira Grande Guerra. Foi um dos responsáveis pela então polêmica construção da única ponte que liga o centro de Veneza com a terra firme e

---

[*] "Ordinary Venetians mostly seem to have been unconvinced by the anti-Semitic campaigns in the Fascist press, although one secret agent reported in April 1942 that some Venetians disliked the way that *federale* Pascolato – and behind him, it might be assumed, Volpi – protected jews." Bosworth, R.J.B. *Italian Venice, a History*. New Haven: Yale University Press, 2014, p. 188. (Os venezianos, de uma maneira geral, não pareciam muito convencidos pelas campanhas antissemitas da imprensa fascista, embora um agente secreto tenha reportado em abril de 1942 que alguns venezianos não gostavam da maneira que o *federale* Pascolato – e por trás dele, pode-se presumir, Volpi – protegia os judeus.)

[**] Suppiej, "Dieci anni di Fascismo nella provincia di Venezia", apud *Italian Venice*.

fundou o prestigioso Golf Club Venezia. Este último por causa dos caprichos do magnata Henry Ford, que, indo passar o verão de 1926 no Hotel Excelsior, trouxe consigo seus tacos e ficou frustradíssimo por não encontrar um local onde praticar seu esporte favorito. Ao saber da decepção do norte-americano, Volpi foi imediatamente em seu socorro, pedindo a ele que o ajudasse a escolher o local ideal para tal clube. Além disso, Volpi foi presidente da Bienale, fundador do Festival de Música Clássica de Veneza e da famosa Mostra de Cinema, eventos que buscavam aumentar a visibilidade e o turismo na região.

16 de agosto de 1939

Eu estava muito ciente de todas as politicagens na Itália, mas, a um mês de dar à luz, tudo o que eu queria era me distrair um pouco.

O sol brilhava forte naquele dia. Como sempre fazíamos quando estávamos em Resta nessa data, Mamãe e eu pegamos o carro rumo a Siena para assistir ao Palio. Nós adorávamos essa corrida de cavalos medieval que segue com suas tradições intactas. Duas vezes por ano, nos dias 2 de julho e 16 de agosto, o chão da Piazza del Campo – a principal praça da cidade – é coberto por terra e tufa, formando uma pista improvisada protegida por cavaletes nos dois lados. No centro da praça, a multidão se aglomera para torcer por suas *contradas* (quadras), que são quem compete na corrida. Normalmente, eu gostava de assistir ao Palio de lá, participando da bagunça, mas no meu estado achei por bem comprar ingressos para as arquibancadas que os organizadores construíam na parte externa da pista para o público pagante.

Seguimos a pé o cortejo da catedral à praça. A cidade estava linda, toda em festa. Nos balcões dos apartamentos, pessoas penduravam as bandeiras de suas quadras e, nas ruas, todos caminhavam enfeitados com as cores de seus times. Olhávamos com entusiasmo os homens vestidos em uniformes medievais coloridos que marchavam e faziam malabarismos com as bandeiras das *contradas* que competiriam naquele ano. Eles eram acompanhados de músicos tocando trompetes e tambores, também vestidos a caráter. Por fim, os jóqueis com seus cavalos e o carro de bois que carregava o *palio* – uma bandeira pintada por um artista local que seria presenteada ao vencedor.

A corrida foi, como sempre, eletrizante e teve um desfecho emocionante, já que a *contrada* vencedora, a Torre, não ganhava desde 1910. As comemorações, as mais alegres que já tinha visto, teriam seguido por mais um mês se as circunstâncias não tivessem mudado tão drasticamente.

Aquele foi o último Palio a que assisti. Nos anos seguintes, ele seria suspenso por causa da guerra.

A ameaça era iminente. Hitler agora exigia retomar um trecho de terra polonesa: o Corredor de Danzig, também conhecido como Corredor Polonês ou Corredor Polaco. Depois da Primeira Guerra, sua posse havia sido transferida do Império Alemão para a recém--recriada Polônia. O Führer queria as terras de volta. Mas, depois de ele ter quebrado sua palavra e enviado tropas a Praga no início do ano, a França e a Inglaterra desistiram da política de apaziguamento e ameaçaram usar a força caso ele continuasse com suas exigências. Todos nós acompanhávamos de perto o desenrolar dos acontecimentos. Daquela vez um pacto foi assinado entre Alemanha e União Soviética e a guerra parecia ter sido evitada novamente. O que nós não ficamos sabendo era que, em troca de cinco anos de não agressão entre os dois países, eles dividiriam a Polônia ao meio, assim como toda a região do Báltico. Seria uma questão de semanas até que eles começassem a agir.

Miki ia e voltava de Veneza procurando, junto com seus colegas, convencer Mussolini a não se aliar ao líder nazista. Ainda não sabíamos o quanto Hitler era cruel, mas já tínhamos uma ideia de sua falta de integridade. Além de não querer se associar à insanidade do Führer, eles não acreditavam que o país estivesse equipado com tropas e armas o suficiente para enfrentar uma guerra na Europa. Mas o Duce os decepcionava a cada passo, provando-se muito mais ganancioso do que imaginavam.

Eu buscava não pensar no assunto me ocupando das coisas da casa. De volta a Roma, passava muito tempo arrumando os armários da casa nova, separando os lençóis, as roupas e montando o enxoval do bebê que Serra enviara pelo correio. Além das lindas roupinhas, ela também mandou de presente um lençol branco bordado com passarinhos amarelos. Um trabalho de artesanato estupendo!

Miki me ligava sempre de Veneza e mantinha a par da situação internacional. No dia 24 de agosto, eu estava transferindo o vinho que trouxera de Resta em um garrafão para garrafas menores quando chegaram, de surpresa, Papai e Ugo trazendo Mamãe, que ficaria comigo para me ajudar com a vinda do bebê. Durante o jantar, o assunto não foi outro. Eu procurava não me emocionar muito, mas era impossível.

Sexta-feira, dia 25 de agosto, Miki chegou de Veneza muito agitado e mal do intestino, era evidente que o estresse o estava afetando fisicamente. Ele trouxe dois lindos casaquinhos amarelos que Mamma Ida mandou para o bebê e que guardei com muito carinho junto com o resto do enxoval. Sábado, nós fomos passear com a Bepa para mostrar a ela um pouco de Roma. A cidade estava maravilhosa e o dia, lindo. Passeamos pela Via Appia Antica, o Campidoglio, o Coliseu. Ela ficou encantada. Imagine, nunca tinha ido além de Buonconvento, o vilarejo mais próximo de Resta. E pensar no quanto nossa magnífica capital sofreu nos anos seguintes!

Domingo fomos à missa na Igreja de Santa Teresa de Ávila. Fazia um sol esplêndido, não conseguíamos conceber que estávamos às vésperas de uma possível declaração de guerra. Nos agarrávamos com todas as forças à frágil esperança de paz enquanto acompanhávamos pelo rádio as negociações que aconteciam entre Londres, Berlim e Roma. Eu procurava sempre dominar meus nervos, se não por mim, por Miki e pelo bebê que estava no meu ventre. Não conseguia me concentrar em nada, nem nos livros, que sempre foram meu refúgio. Eu me iludia achando que, talvez, se a situação política se delineasse um pouco melhor, eu poderia seguir com minha vida...

Quarta, dia 30, Miki me ligou de Veneza pedindo para eu arrumar minhas coisas como se devesse partir por muito tempo. Eu sentia um aperto tão forte ao pensar que teria de desmontar minha casinha que arrumara com tanto amor! Não me parecia verdade que no começo daquele mês estávamos na praia, gozando de dias abençoados e desfrutando do nosso grande amor na serena felicidade de Castiglioncello... Mas agora o horizonte se fazia sombrio com o pesadelo da guerra. Eu estava preparada para o pior.

1º de setembro de 1939, Miki chegou em casa de madrugada com pressa de sair. Nós corremos para terminar as malas, fechamos a caixa dos lençóis e almoçamos ouvindo o rádio que anunciava a declaração de guerra da Alemanha contra a Polônia.

Naquela mesma noite, Miki voltou para Roma. Fui a Buonconvento comprar o jornal vespertino, suspirei aliviada quando li sobre a decisão do Duce de não agredir. O esforço de meu marido estava surtindo efeito, pelo menos por enquanto.

Sozinha na cama, chorei até dormir.

22.

19 de setembro de 1939

Às duas e trinta da madrugada nasceu minha filha Costanza. Por volta das onze e trinta da noite, Mamãe ligou para Miki avisando que eu estava em trabalho de parto. Ele pegou o carro e veio a toda velocidade de Roma. Nossa filha estava quase nascendo quando eu ouvi pela janela o barulho do motor de seu Fiat 1500. Miki largou o automóvel de qualquer jeito na entrada do hospital, subiu as escadas correndo até meu quarto. Chegou a tempo de ouvir o primeiro choro. As dores foram tremendas, mas acabaram rápido.

Ela era tão pequenina, 2 quilos e 600 gramas. Papai veio à tarde e muitas outras pessoas que eu não vi, porém. Como o Miki estava emocionado! Quase fiquei com pena de vê-lo daquele jeito. Achava um pecado que não viera um menino, mas para mim dava no mesmo. Estava feliz, não parecia verdade, era uma coisa maravilhosa.

Costanza era talvez o bebê mais feio que já tinha visto; toda peludinha, um nariz enorme, as feições masculinas. Olhei para a minha filha e pensei: *Meu Deus, a vida é tão mais difícil para as mulheres feias!* À noite, chorei escondida. É verdade que não demorou muito para a penugem cair e ela se transformar em uma criança estupenda, daquelas que as pessoas param na rua para olhar.

As duas semanas que se seguiram foram estranhíssimas. O quarto do hospital era frio, escuro, lá fora não parava de chover e a privação de sono dava a tudo uma qualidade etérea, como se eu estivesse vivendo num sonho muito desagradável. Procurava superar as dores decorrentes do parto, enquanto me acostumava com a ideia e a responsabilidade de ser mãe.

Tinha uma febrícula, os ossos me doíam, assim como as costas, e não encontrava uma posição cômoda; não dormia mais de duas, três horas seguidas. Meus hormônios oscilavam, uma guerra estourava lá fora e o tempo continuava frio e chuvoso. Que tristeza!

Minha filha crescia a olhos vistos e precisava se alimentar cada vez mais, só que meu corpo não cooperava. Em pouco tempo, percebi que o leite estava secando. Costanza chorava de fome a noite toda, coitada. Imediatamente comecei a fazer um tratamento à base de injeções, mas quando ele começou a surtir efeito me apareceram rachaduras tão profundas no peito que, a cada mamada, a dor me trazia lágrimas.

Miki me ligava constantemente de Roma. Quando vinha visitar, passava o dia inteiro conosco, saía do quarto apenas para ir dormir. Mas não conseguia ficar mais do que um, no máximo dois dias. Afinal, os problemas do país eram bem mais sérios do que os meus. Eram críticos, e resolvê-los significava garantir maior estabilidade para o futuro de nossa filha. Um motivo a mais para se empenhar incansavelmente procurando manter a Itália em sua posição de neutralidade.

Numa de suas vindas, trouxe consigo uma enfermeira para me ajudar com a pequena e me fazer um pouco de companhia, pois, como se não bastasse, minha pobre mãe teve de ir visitar nosso médico em Florença por causa de fortes dores no peito. Mas a enfermeira era uma inútil e me dava mais trabalho do que se não estivesse lá.

A situação política continuava caótica. A França e a Inglaterra declararam guerra aos alemães, que por sua vez continuavam a conquista da Polônia. A grande pergunta era: o que faria a Itália? As notícias me deixavam tão angustiada que evitava ler os jornais e ouvir o rádio. Preferia recebê-las de Miki, que me telefonava e escrevia duas, três vezes por dia. Ele continuava viajando sem parar a trabalho e fazia o máximo para ficar comigo nos finais de semana. Quando não estava, eu chorava muito. As únicas coisas que me faziam sentir melhor eram Costanza e as obras de Pirandello. Graças a Deus, eu conseguia me perder nas páginas de suas peças de teatro, nem que fosse por alguns minutos. Como ele escrevia bem!

No ócio e solidão do hospital, eu criava histórias que iam tomando forma e corpo até se transformarem na mais pura realidade dentro da minha cabeça. Eu imaginava Miki me traindo com a tal Termi. Certa vez, durante uma longa ausência sua, cheguei a escrever e enviar uma carta de duas páginas explicando os motivos para minha desconfiança. Eu o atormentava tanto! Ele ainda se deu ao trabalho de me responder dizendo que me entendia, mas esclarecendo, tim-tim por tim-tim , por que meus ciúmes eram infundados.

Minha saúde continuava melhorando ao longo dos dias, mas percebia que o peito começava a secar novamente. Olhava para minha filha e pensava: *Ela está com fome e eu não tenho como alimentá-la*. Ficava arrasada com a ideia de confiar sua amamentação a outra mulher, então recomecei o tratamento para aumentar meu leite. O médico me forçava a comer e engordar, mas eu não tinha fome. Procurava me manter calma, o que funcionava durante o dia, mas caía a noite e começava tudo de novo: eu não dormia e ficava sozinha com meus pensamentos mais sinistros.

Aquelas duas semanas pareceram uma eternidade, mas, como tudo na vida, passou. Quinze dias depois do nascimento de minha filha, recebemos alta e fomos para uma pensão em Siena, onde lindos quartos aquecidos nos esperavam. Como que por encomenda, o sol saiu pela primeira vez desde que essa aventura toda começou e Mamãe voltou de Florença. O prof. Bastai disse que ela estava com um problema no coração e precisaria ficar de repouso. Mesmo assim, veio pousar comigo em Siena e se ocupou de trocar a neném de madrugada. Foi a primeira noite de sono que tive desde o parto.

Aguardávamos a chegada de Miki e Rosa logo de manhã, mas o relógio avançava e nada. A espera era particularmente dura, já que vinha carregada de emoções conflitantes. Havia alguns dias, começara a dar a Costanza um reforço de leite artificial porque o meu realmente não bastava. Eu relutei muito em pedir uma ama de leite, mas via minha filha cada vez mais magrinha e resolvi que era a hora de Miki encontrar alguém. No dia seguinte, recebi um telegrama seu dizendo que chegaria ao hotel em Siena naquele sábado logo de manhã trazendo nossa aia. Eu estava ansiosíssima para conhecer a mulher que iria alimentar minha filha, com um misto de alívio por saber que, finalmente, ela receberia os nutrientes necessários para seu desenvolvimento e uma enorme culpa por não ter sido capaz de amamentá-la.

Rosa era uma mulher baixinha, gorda e com fartos seios. Como toda ama de leite ela vinha com o seu próprio bebê, que era tão pequeno que sumia entre as dobras do cobertor no qual estava enrolado. Ela falava alto, era ríspida e muito desconfiada. Pegou Costanza no colo, examinou-a com rápida displicência e disse:

— Mas essa menina é comprida demais para ter só três semanas! Será que valeu a pena eu ter vindo de tão longe alimentar um bebê grande assim?! Você poderia simplesmente passá-la para a mamadeira.

Eu já estava prestes a fazer um escândalo e mandá-la embora aos berros, quando Mamãe, graças a Deus, tomou as rédeas. Disse que se ocuparia de Rosa e de Costanza para que eu pudesse aproveitar o pouco tempo que tinha com Miki.

Foi a melhor coisa que podia ter me acontecido! Descemos para jantar no restaurante da pensão, jogamos pingue-pongue e saímos para dar uma volta no centro. Parecia que eu estava respirando pela primeira vez em muito tempo. Ressuscitava! Meu marido ficou comigo até tarde, se despediu de mim e foi dormir em um quarto separado. Assim poderia descansar melhor e às seis da manhã partir para Modena.

Voltamos a Resta quase um mês depois que Costanza nasceu. Continuava sem ler jornal ou ouvir o rádio para evitar aumentar ainda mais meu nível de estresse. Já tinha demais no que pensar. Mamãe também não estava bem, tinha um forte resfriado e continuava com dores no coração. Logo nessa época o telefone de casa resolveu quebrar, a licença de circulação do nosso carro venceu e, portanto, eu tinha que ir diariamente de charrete a Buonconvento para receber os telefonemas de Miki, que nem sempre chegavam.

Mas aos poucos fomos nos acomodando, Costanza se habituava com a vida na fazenda, e eu podia me preocupar em vestir a ama de leite, cujas poucas roupas estavam em um estado lastimável. Escrevi para a Serra e pedi que ela viesse. Durante o dia que ela passou conosco, Costanza foi um anjo. Não chorou, comeu bem, não vomitou, nada! Fiquei orgulhosa pelo seu bom comportamento. Trabalhamos muito e conseguimos combinar os uniformes de Rosa e algumas coisinhas para mim e minha filha. Que figura aquela ama de leite! Olhava para nós com sua cara desconfiada enquanto a costureira tirava suas medidas e nós discutíamos o tecido, a cor, o modelo dos uniformes. De noite, Serra pegou o trem de volta para Turim. O telefone estava finalmente consertado e às sete e trinta recebi uma ligação de Miki. Era o aniversário dele. Me partia o coração não podermos comemorar seus 32 anos juntos.

Eu estava costurando no terraço, aproveitando as últimas manhãs quentes de outono, quando ouvi o carro de meu marido se aproximar. Fui correndo para lhe dar um beijo atrasado de aniversário e levei-o para ver nossa filha. Depois do almoço nos recolhemos para descansar e conversar um pouco. Como pelo momento não parecia que a Itália entraria em guerra, começamos a planejar nosso retorno a Roma. Fiquei completamente feliz com a perspectiva de voltar para casa! Eu estava morrendo de saudade de minha casa e não aguentava mais ficar tanto tempo separada de meu marido. Desde que casamos, há um ano, não tínhamos morado na mesma cidade por mais de dois meses seguidos. Mas meu humor, instável do jeito que era, mudou repentinamente quando vi Miki partir naquela mesma noite. Pensava em tudo o que tinha que fazer e não me sentia à altura, não sabia se daria conta.

No dia 26 de outubro parti com Ugo, Costanza, Maria, Bepa, Rosa e seu bebê, Aldo. Mesmo com o carro abarrotado, a viagem foi ótima. O tempo estava lindo, a temperatura agradável e fizemos apenas uma parada para o lanche. Às quatro da tarde chegamos a Roma. Tinha esquecido como era linda e iluminada minha casa! Logo na entrada, havia um magnífico maço de orquídeas com um bilhete: *Para o meu amor*.

A promoção de Miki a vice-secretário do partido foi uma enorme surpresa. É claro que ficamos felizes, mas um tanto confusos. Essa gangorra política de Mussolini era exaustiva. Por um lado, tomava medidas que não indicavam interesse por entrar na guerra. A promoção de meu marido, por exemplo, que lutava contra qualquer associação com o Führer, era uma delas. Por outro, o governo decretava racionamentos típicos de época de guerra, o que era um péssimo sinal. Não sabíamos mais o que esperar.

Por mais estranho que pareça, ou talvez por causa da angústia que a incerteza da guerra causava em todos, as noites de Roma se mantinham tão movimentadas e cheias de *glamour* quanto antes. No final de novembro, Miki chegou em casa dizendo que tinha comprado um camarote para a abertura de gala da temporada de ópera do teatro real de Roma. Seria dali a duas semanas. Era um evento importantíssimo. O rei e o Duce estariam lá, assim como as mulheres e os filhos.

Com a gravidez, meu corpo mudou e eu precisava de um vestido novo adequado à ocasião. Lógico, recorri à Serra. Das amostras que ela me mandou pelo correio, me apaixonei por um crepe de seda vermelho! Conversamos por telefone sobre o modelo e passei a ela minhas novas medidas. O vestido da Serra chegou, como sempre, impecável! Era igual a um que ela já havia feito para mim alguns anos atrás. Tinha o decote fechado e as mangas compridas, bem justas. Uma leve ombreira, pregas no busto e a cintura bem delineada para ressaltar minha silhueta. A saia ia até quase o chão e mostrava, apenas discretamente, os sapatos prateados que Ferragamo me mandara. Pus um par de brincos de ouro branco e brilhantes com pingente em forma de estrela que tinham sido de minha avó e um broche *art déco*, também de brilhantes.

O Teatro dell'Opera não era muito grande, mas opulento com seu interior dourado, os bancos e as cortinas de veludo vermelho. No teto, a rotunda era decorada por um maravilhoso afresco e o lustre de murano gigantesco, um dos maiores do mundo. Apesar da alta qualidade do espetáculo, os olhos se viravam para o extremo oposto do palco onde estava o camarote real com o dobro da altura e da largura dos outros, adornado com uma cortina de veludo vermelho e o brasão do império. Todos queriam ver o rei, o Duce, as esposas e o príncipe Umberto com a linda Maria José.

Chegamos em casa tarde, mas contentes numa ilha de paz em meio a um mar sempre mais turbulento.

O dia seguinte, 8 de dezembro, era dia de Nossa Senhora da Imaculada Conceição. Resolvi que queria subir a Scala Sancta para agradecer todas as graças que tínhamos recebido até aquele momento e pedi a Miki que me acompanhasse. Essa é uma escadaria de 28 degraus de mármore branco que fica em um prédio particular em Roma, mas que pertence ao Vaticano. Ela leva à Sancta Sanctorum, a capela privada dos primeiros papas. Segundo a lenda, os degraus da Scala Sancta são os mesmos que estavam no palácio de Pôncio Pilatos, em Jerusalém. Aqueles que Jesus subiu antes de seu julgamento na Paixão. Teriam sido levados para Roma por volta do ano de 326 por Santa Helena, a mãe do imperador romano Constantino I.

Subimos a escadaria em silêncio, chegamos à linda capela decorada com afrescos e mármores de diversas cores, o teto em relevo, folheado a ouro. Fui até o altar e rezei agradecendo as graças que recebi ao ter conhecido Miki e dado à luz nossa filha Costanza e pedindo paz para a Itália e saúde para minha família. Descemos ainda em silêncio, compramos flores e fomos para casa.

Para o Natal, Miki teve de ir a Veneza. Ele não queria me deixar sozinha, mas eu o convenci.

— Essa viagem é importante demais! Além disso, eu tenho minha filha e a Mamma Ida me fazendo companhia.

Saindo da Missa do Galo, fiquei lado a lado com a Termi. Olhei bem para ela, que, incomodada, até parou de andar para me deixar passar. No dia de Natal fomos à missa do meio-dia e, mais uma vez, na saída, avistei a Termi. Encarei-a como quem diz: "Fique longe do meu marido!". Acho que entendeu o recado. Parecia constrangida. Fiquei contente. Fazia tempo que ensaiava esse momento. Além do mais, ela estava feia, velha e malvestida.

1939 acabou junto com meu primeiro diário. Relendo tudo, desde o momento em que desci a escadaria do Poggio cinco anos antes, fiquei impressionada com o quanto mudei. Me transformei de menina em mulher, e mãe de Costanza. Tive muitas felicidades e grandes dores, a vida se revelou para mim e eu para ela. Olhei o passado e tracei o caminho para o futuro. Vivia intensamente com Miki. Nos conhecíamos e nos amávamos cada vez mais. Rezava para que o Senhor conservasse tanta felicidade!

23.

Alessandra
2016

Quando comecei a ler o novo volume dos diários de minha avó, um mesmo livro que incluía os cinco anos trágicos de 1940 a 1944, sabia que a guerra estava prestes a estourar na Itália (ou vice-versa, que a Itália estava prestes a estourar na guerra). Abri as primeiras páginas imaginando uma vida sombria, paralela, pós-apocalíptica. Mas a realidade era muito menos sinistra. Ou talvez pela sua qualidade mundana, mais estranha até do que se descrevesse os eventos de um mundo distópico.

Minha avó, à medida que as coisas pioravam, lutava com todas as forças para não se deixar abater. É verdade que, no início da década, o conflito se passava em grande parte fora do território italiano. A partir de 1943, a vida ficou mais dramática. Contudo, até mesmo em horas de extrema adversidade, ela seguia em frente procurando manter um clima de tranquila estabilidade para seus filhos. Afinal, a vida tinha que continuar.

Em 10 de janeiro de 1940, meu avô presenteou sua esposa com um novo diário e uma dedicatória que traduzia sua grande sabedoria sobre o inevitável da vida: para que ela pudesse seguir em frente era preciso muito amor. Um amor que não vem do acaso, mas é protegido com unhas e dentes, cuidado com atenção para que possa prosperar.

Para Gabriella
... e todos os dias que virão, para sempre. Na alegria e na tristeza. Serão repletos deste nosso grande amor que segue apaixonadamente elevado, respeitado com ternura e ciosamente zelado e defendido.

Miki
10 de janeiro de 1940

24.

Abril de 1940

Não sou historiadora nem psicóloga e talvez até me chamem de louca, mas se tivesse que adivinhar quais as intenções do Duce, diria que ele quis entrar na guerra desde o princípio. Sua personalidade belicosa nunca foi segredo para ninguém. Grande parte da indecisão que demonstrava não passava de um teatro, uma forma que encontrou de manipular as várias facções dentro do partido. Afinal, ele não era bobo nem nada.

Há que se dizer, também, que Mussolini não queria agir sem antes ter certeza da força e eficácia do exército alemão. Para que arriscar os parcos e antiquados recursos italianos à toa? Mas o *blitzkrieg* alemão não parava de avançar sobre Polônia, Holanda, Luxemburgo, Bélgica com uma força sobre-humana... quando chegou a vez da França cair em uma semana, bom, aí foi tentação demais.

Quando a Itália se juntou à Alemanha, em junho de 1940, não foi surpresa para ninguém. Alguns meses antes disso acontecer, Miki e eu fomos a Veneza. Ele estava ciceroneando diplomatas romenos que faziam campanha para que a Itália não aderisse à guerra e eu aproveitei para me encontrar com meus professores da Ca' Foscari. Pedi uma extensão do prazo das minhas provas, explicando que tinha acabado de dar à luz e, com o panorama político do jeito que estava, não teria condições de estudar com o cuidado aceitável. Eles entenderam perfeitamente, conversamos em detalhe sobre a matéria que cairia nos exames e, a partir daí, montei um cronograma.

Costanza estava um amor! Seus olhos amendoados cor de mel e os lábios vermelhos, vermelhos, sorriam com uma sinceridade contagiosa. E crescia a olhos vistos! De tão ligada ao pai, sua primeira palavra foi *"papa"*, só dias depois veio dizer *"mamma"*. Já Aldo, o filho da Rosa, era tão pequeno em comparação a minha filha que fiquei com medo de que estivesse doente. Por isso, assim que voltei para Roma de Veneza chamei o pediatra. Ele o examinou e disse que o bebê estava ótimo, era simplesmente pequeno de constituição. Bom, era verdade que sua mãe media mais ou menos 1,45 m. Disse também que já era hora de começar a fazer a transição do peito para a papinha. Terminada a adaptação de Costanza para a comida, Rosa quis voltar para sua cidade e contratamos uma *schwester* (enfermeira) alemã que havia sido treinada na Pouponnière, uma escola Suíça de grande prestígio.

Nessa época, a saúde de Miki oscilava muito de acordo com as vontades de Mussolini. Meu marido e seus colegas sacrificavam tudo, inclusive o bem-estar, para manter a paz na Itália, mas no fundo tinham consciência que o ego e a ambição do Duce eram grandes demais. É claro que, naquele momento, não sabíamos de tudo o que estava se passando no território alemão. Quem poderia imaginar a existência de algo tão terrível quanto os campos de extermínio?! Mesmo assim, com as leis antissemitas se intensificando, Miki já começava a aconselhar seus amigos judeus a saírem do país.

Um dia, no final de maio, chovia torrencialmente, eu estava na cozinha dando instruções a Maria para o almoço. Seria algo especial em comemoração a Corpus Christi. Uma torta *pasqualina*, típica da minha região: massa folhada recheada de espinafre, ricota, ovos e muito parmesão. Depois faríamos um coelho assado e, por fim, *crostata*. Ouvi a porta da frente e saí correndo para encontrar meu marido, feliz por ele ter chegado assim cedo. Me detive quando vi seu rosto muito sério, pálido. Ele me cumprimentou rapidamente, quase que de passagem, e disse que chegara a hora de levarmos Costanza para Resta.

A situação política estava muito instável e, caso a guerra fosse declarada, Roma seria o primeiro alvo dos Aliados. Fomos à missa antes do almoço e passamos a tarde na cama aproveitando o pouco tempo que tínhamos juntos nos amando, conversando sobre nossa vida e o futuro da Itália. Miki era um homem muito terno e espirituoso, mesmo naquele momento difícil sempre conseguia me fazer rir. Jantamos tranquilos, até alegres na medida do possível. No rádio se ouvia a notícia de que os alemães continuavam a bombardear as cidades francesas e marchavam com seu modo "discreto" (para não dizer o contrário) em direção a Paris. Na manhã seguinte, fizemos as malas e preparativos com calma. Por incrível que pareça, a viagem foi ótima! Cantamos, rimos serenamente não obstante o futuro que, sabíamos, seria tudo menos tranquilo. Às seis e trinta da tarde, chegamos e Miki partiu imediatamente para Bolonha.

Uma semana depois, Bepa veio me dizer que a Maria queria ir embora. Nem consegui perguntar por que, olhei para a cara dela, me sentei numa poltrona e comecei a chorar compulsivamente. Só parei com a chegada de meu marido. Não que ele tivesse me dado motivos para me acalmar, muito pelo contrário, suas notícias eram ainda piores. Ele achava que seria melhor fecharmos nosso apartamento em Roma e procurarmos um lugar para morar em Siena. Mamãe detestou a ideia e começou a brigar comigo dizendo que tínhamos que ficar com ela. De início, resisti, mas, como Miki já afirmara que sairia do governo para se alistar, achei que seria melhor ter minha mãe a meu lado naquele momento. Ele era contra a adesão da Itália à guerra, mas seu espírito patriótico o compelia a lutar. A imagem dele em um campo de batalha me tirava o sono.

Deixei Costanza em Resta e voltei a Roma para fechar meu apartamento pela segunda vez.

Em 1º de junho saí com Miki de bonde. A circulação de automóveis estava suspensa já em preparação para a guerra. Fizemos algumas compras e depois o acompanhei ao posto de alistamento das forças aéreas. Aos 32 anos, ele era velho demais para pilotar aviões de caça, mas poderia servir como piloto de bombardeiro. Disseram que precisaria se apresentar em uma semana. Fiquei sem chão. Uma semana! Me segurei para não fazer uma cena. Sabia que meu marido precisava e merecia todo o apoio que eu pudesse dar, mesmo que eu discordasse de suas ações.

À noite, telefonei a Resta para dar os parabéns à Mamãe pelo seu aniversário. Costanza estava bem, tinha nascido o primeiro dentinho. Que tristeza estar longe e não testemunhar seus primeiros momentos. Tudo por causa da maldita guerra!

Aquela semana passou voando e, no dia 8 de junho, partimos de trem para Siena. A viagem foi cansativa, os vagões lotados, muita gente saindo da capital com medo de um conflito. Ugo veio nos buscar na estação com a charrete. Depois do jantar, saímos só eu e Miki para um passeio sob a luz da lua.

Dormimos mal e acordamos cedíssimo. Ficamos ainda um tempo na cama, conversando sobre a difícil decisão de deixar a família e lutar pela pátria em uma guerra na qual nenhum de nós acreditava.

— Por que tenho que arriscar a perder meu marido? Minha filha pode crescer sem o pai só por causa da ambição desmedida de dois psicopatas! Não é só você que está sacrificando alguma coisa, eu também estou.

— Que tipo de homem seria se virasse as costas para minha pátria quando ela mais precisa de mim? Eu sou piloto, um bom piloto, estou numa posição de poder servir meu país...

— Entendo, Miki, mas como é que posso concordar? Você vai arriscar perder sua vida por uma pátria à qual sempre se dedicou? E o que ela te deu em troca?

— Me deu você, me deu minha filha. Mas não posso pensar dessa maneira, o patriotismo é espontâneo, não pode vir do interesse. Além disso, é por pouco tempo. Em alguns meses a guerra terá terminado. Os Aliados não vão conseguir resistir por muito tempo.

Eu estava inconsolável, mas era a Itália, ainda tão nova e frágil, e Miki era um idealista, um otimista. Ele passou o resto do dia brincando com Costanza. Às oito da noite, Ugo e eu o acompanhamos até a estação de trem. Procurei ser forte, mas foi uma grande provação. Eu me preparava para um desafio supremo durante a longa espera. Não sabia em quanto tempo, em que condições ou até mesmo se iria revê-lo. Como eu o amava, estimava, respeitava. A única coisa que me acalmava era pensar em minha filha. Por ela precisava ter serenidade.

No dia seguinte acordei às nove da manhã, estranhamente tranquila. Passei muito tempo com Costanza, tentei estudar, mas não consegui. Ajudei minha mãe na cozinha e depois fiz uma caminhada longa. Às seis da tarde reunimos a família e os trabalhadores no salão para ouvir o discurso do Duce pelo rádio. Uma declaração de guerra. Tentei explicar a todos o significado daquelas palavras. Para os camponeses a guerra parecia algo tão distante, pelo menos no início.

Às oito horas, Miki telefonou de Roma dizendo que estivera no Palazzo Venezia durante o pronunciamento de Mussolini. Ele ainda não sabia para onde o mandariam, mas sua voz estava confiante, havia um grande entusiasmo na capital. Todos acreditavam que a guerra seria vencida em poucos meses e que a Itália não precisaria travar muitos combates. Disse a ele que estava calma. Fui dormir tarde, sempre acompanhando as notícias.

12 de junho de 1940

Completei 23 anos. Ajudava Mamãe a engarrafar o *vin santo* quando ouvi no rádio que havia tido uma ameaça de ataque aéreo em Roma. Aquilo me deu um aperto enorme no coração. Meu marido estava lá! Tentava, aflita, conseguir notícias suas, enquanto pensava como seria horrível quando ele estivesse no campo de batalha. Graças a Deus, dessa vez não demorou muito até receber seu telefonema de parabéns, ele me disse que estava bem e avisou que ficaria mais dois dias em Roma antes de partir para a base da força aérea em Viterbo. Na manhã seguinte, acordei com a notícia de um bombardeio em Torino, 14 mortos e 30 feridos. Senti um misto de tristeza pelas vítimas e culpa pelo tamanho do meu alívio, ao saber que Papai já tinha saído de lá e voltado para Roma.

Sentei para tomar meu café quando vi um pacote endereçado a mim do Ferragamo. Era muito pesado para ser um sapato e estranhei ler o nome da irmã dele no remetente. A essa altura Salvatore já tinha trazido a família de Bonito, sua cidade natal, para morar com ele em Il Palagio, a magnífica vila que comprara em Fiesole. Abri o pacote e vi uma escultura de vidro horrenda. O cartão dizia ser um presente de casamento (quase dois anos atrasado) e de aniversário. Comecei a rir sozinha imaginando como alguém com tanto talento para fazer sapatos maravilhosos poderia ter escolhido algo tão feio. O pior é que devia ter custado caro, dava para ver que o trabalho era de ótima qualidade. *Com certeza foi a irmã que comprou*, pensei. Liguei para agradecê-lo e conversamos longamente sobre os acontecimentos. Eu estava triste, com o moral baixíssimo, precisava mesmo falar com um bom amigo.

— Gabi, você sabe que estamos aqui para o que você precisar. Se quiser passar um tempo com Costanza em Fiesole, sabe que será sempre bem-vinda.

— Obrigada, Salvatore! Você é um ótimo amigo, mas parece que a guerra não vai durar muito.

— Acho isso um pouco de otimismo, mas Deus te ouça!

Eu mal desliguei quando o telefone tocou novamente. Era Miki dizendo que nos veríamos antes de ele partir para o combate. Saberia em pouco tempo se eu deveria ir a Roma sábado de manhã ou se ele iria para Resta. A notícia me deu forças renovadas!

13 de junho de 1940

Era dia de Santo Antônio e fui à capela acender uma vela para Costanza e Miki. Horas depois ficaria sabendo que, como previsto, Paris tinha caído em mãos alemãs.

15 de junho de 1940

Acompanhei Miki até Florença. Encontramos Mamma Ida, que fora se despedir, tivemos um delicioso jantar em família. Ela me deu um lindo colar de âmbar que fora de Miki quando pequeno. Por fim, levei-o até a estação. No instante em que o vi embarcar, senti uma força estranha, opressora. Era como uma camisa de força me apertando, não muito forte, não o suficiente para me inutilizar, mas o bastante para eu me dar conta de que ela estaria sempre lá, me pesando, exigindo de mim um esforço muito maior do que o normal para qualquer tarefa corriqueira.

15 de julho de 1940

Na base da força aérea, meu marido formou a equipe de seu bombardeiro e foi se instalar em Algero, na costa oeste da Sardenha. Não conhecia detalhes da missão, por motivos óbvios era tudo secreto, mas sabia que ele teria de voar longas distâncias em um avião monomotor. Só mais tarde viria a saber que ele foi lutar ao lado da marinha para conquistar as colônias inglesas na África e proteger as francesas.

Ele me escrevia cartas e telegramas e ligava sempre que conseguia. Às vezes mandava notícias através de seus superiores. Eu respondia às suas cartas diariamente, enviando-as para a base aérea na esperança de que chegassem até ele. A comunicação era precária, mas sempre conseguia algum tipo de informação. Menos dessa vez.

Um mês havia se passado desde sua partida. Preocupada com o silêncio, eu telefonava para o escritório de seu comandante em Viterbo, e nada. Tentava me manter calma, afinal, estávamos em guerra, nada funcionava direito, mas sentia aquela camisa de força me apertando sempre um pouco mais. Passava o dia com Costanza e fazia de tudo para não deixar minha fragilidade transparecer. Não queria que ela sentisse meu nervosismo. Tão sensível, ficava irrequieta quando percebia que eu não estava bem. Mas não tinha como disfarçar. Olhava para o vazio, fantasiando cenários macabros e mexendo no colar de âmbar que ganhara de Mamma Ida.

Vestia-o como um amuleto. Era lindo, não muito comprido, suas pedras, de um laranja opaco, aumentavam de tamanho em degradê: das menores, uma de cada lado do fecho, até chegar à maior no centro. Em vez de um fio ligando as pedras, havia uma delicada corrente de prata. O colar fora de Miki quando bebê. Por ser uma resina maleável, o âmbar era o que se dava às crianças para morderem na fase de dentição. As pedras maiores ainda tinham as marcas dos dentinhos dele. Agora, nossa filha estava com seus dentinhos nascendo e meu marido não estava aqui para ver isso acontecer...

Fui acordada de meu devaneio pelo telefone, atendi imediatamente. Meu coração parou por um segundo quando ouvi sua voz:

— *Sono Miki.*

Ele estava em Viterbo por dois dias e pediu que eu fosse encontrá-lo naquela noite ou na manhã seguinte. Me arrumei em meia hora, mas ao chegar à estação descobri que o último trem havia sido cancelado. Chorei de raiva. Voltei para casa, organizei minhas coisas e cuidei de Costanza. Nino me levou para a estação cedo no dia seguinte para pegar o primeiro trem. Foi uma viagem longa, muito cansativa, não consegui almoçar, comi só um sanduíche no vagão-restaurante. Cheguei a Roma no final da tarde. Fabrizio, um amigo de Miki, veio me buscar com nosso *Topolino*. A cada quilômetro meu coração batia mais forte na antecipação de encontrá-lo, mas, ao chegar lá, Miki já havia partido. Saíra em missão de combate com outros dois aviões para defender os navios franceses do ataque da marinha britânica. Podia imaginar o desespero dele ao saber que eu estava chegando, sem possibilidade de me avisar da sua partida.

Não havia mais nada a fazer senão voltar para Roma. Pousei em nosso antigo quarto no Grand Hotel. Era tarde, a cozinha estava fechada, mas consegui que me servissem uma sopa fria. Eu estava inconsolável, olhava aquela sala vazia onde tínhamos passado tantos momentos maravilhosos e ouvia minha sonata de Bach preferida, que Miki tocava em seu violoncelo. Fechei os olhos e por um segundo senti seu cheiro, seu abraço, seu corpo perto de mim...

De volta a Resta, todos me acolheram com ternura. Foi minha família que me ajudou a seguir adiante.

A vida era estranhamente normal. Eu cuidava de Costanza, estudava, passeava de charrete com Papai quando ele estava em casa, como nos tempos em que eu era criança. Escrevia cartas para Miki, meus irmãos e minhas amigas. Às vezes ia a Siena fazer compras e assim passavam-se os dias. Eu sabia mais ou menos onde meu marido estava, mas as missões eram sempre confidenciais. Só o que chegava até mim eram notícias do rádio ou do jornal. Por isso, quando soube que vários bombardeiros italianos haviam sido abatidos no norte da África, tive vontade de arrancar meu coração pela boca. Meu Deus, como é que eu podia viver daquele jeito?!

Passei uma semana numa angústia enorme. Ligava diariamente para Viterbo, mas ninguém podia me dizer nada. Ficava ao lado do telefone esperando, mas quando ele tocava tinha medo de atender. Imaginava que iria ouvir a voz de um oficial qualquer, dizendo que meu marido lutara bravamente e recebera uma medalha de ouro por perder a vida em combate ou alguma coisa do gênero. Passeava pela casa como uma sonâmbula, vivia numa espécie de transe. Estava tão apavorada que demorei a ouvir a voz de minha mãe me chamando. Era Miki ao telefone.

Ele tinha, sim, participado daquela missão. Entre os dez aviões que partiram, o seu foi um dos dois que voltaram, entre as dezenas de soldados que morreram ele foi um dos quatro soldados que sobreviveram. Desta vez, ficaria em Viterbo mais tempo para treinar o voo noturno em um avião com uma tecnologia nova. Além disso, seu copiloto estava internado no hospital com suspeita de malária.

Eu não quis correr o risco de perdê-lo como havia acontecido da última vez. Me arrumei o mais rápido que pude, mas com capricho, pensando em nosso reencontro. Escolhi uma saia justa com um *twinset* celeste de que Miki gostava. Passei o perfume favorito dele, peguei o Nino, de férias da Escola Naval, e o fiz me levar até Roma.

O reencontro foi, como sempre, apaixonado. Meu plano era passar uma noite lá com meu marido e voltar de trem no dia seguinte, mas acabamos indo juntos para Viterbo por algumas semanas. Costanza ficaria bem. Verdade que a *schwester* era um tanto quanto estúpida e agora que minha filha ensaiava seus primeiros passos, a atenção precisaria ser redobrada, mas Mamãe estava lá para cuidar de tudo. Eu não aguentava de saudade de meu marido e não sabia quando teríamos outra oportunidade de ficarmos juntos. Além disso, via que ele estava precisando de mim.

Nosso hotel em Viterbo, o Nuovo Angelo, não era grande coisa, mas ficava bem próximo ao centro da cidade. Miki saía muito cedo de manhã para treinar no campo de aviação. Eu aproveitava o tempo para estudar, arrumar o quarto e remendar as roupas dele. No final da tarde, ia tomar chá com outras mulheres de oficiais e passear um pouco pela cidade. Ela estava cheia de granadeiros e aviadores buscando um mínimo de normalidade num cotidiano permeado por morte e destruição.

A parte antiga de Viterbo era muito bonita, protegida por muros do século XII. Era uma das cidades medievais mais bem preservadas da Itália central.

Parte do treino de Miki era voar à noite, então ele chegava tarde para o jantar. Fazíamos mais um passeio pela cidade escura e, quando dava tempo, íamos ao cinema ou saíamos com outros oficiais e suas esposas. A comida da região era ótima e o vinho muito bom. Nos finais de semana, íamos tomar banho nas termas que ficavam perto do campo de aviação.

Quando tinha alguns dias de folga, aproveitávamos para ir a Resta visitar Costanza. Uma vez lá, Miki não desgrudava dela. Brincava, tirava fotos, fazia palhaçada. No domingo, véspera de ele voltar para a África, acordei atrasada para a missa em Buonconvento e desci correndo. Ao chegar, vi Miki entrando na igreja com Costanza no colo. Ela trajava seu vestidinho rosa, o sol batendo em seu cabelo cacheado. Olhava para o pai e ria com aqueles seus olhos tão expressivos. Ele devolvia a risada na mesma medida. Por um momento, vi em seu rosto uma tranquilidade que havia muito não existia; sem toda a angústia e a tristeza daqueles últimos meses.

Voltando para Viterbo, fomos jantar com nossos amigos, os d'Havet, em um restaurante que ficava num teatro de variedades onde tocava a orquestra de Carlos Moreno. Rimos bastante, mas a melancolia estava sempre presente. A despedida do dia seguinte era o grande elefante branco na sala. Não havia nada que eu pudesse fazer para ajudar meu marido a superar a tristeza da separação. Acordamos às cinco e trinta. Ainda estava escuro quando Miki deixou o hotel. Nos despedimos na garagem. Mais uma vez, me revirei do avesso, mas consegui não chorar. Estava serena e segura. Eu tinha uma grande certeza no coração: nosso sacrifício era enorme, Deus havia de nos recompensar por ele.

27 de setembro de 1940

Conheci a *mademoiselle* Blanche Raval. Mesmo com a supervisão de Mamãe, a *schwester* tinha se provado desastrosa, dava os remédios errados, a papa errada, deixou Costanza doente. Por sorte, nessa mesma época, Nino tinha me falado que, muito a contragosto, uns amigos nossos tiveram de abrir mão de uma ótima enfermeira suíça. Ela havia recebido seu treinamento na Pouponnière, a mesma prestigiosa escola da *schwester,* e diziam que tinha muito jeito com crianças.

Eu estava em Roma a fim de trocar as roupas de calor pelas de frio e buscar alguns livros de que precisava para os exames. Mas nosso lar estava fechado, todo empacotado, os móveis cobertos por lençóis empoeirados, então decidi ficar no Grand Hotel. Enquanto tomava meu café no quarto, ouvia com pesar a notícia do pacto entre Itália, Alemanha e Japão. Aquilo era sinal de que a guerra não iria acabar tão rápido quanto se imaginava. Pensava no meu marido em algum canto da África e no Ugo, que acabara de partir com a cavalaria sabia-se lá para onde. Quanto tempo ainda duraria aquele pesadelo? Quanta dor e separação!

Blanche chegou para sua entrevista às nove da manhã. Uma jovem suíça de 26 anos. Reparei que era fechada, falava pouco e não tinha o dedo do meio da mão direita. Eu sempre tive um instinto bom para pessoas e, quando a vi, percebi algo especial. Sugeri que fizéssemos um período de teste.

25.

Alessandra
2016

Quando penso na Blanche, uma das primeiras cenas que me vêm à mente é dela, com quase 90 anos, pontual como um relógio suíço, com seus passinhos rápidos de gueixa, os pezinhos minúsculos calçados num par de sapatilhas velhas que insistia em remendar com fita crepe. Vinha me trazer, pela manhã e pela noite, uma bacia de água fervente que parecia ser mais pesada do que ela.

Minha irmã lhe dera aquelas sapatilhas anos antes. Blanche dizia que eram os chinelos mais confortáveis que já tivera. Toda vez que viajávamos, pedia outro par e, não encontrando, trazíamos alternativas muito mais caras e sofisticadas. Ela as olhava com cara de nojinho e seguia vestindo as originais, remendadas.

A bacia de água fervente serviria para a minha inalação. Eu estava de cama com bronquite e, como toda vez que precisávamos, nossa Mary Poppins suíça e um tanto quanto mal-humorada veio cuidar de mim.

Blanche foi enviada pelos céus para olhar por nós, todos nós. Começou a trabalhar para os Pascolato na Itália quando minha mãe tinha um ano e oito dias. Migrou para o Brasil com eles depois da guerra e seguiu cuidando da pequena Costanza e seu irmão caçula, Alessandro, até ficarem grandes demais. Então foi trabalhar para outra família da colônia italiana em São Paulo, os Gelpi. Quando minha irmã Consuelo nasceu, nossa querida Milèle voltou para a família.

Estava lá quando eu nasci, cuidou de mim quando, dos seis meses a um ano e meio, precisei usar um gesso que imobilizava minhas pernas e quadril até a cintura, por causa de uma luxação congênita. Me carregava, trocava, limpava, brincava comigo, costurava bonecas de pano. Até pediu para meu avô fazer um carrinho especial, onde eu pudesse ficar sentada, já que não cabia nos convencionais. Passeando na rua, era alvo de gozações, diziam que parecia um carrinho de sorveteiro. Ela ficava brava e colocava todos em seus devidos lugares.

Estava lá quando nos mudamos para o Rio de Janeiro e quando minha mãe saiu de casa e voltou para São Paulo, nos deixando na Cidade Maravilhosa com nosso pai, que trabalhava dez, 12 horas por dia, construindo sua carreira. Ou quando, cinco anos mais tarde, voltamos a São Paulo para morar com nossa mãe, que, se é que era possível, trabalhava ainda mais do que nosso pai.

Blanche com Alessandra no colo, em 1967, e em Florença, na foto abaixo, com Allegra e Cosimo, filhos de Consuelo, no final de 1990.

Quando ela se aposentou, eu já tinha uns 14 anos. Mudou-se para um apartamento a poucas quadras de onde morávamos, que comprou com a aposentadoria suíça e alguma ajuda de meu avô. Foi morar sozinha, mas não por muito tempo. Com seu coração gigante, logo abrigou a filha de uma amiga, que viera do interior para estudar na USP. Também não disse adeus à nossa casa. Todas as tardes chegava para passear com meu cachorro, o Moustache. Andavam por horas, depois o escovava e alimentava. Cuidados que o fizeram viver até os 21 anos.

Em 1993, Consuelo teve Cosimo, seu primeiro filho. Morava em Florença e Blanche, com 80 anos, foi ajudá-la. Acordava no meio da noite para trazê-lo para a mamada. Minha irmã só precisava sentar na cama, dar o peito e voltar a dormir. Depois, Blanche o limpava, trocava e punha no berço. Fez o mesmo para minha sobrinha Allegra, dois anos depois.

Quando eu morava em Nova York, em 1997, tive um câncer na tireoide, e lá foi ela tomar um avião para cuidar de mim. Já de volta a São Paulo, fui atacada por uma bronquite e de novo a Santa Blanchinha estava ao meu lado. Media minha febre, cozinhava, me dava remédio e trazia a bacia da inalação.

Não era o tipo carinhoso, que dava colo, beijinhos e abraços. Pelo contrário, era muito severa. Mas a constância, a preocupação, o trabalho eram atestados de seu amor incondicional. Se estávamos tristes, ela também estava, se contentes, se alegrava conosco.

Blanche nos amou e suportou nossas angústias e maus humores. Sempre.

Sua infância foi digna de um romance de Charles Dickens. Nasceu em Porrentruy, um pequeno vilarejo suíço na fronteira com a França, em 1914, ano em que a Primeira Guerra estourou. Quando tinha quatro anos, sua mãe contraiu a Gripe Espanhola e foi isolada em quarentena. Seu pai, sem conseguir cuidar dos dois filhos (ela e seu irmão, Paul, poucos anos mais velho), mandou-a para a casa da avó, uma senhora gentil, mas idosa, surda e quase cega. Blanche contava que não lembrava onde machucara o dedo, talvez um espinho de rosa. Só sabia que os vizinhos, por não aguentarem os berros dela que duravam dias, foram ver o que estava acontecendo e encontraram-na com o dedo da mão direita já gangrenado, a infecção se espalhando pelo braço. O médico, que a princípio achou que teria de cortar fora metade do braço, se compadeceu da menina, tão pequena, e arriscou amputar apenas o dedo. Ela era uma criança tão adorável que, no mês que passou no hospital se recuperando, conquistou o coração do cirurgião. Ele se ofereceu para adotá-la, mas a mãe de Blanche, ainda viva, chorou desesperadamente e recusou-se a abrir mão da filha.

Pouco depois a mãe faleceu, seu pai casou de novo e logo em seguida também ficou doente e morreu. A madrasta faria inveja a qualquer madrasta de conto de fadas. Embolsava a pensão que Blanche e o irmão recebiam do Estado por serem órfãos, usava aquele dinheiro para alimentar ela e sua filha e deixava Blanche e Paul morando num quartinho, sem tomar banho e com pouquíssima comida. O conselho tutelar, respondendo a uma denúncia, apareceu de surpresa e encontrou-os raquíticos, imundos e infestados de piolhos. A assistente social nem fez uma advertência, como seria a prática; mandou-os pegarem seus pertences e irem embora com ela. A resposta dos dois foi:

— Nós não temos mais nada.

Só tinham a pouca roupa do corpo.

Anos mais tarde, quando Blanche me contou essa história, fiquei revoltada e fiz o que qualquer pessoa faria: xinguei a madrasta de bruxa horrorosa. A resposta foi:

— Sabe, *non* dá *parra* julgar. *Erram* tempos muito *difíciles*, *meo* pai tinha deixado ela sem nada, a *Eurropa* estava em *crrise*. Fez o que precisava *parra* sobreviver. *Una* vez, muito tempo depois, *encontrrê* ela numa *ferra*. Ficou *ton* feliz de me *verr* bem!

Os irmãos foram morar no orfanato (ou *orfelinat*, como ela chamava), uma antiga mansão barroca administrada por padres e freiras jesuítas, muito rígidos, mas justos. Ela teve uma educação severa, fundada na religião católica.

De pequenas, Consuelo e eu ouvíamos as narrativas floreadas daquele lugar mágico:

— No Natal a gente *brrincava* o dia todo. A *senhorra más* rica da *cidad trrazia des* chocolates *parra* todos nós *orfelins*. Nossa, como eu gostava do Natal! Eu *esperrava* a manhã toda *parra ganharr* meu chocolate!

Esse se transformou no maior presente que ela podia dar. Era entrar em uma loja de doces para ver seus olhos brilharem. Nem via o sabor, ia pegando barra após barra. Consuelo dizia:

— Mas, Blanche, nem todo mundo gosta desse sabor!

— *Non importta*! – respondia com seu sotaque forte.

Outras de suas histórias favoritas incluíam maçãs gigantes:

– Na *prrimaverra* eles colhiam as maçãs no *jardin*. Não *erram pequenhas* e sem gosto como as daqui. *Erram* desse tamanho – indicava com a mão o tamanho de uma bola de *handball* – e doces, doces!

Quartos no sótão, aonde as crianças iam escondidas das freiras para brincar:

— Nós colocávamos chapéus com plumas *enooorrmes*, vestidos com a saia rodada, botas altas de amarrar como antigamente! A gente ia escondido, não podia *estarr* ali! – contava e ria tanto que chegava a chorar.

A chuva de estrelas:

— *Erra un spectacle*! *Unas* bolas de fogo *grrrãããandes assi* – e mostrava com a mão o tamanho de uma bola de tênis – caíam do céu. Aaah, eu *fiquê con* tanto medo!!

A moça linda que morreu tão jovem de pneumonia:

— Naquele tempo *non egsistia maquiage*. Se *una* moça *errra* bonita, é *porrque* ela *erra* bonita, mesmo. Tinha *un* moço que passava todo dia de bicicleta *perrrto* do *orfelinat* para *verrr* ela. Ela *erra* mais velha do que eu, estava quase na idade de *sairr*, mas ficou doente...

Suas narrativas eram tão cheias de vida, que eu, ainda criança, queria morar no *orfelinat*. É lógico que não era nada assim, mas a Blanche tinha um talento especial para contar histórias.

Quando seu irmão, Paul, atingiu a maioridade, foi morar com um tio em Paris, que lhe acolheu e ensinou seu ofício de soldador. Ele se apaixonou, casou e montou a vida por lá. Poucos anos depois, Blanche também foi para Paris, mas não conseguiu se adaptar. Tanto que ficou doente com sarampo e teve de ir se tratar em um hospital público na Suíça. Convalescente por meses, fez muitas amizades, inclusive com uma cigana que a ensinou a ler a sorte nas cartas.

Um dia, quando estava prestes a receber alta, a enfermeira perguntou sobre seu futuro. Ela respondeu que não tinha para onde ir, nem sabia o que fazer.

— Por que você não vai estudar para ser *nurse*?

Embora *nurse* queira dizer enfermeira, ela se referia a algo mais específico: seria para cuidar de crianças recém-nascidas.

— Mas eu não sei como fazer!

— Eu tenho um contato na Pouponnière, posso tentar encontrar um lugar para você.

Blanche pensou e sorriu. Seria algo que adoraria fazer, cuidar de crianças. Pouco depois receberam a carta confirmando que havia sido aceita, mas precisaria pagar uma taxa de inscrição e comprar o uniforme. Estava para desistir, quando um doutor que acompanhara toda a sua história disse:

— Posso ver se o município paga a inscrição. Se conseguir, eu cuido do uniforme.

Sua vida toda foi marcada por momentos assim, em que desconhecidos cometiam atos espontâneos de gentileza. Atribuía isso às graças de Nossa Senhora.

Cursou a Pouponnière, se formou e durante um tempo trabalhou para a maternidade da região com bebês prematuros. Depois foi designada a cuidar do herdeiro do conde Brochard de la Rochebrochard, uma família da alta nobreza francesa. Blanche ainda era muito jovem e inexperiente quando a diretora do colégio deu a ela dinheiro para que pegasse o trem até Paris, e de Paris até a cidadezinha onde moravam os Brochard de la Rochebrochard. Não tinha o endereço preciso do castelo, só recebeu a informação de que um carro com o motorista da família iria buscá-la na estação. No caminho de Paris, alguém de seu vagão disse que a conexão que tinha que pegar já havia partido e o próximo trem só sairia no dia seguinte.

Sem conhecer Paris direito, sem dinheiro para comprar comida e sem um lugar para ficar, começou a se desesperar. Rezou baixinho, para si, uma Ave-Maria pedindo ajuda. As pessoas do vagão onde estava se compadeceram, um deles sabia de uma pensão para moças perto da estação, onde poderia tomar um prato de sopa e passar a noite em segurança. Deram direções e dinheiro suficiente para que ela pudesse pernoitar. No dia seguinte, pegou o trem que a deixou numa estação no meio do nada. Não encontrou motorista algum, não fazia ideia de para onde tinha que ir. Nem sequer dinheiro para voltar à escola ela tinha. Foi perguntar a um taxista, que estava em frente à estação, se conhecia a casa do conde Brochard de la Rochebrochard. Ele nunca ouvira falar. Pediram informações a um guarda que, por acaso, tinha uma namorada que trabalhava na casa de uma condessa, mas não sabia o nome da família. Resolveram arriscar. Seguindo as direções do policial, chegaram até o tal castelo e bateram na porta. Apareceu uma mulher à janela, que, ao ouvir que ela era a *nurse* da Pouponnière, ficou totalmente surpresa:

— O carro foi buscá-la ontem, mas você não apareceu e desistimos. Como é que você nos encontrou?! A condessa faz questão que ninguém da cidade saiba que aqui mora a família Brochard de la Rochebrochard.

Sempre que me via triste ou desesperada, Blanche dizia para eu rezar uma Ave-Maria e me contava essa história.

O bebê Brochard de la Rochebrochard era um amor de criança. O problema era conviver com a mãe, a avó e suas ideias retrógradas. Todos os dias, ao cruzar com a condessa mãe no corredor, Blanche a saudava educadamente:

— *Bon jour, Madame la Comtesse; bonne soirée, Madame la Comtesse.*

A condessa passava reto por ela, sem tomar conhecimento de sua existência. Até que certo dia, irritada, parou Blanche e disse:

— *Mademoiselle, on vous vois pas.*[*]

Querendo dizer: "a senhorita é invisível, por favor, não me dirija a palavra". Ela era uma subalterna, uma ninguém. Sua função era cuidar do bebê e pronto. Imagine conviver com gente assim!

---

[*] *Mademoiselle*, nós não a vemos.

Blanche não tinha uma inteligência convencional, e digo isso sem maldade. Seu jeito para línguas era negativo. Uma vez, quando já estavam no Brasil havia algum tempo, minha avó a ouviu falando ao telefone:

— Blanche – disse –, agora que estamos no Brasil você finalmente aprendeu a falar italiano?!

— *Mais madame* – respondeu –, *moi je parlais portuguais.**

Ela se comunicava em uma língua própria, bizarra, mistura de português, francês, italiano e mais não sei o quê. Mesmo assim, sempre se fazia entender. Até quando foi ficar comigo em Nova York. Saía de manhã, passava o dia fora e à noite vinha me contar tudo o que fizera e comprara. Sem falar uma palavra de inglês!

Possuía uma intuição fora do comum e sua fluência para comunicações não verbais era espetacular. Entendia crianças, animais e plantas como ninguém e, sob seus cuidados, todos cresciam e prosperavam.

Outra história que minha avó adorava contar:

— Blanche, você tem tanto jeito com crianças, por que você não quer ter filhos?

— Sabe, *madame*, eu tenho certeza de que vou morrer cedo como meus pais, não quero que meus filhos sejam órfãos.

Morreu aos 97 anos cuidando dos filhos dos outros.

Nunca namorou, se orgulhava de ser virgem. Até teve um admirador que telefonava insistentemente pedindo para sair, mandava flores e nada.

Meu avô, vendo o interesse do rapaz, perguntou:

— Mas, Blanche, por que você não sai com ele? É um homem bem-apessoado, simpático, bem de vida.

— Sabe, *monsieur*, quando o senhor vê um copo cheio d'água bem gelada, mas não está com a menor sede? É assim que me sinto em relação aos homens.

Assunto encerrado.

---

* Mas Madame, eu estava falando português.

26.

Outubro de 1940

Algumas semanas após minha despedida de Miki na garagem de nosso hotel em Viterbo, comecei a fazer os exames do terceiro ano. Tinha acabado de contratar a Blanche e, ao contrário do que acontecera com a *schwester,* Costanza gostou dela desde o primeiro momento. Achei que era um bom sinal e resolvi que poderia deixá--las em Resta com Mamãe.

Não queria pedir um novo adiamento das provas, então, apesar de ter sido diagnosticada com uma amigdalite aguda e suspeita de apendicite, peguei o trem para Veneza, onde ficaria alguns dias. Mamãe sabia que eu estava estressadíssima, triste, com o moral baixo, dor, febre, preocupada com meu marido e minha filha e que não parava de estudar um momento sequer. Mesmo assim, insistia em me ligar várias vezes por dia para dizer que Blanche não estava dando certo, que não gostava de Resta, não cuidava bem de minha filha... E eu, o que poderia fazer a 400 quilômetros de distância?!

Talvez por ver o quanto eu sofria, Mamma Ida era especialmente carinhosa comigo. Certo dia, sentou-se a meu lado com um álbum de fotos antigas. Passamos horas vendo as imagens de meu marido quando criança, ela me contando histórias, rindo. Fiquei encantada com uma em que ele estava se sentindo importantíssimo vestindo seu uniforme de marinheiro!

Fiz as provas como pude e consegui me virar bem na maioria delas, menos na de Latim. Ai, que nervoso! Imediatamente entrei com um pedido de anulação da nota. Já estava fazendo cursos de Literatura Russa e Espanhola, Língua e Literatura Francesas e Inglesas. Isso era mais do que suficiente para eu tirar meu diploma. Antes de ir para casa, me reuni com meu orientador para decidirmos o tema da tese: "A análise psicológica em Browning, como se revela nas três obras: *Pippa Passes*, *Men and Women* e *The Ring and the Book*".

Novembro de 1940

Foi Deus que trouxe Miki de volta para mim bem naquela época. Dois meses após partir para o que eu depois descobri ser Bengasi, chegou uma carta sua em que ele dizia que iria receber uma condecoração por ter destruído um bombardeiro inimigo. Nela, também dizia que fora chamado para se apresentar a Roma, mas ainda não sabia o porquê. Esta última notícia me encheu de esperança. *Será que eles vão trazê-lo de volta para o lugar de onde nunca devia ter saído?*, pensei.

Miki tinha razão quando me disse, logo que se alistou, que era um ótimo piloto. Na verdade, era bom em tudo o que fazia, pois fazia tudo com paixão. Mas seu lugar não era no campo de batalha. Meu marido era uma pessoa extremamente sensível, um intelectual, e aquela guerra estava acabando com ele. Durante o tempo que estivemos separados, ele nunca disse nada, talvez por não querer me assustar. Mesmo assim, nas poucas vezes que nos encontrávamos, eu percebia a tristeza em sua expressão. Era o rosto de alguém que tinha visto mais do que deveria aguentar. Só depois que voltou de vez, me contou as histórias tremendas!

Imagine que o especialista em bombas da equipe que liderava, Giuseppe, explodiu na sua frente! E tudo por uma cretinice. Soldados lidam com armas e explosivos todos os dias e aquilo vira rotina. Giuseppe era muito brincalhão e, certo dia, enquanto organizava seu material, cantava e dançava, fazendo uma coreografia fanfarrona com dois detonadores nas mãos. Dava piruetas e mexia muito os braços até que, sem querer, os detonadores se chocaram. Não foi uma explosão enorme, não machucou ninguém ao redor, mas grande o suficiente para desintegrá-lo numa nuvem de sangue e fumaça. Assim, sem mais nem menos.

Outra vez, um soldado ao lado de Miki recebeu um tiro na garganta. A bala passou de raspão, mas fez um rasgo na sua carótida. O sangue começou a espirrar por toda a parte. Miki pulou imediatamente em cima dele e, com o polegar, aplicou pressão. O suficiente para estancar o sangramento, mas não demais a ponto de bloquear a irrigação do cérebro. Puseram-no numa maca, Miki subiu junto e não tirou o dedo até que, já no ambulatório do acampamento, o médico estivesse pronto, de agulha na mão, para suturar a artéria do paciente. Graças a meu marido, aquele homem se salvou. Mas quantos não morreram a seu lado no campo de batalha? Isso sem falar da missão que partiu com dezenas de soldados e voltou com apenas quatro. Esse tipo de coisa vai comendo a alma da pessoa, ainda mais alguém tão sensível.

Quando foi chamado a comparecer a Roma, ele deveria pegar o primeiro avião partindo de Bengasi. Por estar sendo convocado em missão oficial, prioritária, tinha o direito de tomar o assento de outro passageiro no voo lotado. Naquele dia, quem perderia o lugar era um rapaz que viajava com sua nova esposa. Miki ficou com pena de separar os jovens recém-casados e, apesar da urgência, decidiu partir no dia seguinte. Aquele avião caiu, não houve sobreviventes.

Em Roma, pediram para que reassumisse seu posto de vice-secretário. Miki não queria aceitar, já não acreditava no fascismo, mas disseram que precisavam de seus serviços na capital exatamente para tentar salvar o que restara do partido e manter a Itália unida. Como isso me deixava aliviada! Naquele momento, eu não me importava com política, só pensava que meu marido não teria que lutar novamente, não precisaria voltar para a guerra! Só podia agradecer aos céus por tê-lo perto de mim.

Uma semana depois de sua volta, finalmente operei das amígdalas. Como sempre, meu marido foi um amor, até assistiu à cirurgia! Ele não saiu do meu lado durante minha convalescença. Lia em voz alta os textos que eu precisava aprender para minhas próximas provas e, enquanto eu dormia, brincava com Costanza. Suportei tudo muito bem, mas não foi um biscoito. Fiquei resfriada, tive muita febre, tossir era um suplício, cuspia sangue, não conseguia engolir...

Aos poucos fui me recuperando, montei um novo plano de batalha para os estudos e programei nossa volta de Resta para Roma. Às vésperas da viagem, Robiglio, um grande amigo da família e famoso confeiteiro de Florença, veio se despedir e trouxe um monte de doces maravilhosos. Nós fizemos uma festa! (Ainda bem que eu tinha emagrecido depois da operação.) Mas nossa gula teve seu preço. Nem preciso dizer que eu e Costanza passamos mal no carro, vomitamos, tivemos que parar para trocarmos de roupa e, na correria, esqueci minha mala de crocodilo com todos os meus vestidos no posto de gasolina. Por sorte, quando voltamos, ainda estava lá.

Julho de 1941

Passamos o início do verão no Lido de Veneza, enquanto Blanche foi para a Suíça ter com seu irmão. Nossa, não foi fácil convencê-la de que precisava tirar férias! Ela tinha se afeiçoado tanto a Costanza que não queria deixá-la de jeito nenhum.

Foi a primeira vez que minha filha viu o mar. No início, se recusou a ficar na praia, não sei muito bem por quê. Talvez achasse difícil andar na areia fofa, talvez não gostasse de como ela grudava nos seus pezinhos, mas depois que começamos a brincar, percebeu como era divertido e mudou de ideia. Estava tão bonitinha, e esperta! Tinha um olhar profundo, parecia uma alma antiga, muito além de seu ano e meio de vida.

Volpi continuava com seu objetivo de mostrar para o mundo que o Lido de Veneza era "o" lugar para se estar nas férias de verão. Não media esforços. Diplomatas, oficiais, celebridades, as estrelas e galãs de Hollywood e da Cinecittà pousavam em seus hotéis cinco estrelas e frequentavam eventos luxosíssimos. A temporada foi muito animada. De dia, eu brincava com Costanza na praia, tomava banho de mar ou patinava e andava de bicicleta na orla com Miki, que levava nossa filha numa cadeirinha especial. Ela adorava! Ria alto, dava gritinhos. No final da tarde, encontrava minhas amigas para um chá e descansava até a festa ou jantar daquela noite.

Gabriella nas férias de verão, em julho de 1941.

Em agosto, mudamos para um ritmo mais tranquilo e fomos para Cortina d'Ampezzo, onde minha cunhada Franca e seu marido, Enrico, tinham uma casa. O lugar era deslumbrante, com a temperatura agradável de uma estação de esqui no verão. A vista não podia ser mais bonita, as montanhas com os picos nevados e florestas coníferas de um verde muito escuro, diferente daquele pálido da Toscana, pairavam nobres sobre os lagos onde íamos nadar na água cristalina! Era um final de férias muito gostoso e tranquilo, depois de toda a badalação do Lido.

Foi durante essa época que Miki chegou para nos visitar, com a notícia de que tinha sido promovido a subsecretário da Agricultura. Ele estava feliz, achava que, pela primeira vez, conseguiria ajudar as pessoas mais humildes e fazer mudanças concretas no país. Era uma posição de prestígio e durante semanas não paramos de receber telefonemas nos dando os parabéns. Ao chegar a Roma, encontrei o apartamento repleto de flores e presentes.

Costanza apagava as duas velinhas de seu bolo de aniversário quando o telefone tocou. Era Mamãe, que queria dar os parabéns à netinha e me dizer que a *zia* Nena estava muito mal. Ela tivera uma pneumonia da qual se recuperou, mas que a deixou muito fraca.

— Eu não sei o que ela tem – me disse Mamãe –, parece morta. Não se mexe, não abre os olhos. Fica imóvel na cama, com a respiração fraquinha...

Dias depois, recebi a notícia de que ela havia falecido. Peguei o primeiro trem para Buonconvento. Papai veio me buscar de carro, trazia uma expressão pesarosa e o caminho para Resta foi estranhamente quieto. Chegamos a tempo para o funeral. Mamãe tinha organizado tudo tão bem! A capela estava linda, cheia de flores, *zia* Nena no caixão vestindo seu terninho favorito. Olhei aquele corpo tão pequeno, frágil e fiquei pensando na sua vida melancólica e solitária... Eu gostava muito dela, sempre carinhosa. Numa época repleta de mortes e destruição, a perda da *zia* Nena, para mim, foi a mais devastadora.

Assim que acabou o enterro, Mamãe se trancou no quarto e não saiu nem para comer. Coube a mim cuidar das questões práticas. Telefonei para Miki dizendo que iria ficar mais um pouco e pus as mãos à obra. Escrevi as participações para familiares e amigos mais próximos, fui a Buonconvento colocá-las no correio e voltei para cuidar de Mamãe. Me deitei na cama ao seu lado e juntas ficamos ouvindo o rádio: às vezes contos lidos por atores famosos, às vezes música, nunca notícias. Eu só saía para buscar comida, fiquei com ela até que se sentisse pronta para enfrentar o mundo sem sua irmã. Peguei o trem para Roma na semana seguinte, tentei estudar no caminho, mas só conseguia pensar na minha pobre tia. Chegando à estação, vi meu marido, Sua Excelência o novo subsecretário da Agricultura, que viera me buscar, amoroso como sempre, com um abraço e um enorme buquê de flores.

Maio de 1942

Defendi a tese. Miki me acompanhou até Veneza. Da estação fomos direto para casa, jantamos rapidamente com Mamma Ida e fomos nos deitar. Ele releu meu trabalho de conclusão de curso em voz alta e fez uma série de perguntas simulando a sabatina do dia seguinte. De manhã foi comigo à Ca' Foscari e assistiu à minha defesa. Estava tão orgulhoso, tão feliz por mim! Foram 50 minutos de interrogatório, a nota, um 10!

— Não por ser a senhora Pascolato[*] – disse o prof. Siciliano, chefe da banca! Venci por meus próprios méritos!

Na minha cabeça, soavam os arautos. Tirei fotografias com Miki e outras colegas de curso, tomamos um espumante e fomos jantar fora para comemorar. Chegando a Roma no dia seguinte, encontrei a casa cheia de flores que Mamãe tinha mandado.

Agora que meus estudos não ocupavam toda minha atenção, chegara a hora de retomar as rédeas do apartamento. O verão se aproximava, e queria tudo em ordem antes de fechá-lo para as férias.

---

[*] *No perche sei la signora Pascolato.*

Logo depois da formatura em Veneza, Gabriella com as colegas de curso e Miki (segundo à direita).

Novamente passaríamos julho e agosto no Lido e em Cortina. Eu, Blanche, Nada e Maria começamos a fazer uma grande faxina, o que incluía organizar e elencar (em duas cópias datilografadas) toda a roupa de cama, mesa e banho, lavar as roupas de verão que estavam guardadas em baús e abrir nossos colchões, que naquela época eram feitos de crina ou de lã – de tanto em tanto tempo, tinham que ser abertos, limpos e afofados. Com a mão de obra escassa por causa da guerra, resolvi, eu mesma, me ocupar disso. Foi um trabalho e tanto, mas tive a ajuda de meu irmão Ugo. Ele estava em Roma se tratando de um estilhaço na orelha. Graças a Deus, seu ferimento foi leve. Eu pensava em quantas amigas minhas perderam maridos e irmãos para os campos de batalha, em todos aqueles soldados mutilados que visitava no hospital quando fazia trabalho voluntário e só podia agradecer a sorte de ter os homens da minha família bem e com saúde. Rezava para que continuassem assim.

Durante sua estadia, meu irmão não parava de falar sobre uma mulher que conhecera na Dalmácia. Dizia que estava apaixonado, queria se casar com ela. Achei um pouco precipitado, afinal, a gente não sabia nada sobre essa pessoa e, conhecendo Ugo, sempre impulsivo, achei que fosse um amor passageiro que acabaria junto com a guerra. Findo o tempo de convalescença, ele voltou para o campo de batalha na Croácia e meu coração afundou mais um pouquinho com sua ausência.

Em Cortina, comecei a pensar que estava na hora de engravidar de novo. Eu tinha me formado, Miki fora promovido e, mesmo se a guerra continuasse, acreditava que, de um jeito ou de outro, terminaria logo. Nunca imaginei o que iria acontecer com a Itália, nem que teríamos de sair de lá como saímos. Consultei Miki, que, é claro, adorou a ideia, e perguntei à Blanche (que acabara de voltar de suas férias trazendo um monte de presentes e chocolates para Costanza, é claro) qual seria a melhor época para ter um filho. Ela sugeriu a primavera. Então, começamos a tentar. Em setembro minhas regras já não vieram mais.

Com a família aumentando, resolvemos que era hora de comprar uma casa maior. Encontramos uma linda propriedade na via Monte Parioli, 28. Tinha um terraço agradável e janelas do tamanho do pé-direito, que deixavam entrar o sol da manhã e uma brisa fresca nas tardes de verão. Passamos os próximos meses em reforma. Nós caprichamos tanto! Cada canto, cada luminária, as cortinas, os estofados, ficou linda! Nos mudamos em novembro, logo antes da chegada da Serra para me ajudar a adaptar as roupas para a gravidez.

A matéria-prima naquela época era escassa. Passávamos por um severo racionamento e a Itália continuava com sua política de autarquia, estipulando que o país deveria ser autossuficiente, livrando-se de uma vez por todas das importações. Nós aproveitávamos ao máximo tecidos de roupas velhas, cortinas etc. Para uma camisola, usei a seda do forro de um antigo casaco de pele do tio Pezzè, falecido marido de Maria Pezzè Pascolato. A pele era de arminha, coisa muito fina e rara na época (as nacionais eram de toupeira, coelho da Sicília ou até mesmo de gato). Aproveitei para fazer uma estola, um chapéu e a gola de um casaco, costurado com o tecido da cortina do apartamento da Via Stoppani.

Dezembro de 1942

Logo que Serra foi embora, Costanza recebeu uma carta de seu padrinho, Ugo, que me deixou bastante aliviada. Fazia alguns meses que tinha partido e, até então, não tínhamos recebido mais notícias suas. Fiquei imaginando como deveria ser frio onde ele estava e resolvi comprar dois casacos para enviar para ele e para o Nino, que estava servindo na Marinha.

No dia 23, Miki, Blanche, Costanza e eu montamos a árvore e o presépio. Dia 24 de manhã, eu fui ao Ministério de Cultura Popular ajudar na arrecadação de presentes para a Befana Fascista. Como tradição, o governo de Mussolini recolhia doações de industriais, comerciantes e agricultores para distribuir à população mais pobre no dia 6 de janeiro, que na Itália chamamos de Befana. Era parte das funções de Miki, como subsecretário da Agricultura, organizar e supervisionar o evento. Mamãe e Papai chegaram e, durante o almoço, recebi um telefonema de Ferragamo. Matamos um pouco as saudades e, no final da conversa, ele reforçou o convite que havia feito dois anos antes: caso precisássemos, poderíamos ficar um tempo com ele e sua família em Il Palagio.

— Aqui em Florença estaremos seguros – foi o que ele me disse, sempre o bom amigo.

Mas a verdade era que ninguém mais estava seguro em lugar algum. Seis meses mais tarde, depois da queda de Mussolini e da invasão alemã, soldados nazistas bateram à sua porta ordenando que ele e sua família saíssem de Il Palagio para que fosse transformado em um alojamento de oficiais nazistas. Essa desapropriação era uma prática comum durante a Guerra, e o fato de Ferragamo ter morado nos Estados Unidos só atrapalhava as coisas. Ele estava sendo acusado de espionagem.

— Mas eu renunciei à minha cidadania americana, cortei quase todos os meus laços com aquele país. Eu mal falo com os meus irmãos que moram lá! – meu amigo procurava se defender.

— Isso não quer dizer nada! Ou você acha que somos estúpidos? Espiões não fazem alarde de sua conexão com territórios inimigos.

— Eu sou apenas um sapateiro!

— Como é seu nome mesmo? – perguntou um oficial que, até então, estava distraído, assistindo ao interrogatório.

— Salvatore Ferragamo.

O oficial tirou um pedaço de papel do bolso de seu casaco, leu e, de repente, a conversa mudou de tom.

— O senhor conhece a Senhora XX? – perguntou o oficial.

— Mas sim, como não!

— Antes de eu partir para a Itália ela me pediu insistentemente que, caso eu passasse por Florença, deveria encomendar sapatos Ferragamo para ela. Façamos o seguinte: o senhor me ajuda fazendo esses sapatos e eu deixo o senhor e sua família permanecerem em casa. E não se preocupe com o prejuízo, ela insistiu para que incluísse a conta, disse que depois fará a remessa do dinheiro.

É claro que Ferragamo concordou na hora. Por insistência do oficial, enviou a conta, mas nunca imaginou que chegaria a ver aquele dinheiro. O direito de ficar em sua casa já seria pagamento suficiente. Também concordou em abrigar todas as famílias vizinhas que tiveram suas casas desapropriadas.

O tempo foi passando e o Exército Aliado que desembarcara no sul da Itália começava a se aproximar de Florença. A estratégia "brilhante" dos alemães para impedir a passagem do exército inimigo era bombardear estradas e casas no caminho, usando os escombros como bloqueio. Dentre as vilas que deveriam ser destruídas estava Il Palagio. Mais uma vez, foram horas de negociação até que Salvatore conseguisse convencer os oficiais a não demolirem aquela vila histórica. O que ele não antecipou era que sua casa ficaria no fogo cruzado entre Aliados e nazistas. Imagine! Ferragamo tinha dois filhos pequenos, além de 51 pessoas que vieram das redondezas se refugiar atrás dos muros espessos de sua vila! Durante três dias eles se abrigaram no porão, dormindo como podiam, uns contra os outros, no chão. Graças a Deus todos se salvaram, inclusive a vila, que teve apenas os vidros das janelas quebrados e sofreu alguns arranhões. Depois da guerra, a senhora alemã que salvou Il Palagio com sua encomenda, apesar de ter perdido tudo com a queda do nazismo, deu um jeito de enviar o dinheiro dos sapatos a Salvatore.[*]

Mas isso viria mais tarde. Naquela noite de véspera de Natal de 1942, Miki e eu ficamos até tarde fazendo embrulhos. No dia 25 fomos à missa, almoçamos, trocamos presentes e comemos

---

[*] Salvatore Ferragamo. *The Shoemaker of Dreams, the autobiography of Salvatore Ferragamo*. Londres: Gerge G. Harrap &Co. Ltd, 1957.

chocolate que nosso amigo Robiglio havia mandado. Todos juntos, felizes, em família, ao lado da árvore iluminada por velas. Presentes de vários "amigos" do partido não paravam de chegar: flores, frutas, vinho. O ano de 1942 foi o último em que isso aconteceu. Alguns meses depois, Miki saiu de vez do governo e muitos desses "amigos" sumiram. Por sorte, porém, e graças ao caráter correto e generoso de meu marido, outros tantos continuaram verdadeiros e nos ajudaram a atravessar a fase mais difícil de nossa vida.

Passamos o *Réveillon* em família, Miki e eu, Blanche, Papai e Mamãe, Nada e Maria. À meia-noite, Costanza já estava dormindo, brindamos a chegada de 1943.

Dia 6 de janeiro era o feriado da Befana, uma bruxa boa que traz brinquedos e doces às crianças durante a noite. Miki acordou muito cedo para ir à hípica, como fazia quase todos os dias. Além de ser um ótimo exercício, montar o ajudava a manter a sanidade, tirava sua cabeça dos problemas nem que fosse por poucas horas. Já de volta em casa, me trouxe o café da manhã na cama. Ficamos juntos um tempo, conversando e rindo. Depois eu fui para o Hospital Sagrado Coração visitar os soldados feridos enquanto Miki compareceu ao evento de distribuição de presentes da Befana Fascista.

Missão cumprida, nós dois nos encontramos em casa e fomos à missa a pé. Chegando, avistamos Blanche e Costanza entrando na igreja após um passeio no zoológico. Já com quase quatro anos, minha filha carregava muito compenetrada o guarda-chuvinha que acabara de ganhar de *mademoiselle*.

Almoçamos um leitão delicioso feito pela Maria e depois Costanza e eu dançamos ouvindo o disquinho de Lili Marlene que ela havia ganhado da Befana, enquanto Miki pregava os quadros que faltavam pendurar na sala da casa nova. Depois, meu marido foi ao piano e nós o acompanhamos cantando canções populares. Tomamos chá, a Blanche levou Costanza para a cama. Miki me ajudava a terminar uma blusinha que eu estava costurando para nossa filha, enquanto conversávamos longamente sobre os detalhes de minha mudança para Siena a fim de ter o bebê.

Eu não queria deixar meu marido novamente, ficava triste com a ideia de mais uma separação, mas a guerra não tinha sido aquela conquista fácil que se pensava no início. Depois do ataque a Pearl Harbor e da invasão da Rússia pelos alemães, os Aliados ganharam a adesão dos Estados Unidos e da União Soviética. A partir daí, as derrotas começaram a ser cada vez mais significativas. O fracasso no *front* fazia Mussolini perder força dentro do partido, qualquer coisa poderia acontecer, eu estava grávida e Roma não era o lugar mais seguro para se viver.

Poucos dias depois, nós todos fomos a Resta para escolher um apartamento. Eu estava cansada, de mau humor com a ideia de deixar Miki novamente sabia Deus por quanto tempo. A viagem foi difícil, tanto eu como Costanza passamos mal. Mas foi bom chegar à fazenda, que sempre considerei meu refúgio.

Nem bem descarregamos o carro, Mamãe me chamou para ir até o celeiro ajudar a cortar um porco que tinha acabado de ser abatido. Nós escolhemos os pedaços que queríamos levar para casa e voltamos para preparar o jantar juntas.

No dia seguinte fomos a Siena ver alguns apartamentos. Irritada, angustiada, exausta, achei tudo horrível, tive um ataque e disse que não queria ver mais nada, queria ficar em nossa casa na capital. Mas Miki insistiu.

— Gabi, você agora tem que pensar por três. Imagine o que pode acontecer se Mussolini cair? Com a Itália enfraquecida, Roma vai virar alvo dos inimigos. Ainda falta vermos o apartamento dos Segardi. Eles sempre foram honestos e têm muito gosto, tenho certeza de que será bom.

De fato, não era mal. Um pouco pequeno e escuro, mas bem decente. Acertamos um aluguel razoável, combinando que faríamos algumas melhorias. Passei mais uns dias entre Resta e Siena para contratar os pedreiros e, enquanto o apartamento não ficava pronto, voltei para Roma. A viagem de trem foi ótima! Miki teve direito a um compartimento privado para a família do sr. subsecretário da Agricultura.

Fevereiro de 1943

Tudo começou a mudar. No dia 5, logo de manhã, Miki recebeu um telegrama do Duce convocando-o para uma reunião. Naquela mesma noite, ouvimos a rádio que anunciava uma grande movimentação nos ministérios. Dormimos muito mal, sem saber o que iria acontecer, mas, de acordo com o que Miki conseguiu apurar, parecia que todos os oficiais tinham recebido o mesmo telegrama. Procurei tocar a vida "normalmente" apesar da insegurança que nos rodeava, sempre ouvindo boatos de mudanças no governo.

A primeira notícia concreta que recebemos foi de Fabbriziani, o subsecretário da Alimentação, que nos telefonou para dizer que tinha sido substituído. Poucos dias depois, a secretária do Duce ligou para marcar a tal audiência. Não foi dessa vez que Miki foi despedido. Eu até preferia que ele saísse do governo, mas sentia por ele. Sabia que estava sofrendo muito, se agarrava ao último fio daquilo que um dia fora o partido no qual ele tanto acreditara.

Para Miki, o fascismo tinha sido uma filosofia, um sonho de construir uma nova Itália, com uma educação melhor, sistema de saúde mais eficiente e uma boa reforma agrária. Não uma maneira violenta de dominar o mundo e esmagar todos os que discordassem dele. Além disso, Miki começava a ver o quanto o antissemitismo crescia e permeava não só a cultura do partido, mas o cotidiano. Sempre existiu preconceito entre alguns oficiais mais fanáticos, mas meu marido percebia que certas atitudes começavam a ficar cada vez mais comuns, violentas e perigosas. Foi nessa época, enquanto ainda tinha um pouco de influência, que insistiu com veemência para que seus amigos judeus saíssem do país, ajudando-os com papéis e às vezes até dinheiro.

Aos poucos, as coisas começaram a apertar. Miki sabia que era uma questão de tempo até ele ser demitido e já procurava novas opções. Tinha algumas possibilidades em vista, mas tudo incerto por causa da guerra, sempre a guerra!

Para não me desesperar, eu escolhi me concentrar na mudança e em deixar a casa em ordem. Fecharia todos os quartos menos o de Costanza, onde Miki dormiria sozinho, e o de Maria, que ficaria em Roma com ele. Eu, Costanza, Blanche e Nada iríamos para Siena. A mudança transcorreu bem, sem maiores problemas e, no final de abril, já estávamos instaladas na Toscana.

Mais ou menos nessa época descobrimos que *mademoiselle* Blanche sabia ler cartas. Eu estava triste e angustiada, então resolvi ir a um cartomante. Quando voltei ela me disse:

— Mas, *madame*, não precisa gastar dinheiro, eu sei fazer isso.

Foi a sensação daquela Páscoa! Leu as cartas para todos nós, inclusive Ugo, que estava de licença por alguns dias e havia trazido uma linda bolsa de pele de javali para mim e uma carteira para Miki.

A Blanche acertou tudo de nossa vida, era impressionante! Detalhes que não tinha como saber! Disse que faríamos uma grande mudança e uma travessia de oceano. Todos nós, menos Mamãe, que ficou muito perturbada com a notícia.

Eu chorava muito naquela época. Pensava em tudo o que tinha que fazer, não sabia se daria conta, não sabia o que aconteceria com a Itália, com meu marido. No dia 8 de maio, Nada veio me acordar dizendo que *mademoiselle* estava com febre. Mandei-a ficar de cama e terminei de vestir a minha filha. Levei quase uma hora para conseguir dar seu almoço. Como ela era difícil para comer!

À tarde quis passear um pouco com Costanza. Estava tão pálida por causa daquele apartamento escuro. Foi então, enquanto me vestia, que reparei numa mancha de sangue na calcinha. Chamei

Mamãe e Papai em Resta e Miki em Veneza. Assim que meus pais chegaram, Mamãe ficou com Costanza enquanto Papai me levou à clínica. O médico disse que tive uma ruptura parcial da bolsa, mas não era ainda hora. Por precaução me fizeram dormir lá. Telefonei para Miki para avisá-lo de que era um alarme falso, mas ele já tinha partido. No dia seguinte recebi alta e voltei para casa.

No dia 16 de maio, o alarme antibombas soou e tivemos que ficar no abrigo durante duas horas. Eu estava cansada e com algumas dorezinhas. Quando voltei para casa, reparei que sangrava novamente. Peguei as coisas, fui à clínica e às treze e quarenta dei à luz meu filho Alessandro. Mamãe e *mademoiselle* assistiram ao parto. A Blanche disse que ele nascera com um pedaço da placenta grudado no topo da cabeça como se fosse um solidéu. Um sinal de boa sorte! Estávamos todos felizes! Agradecia a Deus por ter me dado um menino, realmente não esperava.

27.

Maio de 1943

Eu amamentava Alessandro quando recebemos o comunicado de mudanças no Ministério da Agricultura; Miki finalmente sairia do governo. Eu estava bem, meu pós-parto dessa vez tinha sido muito mais tranquilo. Mamma Ida viera de Veneza para o batizado do neto. Comemoramos juntas a notícia da demissão de meu marido. Tudo naquele governo estava sinistro, o partido não era mais o mesmo e Miki chegava em casa cada dia mais frustrado. Nós ainda tínhamos nossas economias, além dos títulos que compramos com meu dote. Isso seria suficiente para vivermos de forma modesta até que ele encontrasse um novo trabalho.

É impressionante como num breve momento tudo pode mudar. Uma linha num telegrama de alguém que nem se conhece direito e a realidade vira de pernas para o ar. No caso, uma única frase com a notícia de que o navio de Nino tinha sido bombardeado. Não houve sobreviventes. Àquela altura, depois de tudo o que eu passara com meu marido, aprendi a reagir com mais objetividade. Li o telegrama e imediatamente fui falar com Miki para que telefonasse a seus amigos perguntando se meu irmão estava no navio na hora do bombardeio. Apesar de ter saído, ainda mantinha um bom relacionamento com uma parte do governo. Parte essa que, em poucos meses, faria um golpe contra o Duce. Já Mamãe, que estava em Siena para ver o pequeno, só faltou desmaiar.

Para nosso alívio, Miki descobriu que Nino estava de folga no dia do ataque, mas, estranhamente, ninguém tinha notícia dele. Sua farda ainda estava no alojamento, mas meu irmão parecia ter evaporado. Desconhecíamos o significado daquilo. Podia ser que, por acaso, Nino estivesse no navio durante o ataque, mesmo não tendo sido escalado, ou simplesmente resolvera se esconder por algum motivo. Por que não se fazia vivo? Ele sabia que estaríamos aflitos. Não havia alternativa a não ser esperar e rezar.

Junho de 1943

Os cortes de água e de luz eram frequentes. Enchíamos as banheiras e os baldes e usávamos lampiões, cujo óleo também era racionado. Para armazená-lo, tínhamos de requisitar uma autorização. Quando o governo a concedia, também determinava a quantidade, que variava de acordo com o tamanho e o número de moradores de cada habitação. Fiscais iam às casas rotineiramente e reviravam-nas em busca de produtos estocados de forma irregular. Caso encontrassem algo sem a devida permissão ou acima do volume estipulado, cobravam uma multa altíssima. Por sorte, eu tinha acabado de renovar minha autorização quando Papai e

Mamãe – que estava com os nervos em frangalhos pelo sumiço de Nino – chegaram de Florença me trazendo, além dos sapatos que eu encomendara, um galão de óleo.

Era domingo, meu marido não estava. Ele passara as últimas duas semanas viajando entre Roma e Veneza fazendo trabalhos avulsos e à procura de novas oportunidades de emprego. Meus pais e eu fomos à missa ao meio-dia. Antes do almoço, o alarme soou e descemos para um abrigo coletivo no porão de uma *trattoria* a poucas quadras de casa. Havia um corte de luz, não se enxergava nada através das pequenas janelas, me lembro do cheiro esmagador de levedo e suor. Ficamos escondidos por duas horas e meia. Voltando para o apartamento, meu coração se iluminou. Miki estava lá, me recebendo com seu largo sorriso. Eu morria de saudades e não contive minha felicidade. Em resposta à minha reação, ele disse que também tinha a sensação de não me ver fazia um século.

Almoçamos muito bem, nada sofisticado, mas por sorte, apesar dos racionamentos, conseguíamos o que precisávamos de Resta. Tomamos um sorvete delicioso que Mamãe trouxera, meus pais partiram e Miki e eu fomos para o quarto descansar. Lá ficamos durante horas, desfrutando de nossa doce intimidade...

Ainda na cama, conversamos sobre os planos para o futuro. Tinham oferecido a ele uma cátedra na faculdade de Direito da Ca' Foscari. Não era o esperado, mas sabíamos que não se podia ser exigente naquele momento. Ele poderia dar sua resposta até o final do ano. Enquanto isso, seguiria indo e voltando de Roma e Veneza.

À noite, jantamos com Blanche e as crianças e ouvimos a notícia do desembarque dos americanos no sul da Sicília. Na manhã do dia seguinte, Miki partia para Roma novamente com o intuito de fechar nossa casa. Levei-o até a estação rodoviária, ele subiu no ônibus, sentou-se à janela e acenou para mim com um sorriso. Foi o sorriso mais triste que vi na vida. Eu olhava para o rosto dele e não encontrava mais aquele brilho que conhecia tão bem. Me angustiava não poder ajudá-lo. A única coisa que podia fazer era acreditar que, com o tempo, ele encontraria seu rumo e voltaria a ter a disposição apaixonada de sempre.

19 de julho de 1943

Pelo rádio, veio um boletim especial relatando o primeiro grande bombardeio dos Aliados em Roma. Foi uma tragédia. Numa crença cega à promessa do Duce de que os anglo-americanos nunca teriam coragem de atacar a Cidade Santa, muita gente se mudou para lá. A cidade estava lotada. Imediatamente senti um enjoo, um mal-estar profundo, como se tivessem me dado um soco no estômago. Liguei duas vezes para nossa casa, mas ninguém respondia, telefonei para o Grand Hotel onde meus pais estiveram hospedados em busca de notícias de Nino. Graças a Deus tinham partido fazia algum tempo. Telefonei para o prefeito, para o Ministério da Agricultura em busca do paradeiro de Miki. Nada. No final da tarde, em completo desespero, comprei o jornal vespertino numa tentativa fútil de conseguir alguma notícia que me acalmasse. Meu estado só piorou. As imagens exibiam cenas de destruição como eu nunca vira. Bairros inteiros, lugares por onde eu passava com frequência, totalmente arrasados. Uma infinidade de mortos. Que lástima, que angústia! Foi só às onze da noite que Miki conseguiu me ligar de Resta. Disse que chegou a ver a primeira bomba caindo bem quando saía da cidade.

Dois dias depois, na fazenda, Mamãe organizava os afazeres da casa com seus empregados, quando viu na porta da cozinha um sujeito alto, barbudo, cabeludo e malcheiroso. Era comum aparecerem andarilhos à procura de comida. Para eles, minha mãe tinha sempre pronto um caldeirão de *minestrone*. Já estava indo servir a sopa para o indigente quando ouviu:

— Mamma!

Levou alguns segundos para entender que debaixo da barba e de toda aquela sujeira estava seu filho! Era Nino, que finalmente tinha ressurgido! Sentiu as pernas fraquejarem. Por sorte os empregados a seu lado a seguraram, senão teria caído no chão.

Após um longo banho e um prato quente, contou que, quando ouviu o que havia acontecido com o navio, chegou à conclusão de que não valia mais a pena arriscar a vida por uma guerra na qual não acreditava. Largou tudo no alojamento e foi embora com a roupa do corpo. Se tivesse feito isso em outro momento, teria de se entregar e ser julgado por deserção. A sorte foi que tudo aconteceu quase junto com a queda de Mussolini. O caos político e militar se instaurou e a situação de meu irmão ficou por isso mesmo.

25 de julho de 1943

Ouvimos o pronunciamento do rei Vittorio Emanuele III aceitando a renúncia de Mussolini dos cargos de chefe do Governo, primeiro-ministro e secretário de Estado e apontando em seu lugar o marechal Pietro Badoglio. Na verdade, a declaração foi pró-forma, o Duce nunca abdicaria do cargo. Nos bastidores se soube que fora deposto, preso imediatamente e enviado a um cárcere, cuja localidade se manteve secreta na tentativa de evitar um resgate por parte dos alemães.

Badoglio fazia transparecer que o país se manteria na guerra com o Eixo, mas dissolvia paulatinamente todas as instituições fascistas e negociava um armistício com os Aliados, que já tinham tomado a Sicília. Os alemães invadiram a Itália pelo norte, não encontrando quase nenhuma resistência; o povo italiano ficou preso entre os dois flancos.

Os bombardeios eram cada vez mais frequentes e próximos. Quando ouvimos que Grosseto, a menos de 100 quilômetros de onde estávamos, foi atingida pela segunda vez, decidi que era a hora de pedir uma autorização para irmos morar em Resta.

A autorização veio, mas não foi dessa vez que nos mudamos. Como sempre nessa vida, nos acostumamos às situações mais adversas e seguimos adiante. Em meio ao caos, eu dormia melhor quando Miki estava. Ficava mais tranquila, fazia mais esporte. Passeávamos só nós dois ou com as crianças. Ele tinha trazido o violoncelo de Roma e, quando ficávamos em casa, às vezes o tocava para mim, outras vezes lia em voz alta enquanto eu costurava ou dava de mamar a Alessandro.

A Blanche era de uma dedicação indescritível. Estava sempre por perto quando precisávamos, fazia roupinhas de tricô para as crianças, me ajudava na limpeza da casa e com as roupas. Quando saía em seus dias de folga, voltava com presentinhos para os pequenos. É verdade que seu mau humor era algo de fenomenal, tínhamos infinitas brigas, mas nada que pudesse anular seu amor pelos meus filhos e por nós, que ela demonstrava à sua maneira.

Víamos aviões passando e os alarmes, que agora representavam um perigo real, não apenas ameaças distantes, eram quase diários.

14 de agosto de 1943

Eu tinha acabado de amamentar e estava fazendo as contas de casa, calculando até quando poderíamos viver com nossas economias, enquanto esperava a nova arrumadeira que tomaria o lugar de Nada. A moça não chegava, o que me causou uma séria irritação. Recebi um telefonema de Miki de Veneza dizendo que ficaria mais alguns dias para poder passar um tempo com sua mãe. Já mal-humorada e triste com a ausência prolongada de meu marido, fui me ocupar dos serviços da camareira que não veio. Por sorte, eu estava descansada. Na noite anterior não tivemos alarme e eu pude dormir direto até as dez da manhã.

Pelo rádio, veio a notícia de que Roma, após o bombardeio da noite anterior, havia sido declarada Cidade Aberta. Esse é um termo de guerra que dita que a cidade não oferece resistência à ocupação do inimigo a fim de preservar sua população e seu patrimônio histórico. No caso de Roma, a declaração foi unilateral. Os italianos permitiram a invasão pelos nazistas, que, embora tenham preservado o patrimônio, foram extremamente duros com seus habitantes. O rei e Badoglio fugiram da capital alegando "importantes inspeções" a fazer não se sabia onde, abandonando o povo à própria sorte e deixando as forças armadas sem direção.

Todos ficamos transtornados naquele dia. Maria cortou o dedo cozinhando e foi parar no hospital. Sem ela, fui preparar o almoço e tive que usar o resto da água que tínhamos armazenada. Comecei a entrar em pânico pensando no que aconteceria se o racionamento demorasse mais alguns dias, mas não tive muito tempo para devaneios, já que, logo em seguida, o alarme soou. Ficamos mais de uma hora no abrigo e depois a Blanche, não faço ideia como, enfiou uma farpa no dedo e, ela também, teve de ir ao pronto-socorro. Cada dia era uma nova emoção, não sabia mais como conseguiria ir adiante.

Não demorou muito para os caminhões do exército alemão começarem a passar por Siena. Não sabíamos o que iria acontecer, mas todos conhecíamos a reputação dos irascíveis soldados da SS. A locomoção pelo país se provava sempre mais difícil e perigosa, não dava para Miki seguir transitando da maneira que fazia até então. Ainda viajava, mas com muito menos frequência e, com o tempo de sobra, procurava se manter ocupado. Consertava o que fosse preciso, arrumava o carro, dava retoques na pintura de casa, cortava lenha para o fogão; até me ajudava a desfiar antigas blusas de tricô para fazer novelos e reaproveitar a lã. Meu marido sempre foi muito ativo e precisava se sentir útil de alguma maneira a fim de evitar outro ataque de pânico como o que teve quando Roma foi invadida.

Mamma Ida depois me contou que nunca o vira daquele jeito. Ele chorava feito um bebê, não conseguia articular as frases. Quando finalmente parou, ficou num estado quase catatônico. Seu mundo tinha caído.

O empenho e a determinação de Miki me causavam extrema ternura e eu procurava encontrar mais coisas para ele fazer. "Por sorte", com o inverno se aproximando, trabalho não faltava. Dada a conjuntura política, ficou claro que teríamos de permanecer em Siena muito mais do que o previsto. Havia chegado a hora de melhorar a infraestrutura da casa. Pedi então a ele que procurasse alguém que instalasse estufas nos quartos. A julgar pelo entusiasmo com que se jogou na tarefa, parecia que estava indo salvar o país.

Com Roma tomada pelos alemães, sabíamos que seria uma questão de tempo até nossa casa na capital ser invadida e saqueada. Então, toda vez que Miki ia para lá, procurava trazer o que podia: roupas, tapetes, quadros, bonecas, garrafas de bebidas... Certa vez, em vez de voltar diretamente para casa, teve de pousar em Resta para evitar um bloqueio de estrada próximo a Siena. Se a SS o pegasse com o carro cheio daquele jeito, era bem capaz de confiscar tudo, inclusive o carro. Assim que chegou em casa, briguei com ele porque não trouxera nossos casacos de vento. Imagine, que diferença fazia duas japonas? É claro que senti remorso por descarregar meu nervosismo logo nele, que era tão querido, tão bom.

3 de setembro de 1943

Badoglio assinou um armistício com os Aliados e o rei declarou guerra à Alemanha nazista. Algumas tropas italianas se juntaram aos Aliados, que começaram a avançar sobre a Calábria, mas outras se recusaram e foram lutar do lado do Eixo. A Itália estava dividida.

11 de setembro de 1943

Caminhões alemães passavam de lá para cá, despertando o terror, desalojando pessoas, tomando posição para impedir o avanço dos anglo-americanos, que marchavam lenta, mas sistematicamente, rumo ao norte tentando reconquistar a Itália "para o Império". Ambos os lados atravessavam nosso país como se nada fosse, como se não existissem pessoas vivendo no trajeto das bombas e das balas. O fato era que cada um tinha interesses próprios, que não coincidiam com aqueles da população italiana.

Nada foi embora de vez. À tarde, fui à cidade para algumas compras de víveres e depois ao cabeleireiro. Miki veio me buscar, caminhamos um pouco e fomos ao cinema numa tentativa de escapar um pouco daquela terrível realidade. A tensão nas ruas era palpável. Quando voltamos para casa, grudamos o ouvido no rádio, procurando alguma notícia que fizesse sentido. Em vão. As estações italianas não diziam nada, as alemãs e as inglesas divulgavam informações conflitantes.

Na manhã seguinte, acordei com 38,2 de febre, o rosto, braços e pernas cobertos de bolinhas vermelhas e os olhos inchados. Estava com rubéola. De cama, não tinha nada a fazer além de esperar passar e torcer para que ninguém mais ficasse doente, especialmente as crianças. Era domingo, Miki levou Costanza à missa e às seis o pediatra veio examinar Alessandro. Ele disse que meu filho estava muito bem, determinou que eu poderia continuar dando o peito, seria até bom para ele ingerir os anticorpos.

Pouco tempo depois, já me sentia muito melhor. Me levantei, fui até a sala para ouvir as últimas notícias que diziam que o Duce tinha sido liberado pelos alemães de uma prisão escondida em uma montanha no meio dos Apeninos chamada Gran Sasso.

No dia seguinte, comemoraríamos nosso quinto aniversário de casamento. Blanche me deu um maço de cravos, Miki uma linda planta e revistas de moda, que eu folheei depois do jantar. Antes de dormir, meu marido começou a ler em voz alta *A dinastia da morte*, de Taylor Caldwell. O livro era divertido, e a voz dele sempre me tranquilizava. Dormi profundamente e acordei de bom humor. Miki tinha acabado de sair quando Mamãe telefonou dizendo que os alemães passaram em Resta e levaram o *Topolino* de Ugo. Eu mal desliguei, eles bateram em casa, exigindo o carro. Confiscaram o do vizinho, mas, como meu marido tinha saído com o nosso, foram embora prometendo voltar em outro momento. Telefonei para Resta e pedi a Papai que viesse buscá-lo assim que Miki voltasse para casa. Não podíamos perder nosso principal meio de transporte.

A boa notícia foi que, com a doença, tinha perdido quase todo o peso que eu ganhara durante a gravidez. Era a véspera do aniversário da minha filha, saí pela primeira vez desde minha doença. Fomos ao cinema assistir ao *Amante mascarado*, não era mal. Voltei para casa, ajudei a nova cozinheira com o jantar e fiz um bolo. Às dez, ouvimos o pronunciamento de Mussolini enaltecendo o Führer e condenando as ações do rei Vittorio Emanuele. Que ousadia a dele, falar de orgulho italiano, de patriotismo! Miki e eu quase não conseguimos ouvir de tanta raiva! E pensar que menos de um ano antes o Duce fazia chacota do Hitler para seus amigos mais próximos! Todo mundo sabia que ele desprezava o chanceler alemão. Quanta falsidade!

Em seu pronunciamento, Mussolini havia proclamado a fundação da República Social Italiana (RSI), também conhecida como República de Saló, em referência à cidade do norte da Itália onde estava instalada. Apesar de toda a bravata de seu discurso, nós sabíamos que o governo era de fachada, quem estava no comando mesmo era Hitler.

Para festejar Costanza, chamei umas amiguinhas da vizinhança. Ela brincou muito e apagou as suas quatro velinhas. Quando todos foram embora, ouvimos as novas proclamações: a República convocava as forças armadas. Meu medo era que obrigassem meu marido a se alistar novamente. Ele não tinha mais para que lutar. Pela lei, poderia se recusar, era o único filho homem de mãe viúva, mas dado o caos em que se encontrava o país, nada era certo. No dia 20 se apresentou – caso não o fizesse poderia ser preso por deserção. Graças a Deus, foi exonerado!

O vento norte já soprava gelado quando terminei de organizar tudo para o inverno, arrumando os guarda-roupas e preparando as massas, molhos e conservas com os víveres que recebi de Mamãe. Eu estava estranhamente serena e, por vezes, até feliz. As crianças estavam ótimas e, o melhor de tudo, Miki e eu nunca nos demos tão bem. Foi nessa época que Papai trouxe de Resta o Angiolino, um menino que não devia ter dez anos, filho de um de nossos trabalhadores do campo.

Ele contraíra a malária e veio para Siena se tratar. Nós o levamos imediatamente para o hospital e os médicos disseram que ele se recuperaria, mas teria que ficar internado durante algumas semanas.

Naquela mesma noite, depois do cinema, fui visitá-lo e levar uns brinquedos para que se mantivesse entretido. Era um menino muito doce, tímido. Eu tinha pena de deixá-lo ali sozinho, mas sabia que estava em boas mãos e precisava voltar para casa e ficar com meus filhos.

Se existia uma certeza na guerra é a de que as coisas sempre podiam piorar. Nem bem uma semana depois de Angiolino chegar, eu terminava de visitá-lo quando escutei nos corredores a notícia de que haviam bombardeado o Vaticano. Peguei o ônibus para casa correndo a fim de ver se ouvia mais novidades pelo rádio. O que ouvi era ainda mais alarmante: todos os judeus italianos haviam sido enviados para os campos de concentração. Que golpe! Pensei em nossos amigos, aqueles que não quiseram sair da Itália apesar das insistências de Miki, rezando para que não tivessem sido encontrados. Nesse instante, o telefone tocou. Era Mamãe pedindo que eu abrigasse uma senhora judia com sua filha por algumas noites.

À tarde, Miki estava dando a primeira aula de ginástica a Costanza quando soou a campainha. Abri pensando que eram as moças que viriam pousar conosco, mas em vez disso encontrei o professor Laurenzi, médico de Angiolino, que o trouxera para nos fazer uma pequena visita. O menino já estava muito melhor e combinamos que, em poucos dias, meu marido iria buscá-lo no hospital para deixá-lo em Resta a caminho de Veneza. Durante todo o jantar, embora eu procurasse não demonstrar, estava nervosíssima. As mulheres deveriam chegar a qualquer momento e eu não sabia o quanto poderia confiar no prof. Laurenzi. Se fôssemos delatados por abrigar judeus em casa poderíamos receber uma punição severa e elas seriam deportadas para a Alemanha. Angiolino brincava com Costanza, os dois riam e eu não conseguia tirar os olhos do relógio.

Foi escurecendo e eu torcendo para a campainha não tocar. É claro que não poderia expulsá-los de casa, mesmo porque isso despertaria suspeitas. Lá pelas tantas, o Laurenzi se levantou chamando Angiolino para irem embora, mas as crianças começaram a chorar, pedindo para ficarem mais um pouquinho. Ele hesitou e disse que poderiam demorar mais 20 minutos.

Naquela hora, eu mal conseguia conversar, só enxergava branco de tanto nervoso. Acho que não desmaiei porque adiaria ainda mais a partida deles. Novamente ele se levantou e, mais uma vez, as crianças pediram para continuar brincando. Só que, graças a Deus, o prof. Laurenzi estava realmente cansado e levou seu paciente de volta para o hospital. Nem meia hora depois, chegaram mãe e filha, muito assustadas e com frio.

Elas só traziam a roupa do corpo. Fugiram correndo de casa, sem tempo de levar nada. Eu e Blanche demos alguns vestidos nossos para que pudessem se manter agasalhadas e instalamos as duas no quarto de empregadas. Caso os alemães viessem para outra inspeção, eu poderia dizer que elas trabalhavam para mim. Os nazistas mantinham um controle estritíssimo de todas as habitações, era preciso poder justificar um aumento repentino de moradores na casa. Tivemos até que mudar o nome da mãe, que se chamava Rachel, para Angiolina (em homenagem ao menino), a fim de não levantar suspeitas. Quando Miki levou Angiolino para Resta, elas foram junto. Lá estariam a salvo até o final daquele pesadelo.

Dezembro de 1943

O ano estava terminando. Como foi trabalhoso! Mas só podíamos agradecer a Deus por nossa imensa sorte. Para Miki, que fizera uma viagem muito bem-sucedida a Veneza, o futuro se apresentava eletrizante. 1943, com seus muitos imprevistos, pôs abaixo tudo o que construímos até então. Nos deixou, porém, a experiência e a sensação de que poderíamos fazer coisas muito maiores e mais bonitas no futuro, se tivéssemos sorte e coragem. Para mim, as maiores alegrias foram ver minha filha crescer com saúde, ter tido meu filho homem e conseguido amamentá-lo bem.

Eu procurava me concentrar nas coisas boas e tirar minha atenção das ruins. Estava contente com a maneira como Miki e eu superamos essas provações. Estávamos unidos e nos amávamos mais do que nunca. Brigávamos, como todo mundo briga, mas aquelas pequenas desavenças nos aproximavam ainda mais.

28.

Costanza
2016

Da casa de Roma, me lembro de botas, muitos homens vestindo botas. Eu era pequena, só enxergava os colegas fardados de meu pai até a altura dos joelhos. De Siena me lembro um pouco mais. Morávamos em um apartamento um pouco escuro. Numa noite sem lua, tivemos que passar um tempão no abrigo. Saindo, esbarrei em um homem que estava caído, depois percebi que meu vestido tinha uma mancha vermelho-escura, molhada e quente. Ninguém lá em casa fazia drama, estavam certos, não queriam nos assustar. Não sei, posso ter imaginado, eu tinha quatro, cinco anos...

De Resta, tenho uma imagem mais nítida. Das laranjeiras e limoeiros plantados em vasos enormes que, no inverno, o Leggerino levava para o *limonaio* (uma espécie de estufa) para que não morressem com a geada. Uma coisa de que gostava muito de lá era dos passeios de charrete com meu avô. Ele explicava tudo o que acontecia na fazenda. Não que eu entendesse muita coisa, mas me sentia importante.

Nossa casa em Como era muito linda. Morávamos na edícula de uma vila enorme. Nadávamos na piscina e passeávamos no jardim maravilhoso, supercuidado. Um dia, eu lembro direitinho, teve um ataque com aqueles aviões que metralhavam. Mamãe e a Blanche nos levaram para uma gruta, bem típica daqueles jardins barrocos italianos do século XVII. Estava frio, Mamãe se recuperava de um resfriado e vestia só um penhoar. A Blanchinha falou:

— *Madame*, a senhora está com frio, eu vou lhe fazer um chá.

— *Mademoiselle*, você está louca? E os aviões?!* – Mamãe respondeu.

A Blanche foi, trouxe um chá e um casaco.

---

* *"Madame, vous avez froid, je vais vous faire un thè." "Mais Mademoiselle, vous êtes folle? Il y a les appareil!"*

Depois que acabou o ataque, voltamos para casa. Quando entramos, vimos meu quarto rasgado de um lado a outro por buracos de bala.

Nós tivemos que sair daquela casa. Não sei por que, fomos às escondidas num caminhão amarelo, cheio de queijos enormes, redondos. Eu carregava a minha boneca, Rita. Seu rosto era feito de papel machê e eu fiquei chateada porque estava ficando sujo. A gente foi para uma outra casa menor.

Janeiro de 1944

Eu seguia morando em Siena. Recebi, portanto, com alegria a notícia de que aquela cidade seria transformada em Cidade Hospital. Se isso acontecesse, estaríamos mais resguardados dos ataques. Infelizmente, porém, a realidade não parecia ser essa. Os alarmes ficaram cada vez mais frequentes e os aviões foram se aproximando. A qualquer hora do dia ou da noite tínhamos que largar tudo o que estávamos fazendo, voltar para casa, pegar as crianças e correr para o refúgio. Esse ritual já se tornara tão corriqueiro que nem nos assustava mais.

Certa vez, a sirene tocou enquanto Blanche e eu dávamos o almoço para os pequenos. Bem na hora que Costanza começou a comer, depois de nos enrolar por quase uma hora. Alex, que naquela época adorava imitar a irmã mais velha, também resolveu tomar sua papinha. Eu ouvi o toque de recolher, mas queria aproveitar a boa vontade dos meus filhos. Pela minha experiência, teríamos uns 20 minutos antes de ter de descer para o abrigo. Resolvi arriscar. Qual o quê! Em menos de dez minutos comecei a ouvir as bombas caindo. Não havia tempo de ir ao refúgio. Tirei o telefone do nicho na parede e pus o Alessandro lá dentro. Peguei Costanza no colo, segurando-a firme para que não escapasse, me coloquei debaixo de uma mesa de madeira maciça que ficava na cozinha e rezei. Que medo que me deu aquele dia! Eu ouvia os aviões passando e sentia a vibração das bombas a poucos quarteirões! Foi então que decidi que nos mudaríamos para Resta. A autorização ainda estava válida, chamei Miki em Roma e disse que era hora.

No dia seguinte, ele chegou de excelente humor, com um forte cheiro de alho e um belo pedaço de queijo parmesão (um grande luxo em época de guerra)! Trazia boas notícias com relação a um processo que estava movendo contra a Cassa di Risparmio para liberar os títulos que compramos com meu dote. Mas o que o deixava realmente feliz era a proposta de trabalho, em um escritório de advocacia de antigos amigos do partido.

— Mas em Milão?! Teríamos que nos mudar para lá?! – reclamei. – Você sabe melhor do que eu o quanto Milão tem sofrido com bombardeios! Além disso, vou ter que me separar de minha família. E o Ferragamo, ele não tinha te oferecido um emprego?

— Vamos morar em Como. Lá é muito tranquilo, e já peguei o contato de um corretor de imóveis, o Nava, que pode nos ajudar a encontrar uma casa. Sei que é difícil, mas não temos muita escolha. Não consigo mais ficar aqui fazendo nada e, se não conseguir trocar os títulos, ficaremos sem dinheiro. A oferta do Ferragamo é para depois da guerra. Não sabemos quando isso vai acontecer e quais serão as circunstâncias. Se der tudo certo, depois voltamos para Florença.

Eu ainda não estava convencida, mas prometi pensar no assunto com carinho. Só agradecia a Deus que nos protegia e compensava por nossa conduta sempre correta e honesta, pela sorte que vínhamos tendo até aquele momento.

Passei o resto daquele dia empacotando o essencial. Fiz tudo às pressas, queria sair de Siena o mais rápido possível. Ainda estava com dor de cabeça por causa do barulho e da tensão do bombardeio do dia anterior. Decidimos que, por ora, continuaríamos alugando o apartamento em Siena e deixaríamos ali o grosso das nossas coisas.

A primeira semana em Resta foi difícil. Chovia muito, fazia um frio tremendo. Alex estava com uma tosse incessante, eu dava xarope, inalação e nada. Realmente não sabia mais como tratar aquele menino. Estava claro que era uma reação nervosa a tudo o que acontecia a sua volta, mas eu já fazia meu máximo para a vida das crianças ser a mais normal possível. Só podia torcer para que o ar da fazenda fizesse bem a ele.

No primeiro dia, chorei sem parar. Briguei com Mamãe e com *mademoiselle*, Mamãe e *mademoiselle* brigaram entre si, um caos! E o pior era que não podia dizer nada a Miki, que também estava por um fio. Tudo o que eu fazia era para as crianças, mas não sabia quanto mais conseguiria aguentar.

Aos poucos, porém, as coisas foram se acalmando. A vida em Resta estava bem mais tranquila, o tempo melhorou, conseguíamos passear pelo campo, tomar um pouco de sol. Além disso, lá éramos autossuficientes. Eu não precisava me preocupar em conseguir víveres, óleo, nem lenha ou carvão para as lareiras, o fogão e os aquecedores. Ainda havia aviões passando e víamos o fogo e a fumaça dos bombardeios à distância, mas por ora estávamos a salvo. As crianças adoravam o campo. Costanza brincava de vestir minhas roupas, Alessandro era muito vivaz, comia otimamente. Não que a vida estivesse fácil, mas conseguíamos tocá-la da melhor forma possível.

Uma noite, acordamos com um estrondo, senti a terra tremer e as janelas vibrarem. Fiquei com medo de que os vidros fossem estourar. Corri para o quarto das crianças. Alex dormia profundamente, já Costanza estava sentada na cama, quieta. Abraçava forte sua boneca Rita e me encarava com aqueles olhos enormes, numa expressão que parecia mais triste e confusa do que propriamente assustada. Eu a peguei no colo e fomos à janela ver de onde tinha vindo o barulho. O fogo que saía de Buonconvento queimava com tanta intensidade que quase sentia o calor no meu rosto. No dia seguinte, ficamos sabendo que um caminhão de armamentos alemão havia sido metralhado. Ele explodiu, as labaredas se alastraram, fizeram estourar um outro caminhão e a estação de trem.

Depois daquele ataque, o moral em casa ficou baixíssimo. Ainda mais porque a locomoção até Siena estava cada vez mais complicada.

Os trens não paravam mais em Buonconvento e era quase impossível conseguir as autorizações para circular com os carros.

Eu tentava não parecer nervosa na frente das crianças, e procurava mantê-las ocupadas. Comecei a ensinar inglês para Costanza e Miki dava aulas de ginástica. Passeávamos muito, tomávamos sol na varanda, ouvíamos discos, dançávamos e cantávamos. Papai andava de charrete com a neta, mostrando toda a fazenda, como fazia comigo durante minha infância e juventude. Alessandro ainda era muito pequeno, então ficava em casa comigo e com a Blanche. Mas é claro que eles sentiam a tensão. Alex às vezes acordava gritando, com crises de tosse ou desarranjo intestinal, enquanto Tancia (como eu chamava minha filha) estava ainda mais difícil para comer.

Ainda no final de janeiro, ficamos sabendo que os Aliados haviam desembarcado em Anzio, na tentativa de fazer um ataque surpresa a Roma, mas demoraram a avançar e perderam o elemento surpresa, dando aos alemães a oportunidade de erguer suas defesas. Sinceramente, não sabia para quem eu torcia menos. O que era pior, ter os nazistas sempre presentes, ou os ataques sistemáticos dos anglo-americanos a nossas cidades? Para mim, no cotidiano da guerra não existiam bandidos e mocinhos.

Eu via muito claramente que precisava abrir minha estrada com unhas e dentes. Tinha a sensação de que, de uma hora para a outra, o estupor da gravidez e da amamentação havia passado e meu cérebro acordou. Agora ele era um vulcão de ideias. Eu discutia todas a fundo com Miki, que insistia nos planos de ir trabalhar em Milão. Pedi à Blanche que lesse nossas cartas. Ela previu muitas lágrimas, um problema sério de família, uma nova gravidez (um varão), uma viagem longa pelo mar (não imediatamente), uma cidade, dinheiro, fortuna, uma casa cheia de flores.

Mamãe também pediu à *mademoiselle* que lesse sua sorte. Novamente, Blanche não conseguia dizer se minha mãe faria a tal viagem para além-mar que parecia estar no futuro de todos os outros membros da família. Aquilo a deixava transtornada e, daquele momento até partirmos para Como alguns meses depois, minha mãe a perseguia pelos corredores da casa compulsivamente, pedindo novas leituras como se quisesse mudar seu próprio destino à força.

— Mas, *madame*, eu não vejo a senhora em parte alguma! – era sempre a resposta.

Março de 1944

O tempo começava a se firmar, o sol derretia a neve e aquecia os dias frios. Eu estava costurando na varanda enquanto olhava as crianças brincarem quando ouvi baterem à porta. Fui ver quem era, mas Mamãe já estava falando com um marechal e dois policiais que perguntavam por Papai e por Miki. Encontraram Papai. O oficial era um homem muito alto, esguio, com largos bigodes grisalhos. Sua voz grave ecoava no *hall* de entrada:

— Estamos investigando a fundo o terrível ato de traição, perpetrado contra o Duce, por membros do partido fascista. Todos aqueles envolvidos no golpe serão julgados e condenados. Solicitamos que o senhor e o doutor Pascolato permaneçam à disposição para prestarem depoimento perante o Tribunal Especial para a defesa do Estado da República Socialista Italiana.

Miki estava viajando. Tinha ido a Milão negociar os detalhes de seu novo emprego. Embora não estivesse mais envolvido com o governo na época em que Mussolini caiu, todos sabiam que era muito próximo de pessoas que participaram do complô que derrubou o Duce. Meu marido corria o risco de ser preso e julgado por traição, e já corriam boatos a respeito das atrocidades cometidas pela República de Saló contra seus possíveis inimigos. Assim que os oficiais foram embora, tratei de telefonar para um conhecido nosso de Milão, o Nardi, pedindo para que o avisasse para não vir para casa até sabermos ao certo quais eram as acusações. Naquela noite, Miki nos fez saber que tinha recebido meu recado e, depois de toda a tensão, fui dormir um pouco mais calma.

Nos dias que se seguiram, entre uma função ou outra, procurava em vão conseguir saber de meu marido. Toda vez que ouvia um motor de carro se aproximando, eu prendia a respiração, esperando que fosse ele chegando, para me dar boas notícias. Foi só no terceiro dia, enquanto ajudávamos Nino a fazer suas malas para Montalto, que recebi um telefonema de Nardi dizendo que Miki tinha ido a Veneza. Estava claro que ele fora encontrar seus antigos colegas para tentar descobrir mais alguma coisa.

Enquanto isso, a República continuava convocando todos os jovens para servir no exército. Por serem mais velhos e órfãos, Miki e Ugo já tinham sido dispensados, mas Nino, não. E, com seu passado, se ele fosse pego e se recusasse a lutar, poderia receber uma condenação severa. Por isso, resolveu se juntar a outros jovens e construir uma resistência pacífica em Montalto. Eles não tinham armas e contavam com o apoio dos moradores do vilarejo. Os jovens ficavam acampados na praça da cidade, mas por sorte tínhamos uma propriedade lá perto e Nino, que sempre foi comodista, resolveu ficar em casa com alguns amigos.

Poucos dias depois de ele partir, eu estava na sala com Mamãe conversando e ouvindo o rádio, que tocava uma de minhas canções favoritas. A programação foi bruscamente interrompida para transmitir um boletim especial, o que me deixou irritada:

— Ufa, mais um desses! Minha paciência para notícias desagradáveis se esgotou.

Estava para desligar o aparelho quando ouvi mencionarem "Montalto". Minha mão parou a meio caminho, enquanto um locutor entusiasmado falava da grande vitória da República contra "rebeldes inimigos do Duce e da República Social Italiana". Que tipo de "grande vitória" seria essa? Centenas de soldados experientes, armados até os dentes contra um bando de jovens. Apenas pensava no meu irmão, um rapaz de pouco mais de 20 anos, alegre, simpático. Como é que ele poderia ser inimigo de quem quer que fosse? Fui correndo telefonar para nossa propriedade em Montalto, mas a linha estava muda. Mais uma vez, aquela angústia!

Pelo rádio chegavam as piores notícias possíveis. O exército nazifascista entrou com força total no acampamento. Um massacre.

Os poucos rapazes que conseguiram sair com vida foram presos e torturados. Graças a Deus, quando restabeleceram a linha telefônica, consegui falar com meu irmão, que estava bem. Não sabia, contudo, se o exército tinha conseguido seu nome com os coitados que estavam sendo torturados. Era bem possível que o procurassem. Teria que permanecer escondido.

Receber aquela notícia logo após a investigação no Tribunale Speciale contra Papai e Miki foi demais para Mamãe. Assim que desligou o telefone, ela se levantou sem dizer uma palavra, foi até o quarto e se trancou dentro do armário. No fundo, apesar de seu jeito ríspido, acho que ela sofria mais do que qualquer um de nós.

Mamãe não saía mais de dentro do armário. Durante dois dias, ela se recusou a falar com quem quer que fosse. Verdade que era um *closet* grande, até cabia uma pequena poltrona. Lá entrou e de lá não queria sair. Nós deixávamos uma bandeja com comida em frente a sua porta e um tempo depois vínhamos buscar os pratos vazios. No segundo dia de isolamento, tentei me comunicar com ela. Coloquei uma cadeira em frente ao armário e, por horas, falava sozinha procurando acalmá-la. Quando finalmente saiu, continuou sem falar com ninguém e as refeições fazia sozinha, lá dentro.

Mas o tempo foi passando, e a rotina tomou conta. Aos poucos, Mamãe foi se conformando com nossa situação, Nino mandava notícias sempre que podia e Miki voltara de Veneza com boas-novas. Aparentemente, a República averiguou que ele de fato não estava mais na política na época do golpe, e resolveu não levar adiante a investigação.

Maio de 1944

O calor chegou. Os enormes vasos com limoeiros e laranjeiras estavam no terraço depois que Leggerino os tirara da estufa. Fazia um dia lindo! Vesti uma blusa levinha e sentei ao sol para desfazer uma saia minha e aproveitar o avesso do tecido, em melhores condições. Meu marido trabalhava no motor do carro, vendo se estava em ordem para aguentar a viagem até Como. No dia seguinte, nós dois partiríamos para escolher nossa nova casa. Deixar as crianças em Resta durante aquele momento conturbado me provocava uma enorme angústia, mas achava importante participar da escolha do lugar e das negociações do aluguel.

Saímos às cinco da manhã, paramos em Florença para buscar umas sandálias que Ferragamo fizera para Costanza, comemos um lanchinho pelo caminho e chegamos a Milão às onze e trinta. Miki foi se reunir com seus colegas e eu dei uma volta a pé pela cidade arrasada pela guerra. Escombros e mais escombros para onde quer que se olhasse. Quanta tristeza!

Parte de um conjunto de lagos ao pé dos Alpes bem na fronteira com a Suíça, Como é um lugar fora deste mundo. Os 160 quilômetros de margem abrigam mansões deslumbrantes e vilarejos simpaticíssimos. A vista é maravilhosa. A água provoca uma sensação de tranquilidade quase melancólica e os picos nevados pairam imponentes. O dia estava lindo, não muito quente, perfeito para sairmos em busca de uma casa. A que escolhemos era uma espécie de edícula de uma enorme vila, um pouco afastada do centro, que pertencia ao conde e à condessa Crespi. Miki poderia ir e voltar de Milão todos os dias e eu estaria muito bem instalada com a Blanche, as crianças e a Ines, a empregada que traríamos de Resta. Ela era filha de uma das faxineiras de Mamãe. Nunca tinha trabalhado, o que por um lado era bom, pois significava que eu poderia ensinar tudo a ela, por outro complicado, exatamente por eu ter que ensinar tudo a ela. Os Crespi nos receberam muito bem. Disseram que, além da casa, poderíamos usar o lindo jardim barroco e a piscina. Depois de fecharmos negócio, fomos comemorar, nós dois, com um delicioso jantar à luz de velas no restaurante à margem do lago do Hotel Bellavista. A noite estava calma, o ar límpido. Na outra margem, conseguíamos ver as luzes da Suíça.

Passamos o dia seguinte fazendo preparativos. Conversamos com uma espécie de zelador que cuidava da propriedade. Ele supervisionaria os trabalhos do eletricista e do pintor. Acertamos a mudança para dali a um mês. Carregamos o carro com parmesão, café e maçãs, todos itens difíceis de se encontrar na Toscana, e partimos para Veneza visitar Mamma Ida, minha cunhada Sandra e seu marido, Piero.

No caminho de Resta, paramos, como sempre, em Florença para visitar os Robiglio e depois o Ferragamo na fábrica. Salvatore nos convidou para um delicioso almoço em Il Palagio, depois passeamos um pouco no jardim. Ele reforçou sua bela proposta de emprego para o pós-guerra, nos despedimos e fomos para casa.

Chegando a Buonconvento, vimos o buraco enorme deixado pela explosão dos caminhões na estação de trem. O conflito seguia rumo ao norte, agora a passagem de aviões e caminhões era diária e ouvíamos com cada vez mais frequência o barulho de bombas e metralhadoras ao redor. Logo que cheguei, tive uma longa conversa com a Blanche pedindo que viesse conosco, mas explicando que levaríamos apenas a Ines e, portanto, ela não teria mais tanta ajuda com as crianças como tivera até aquele momento. *Mademoiselle* não achou muita graça. É claro que entendia o quanto isso aumentaria sua carga de trabalho, mas disse que não tinha para onde ir e aceitou o convite.

Miki foi a Siena procurar um caminhão para que pudéssemos tirar todas as coisas que tínhamos deixado no apartamento. Quando voltou, trouxe consigo uma costureira, um cabeleireiro para as crianças e um médico para fazer a vacina de varíola no Alessandro e a antidiftérica na Costanza. O médico e o cabeleireiro, meu marido levou de volta para a cidade. Já a costureira ficaria conosco até o final da semana.

Eu não a conhecia, mas fiquei muito feliz com seu trabalho. Em poucos dias, estávamos finalizando um vestidinho para Costanza, feito a partir do ótimo algodão de uma camisa de Miki. Pusemos minha filha em cima da mesa de jantar para a última prova e os ajustes da bainha. Não lembro bem por que, a costureira se ausentou por alguns segundos no exato momento que eu me virei para fazer alguma coisa. De repente, ouvi uma forte gargalhada. Olhei para trás e vi a modista rindo de Costanza, que levantava a saia do vestido com as mãos, chorando e dizendo baixinho:

— *Troppo corto, troppo corto*!

Ela estava achando o vestido comprido demais, mas, com quatro anos, confundiu *lungo* com *corto*. Não entendia que ainda tínhamos que fazer a barra e estava chateada porque a roupa não ficou do jeito que queria. Morri de rir vendo aquele pingo de gente já reclamando de como estava sendo vestida. Que número!

Com pouco mais de um ano de idade, Costanza já sabia posar para o fotógrafo.

O motorista que deveria vir de Roma com o caminhão da mudança ligou dizendo que haviam metralhado a estrada e teve de voltar para trás. Miki pegou a bicicleta e foi a Siena encontrar outra maneira de fazermos o transporte das nossas coisas. Decidi aproveitar o sol e fui passear com as crianças. Estava uma tarde gostosa, um silêncio. Só se ouvia os pássaros cantando, o som de nossos passos e das rodas do carrinho do Alessandro nas pedrinhas do caminho. De repente, comecei a ouvir o motor de um avião ao longe.

Aquele não era um barulho incomum e, como não ouvi o alarme, continuei nosso passeio. Aos poucos, porém, reparava que a nave voava muito baixo e vinha em nossa direção. Não esperei para ver o que aconteceria, peguei Alessandro no colo e Costanza pelo braço e corri para dentro da plantação de trigo. Foi o tempo de sairmos da estrada e ele passar metralhando! Que tipo de pessoa faz isso? De que maneira uma mulher com duas crianças apresentaria ameaça?

Ficamos um tempo ali até minhas pernas pararem de tremer e me certificar de que o avião não voltaria. Meus filhos, coitados, não paravam de chorar. Quando chegamos em casa, expliquei a Mamãe o que tinha acontecido. Vendo o estado dos netos, imediatamente levou-os para tomar sol e colher cerejas no jardim para acalmá-los. A última coisa que queríamos era que eles ficassem traumatizados, tivessem medo de sair de casa, imagine!

Miki telefonou de Siena e avisou que não encontrara nada para os próximos dias, teríamos que esperar até o final da semana. Liguei para o Ugo, que estava em Florença com sua noiva croata, a Zdenka, avisando que nossa visita fora adiada. Eu tinha muita curiosidade em conhecê-la. Os dois moravam juntos apesar de ainda não terem conseguido se casar. Isso porque, com a bagunça que estava o país, não fora possível regularizar os documentos dela. Uma situação que causaria escândalo em tempos de paz era cada vez mais comum durante a guerra.

28 de maio de 1944

Partimos. Fizemos uma parada em Florença para tomarmos um café com Ugo e Zdenka (de quem gostei muito) e depois seguimos direto, parando apenas para um lanche e para nos protegermos de um ataque aéreo. Chegamos a Como já tarde da noite e todos dormimos sobre os colchões sem lençol, as crianças otimamente. No dia seguinte, o caminhão chegou de manhã e começamos a montar nosso lar.

Contratamos uma moça chamada Maria para ajudar a Blanche na limpeza dos quartos, a Ines ficou comigo na cozinha. Lavamos a casa toda de cima a baixo, Miki ajudou muito. Depois desfizemos as malas e organizamos as novas panelas e a louça que Nava havia mandado. Arrumei todos os quartos, enviei uma carta a Mamãe pelo Guerrieri, o caminhoneiro que voltava para a Toscana. Almoçamos um sanduíche e jantamos na cozinha. Alessandro estava fazendo história para comer, é claro que devia ser a mudança, mas eu, estressada, temia que fosse meu tempero. À noite, Miki, Blanche e eu tomamos uma taça de vinho para brindar a vida nova.

Tínhamos bastante trabalho organizando a casa, eu descia à cidade para fazer compras e passava tempo com meus filhos colhendo morangos no parque, tomando sol e banhos de piscina. As crianças estavam bem moreninhas, Alessandro começava a caminhar, era muito sapeca, e Costanza continuava adorável. Miki ia e voltava de Milão todos os dias. Escurecia tarde e ainda dava para ele aproveitar o final do dia na piscina com os pequenos. Passávamos noites agradabilíssimas em família, visitávamos os Crespi, que eram muito simpáticos. Eu continuava enviando cartas a Resta, mesmo sabendo que os correios quase não funcionavam mais. Não fazia ideia se eles as recebiam, mas era uma forma de me sentir mais próxima a Mamãe. Também não chegavam respostas. Tentava telefonar sempre que possível, mas não tínhamos um aparelho em casa e não queria me impor a nossos vizinhos e senhorios.

A campanha dos anglo-americanos avançava com rapidez. Roma caiu em dois dias, o cerco na França apertava e os alemães, que se espremiam ao norte, estavam sempre mais desesperados e agressivos com a população.

Em menos de duas semanas que estávamos morando na Vila Crespi, a SS bateu a nossa porta exigindo a casa para alojamento. A pedido da condessa, Miki se esforçava ao máximo para combater a desapropriação, mas as chances de sucesso eram tênues. Quando os alemães queriam algo, tomavam para si e ponto. O governo italiano era um fantoche e, diante da força bruta, recursos legais não adiantavam para nada.

Mais uma vez, passei meu aniversário em branco. Os ingleses já estavam em Acquapendente e Grosseto, às portas de Siena. Me preocupava com Resta, com meus pais, com Ugo em Florença e Nino, que continuava escondido por causa do massacre em Montalto. Não sabia até quando ficaríamos naquela casa, faltava água quente, as moças brigavam entre si. Eu realmente não via motivos para comemorar. Rezava a Deus para que protegesse a população daquele conflito!

No final de junho, os alemães começaram a confiscar carros pelas estradas e Miki passou a ir de bicicleta até a estação, e de trem até Milão. Às vezes ele pedalava os cerca de 50 quilômetros até o escritório. Foi mais ou menos nessa época que Piero, o cunhado de Miki, apareceu em casa, trazendo um jornal republicano com ataques ferozes contra meu marido.

— Isso é muito sério! Se a polícia resolver levar a sério o conteúdo desta matéria, você vai ter de se esconder – disse.

Miki poderia ser perseguido, perder o emprego ou, pior, preso e executado. Naquela noite dormi mal, caiu uma trovoada como nunca tinha visto antes. Eu me revirava na cama pensando em Miki e em meus pais. Resta agora estava bem no caminho dos ingleses. Acordei na manhã seguinte com uma forte dor de cabeça. Resolvi tentar relaxar passeando no parque com as crianças. O dia estava lindo, a tempestade deixara o ar cristalino, o céu azul. Puxava o carrinho, enquanto Costanza ia colhendo flores. De repente ela sorriu:

— *Guarda, Mamma un quadrifoglio! Porta fortuna, vero?**

---

* Olha, Mamãe, um trevo de quatro folhas. Ele traz sorte, não é verdade?

29.

Julho de 1944

Nós acabávamos de voltar de uma missa que eu havia encomendado para comemorar o aniversário de minha pobre *zia* Nena. Chegando em casa, recebemos a notícia de que a família de Miki estava vindo nos visitar. Dias depois, chegaram Enrico e Piero com um sorriso amarelo no rosto dizendo que queriam nos oferecer ajuda. Desde que Miki tinha saído do governo, eles evitaram ter contato conosco de medo que meu marido estivesse na mira dos republicanos.

Agora que já estávamos com a vida organizada, que a matéria do jornal provou ser fogo de palha e, principalmente, que Miki queria vender o *palazzo* de Veneza, eles vinham oferecer "auxílio"?! Mas tenha a santa paciência! Ah, não consegui me segurar e, durante uma hora, deixei bem claro meu ponto de vista. Miki, é claro, ficou muito chateado comigo e, depois de eles terem ido embora, foi tão incisivo que quase me envergonhei.

— Mas como você fala assim com minha família quando eu só fiz tratar bem a sua?! Não dá para julgar as pessoas assim, especialmente em tempos como esses. Sabe Deus por que tipo de dificuldade eles estão passando. Se eu puder ajudá-los, vou ajudar. Mesmo se, de fato, tivessem feito ou deixado de fazer alguma coisa por mim.

Julho continuou bom para nós. Para começar, descobrimos que os alemães saíram de Siena sem resistência. Imagine meu alívio! Eu dava graças à Madonna del Voto por ter protegido aquela cidade que eu gostava tanto e que ficava tão próxima da fazenda que abrigava meus pais.

Além de linda, a casa em Como era muito gostosa, arejada, a piscina uma delícia, com vista para as montanhas e um jardim enorme, onde podíamos passear com as crianças. Nos sentíamos muito bem lá, meus filhos se adaptaram rapidamente e meu marido estava feliz com seu trabalho. Durante um tempo, pelo menos, achamos que ficaríamos instalados ali.

Logo nessa época, as minhas regras pararam. Meu ciclo era muito pontual e qualquer atraso já era motivo de apreensão. Até queríamos um terceiro filho, mas naquele momento seria impraticável. Num domingo, por volta do dia 20, eu esperava Miki voltar da missa com Alessandro e Blanche. Eu e Costanza tínhamos ido de manhã. Havia um surto de tosse convulsa e queríamos evitar que a epidemia viesse para dentro de casa, ainda mais se eu estivesse grávida. O rádio, como sempre, estava ligado, mas eu, muito mais preocupada com o que faria com outro bebê, prestava pouca atenção. Ao longe, o locutor falava algo sobre "Valquíria" e pensei que talvez fosse um bom nome para uma menina: *Não é feio, mas muito alemão...*

Acordei de meu devaneio quando ouvi as palavras "atentado" e "Hitler" na mesma frase. Passei a escutar com mais cuidado a notícia que falava da Operação Valquíria, uma tentativa de assassinar o chanceler alemão e seu círculo mais próximo, que acontecera três dias antes. Infelizmente, o Führer saíra ileso da explosão no *bunker* onde ficava escondido. Aquele homem parecia ter um pacto com o mal... Uma coisa eu sabia, porém, não queria estar na pele das pessoas que participaram daquela operação. A justiça da SS seria implacável. E pensar que foi obra dos próprios generais alemães, que coragem! Deviam estar desesperados.

Quanto à minha suspeita de gravidez, graças a Deus foi um alarme falso. Logo minhas regras voltaram e continuamos nossa vida um tanto difícil mas pacata, o que, para tempos de guerra, era uma bênção.

Certa tarde, eu lia as últimas páginas de *...E o vento levou*, envolvida pelo enredo daquele livro maravilhoso, querendo saber se Rhett terminaria com Scarlett, quando, de repente, a luz acabou. Miki, que normalmente se ocupava dessas coisas, estava atrasado e, irritada, fui dar uma olhada no quadro. Parecia estar tudo pifado. Chamei o zelador, para pedir que mandasse um eletricista, ele disse que só pela manhã. Mais uma vez, teríamos de passar a noite à luz de lampiões. E eu com um monte de coisa para costurar! A iluminação fraca das lanternas de querosene me causava dores de cabeça terríveis!

— Mas onde está o *dottore*? – perguntou o zelador, ao final da conversa.

— Ainda não chegou de Milão, o trem deve ter sofrido um atraso. Já era para ter voltado.

— Mas ele pega o trem de Milão?! Então a senhora não ouviu no rádio? Parece que os alemães estão parando os trens vindos de lá e prendendo pessoas. Sabe Deus por quê.

— Não, nosso rádio está no conserto...

E nada de meu marido chegar... Mais uma vez, eu me encontrava na impossível situação de ter de esperar, sem poder fazer nada. Quando, finalmente, ouvi a porta de entrada, fui correndo a seu encontro e o enchi de beijos.

— Mas por que essa surpresa tão agradável? – disse ele rindo.

Miki tomara o trem uma hora mais cedo para buscar o rádio, a caminhonete não queria pegar e teve que chamar o mecânico. Não telefonou, pois não fazia ideia do ocorrido. Ironicamente, também comprou para mim uma luz de leitura, para poupar meus olhos quando eu lia ou costurava à noite.

Mais uma vez, fomos agraciados pela sorte. Se meu marido tivesse embarcado como de costume, talvez tivesse sido preso. Mas me cansei de abusar dela e decretei que, no dia seguinte mesmo, nós dois iríamos a Cantu, uma cidade vizinha, para ver um advogado sobre a documentação que precisaríamos para sair do país. Infelizmente, o advogado repetiu o que o seu colega de Como havia me dito. Miki nunca iria conseguir os papéis de viagem. Teríamos de encontrar uma outra maneira. Aquilo me deu um desânimo... Eu achava que precisava descobrir uma saída, e logo. Mas ainda levaríamos quase um ano para atravessar a fronteira da Suíça. E pensar que ela ficava a apenas dez quilômetros de distância...

Uma noite já no final de agosto, pedi para Ines escovar meu cabelo enquanto eu costurava. Tenho costume de escovar os cabelos 100 vezes antes de dormir para fortalecer e hidratar os fios. Normalmente, eu mesma gostava de fazê-lo, mas quando me sentia especialmente cansada, ou se estava muito ocupada, pedia a alguém. Naquele dia, fazia os acabamentos de um sobretudo de Costanza. Ainda era verão, mas eu sabia que o inverno do norte não era brincadeira e, se Deus quisesse, nos próximos meses eu estaria ocupada demais organizando nossa mudança para ter tempo de costurar. Especialmente um casaquinho como esse, que dava um trabalho danado para fazer! Imagine que nós desfiamos um suéter meu, velho e deformado, para transformá-lo em novelos.

A Blanche tricotou o sobretudo em um tamanho maior e o pusemos em água fervente para fazê-lo encolher. Isso tornava a lã mais compacta, bem quentinha e impermeável. Essa é uma técnica tradicional do norte da Europa que exige muita habilidade. Primeiro, porque a Blanche precisava tricotar calculando o tamanho que o casaco ficaria depois de fervido. Se errasse, o sobretudo poderia ficar pequeno. O certo era sempre pecar pelo excesso, ainda mais para uma criança em crescimento. Mas o maior desafio era tricotar a malha uniformemente, senão encolheria de forma irregular e o casaco ficaria todo torto. É um trabalho delicado. Se ela puxasse o fio um pouco mais de um lado ou de outro, pronto, daria tudo errado. Mas a Blanche era muito habilidosa, e o sobretudo da minha filha ficou muito bonitinho. Agora, eu estava dando os toques finais, pregando botões e uma golinha de pele ainda aproveitada daquele casaco do *zio* Pezzè.

Enquanto costurava, Costanza dormia tranquilamente na nossa cama. Coitadinha, estava com um pouco de febre. Também, ficara a tarde toda no sol… Só por precaução, pedi ao médico que viesse dar uma olhada nela. Ele prescreveu uns remédios que Miki foi comprar na cidade. No rádio, as últimas notícias diziam que Florença – agora sob o controle dos ingleses – fora atacada pelos alemães com bolas de canhão. Meu coração se partiu ao saber que o lindo campanário de Giotto, ao lado do Duomo, fora atingido. Meu Deus, não era possível, até quando conseguiríamos aturar tanta destruição!

Em Paris, os americanos e a resistência francesa marchavam, celebrando a retomada da cidade. Estava claro que a Alemanha perdia a guerra, era só uma questão de tempo.

Setembro chegou e junto com ele a sensação de estar presa a uma rotina perturbadoramente agradável. Não havia perspectiva de desenvolvimento ou mudança. Eu não fazia nada além de cuidar da casa e dos pequenos, meu marido trabalhava feito um louco. Nós dois estávamos sempre exaustos, mas tínhamos a noção de que era preciso dar graças a Deus, todos os dias, por viver longe da violência. Mal sabia eu o quanto isso iria mudar.

Logo começou uma grande movimentação de soldados alemães na cidade. Ao longe, víamos os Liberators americanos bombardeando vilarejos vizinhos. Mais uma vez, a guerra tinha nos alcançado. Foi naquela época que Miki chegou junto com um amigo de Milão, o Giulio Cesolatto, que precisava de um lugar para ficar durante alguns dias. Imaginei que ele fosse um dos muitos desabrigados da guerra. Possivelmente estava sendo procurado pelos republicanos, mas não perguntei nada, nem eles me ofereceram nenhuma explicação. Todos nós sabíamos que, no momento em que vivíamos, a ignorância era o melhor refúgio.

— Nós não temos quartos livres, mas, se não se importar, você pode dormir no sofá – ofereci.

Giulio acabou ficando muito mais do que alguns dias. Quase não ocupava espaço e era educadíssimo. Suas coisas estavam sempre organizadas, de manhã pegava o trem para Milão junto com meu marido e só voltava à noite. Quando estava conosco, se fazia útil. Ajudava na limpeza, na manutenção da casa e no cuidado das crianças.

Não demorou muito para a SS bater a nossa porta novamente. Foi numa quarta-feira pela manhã, o tempo estava lindo. Meu marido já tinha saído para o trabalho e eu ajudava a Ines a preparar *ravioli* para o jantar. Batiam forte, fui abrir e vi dois oficiais muito mal-encarados. Imediatamente meu peito afundou e senti aquele proverbial nó no estômago. Sabia o que esperar, era só questão de quantos dias teríamos para sair: nos deram três. Quando foram embora, levei alguns segundos para me recuperar. Minhas pernas tremiam e meu coração batia tão forte que quase conseguia ouvi-lo. Mas não podia me dar ao luxo de perder tempo, fui correndo até a casa dos Crespi telefonar para Miki em Milão. Nós antecipávamos o despejo e, portanto, tínhamos uma casa em vista: a pequena edícula na vila de um dos colegas do meu marido. Ele morava em Blevio, um vilarejo na margem do lago Como, mais ao norte da cidade.

Ao contrário de Como, o vilarejo de Blevio ficava bem nas montanhas, muito mais difícil de se chegar. Além da balsa que dava a volta do lago e que funcionava como um ônibus, só existia uma estrada marginal que chegava até lá. Eu dava graças a Deus que estávamos mudando para um lugar mais isolado, pensando que estaríamos mais resguardados. Não levou muito tempo para descobrir que estava errada. A guerra explodia por toda parte.

Tudo aconteceu tão rápido, que nem me lembro de muita coisa a partir daquela visita. Sei que, apesar dos ataques aéreos constantes, num momento de trégua, entre um alarme e outro, arrisquei correr até Como para pagar as contas que estavam em aberto com o sapateiro, a modista, a mercearia etc. No resto do tempo a Blanche, Ines e eu cuidávamos das crianças enquanto empacotávamos nossos pertences.

Miki se encarregou da mudança e da mobília. Como alugamos a Villa Crespi já decorada, a maior parte dos nossos móveis ficou em Resta ou em Roma. O problema era que a casa nova estava vazia. A condessa gentilmente nos cedeu as camas e sofás até que conseguíssemos nos organizar melhor e meu marido comprou armários na cidade. Para podermos transportar tudo, ele vendeu o *Topolino* e comprou uma caminhonete amarela. Também contratou dois homens com um caminhão para os móveis maiores.

Nós falamos muito a sério com o Giulio. A SS e os soldados republicanos estavam por toda parte e o risco de ele ser descoberto era grande. O melhor seria ir embora o quanto antes. Mas nosso amigo disse que ficaria conosco por mais uns dias para nos ajudar na mudança.

— É o mínimo que posso fazer depois de vocês me acolherem com tanto carinho.

No meio da bagunça, nossa maior preocupação era com as crianças, que estavam atordoadas. Nós nos revezávamos para cuidar delas, brincando e passeando no jardim para que não fossem contaminadas pelo nervosismo que tomava conta de todos.

No dia da mudança, Miki acordou logo cedo para ir buscar a caminhonete. Assim que saiu, chegaram os alemães. Como se não bastasse o despejo, eles ainda queriam "supervisionar o carregamento", o que queria dizer que só nos deixariam levar aquilo que não lhes fosse útil. Chovia tanto que mal conseguíamos ouvir o que o outro falava.

Os homens do caminhão carregaram tudo de qualquer jeito e, quando chegaram à casa nova, jogaram as coisas na rua. Eu fui discutir dizendo que não poderiam deixar nossos pertences assim, mas eles simplesmente viraram as costas e foram embora. Manusearam os móveis com tanto descaso que muita coisa se estragou. As caixas de papelão derretiam com a violência da chuva e nossas roupas, lençóis e toalhas ficaram encharcados. Meu marido, que tinha ficado em Como para acertar nossas contas com os Crespi, chegou mais tarde, viu aquela bagunça e ficou possuído de raiva. Queria tomar satisfação, mas sabíamos que não havia muito o que ele poderia fazer. Por fim chegou o Giulio com a caminhonete e os armários novos.

Terminada a mudança, olhei a confusão a minha volta, arregacei as mangas e, pela sexta vez em cinco anos, comecei a organizar a casa nova... Fazia frio, mas conseguimos lenha com nossos senhorios, os Da Riva, para acender a lareira e penduramos os lençóis e toalhas em frente ao fogo, na esperança de que secassem até a noite. Com a ajuda de Giulio nós arrumamos os móveis enquanto Miki montava os armários. Também encomendamos com os Da Riva um fogão, mas, naquela noite, comemos sanduíches frios.

Demorou algumas semanas até conseguirmos colocar a casa em ordem. Eu trabalhava o dia inteiro e, à noite, olhava em volta e via a mesma bagunça da manhã. Pensava comigo: *Estou me esforçando tanto, mas é tudo tão provisório e incerto. Quem sabe quanto tempo vamos ficar aqui?*

Como se isso não bastasse, Ines estava cada vez mais avoada e desleixada. Dois dias depois da mudança, desci com Miki de carro até a cidade e quando voltei, ao meio-dia, ela não tinha nem começado o almoço. Com pouco tempo, cozinhei uma *pasta* rápida e depois fui costurar a barra das cortinas que Miki acabara de instalar. Terminei já quase na hora do jantar e, é claro, não estava nada pronto. Irritada e com dor no corpo de passar o dia agachada, fui preparar a comida. Resolvi fazer um café para combater meu cansaço, mas ao moer os grãos que ela tinha torrado fiquei possuída. Estavam queimados por fora e crus por dentro. Teria que jogar fora um quilo de café.

— Já não basta você não me ajudar, ainda tem que dar mais despesa?! Olhe só o desperdício! – gritei.

Foi o suficiente para ela sair chorando e se trancar no quarto. Uma hora depois, quando fui chamá-la para comer, tinha desaparecido. Não levou nada, simplesmente sumiu. Ela ainda era uma menina, não podia ficar vagando à noite pelas ruas cheias de soldados alemães. Não era seguro. Miki e Giulio rodaram o vilarejo durante horas, foram até Como de bicicleta à sua procura, e nada. Não havia mais o que pudéssemos fazer naquela noite, então terminei de arrumar o que ela deixou em desordem, jantamos às onze horas e fui dormir exausta e preocupada.

No dia seguinte, continuei a arrumação enquanto Blanche ficava com as crianças. Miki procurou Ines por toda parte, foi às cidades vizinhas, visitou os hospitais, as delegacias de polícia, nada. Decidimos que se não aparecesse até o dia seguinte, teríamos de fazer um boletim de ocorrência. Não tivemos escolha.

Por fim, a casa começou a se transformar num lar. Para substituir Ines, contratei Alba, uma senhora que morava lá perto. Era outubro, o vento norte já soprava forte e vimos que a lareira e o fogão a lenha não dariam conta de aquecer a casa. Estávamos sempre resfriados e a Blanche tinha de trazer a roupa para secar em frente à lareira, pois na lavanderia ela não secava nunca. Miki chamou um encanador para instalar radiadores nos quartos e na sala. Assim que foram ligados, os ambientes mudaram da água para o vinho.

Certa tarde, eu estava indo me lavar aproveitando a água quente do banho dos meus filhos, a Blanche havia saído com as crianças e a casa estava quieta. No silêncio, pensava na Ines: *Já faz duas semanas! O que será que houve com ela?*. Mas nem cheguei a terminar minha linha de pensamento, quando ouvi baterem à porta. Era a *signora* Da Riva. Recebera uma ligação da prefeitura de Torino dizendo que a Ines estava lá, sendo abrigada pelas freiras de um convento. Queriam que eu soubesse que ela estava bem e que não tinha mais vontade de voltar. Aquilo tirou um peso de minhas costas! Não demorou muito até que aparecesse com sua nova patroa para buscar as coisas que deixara em casa. Dei a história por encerrada com um final, aparentemente, feliz.

Qual não foi minha surpresa, então, quando, dias depois, recebi uma visita inesperada da senhora que a havia contratado. Ela me perguntava se sabia que a Ines tinha o hábito de fazer xixi na cama. Eu disse que não testemunhara nenhum episódio semelhante. Embora não o dissesse diretamente, deu a entender que queria que eu a pegasse de volta. Me fingi de desentendida, mas não havia nada o que pudesse fazer. Eu já estava com problemas demais na minha vida para ter que me preocupar com os dos outros.

Além do mais, era o dia do aniversário de meu marido. Como passamos a data em branco nos últimos anos, decidi que iríamos comemorar com um jantar especial. Gastei um pouco mais no açougue e comprei uma vitela que assei com batatas e cebolas. Jantamos otimamente, comemos bolo e dançamos com as crianças. Nós, adultos, bebemos vinho do Porto, a Blanche leu as cartas e depois fomos comemorar só nós dois... Por uma noite, deixamos de lado as tristezas e preocupações celebrando aquela data com muito amor e alegria.

Era fácil se deixar envolver pelas angústias da guerra. Tratava-se de um fenômeno estranho: se por um lado fazia parte de nossa natureza seguir vivendo na medida do possível um cotidiano normal, por outro, estava sempre presente uma tristeza crônica, um sentimento quase imperceptível, desgastante, provocado pelas mortes, pela destruição e pela distância.

Uma semana antes do Natal eu estava lendo na cama, convalescendo de uma gripe, quando o alarme soou. Pus Alex debaixo do braço, peguei Tancia com a outra mão e fui correndo me abrigar na gruta do jardim. Estávamos na porta de casa quando *mademoiselle* disse que eu não podia sair assim de camisola. Arriscava pegar friagem e contrair uma broncopneumonia, insistia. Levou uma bronca! Eu não iria pôr nossa vida em risco daquele jeito por causa de uma friagem. Mas Blanche era tão cabeçuda que, mesmo com os aviões sobrevoando nossa casa, ainda foi buscar meu casaco e o chá. Ouvia o som das metralhadoras se aproximando até que, finalmente, a vi correndo em nossa direção. Aguardamos durante horas os caças irem embora. Quando voltamos, rodei a casa para ver os estragos. Tudo intacto, exceto o quarto das crianças, que fora cravejado de ponta a ponta com balas de metralhadora... Foi a gota d'água. Quando Miki chegou em casa e viu aquilo, decidiu que tínhamos que nos mudar para o mais longe possível.

Duas semanas depois, dia 24 de dezembro, levantei cedo como de costume apesar da terrível dor de cabeça causada pelo susto da véspera. Era a terceira vez naquele mês que a linha de trem para Milão havia sido atacada! Eu já perdera a conta de quantas vezes fiquei esperando meu marido chegar ou telefonar para dizer que estava a salvo.

Não à toa, portanto, meu espírito natalino era quase inexistente. Tomei uma aspirina, levei a tábua de passar para a sala já pensando na montanha de roupa que me esperava. Foi quando vi o pinheirinho que ganhamos de Giulio. Sim, nosso amigo permanecia conosco, sempre gentil e prestativo. Aquela árvore despida de enfeites num primeiro momento me trouxe uma enorme preguiça, misturada a uma profunda melancolia. Nossas decorações tinham ficado em Resta, o que me fez lembrar de Mamãe, com quem não me comunicava direito fazia meses. Para que me ocupar de algo tão fútil se a família estava toda separada? Mas depois pensei no quanto a data era importante para as crianças, já tínhamos até embrulhado seus presentinhos... Apesar de tudo, éramos extremamente afortunados por termos uma casa e estarmos com saúde. Peguei Costanza e tomamos a balsa para a cidade. Compramos lindos enfeites que ela me ajudou a escolher, tomamos sorvete, passei na costureira para pegar uma camisa de Miki e voltamos para casa felizes.

Naquela noite, Miki chegou de ótimo humor. Havia conseguido fechar a venda do *palazzo* de Veneza. Uma pendência a menos pesava sobre nossa vida, uma das últimas que nos ligava ao passado. Faltava ainda a casa de Roma, mas sabíamos que estava tomada por soldados americanos. Seria inútil pensarmos nela naquele momento.

Ao ver o pai, Costanza foi correndo recebê-lo e pedir a ele e a Giulio que se juntassem a nós. Apesar da onda de frio lá fora, a lareira aquecia o ambiente. Miki pôs na vitrola um disco de canções populares do Vêneto e terminamos a noite cantando enquanto pendurávamos os últimos enfeites.

No dia seguinte, fomos à missa pela manhã. Comemos um delicioso cozido que preparei junto com a Alba, acendemos as velas da árvore de Natal e as crianças abriram seus presentes. Uma boneca que a Blanche costurou para Costanza e um caminhãozinho para Alessandro. Os dois ficaram muito felizes com as lembrancinhas! À tarde saímos para um passeio, o dia estava lindo, o sol combatia o frio trazido pelo vento norte e conseguimos caminhar quase até a cidade vizinha.

Jantamos *capeletti* no caldo da carne do cozido do almoço, tomamos chá e comemos panetone. Depois, Miki e eu chamamos a Blanche para uma longa conversa. Estávamos planejando ir para a América, possivelmente a Argentina, onde Papai ainda tinha contatos, ou o Brasil. Convidamos *mademoiselle* a vir conosco para essa nova vida. Ela hesitou um instante, mas disse que nada a prendia à Europa. Tudo o que sabia das Américas tinha visto nos filmes de Carmen Miranda. É possível que essa imagem glamorizada a tenha ajudado a tomar sua decisão.

***

Miki, *mademoiselle* e eu esperamos a entrada do ano novo ouvindo o rádio no quarto. Brindamos, comemos um pedaço de torta e fumamos cigarros alegremente.

E assim terminava 1944, cheio de imprevistos, mas fundamental para definir o rumo de nossos destinos. Inúmeras dificuldades se resolveram de forma brilhante, com muita sorte e a habilidade de Miki. Estávamos decididos a lutar tenaz e incansavelmente para alcançar uma condição digna de nossas aspirações e de nosso preparo. Esperávamos que Deus e a sorte nos ajudassem. Aquele ano foi uma escola preciosa para nós dois. Quantos preconceitos superados e complicações deixadas de lado! Eu procurava chegar à maturidade mantendo todo o meu entusiasmo pela vida. As renúncias que tive de fazer e a perspectiva de um novo plano despertaram em mim a vontade de viver, viver, viver! Naquele momento, sentia que eu havia aprendido a cuidar bem da casa. Agora queria me tornar uma senhora, no mais largo sentido da palavra: ajudar Miki em seu trabalho, assegurar o refinamento, a elegância em nosso lar, trazer aos meus filhos uma atmosfera serena de estudo e sensibilidade. Por fim, queria ver coisas novas, horizontes diversos, e, acima de tudo, estar sempre junto dele em nosso imenso, fiel e sublime amor.

30.

1º de janeiro de 1945

Para Gabriella,

O primeiro voto se realizou, nosso amor está ainda mais elevado, sublimado pela dedicação aos filhos; se reforçou na longa e muitas vezes áspera via que juntos percorremos; está mais nobre na provação do sacrifício e na sorte comum. O voto se renova: "Que tudo o que aconteça seja iluminado sempre pela mesma luz inextinguível". 1º de janeiro de 1945

Miki
"Nulla dies sine linea" (cada dia uma linha)

Acordamos às nove e trinta e fomos à missa celebrar o dia de Nossa Senhora.* Voltamos para o almoço; o vento norte soprava fortíssimo, mas dentro de casa estávamos protegidos do frio e a comida era boa. Costanza se comportava como uma menina grande, contava piadas e nos fazia rir muito! À tarde, Miki saiu com as crianças para brincar na neve, enquanto eu ouvia rádio no quarto e começava o novo diário que ganhara de meu marido. Existe uma superstição na Itália que diz que um feliz dia 1º de janeiro é um ótimo presságio para o restante do ano. Para mim, aquele primeiro dia de 1945 não poderia representar melhor sorte.

Já no dia 2 começamos a nos articular. Uma vez resolvido que iríamos sair do país, não fazia sentido perder tempo. Miki saiu cedíssimo para encontrar o Nava. A caminhonete não pegava de jeito nenhum e a Pátria (a balsa que nos levava até Como) tinha sido metralhada na noite anterior. Por isso, apesar do vento congelante, Miki foi de bicicleta. Quando acordei, ele já não estava mais em casa. Fiquei um pouco na cama escrevendo e fazendo as contas para ter uma estimativa de quanto dinheiro precisaríamos até a partida. Depois resolvi fazer algo que parecia uma loucura: fui correr descalça na neve.

Já havia algum tempo que os calos no meu pé estavam me matando. Eu me cansei de reclamar com o sapateiro local que os calçados dele estavam me machucando. Tentava argumentar que minha arcada era alta e que precisava de mais sustento. Era fundamental ele considerar as diferenças dos pés de suas clientes.

---

* Segundo o calendário católico, dia 1º de janeiro é dia de Nossa Senhora, mãe de Deus, muito comemorado em alguns países, inclusive na Itália. No Brasil, costuma-se comemorar a Virgem Maria no dia 2 de fevereiro, dia de Nossa Senhora da Luz, da Candelária, da Saúde, de Copacabana, da Purificação, das Candeias e dos Navegantes (Iemanjá); 12 de outubro é dia de Nossa Senhora Aparecida; e 8 de dezembro, dia da Imaculada Conceição (também Iemanjá).

— Quando eu morava em Florença fazia muitos sapatos com o Salvatore Ferragamo, que diz...

— Ah, o Ferragamo é um grã-fino! Fica inventando coisas para cobrar mais de suas clientes. Não é assim que se faz – era sua resposta malcriada.

Como eu detestava pessoas que não conseguiam raciocinar! Que saudades eu sentia do meu amigo!

Enfim, naquela manhã, nem bem me levantei e a dor já estava terrível. Olhei pela janela e vi os 30 centímetros de neve que tinham caído na noite anterior. Achei que o frio poderia ajudar a desinchar meus pés e trazer um certo alívio. Não é que deu certo?! Acabei transformando aquilo num hábito matinal.

Depois do almoço, Miki voltou para casa trazendo um reboque para levar a caminhonete até o mecânico e ótimas notícias. Nava tinha contatos na Suíça que poderiam nos ajudar a conseguir um visto de entrada e uma maneira segura de transportar o dinheiro de nossas economias.

No dia 5, mandei polir um faqueiro de prata que tínhamos ganhado de casamento e levei até a casa do Nava como retribuição por tudo o que vinha fazendo por nós. Era uma caixa pesada, mas a caminhonete já voltara do conserto e Miki pôde me dar uma carona. De sua casa, Nava foi comigo ao consulado suíço me apresentar ao cônsul. Seria nossa última esperança de conseguir um visto para Miki.

O cônsul foi muito gentil, mas disse o que já sabíamos. Por um lado, meu marido tinha problemas com os Aliados por ter trabalhado no governo e lutado na guerra, por outro tinha problemas com os nazifascistas por ter saído do governo e por sua associação com as pessoas responsáveis por depor Mussolini. A Suíça, que não queria complicações com ninguém, se recusava terminantemente a nos ajudar. Como todo bom diplomata, ele foi muito gentil, mas deixou subentendido que a única maneira de Miki atravessar a fronteira seria de forma clandestina.

Até gostaria de dizer que saí de lá decepcionada, mas a verdade é que àquela altura eu já me habituara a esperar sempre o pior. Saindo do consulado, fui comprar uns presentinhos da Befana para as crianças. Voltei para casa com a Pátria, que já voltara à ativa, cozinhei um pudim de arroz e uma *crostata* para o dia seguinte. Ainda faltava fazer o macarrão, mas não aguentava mais ficar em pé, então pedi à Alda que o preparasse. Tirei os sapatos, pus uns chinelos mais confortáveis, quentinhos e sentei para preparar as meias que penduraríamos sobre a lareira com os presentes das crianças.

6 de janeiro de 1945

Acordei às sete e corri novamente descalça na neve, parecia que estava ajudando com a dor. Mal, com certeza, não fazia. Voltei para a cama levando junto o café da manhã para mim e meu marido, que acordou naquela hora com um sorriso. Ficamos um tempo ali, primeiro rindo e fazendo brincadeiras. Depois passamos para as questões sérias. Precisávamos encontrar alguém que conseguisse nos fazer atravessar às escondidas. Miki conversaria com o Nava.

— Tem também o Tarchini – disse. – Ele e a mulher ficaram abrigados em um campo em Chiasso e se estabeleceram por lá.

— Graças a você!

Tarchini sempre fez questão de manter contato conosco dizendo que gostaria de nos retribuir, por meu marido tê-lo salvado dos campos de concentração. Quem sabe não poderia nos abrigar?

— Vou escrever para ele.

Às nove Miki levou as crianças para brincar com a filha da Alda, a Maria Orsola, de quem Costanza gostava muito. Depois ele cozinhou enquanto eu cuidava de Alessandro. Esperávamos Mamma Ida para o almoço, mas ela telefonou avisando que não poderia vir por causa da neve alta, que impedia os carros de rodarem. Já fazia bastante tempo que eu não via minha sogra. Sua saúde não estava muito boa e eu torcia para que conseguíssemos nos encontrar antes de partirmos.

No final da tarde, todos abrimos nossos presentes da Befana. Miki me deu três romances em inglês: *Wild Strawberries, The Sun Also Rises* e *Love Went A-riding*. Ele sabia o quanto me fazia falta o estímulo intelectual de meus estudos. Aqueles livros mostravam seu esforço em trazer para mim pelo menos uma parte daquele mundo, como reconhecimento de todo o sacrifício que eu estava fazendo por nossa família. A Inglaterra e os Estados Unidos eram nossos inimigos, não era fácil encontrar qualquer coisa que viesse daqueles dois países, ainda mais literatura, considerada propaganda inimiga.

Sentimos nossa cama tremer, no dia em que bombardearam a Pátria. A vila dos Da Riva ficava ao lado da parada da balsa, o que, quando nos mudamos, parecia ser uma grande vantagem. Agora, porém, havia estourado logo ao lado de casa. Miki desceu para ver o que estava acontecendo. Não chegou a afundar, mas não podia mais ser movida, a não ser por reboque. Ficamos com medo de que explodisse ou fosse alvo de um novo ataque. Sem falar que estava ocupando a estação e nenhuma outra balsa podia atracar lá. De novo, teríamos de encontrar outra maneira de ir até a cidade.

Aquela foi uma manhã conturbada. Tentamos dormir novamente, mas logo que passou o susto da explosão começamos a sentir um frio terrível. O aquecimento central tinha enguiçado.

Miki precisava resolver alguns assuntos importantes em Milão e, a caminho, me deu uma carona no cano da bicicleta. Uma névoa grossíssima, típica daquela região (*"la calabrosa"*, como a chamavam), não nos permitia ver 50 metros à frente. Nossa, mas que frio passamos na descida! Rodei a cidade toda à procura de alguém que pudesse consertar nossa estufa. Encontrei, por acaso, o Nava na rua e o convidei para tomar um café comigo. Queria discutir alguns pormenores de nossos planos, mas ele parecia tão triste que não tive coragem. Falamos de amenidades.

Prossegui com minha busca até que, finalmente, encontrei alguém que disse saber consertar o aquecimento. Não adiantou nada. Depois de seu trabalho fazia mais fumaça do que antes. A casa estava congelada, a não ser pela sala, que tinha a lareira, e a cozinha com o forno a lenha. Ao meio dia, fazia cinco graus e Alessandro não parava de tossir, coitadinho. À noite, Miki instalou um velho aquecedorzinho a carvão no quarto das crianças para que elas pudessem dormir.

Era muito difícil manter o moral alto. Miki estava furioso com a história do barco que continuava em nossa parada. Além disso, os negócios não avançavam. Não conseguíamos encontrar alguém que nos ajudasse a atravessar a fronteira. Todos sabíamos que existiam guias que conheciam trilhas até a Suíça. Encontrá-los já era uma outra história. Não podíamos sair perguntando por aí. Todo dia surgia alguma nova dificuldade. É claro que peguei uma gripe daquelas. Fiquei de cama com uma tosse tremenda e dores nas costas. Em momentos como esses é que via a importância da família. Miki, no pouco tempo que ficava em casa, cuidava de mim, trazia as crianças para me fazerem companhia. Elas eram meu único consolo, o motivo pelo qual eu fazia tudo aquilo.

Nossos planos pareciam bastante simples. Com o dinheiro que conseguimos da venda do Palazzo Moro Lin e dos títulos que recuperamos da Cassa di Risparmio compraríamos uma quantidade de seda em fio e em tecido. Escolhemos a seda porque não corria risco de desvalorização como moeda e era mais fácil de transportar do que ouro. Além do mais, Como, por ser um dos maiores centros têxteis do mundo, tinha quantidades enormes dessa mercadoria a um ótimo preço. Ela seria enviada para a Suíça, onde venderíamos uma parte para conseguirmos financiar nossa viagem para a América. Quando estivéssemos instalados mandaríamos vir o restante. Quanto a nossas coisas, os poucos móveis e parte das roupas enviaríamos para Resta. Sendo suíça, Blanche iria sozinha de ônibus levando o grosso da bagagem e se instalaria na casa do Tarchini. Nós atravessaríamos a fronteira clandestinamente carregando apenas o essencial. Miki se esconderia com seu amigo, eu e as crianças ficaríamos um tempo de quarentena e depois procuraríamos um meio de chegar até a América.

Foram meses de trabalho e frustração contínuos até conseguirmos fechar tudo. Perdemos as esperanças e quase desistimos uma porção de vezes. Eu me sentia eternamente cansada e desmoralizada, sem vontade de fazer nada. Meu único momento de conforto era quando lia. Mas não havia espaço para descanso e, como as alternativas não eram viáveis, nos mantivemos em curso, mesmo ele sendo muito mais tortuoso do que antecipamos.

Até fevereiro, me dedicava ao cuidado, armazenamento e inventário de tudo o que mandaríamos para Resta. O sol da manhã batia no meu quarto e eu aproveitava o silêncio e o calor para fazer aquele trabalho longo e minucioso da melhor forma possível, sem saber quanto tempo nossas coisas ficariam fechadas em caixas.

No início de fevereiro, consegui enviar tudo. No dia 15, recebemos notícias de Mamãe dizendo que as coisas chegaram muito bem. As caixas não foram nem abertas por guardas na estrada. Que sorte! Quanto alívio!

Mamma Ida, que, depois da venda do *Palazzo*, estava morando em Roma com Franca, veio com Enrico nos visitar no dia 1º de março. Foi uma visita breve, um pouco desajeitada e muito melancólica. Ela passou o dia em casa conosco, brincou com as crianças e, no final da tarde, Miki os levou até a estação de trem.

Na semana seguinte, eu fechava as malas que Blanche levaria, quando apareceu Franca de surpresa. Ela também queria se despedir. Como sua mãe, ficou apenas o dia e, como naquela visita, o sentimento preponderante era de um vazio sem fim, uma ruptura que nunca mais conseguiríamos remendar. Estávamos nos despedindo de uma vida, de uma realidade que não voltaria. Nos jogávamos, Miki e eu, num vácuo. Como havia feito com sua mãe, meu marido a levou para a estação, onde se despediram sem saber se algum dia se veriam novamente.

Vivíamos em um contínuo estado de luta e cada vez de forma mais precária e provisória. Eu já havia saldado todas as contas na cidade acreditando na iminência de nossa partida, mas de novo meu marido me apareceu com a notícia de que os negócios estavam atrasados e que teríamos de adiar a viagem por mais uma semana. Minha irritação não vinha só da incerteza, mas do medo de que gente demais começava a saber nossas intenções. Isso não era bom. Estava refazendo pela milésima vez nosso plano de ataque quando recebemos a notícia: voltando para casa na noite anterior, o Nava foi até seu terraço que dava para um despenhadeiro e se jogou.

Nunca descobrimos o que o fez tomar uma decisão assim drástica. Qualquer guerra, mas principalmente uma com dimensões tão extravagantes como a que estávamos vivendo, cria circunstâncias inusitadas, imprevisíveis, levando pessoas às atitudes mais extremas.

Como se não bastasse a tristeza do luto, a morte de Nava também dificultava muito nossos planos. Ele era nosso principal aliado. Precisávamos encontrar outra pessoa que nos ajudasse. Depois do funeral, tivemos que procurar abrigo de um ataque aéreo. Aproveitamos a viagem à cidade para falar com nosso amigo Achile, que, como era de seu feitio, via inúmeras complicações e colocava um monte de obstáculos em tudo. Eu não conseguia entender. Ele receberia uma bela comissão se vendêssemos a seda, então por que tantos empecilhos? Eu tinha vontade de pular em seu pescoço!

Voltamos para casa com o espírito quebrado. Para nos animar, Blanche nos leu as cartas, que faziam sempre as mesmas promessas: dificuldades, mas depois triunfo e dinheiro.

No final de março, os aliados já se preparavam para atravessar a linha do Reno, avançando Alemanha adentro. Sabia que, se não conseguíssemos partir antes do final da guerra, não conseguiríamos mais. Certa noite, Miki chegou em casa exausto, mas contente. Trazia as primeiras boas notícias em meses: encontrara um amigo seu de velhos tempos, o Colombo, que conhecia um guia com o perfil que procurávamos.

Abril de 1945

Com o horário de verão que começava naquele mês, os dias, que já me pareciam longuíssimos, agora davam a sensação de serem infinitos. No dia 4, Miki saiu às cinco da manhã para conhecer o nosso guia. Fiz seu café e depois voltei para a cama para me recuperar de um resfriado que custava a passar. Consegui dormir bem até as nove, quando Alex me acordou com seu choro. Blanche havia saído com Costanza, então me levantei para ver o que havia de errado com ele. Durante duas horas, ao som ensurdecedor de seu choro, tentei entender o que o afligia tanto. Já não sabia mais o que fazer, quando percebi que ele passava a mãozinha no ouvido. Arrisquei então esquentar um pouco de azeite e pingar nas duas orelhas. Imediatamente, ele se acalmou.

Na semana seguinte, cruzamos a fronteira para a Suíça.

31.

27 de novembro de 1945

Sete meses depois da noite em que fomos pegos na fronteira da Suíça e de todas as dificuldades e trabalho que se seguiram, pegamos o trem rumo à França. Eram sete da manhã. Às oito, cruzamos a fronteira sem nenhum problema. Almoçamos no trem, Alessandro sofreu um pouco, Costanza, porém, estava contentíssima! A viagem foi muito boa e o dia claro, apesar de muito frio.

Embora esteja feliz e aliviada por estarmos todos juntos e termos conseguido entrar no país com facilidade, não consigo deixar de me abalar pela devastação da guerra. Tudo o que passamos na Itália não chega aos pés da destruição que vimos na França. E as pessoas! Como descrever o impacto dos bombardeios sobre os que viveram aquela realidade? Mesmo de longe, pela janela do trem em movimento, conseguimos perceber algo de morto no olhar e na postura de cada uma delas, um desconsolo profundo. Parece que toda a esperança foi enterrada nos escombros.

Tenho um outro motivo para não me sentir totalmente realizada. Um pouco antes da nossa partida da Suíça, encontrara Mamãe, Papai e Nino na fronteira para nossas despedidas. Era o final da tarde, um capitão americano gentilíssimo na alfândega de Pizzamiglio me levou até uma sala onde eles estavam. Só de vê-los sentia a garganta pulsar. Nos abraçamos longamente e depois conversamos durante duas horas. Sabendo do fracasso da venda da seda, Papai me trouxe dinheiro suficiente para durar a viagem e um começo de vida no Brasil. Eu sabia que essa quantia em espécie iria fazer falta para eles, mas não estava em condições de recusar. Mamãe me deu uma mala com 12 vestidos feitos pela Serra e alguns sapatos que Ferragamo havia enviado, junto com uma carta onde ele me oferecia sua representação exclusiva no Brasil: "Confio no seu tino comercial", escrevia, lembrando nossas conversas de tantos anos atrás.

Deixar meus pais e Nino naquela sala fria da polícia alfandegária foi uma das coisas mais difíceis que tive que fazer. Especialmente Mamãe! A saúde dela era fraca e eu não fazia ideia de quando, como ou se nos veríamos de novo.

Saindo daquela triste despedida, fui ao banco trocar o dinheiro por dólares americanos.

Em seguida peguei o trem para Serre a fim de buscar Blanche e as crianças. Havia ainda alguns negócios pendentes, um deles era uma questão de 3.000 francos suíços das economias da Blanche que o governo estava prendendo. Já calejada, imaginava quanta burocracia e brigas teríamos de enfrentar para conseguir liberar essa quantia. Fomos ao banco em Berna falar com o gerente prontas para a batalha, com unhas e dentes afiados, munidas de todos os documentos e um milhão de argumentos:

— Pois não, *mademoiselle* Blanche, só preciso de seu passaporte e de sua assinatura – foi a resposta sorridente.

Como a vida é estranha e imprevisível!

Missão cumprida, fomos ao cabeleireiro. Troquei meu penteado, escovando o cabelo para trás. Achei mais moderno, mais independente, condizente com meu estado de espírito. Estava tão satisfeita comigo mesma por tudo o que havia conquistado usando apenas meu cérebro e meu esforço. Encontrei Miki na estação e, pela primeira vez em oito meses, saímos para almoçar em um restaurante. Ele parecia estar sonhando! Em seguida fomos ao banco comprar pesetas espanholas e ao hotel ter com as crianças. Como descrever o reencontro de Miki e Costanza sem cair em clichês? Basta dizer que foi repleto de amor, lágrimas e risos.

28 de novembro de 1945

Passamos a primeira noite da viagem em Narbona. O jantar foi um tanto quanto repugnante e o quarto do hotel ao lado da estação era frio e sujo. Mas como exigir mais da França no estado em que ela está? Hoje chegamos à fronteira em Pethrus. Descemos do trem e fomos a pé até a alfândega carregando nossas malas. Eu já estou me tornando mestre nesta cerimônia desconcertante: frio na barriga, documentos, guardas taciturnos examinando os papéis, guardas conversando entre si, mais frio na barriga... É claro que passamos bem rápido pela fronteira francesa. Afinal, estávamos saindo de seu país. Já para entrar na Espanha, demoramos uma eternidade.

Como num passe de mágica, o mundo se transformou. A Espanha é mais leve, não tem toda aquela miséria e devastação. Continuamos a viagem de trem até Figueres. Desembarcamos ali, despachamos as malas maiores, alugamos um automóvel e seguimos para Barcelona. O passeio de carro foi maravilhoso. A paisagem é linda e, à medida que dirigimos para o sul, removemos os casacos e o peso de nossas costas. O hotel Riva é magnífico e, já envolvidos pela atmosfera da cidade, ficamos mais felizes e tranquilos.

29 de novembro de 1945

Chovia pra burro quando o trem parou na estação de Cádiz. Encontramos o maestro Fontana nos esperando no Hotel Roma. Conseguimos dois quartos fedorentos, mas, enfim, será por poucos dias. O tempo melhorou rápido e, entre burocracias de última hora e exames médicos na vigilância sanitária, conseguimos fazer um pouco de turismo. Passeamos de carroça, vimos uma tourada, caminhamos pela orla e visitamos a magnífica catedral da cidade. Costanza foi à praia com uma amiga minha que vai embarcar no mesmo navio, a Lory Lorenzini Cremisini, de uma abastada família italiana. Seu pai tem o laboratório farmacêutico que produz as famosas Vitaminas Lorenzini. Ele quer abrir uma filial no Brasil e está mandando o genro e a filha para fazer os primeiros contatos.

4 de dezembro de 1945

Hoje o *Cabo de Hornos* atracou no porto. O sol estava se pondo quando avistamos o navio que será nosso lar pelo próximo mês, nos levando para o outro lado do oceano. Não é especialmente bonito, foi projetado para o transporte de soldados, mas, com o fim da guerra, o adaptaram para servir como transatlântico. O bom é que não é muito grande, não cabem mais do que 800 pessoas.

6 de dezembro de 1945

De manhã Miki e eu levamos as malas a bordo e, enquanto meu marido declarava nossos bens na alfândega, eu comecei a organizar as cabines, que são bastante espaçosas e limpas. Examinei as camas e, graças a Deus, não encontrei sinal de percevejos ou quaisquer outros parasitas. Voltamos, buscamos as crianças e a Blanche. Uma hora depois, nos despedimos do cônsul inglês e do brasileiro, que estavam no píer a fim de testemunhar o evento histórico. Embarcamos no primeiro navio a zarpar para a América depois da guerra. Eram 14h30.

Na cabine, enquanto me arrumava para o jantar, já me sentia em um outro mundo. A comida do restaurante é ótima e às onze horas da noite fomos até o convés assistir à partida.

A cena foi magnífica. A bordo está um grupo de toureiros dentre os quais Carlos Arruza, que, apesar de mexicano, é um herói espanhol. O navio soava a buzina e a multidão de fãs no cais respondia em coro: "Hurra! Hurra!". As mulheres acenavam seus lenços coloridos e os homens lançavam seus chapéus para o alto.

Blanche chorava, Costanza dava gritinhos de felicidade. Eu olhava minha filha e ficava feliz com sua excitação. Mesmo assim, não posso dizer que me despedi da costa europeia com rompantes de alegria. Estou tomada de preocupação pela incógnita que nos aguarda do outro lado do Atlântico e nostalgia pelo que deixamos para trás por causa de uma guerra sem sentido.

11 de dezembro de 1945

Já faz quatro dias que zarpamos da Ilha da Madeira e agora a próxima parada é Puerto Cabello, na Venezuela. Hoje passei a manhã na espreguiçadeira do deque ao lado da piscina. O sol brilhava forte. À medida que nos aproximamos dos trópicos, a temperatura nos convida a nadar. A Blanche, que finalmente está se recuperando do enjoo dos primeiros dias, brincava com as crianças. Após um mergulho rápido e um longo bate-papo com os Cremisini, procurei atualizar meu diário enquanto Miki lia um livro de poesias espanholas sobre touradas. Ele tinha reservado nossos lugares para assistirmos a outro filme antigo que passaria mais à tarde no teatro do navio. Eu aproveitava o sol na doce preguiça de saber que, até ancorarmos na Baía de Guanabara, poderia me render ao ócio.

Como sempre, nos vestimos, demos boa-noite às crianças e descemos para o salão onde jantamos e dançamos. Às vezes, se estamos cansados, só bebemos um copo de *whisky* enquanto observamos os outros casais. Fomos convidados a subir até a cabine de um dos toureiros para beber, fumar, dançar e comer um dos presuntos serranos deliciosos que o tal matador famoso trouxe a bordo. Após mais de cinco anos de guerra, todos estamos contaminados pela euforia, uma vontade de aproveitar a vida e recuperar o tempo perdido.

O navio está sendo o remédio perfeito para nós dois deixarmos para trás, cada um de seu jeito, o trauma dos últimos anos. Entre o repouso, o sol e a calma da viagem, eu já me sinto outra pessoa. A urticária e as bolhas no rosto que me acometeram quando estava na Espanha quase desapareceram. Miki também parece se recompor, embora a ferida dele seja muito mais profunda. Afinal, sua aflição não deriva apenas das dificuldades e do afastamento físico do país e da família. Sua tristeza é consequência da falência de uma ideologia. É a realização de que ele estava do lado errado da história. Rezo a Deus que consiga se recuperar desse desgosto.

16 de dezembro de 1945

Passamos por Martinica. Faz bastante calor e já aposentamos definitivamente nosso guarda-roupa de inverno. Hoje teve uma festa para os passageiros que desembarcaram em Puerto Cabello. Ao atracarmos na cidade caribenha, o comandante ofereceu uma salada de frutas frescas (um grande luxo para quem passou dez dias em alto-mar!), acompanhada de biscoitos e *champagne* para todos a bordo. A tarde foi deliciosa. Descemos à terra firme. Visitamos uma igreja, encontramos uma doceria italiana chamada La Cora. Por fim, voltamos ao navio exaustos e fomos tomar um *whisky* no convés. A vista de Curaçao é magnífica, as cores quase violentas de tão fortes, o tempo quente, mas com um vento fresco.

No final do dia encontramos o capitão, que nos convidou para a festa de travessia do Equador, que deve acontecer daqui a alguns dias, no Natal. Terá fogos de artifício e um *show* da cantora Imperio Argentina e sua irmã acompanhadas por bailarinos espanhóis. Ficamos empolgadíssimos. A Imperio é uma das quatro artistas que teve o privilégio de cantar com Carlos Gardel, sua voz é fantástica!

17 de dezembro de 1945

Paramos numa cidade-refinaria. Descemos com os Cremisini, fizemos algumas compras, tomamos um delicioso sorvete de creme, compramos um vestido de presente para a Blanche e lembrancinhas de Natal para as crianças. Aproveitei e coloquei no correio uma carta para Mamãe. À noite, após um breve descanso no navio, voltamos para terra firme a fim de ver um *show* de dança local, uma rumba magnífica. Pouco a pouco começamos a nos acostumar com as cores, o ritmo e a luz tropicais!

26 de dezembro de 1945

Ri tanto que caí no chão. Ao meu lado, Miki também não se aguentava. O pobre toureiro berrando impropérios em espanhol, entalado na escotilha do quarto da Imperio Argentina, sem conseguir passar para lá ou para cá. Todos na cabine, bêbados e tronchos de tanto rir, não tinham forças para ajudá-lo. Finalmente alguém teve a brilhante ideia de sair e pedir socorro a um tripulante que passava por lá. O jovem rapaz, depois de solto, ficou com tanta raiva que se trancou em seu quarto. Não sei se vai ter coragem de sair depois do papelão que passou.

Já vínhamos de quase 30 horas ininterruptas de celebração. Para a véspera de Natal, a tripulação serviu uma linda e farta ceia antes da Missa do Galo. Cumpridos nossos deveres religiosos, pusemos as crianças na cama e voltamos ao salão para um baile que durou até as três da madrugada. Ontem de manhã, demos a nossos filhos os presentinhos e fomos todos à festa da travessia do Equador. Dançamos, Costanza e Alessandro riram até não poder mais com meu "batismo equatorial". A brincadeira consiste em jogar na piscina aqueles que cruzam os hemisférios pela primeira vez. Foi o que aconteceu comigo, de roupa e tudo! Por fim, para conseguir aguentar o baile de gala, tiramos a tarde para descansar.

Fechando o salão, Imperio convidou um grupo para terminar a noite na sua cabine. Já estávamos de pileque, até a rumba eu dancei!

No final da noite (ou no começo da madrugada, eu deveria dizer), drama. Dois toureiros brigaram por causa da irmã da Imperio e um deles tentou se atirar ao mar pela escotilha do quarto. Sorte que ele é meio gordinho e a janela apertada...

Passado o drama, continuamos tomando *champagne*, sanduíches, *whisky*, vinho doce que o comandante providenciou como parte das regalias por Imperio e sua irmã se apresentarem no navio. Cantaram divinamente. Miki e eu descemos até o deque para ver a aurora. O sol nascia sobre o oceano enquanto a tripulação lavava o convés e o grupo de frades, que também se encontra a bordo, entoava a reza matutina.

29 de dezembro de 1945

Quando acordei, Blanche já havia arrumado as malas. Estamos quase chegando ao Rio de Janeiro. É hora de voltar à realidade. Fui falar com a Cremisini, dizer que estou representando o Ferragamo no Brasil e oferecer a ela o primeiro par de sapatos. Antes mesmo de terminar a viagem, já tirei as medidas para fazer a encomenda. Depois de tantos anos fazendo sapatos com o Salvatore, lembro direitinho como medir o pé. À tarde, Miki e eu descansamos no deque conversando sobre as várias coisas que teremos que fazer uma vez que chegarmos ao Brasil. Eu não estava me sentindo muito bem, talvez culpa do nervoso. Miki fez minha mala, enquanto eu repousei. Depois do jantar, fomos dançar com os toureiros. Por fim, subimos ao convés para tentarmos avistar as luzes da Cidade Maravilhosa. Às 2h30 pensamos ver algo de concreto, mas chovia forte e o mar estava movimentado.

30 de dezembro de 1945

Acordei às seis da manhã quando entrávamos na Baía da Guanabara. As luzes acesas sobre a orla do Flamengo formavam um colar de pérolas que, com a chuva e a névoa, adquiriam um ar etéreo e um tanto quanto soturno. Passada uma hora, fomos chamados para a visita médica e a polícia alfandegária. Almoçamos no navio. Às dez da manhã chegou um funcionário da agência de turismo para nos ajudar a desembarcar.

Ele nos levou ao hotel Aeroporto, muito bonito, mas caro demais para nosso orçamento. Ficaremos aqui durante os primeiros dias, mas, se não conseguirmos um desconto, precisaremos encontrar outras acomodações. Fazia friozinho e chovia, Miki e eu fomos dar uma volta. Vimos a avenida Rio Branco. Como é bonito o Rio de Janeiro! À noite jantamos sanduíches e suco de laranja.

31 de dezembro de 1945

Terminamos o ano num baile no Copacabana Palace junto com o Fontana e os Cremisini. Assistimos aos fogos de artifício e depois fomos passear na orla para ver os rituais de candomblé.

Esse foi sem dúvida o ano mais trágico, mais vivido, mais aventuroso da minha vida. Eu aprendi uma enormidade de coisas e pus à prova a medida das minhas forças. Aguentei e fiz muito mais do que imaginei possível e, assim, conquistei confiança em mim mesma. Por vezes vi minha família ameaçada e lutei contra o desespero, a tentação, o deboche e a fadiga. Tenho uma sensação de completude, embora também sinta remorsos. Conheci de perto a humanidade, tanto minha quanto a daqueles a minha volta. É belo viver, amar e sofrer. Conseguimos superar a guerra e agora, sem aquele pesadelo atroz, trabalharemos com ardor. Rezo para que Deus e a sorte nos ajudem. Eu acredito que viveremos mais serenamente, conhecendo um mundo novo, emocionante.

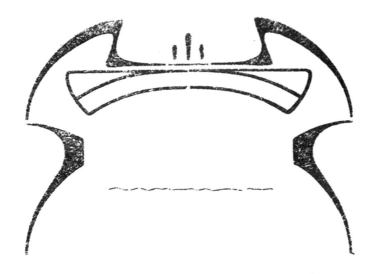

prêt-à-porter

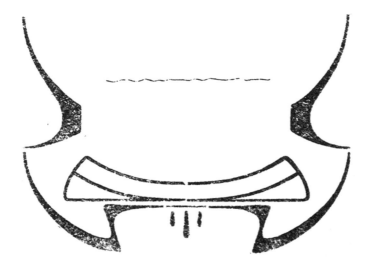

do á aqueles dois, que a planície era por
como uma **paraíso proibido**. Só então, com
vivo fulgor, é que pareceu que êles tivessem
encontrado, um ao outro. Olharam-se e
seus rostos, viram seus corações. Ele disse: "V.
E ela foi. Mas atravessaram a planície, por
lhes parecido uma ~~sacrilégio~~ violar uma coisa
da, e inacessível para êles. Apenas eiremdo
na. O bosque foi de cobre novamente. A por
alguns espinhos de verde que testemunhavam
presença, sempre crescente do humano,
real. Avançaram sempre embrenhando.
cada vez mais, até olheparem em um le
onde o chão era mais cinza, e as planta
eram mais virgens. Havia uma cabana no
e êle de novo disse: "Vem". Mas era um
nem convidativo, nem imperativo nem temp
suplorante. Era uma afirmação. E ela f
foi porque assim era preciso, assim era
ado. Era uma simples cabana onde um
quebrado jazia no chão batido e onde um
de palha, abandonado e estéril, não adqui
tenava simplesmente sua presença. Como
natural que êles se sentassem naquele feix
bailho de estacas e palhas! Jaziam ~~certam~~
enlaçada pelos braços dêle, sem pensar os dois.
Como os beijos dêle, abraçassem os lugares onde
eu faílnos, era natural que ela estivesse sem
agudo contrastar sua pele branca com o m
soí estido. E foi natural também que êle dis
quase indignado, denudando-a, e beijando-a
mas no tempo; "Como você é branca como você
A nudez dela não era chocante, sensual dai
apenas a impressão de uma flôr timida
luada. Não havia o desejo brutal animal
apenas a fusão perfeita de dois

1.

Costanza
Setembro de 2010

O cheiro forte da naftalina que Gabriella punha nos armários de seu apartamento em Higienópolis tomava conta do ambiente e abalava o estômago já fragilizado de Costanza. Uma semana depois da morte da mãe, ela procurava conter o mal-estar enquanto separava a montanha de cartas, mapas astrais, diários reunidos ao longo de 93 anos. Era uma infinidade de pastas e envelopes superorganizados segundo uma lógica própria, cheios com o conteúdo de sua vida complexa.

Ainda exausta pelas semanas passadas no hospital e pelo luto que marcava o fim de um relacionamento tão complicado quanto profundo, Costanza fazia um esforço sobre-humano para concatenar as ideias. Em algum canto de seu cérebro nublado pelo cansaço e pela dor, sentia que naqueles papéis estava a resposta para o que se perguntava desde a adolescência: quando foi que a convivência entre as duas começou a ficar tão árida? Para ela, o descaso de sua mãe sempre esteve presente. Acreditava que o conflito tinha começado no dia em que Miki subiu correndo as escadarias da maternidade para testemunhar seu primeiro choro. Seria a decepção por ter nascido mulher, ou o ciúme da ligação única que se formou instantaneamente entre ela e o pai? Para Costanza, sua mãe era uma mulher dura e vaidosa que, em seu narcisismo, se lançara no trabalho e delegara a maternidade à Blanche. Isso sem falar na preferência descarada que dedicava ao filho homem.

Se ela não estivesse tão cansada e transtornada pelas semanas difíceis que passou, talvez encontrasse uma história diferente naqueles papéis que agora arrumava. A de uma mãe pragmática, apaixonada pela família e tão preocupada em dar a eles uma qualidade de vida que condissesse com seus elevados padrões, que acabou sacrificando mais do que deveria.

O conteúdo dos diários, que, sem ler, ela agora embalava para entregar à Alessandra, poderia ter lhe oferecido algum consolo. Neles, sua mãe não passava um dia sem demonstrar preocupação com o bem-estar das duas crianças indiscriminadamente. No entanto, à medida que Costanza ia crescendo, se transformava em alguém que Gabriella não conseguia entender, em quem não se enxergava. Uma menina sonhadora, avoada, que não ia bem nos estudos, sem disciplina alguma e preocupada com futilidades. Aos poucos, as personalidades conflitantes foram causando atrito, soltando faísca. Alessandro, além de homem, era objetivo, aplicado, mais parecido com ela. Mesmo assim, ainda que fosse tortuosa a forma de demonstrá-lo, nunca deixou de haver amor por sua filha.

Mas Costanza desconhecia o conteúdo das linhas nos diários da mãe e, naquela tarde de setembro de 2010, o que queria era terminar o difícil trabalho de empacotar tudo para que o apartamento fosse posto à venda o quanto antes. Sua vontade era dar por encerrado o último mês, marcado por idas e vindas ao hospital, onde testemunhou a insuportável realidade de sua mãe – aquela mulher poderosa, definhando e sofrendo a tal ponto que, rendida, disse:

— *Cosi, a casa, non torno.**

Naquele quarto, rodeada por uma papelada sem fim, Costanza encontrou uma caixa que chamou sua atenção. Entre os diários que ela deixaria na casa de sua filha alguns dias depois, havia um

---

* Desse jeito eu não volto para casa.

envelope do tamanho de uma folha de A4 dobrada ao meio. Não era muito grosso, dentro talvez uma dezena de folhas. Ele estava lacrado e, no lugar do destinatário, na letra de Gabriella, a mesma que cunhou a logomarca da Santaconstancia tantos anos antes, a seguinte frase: "Destruir após a minha morte".

Sem um momento de hesitação, a filha rebelde se provou a mais leal de todas e cumpriu o desejo da mãe.

2.

Gabriella
1971

Sentada na escrivaninha de seu quarto, ela organizava os compromissos. Já fazia alguns anos que aquela capa de couro Ferragamo, onde encaixava uma pequena agenda que trocava todos os anos e um caderninho de telefone que passava a limpo com a mesma frequência, substituíra o diário da Pineider. Os sonhos e devaneios da menina foram substituídos pelas obrigações de uma mulher de negócios.

Eram oito horas da noite. No dia seguinte, terça-feira, ela teria que acordar cedo para ir ao dentista; um médico novo, jovem, que usava tecnologias mais modernas. Depois, iria até o escritório de vendas no centro, almoçaria alguma coisa por lá e, à tarde, conversaria com Luigi na fábrica. Quarta-feira pegaria o avião para Belo Horizonte para mostrar a nova coleção aos compradores mineiros. Ficaria lá dois dias. Sexta-feira à noite, iria com Miki buscar as meninas e a Blanche no aeroporto.

Ela acabara de reformar o apartamento para que as netas ficassem mais confortáveis. Esperava que elas gostassem do tecido de margaridas que usara nas paredes e cortinas. Também tinha comprado aquela paçoca de que Alessandra gostava tanto e a colocado na despensa. Queria que, na medida do possível, se sentissem confortáveis. Coitadas, já estavam sofrendo o suficiente.

Normalmente, a tarefa de ver os compromissos da semana era rápido. Mas, naquela noite, ela não conseguia se concentrar. Talvez por causa da presença iminente das netas ela estivesse mais nostálgica. Sua mente divagava, pensando em tudo o que passara desde que a família chegou à Baía de Guanabara, do telefonema de Ciccillo, chamando, ela e Miki, para irem a São Paulo...

Foi um golpe de sorte ter sido acolhida pelos Matarazzo, a família mais fina da época. E pensar que a fortuna deles começara com o velho Francisco Matarazzo, um imigrante italiano que nasceu em Castellabate em 1854. Aos 27 anos, migrou para o Brasil sem nada, à procura de melhores condições de vida. Quando morreu, em 1937, o país já tinha se tornado uma república e ele era dono do maior parque industrial da América Latina e da quinta maior fortuna do mundo.[*]

---

[*] "O conde Francesco Matarazzo não foi apenas um dos maiores empresários da história brasileira. Matarazzo foi o maior empreendedor do país em todos os tempos e ainda um dos nomes de destaque do capitalismo mundial. Matarazzo não ergueu dez, 20 ou 50 fábricas. Foram 200. Isso mesmo: 200 fábricas. Ao lado delas, Matarazzo deixou também hidrelétricas e ferrovias — assim mesmo, no plural —, empresa de navegação, banco, fazendas, milhares de terrenos urbanos e prédios, além de filiais na Argentina, nos Estados Unidos e na Europa. No auge, chegou a empregar 30.000 pessoas. Para efeito de comparação, o Banco do Brasil tinha, na virada do século, 133 funcionários. Atualmente, a Gerdau tem 14.000 empregados. Ao morrer, em 1937, Matarazzo possuía um patrimônio estimado em 20 bilhões de dólares corrigidos aos dias de hoje pela inflação americana. Em terras brasileiras, nenhum capitalista voou tão alto." "O maior do Brasil, um dos maiores do mundo", Portal Exame. Disponível em: <https://exame.abril.com.br/revista-exame/o-maior-do-brasil-um-dos-maiores-do-mundo-m0051565/>.

Ciccillo Matarazzo e Gabriella na primeira Bienal Internacional de Arte de São Paulo, em 1951.

1946

Virginia Matarazzo Ippolito era sobrinha do velho Francisco. Ela soubera da vinda dos Pascolato ao Brasil através dos Cremisini – que chegaram no mesmo navio – e queria entender como Michele tinha conseguido sair da Itália. Seu marido, Andrea Ippolito, que lutara na guerra a favor dos fascistas, estava preso aguardando julgamento e ela tentava liberá-lo de todas as formas. Por isso, Virginia pediu ao irmão Ciccillo que entrasse em contato com os Pascolato e os convidasse para vir a São Paulo conversar com eles. Gabriella foi sozinha. Havia pedido que Ciccillo reservasse um hotel, mas ele gentilmente a hospedou na casa de um dos irmãos.

Gabriella conhecia os Matarazzo de quando, mais de uma década antes de atravessar o Atlântico, estudou com a sobrinha de Virginia, Olga Pignatari, no Poggio Imperiale. Ao receber o chamado, foi sozinha a São Paulo contar sua história para ver se oferecia alguma luz em como trazer Ippolito para o Brasil. A verdade, porém, era que ele já estava em custódia dos americanos, o que tornava sua situação bem mais complicada.

Mesmo não podendo ajudá-los, Gabriella foi muito bem acolhida pelos Matarazzo. Talvez pelo respeito à coragem e dignidade que ela e Miki demonstraram ao superar suas inúmeras dificuldades, ou porque Ciccillo tivesse se impressionado com a beleza e a inteligência de Gabriella.

— Deixe o Rio de Janeiro com os políticos. São Paulo é a cidade dos italianos – foi o conselho que ofereceu.

Os poucos dias que passou em São Paulo foram suficientes para ela entender que seu novo amigo tinha razão. Falando com Miki pelo telefone logo depois, lhe pediu que viesse o quanto antes com Blanche e as crianças a fim de se instalarem na capital paulista.

Alugaram uma pequena casa na rua Joaquim Eugênio de Lima. Assim que assinaram o contrato, Gabriella tratou de comunicar seu novo endereço a todos na Itália. O sobrado já vinha mobiliado, o que ajudava, uma vez que o dinheiro estava curto e ainda demoraria algum tempo até que seus pais conseguissem enviar os móveis que ficaram na Itália; tanto aqueles que estavam armazenados em Resta quanto o pouco que seu irmão Ugo conseguira reaver do apartamento em Roma, após ser saqueado por soldados Aliados. Para os toques finais, foi providencial a ajuda dos amigos, principalmente de Kathleen Lovatelli, que tinha muito gosto, ideias práticas e conhecia fornecedores bons e baratos. Bem-vindos também foram roupas de cama e banho e objetos que ganharam de Virginia e Ciccillo, como retribuição à amizade e ao apoio que Gabriella dedicou a eles durante um momento de incertezas a respeito de Ippolito.

Finalmente, desde que a SS tinha batido em sua porta em Como, conseguiu montar "um ninho acolhedor" para seus filhos. As crianças, que passaram muito mal depois da chegada ao Rio de Janeiro – Costanza com uma febre de mais de 40 graus e Alessandro com uma tosse incessante –, melhoravam a olhos vistos.

Sim, ela começara a trabalhar por necessidade, mas não menos notável foi a mudança que a temporada na Suíça – onde tratava de igual para igual com homens de negócios – provocara nela. Brigar por sua família com todas as forças enquanto viajava por aquele país a ensinou a confiar em sua astúcia. Nas primeiras semanas depois de se estabelecer em São Paulo, sentindo-se oprimida pela rotina de dona de casa, ela desabafava em seu diário, descrevendo o quanto o cotidiano doméstico lhe parecia fútil e massacrante. Talvez por isso, ao receber o pacote contendo o mostruário de sapatos Ferragamo, tenha se jogado no trabalho com determinação redobrada. No início, falava diretamente com suas amigas, procurando formar uma clientela. No entanto, logo percebeu que precisaria se instalar em uma casa de moda para conseguir a credibilidade e o volume de vendas necessários para sustentar a família. Acabou fechando contrato com a butique Madame Avadis, que, junto com a Casa Vogue e a Rosita, atendia à nata da sociedade. Clientes não faltavam, já que, após o sufoco da guerra, existia uma enorme demanda por produtos de alta qualidade. Gabi também ajudou Miki a abrir uma loja na avenida Ipiranga, no centro da cidade, para vender a seda que tinham comprado na Itália. Montou uma vitrine, pendurando tecidos no teto para que ficassem bem expostos. O sucesso foi tamanho que ele resolveu começar um negócio de importação e exportação. Assim fundou a Mapa Importadora S.A. em sociedade com os Matarazzo, Crespi e outras famílias italianas.

Diário de Gabriella, 7 de maio de 1946

Quarta-feira de sol. Abri a caixa de sapatos. Recebi uma carta de Nino que li com Miki: Mamma morreu na madrugada do dia 9 para 10 de abril, em um de seus ataques do coração. Esperava por isso, mas não me parece possível. Esse é um enorme golpe, também para meu marido.

Clotilde Pallavicini, mãe de Gabriella.

Foi o coração de Clotilde, sempre seu ponto fraco, que não aguentou todas as tristezas da guerra. A cartomancia de Blanche dissera a verdade, ela nunca chegaria a atravessar o oceano com o resto da família. Como era seu estilo, Gabriella não deixou que o luto interferisse em suas obrigações cotidianas, mas sempre carregava consigo a presença da mãe.

A fundação da Tecelagem Santa Constância, no início de 1948, foi fruto de uma conspiração do bem. A notícia de que o governo Dutra havia instaurado controles de importação em julho do ano anterior foi inicialmente desastrosa para os Pascolato. Lá se ia por água abaixo a representação dos sapatos Ferragamo. Mas Gabriella, com seu tino para negócios, foi capaz de enxergar na carência de artigos importados a abertura de um novo mercado. Assim se desencadeou uma sucessão de fatos que permitiu que a fábrica se apresentasse como a salvação da família.

Nessa mesma época, Michele conhecera um tecelão muito simpático e capaz, Luigi Castiglioni. Ele havia sido treinado em Como, numa das melhores escolas de fabricação têxtil do mundo. Miki o ajudara com questões legais, o que fazia de graça para muitos imigrantes italianos sem recursos para contratar um advogado. Ao saber da especialidade de Castiglioni, mencionou um estoque de fio de seda que, durante a guerra, os bancos recebiam como pagamento de empréstimos feitos a colônias alemãs e japonesas no sul do Brasil, que tinham cultura do bicho-da-seda. Mas o fio cru durava no máximo cinco anos e as instituições financeiras decidiram se livrar do estoque perecível a um preço baixíssimo.[*] Ao saber disso, Luigi começou a campanha para que os dois abrissem uma tecelagem. Com a ajuda da Mapa, conseguiriam trazer da Europa teares da melhor qualidade. Afinal, estava proibida a importação de produtos de luxo,

---

[*] Giovanni Bianco e Paulo Borges. *O Brasil na Moda vol. 1*. São Paulo: Coleções Caras, p. 273.

mas, numa tentativa de incentivar a indústria brasileira, o governo permitia a entrada de maquinário pesado.

A ideia de uma tecelagem vinha ao encontro das observações de Gabriella, que, sempre a par das últimas tendências, se deu conta de que o *new look*, lançado em Paris por Christian Dior, tinha tudo para estourar. Os vestidos luxuosíssimos com saias rodadas de metros e mais metros de tafetá de seda pura eram a resposta do mundo da moda aos anos de carência durante a guerra. Ela podia apostar que a demanda por esse tipo de tecido seria enorme.

Montaram um plano de negócios e pediram ajuda financeira a Ciccillo para comprar os primeiros teares. Mesmo não vendo muito futuro naquilo, por amizade, ele resolveu ajudá-los. Com o dinheiro, alugaram um galpão no bairro do Belenzinho que, na época, era muito barato. Compraram oito teares e chamaram o Luigi para compor a sociedade.

A escolha do nome foi fruto do senso de humor apurado do casal. No final de 1947, todas as fábricas de tecidos de São Paulo tinham nomes de santo: Santa Terezinha, Santa Isabel...

— Põe santa-qualquer-coisa – disse Miki.

Santa Constância, pensou Gabriella. *Santa Constância é como vai se chamar a fábrica*. Além de ser um jeito de usar o nome da filha, já passava da hora de terem alguma constância na vida. Ficou assim. Começaram a fazer os testes. Luigi era uma pessoa formidável, um homem honesto, correto, com um prazer enorme no que fazia. Passava horas nos teares tentando melhorar a qualidade do tecido. Gabriella inventava desenhos e ele trazia o resultado todo satisfeito. Ela olhava e dizia:

— Não está ruim, mas precisa ter mais *it*.

Ele fazia uma cara de interrogação, como quem dizia: "*it?*". Mas não reclamava. Ia para os teares e só voltava quando achava que tinha encontrado o *it*.

Ainda na fase de testes, Gabriella convidou Ciccillo para ir à fábrica. Ele era o presidente da metalúrgica da família, além de ter negócios na área têxtil. No dia da visita caiu uma tremenda chuva e, para chegar ao galpão, precisaram atravessar um lamaçal. Ele a olhava de um jeito estranho, como se aquilo tudo fosse uma brincadeira, uma tentativa amadora de empreendimento. Não era, ela tinha certeza.

Logo em seguida à fundação da fábrica, Alfredo, pai de Gabriella, veio visitá-los trazendo uma boa quantidade de dinheiro e seu jeito para os negócios. Ele ajudou a erguer a Santa Constância e a montar estratégias que foram fundamentais para o crescimento da tecelagem. Miki cuidava da parte financeira, Gabriella e Luigi da criação e o casal junto ficou responsável pela área comercial. Eternamente orgulhoso de sua mulher, Miki costumava dizer que ela era o segredo do sucesso da tecelagem pelo bom gosto, pela astúcia para os negócios e pela habilidade como vendedora.

Alfredo Pallavicini, na Itália.

A tecelagem Santaconstância, em Vila Guilherme, logo no início da fábrica e, à direita, Gabriella junto a uma das máquinas de tear. Abaixo, nos anos 1970, quando a marca já havia se consolidado no mercado.

Socialmente, o que começou bem (afinal, eles podiam não ter muito dinheiro, mas eram um casal elegante, divertido e de prestígio) passou a sofrer ruídos. Fato era que a beleza e a inteligência de Gabriella continuaram a chamar a atenção de Ciccillo, um mulherengo de marca maior. Não que ela fosse de todo inocente nessa história. Miki passava por uma fase muito difícil emocionalmente, sua fragilidade era quase palpável. Já Ciccillo se apresentava como o poder encarnado, algo que ela sempre achou sedutor. Tomada por aquele encantamento, durante muito tempo sofreu solitária. Se sentia dividida entre o profundo amor pelo marido e pelos filhos e a forte tentação de se lançar no desconhecido. A presença dele perturbava sua paz e a do casal. Ela se via pensando nele nos momentos mais indesejáveis e vê-lo com a mulher, Yolanda Penteado, era extremamente doloroso.

Não que ela tenha cedido à tentação, mas era impossível negar que houvesse uma atração entre os dois, o que deixava Yolanda muito incomodada. Foi por ciúme que a esposa de Ciccillo passou a boicotar os Pascolato, deixando de convidá-los para diversos eventos que promovia; desde festas a concertos, exposições e finais de semana na fazenda, na casa de campo em Santo Amaro ou no Guarujá. Se fosse apenas ela, já seria desagradável, mas não crítico. O problema maior era que Yolanda exigia o mesmo veto social de seus parentes e amigos mais próximos. Vinda de pessoa tão influente, essa proibição ia muito além do constrangimento, era um potencial pedido de falência da Santaconstancia. A não ser pelo Mappin, que começava a vender peças de vestuário de pronta-entrega, normalmente as compras de tecido eram feitas diretamente da fábrica, em casas de alta-costura ou lojas têxteis na rua Augusta. A maior parte de sua clientela era composta pelas amigas de sociedade que montavam os guarda-roupas em casa, com suas costureiras. Se elas achassem que a interdição se estendia também à tecelagem, seria o fim!

A ajuda de Ciccillo, sempre gentil e carinhoso, foi fundamental para que isso não acontecesse. Em 1949, ele entrou em contato com Gabriella para que a Santaconstancia fornecesse tecidos para a montagem do presépio napolitano do século XVII que comprara com intenção de doar para a prefeitura. Ciccillo e Yolanda eram os maiores mecenas da São Paulo da época, talvez com intenção de promover o amadurecimento cultural da cidade, que, embora em rápido crescimento, continuava sendo muito provinciana. Graças ao casal hoje em dia temos, entre outras coisas, a Bienal e o MAM, um museu dedicado exclusivamente à arte moderna, que eles conceberam nos moldes de instituições como o MoMA de Nova York.

Pois bem. A sociedade viu que Ciccillo trabalhava de perto com Gabriella na construção do cenário e no restauro das 1.600 peças do presépio. Um feito extraordinário que durou mais de um ano: cada personagem tinha que ter sua roupa refeita com tecidos de desenhos e cores especiais, listras e xadrezes em miniatura para roupas de tamanho diminuto.* Ora, se o próprio Ciccillo não respeitava o tal boicote, por que as mulheres da sociedade deveriam se privar da agradável companhia dos Pascolato e dos belos tecidos que produziam? Ao final dessa travessia, até Yolanda voltou atrás. Talvez por ver o empenho e profissionalismo de Gabriella, talvez pela intercessão dos irmãos de Ciccillo, Virginia e Gianicola, com quem os Pascolato tinham formado uma sólida amizade, ou simplesmente porque, com o passar do tempo, as arestas do relacionamento entre as duas foram aparadas. Não que elas tenham se tornado amigas, muito pelo contrário, mas pelo menos o boicote deixou de existir – ou perdeu força.

---

* "Em 1948, Francisco Matarazzo Sobrinho decide adquirir um conjunto de peças de Presépio Napolitano para ser doado à cidade de São Paulo. Enquanto o processo de sua doação ao município tramitava na Câmara, Matarazzo conseguiu junto às autoridades um espaço para exibir as peças: a Galeria Prestes Maia. Em 4 de outubro de 1950, o complexo foi aberto ao público. [...] Além da própria devoção pessoal do conde ao culto do presépio, esse conjunto deve ser visto dentro de seu programa cultural para a cidade de São Paulo, haja vista que a aquisição dessa coleção ocorre paralelamente a sua iniciativa de fundar o Museu de Arte Moderna de São Paulo. Como bom conhecedor das artes e por sua origem napolitana, Matarazzo sabia da importância artística dos presépios setecentistas napolitanos e procurou adquirir peças relevantes para sua coleção." Eliana Ribeiro Ambrósio. "Histórico da formação da coleção do Presépio Napolitano pertencente ao Museu de Arte Sacra de São Paulo a partir das correspondências trocadas por Francisco Matarazzo Sobrinho" (*in english*, p. 144). Disponível em: <http://www.unicamp.br/chaa/rhaa/downloads/Revista%208%20-%20artigo%207.pdf>.

Um ano após a fundação da fábrica, Alfredo, pai de Gabriella, se mudou definitivamente para o Brasil, trazendo consigo um contêiner com os móveis dos Pascolato. Ele tinha vendido Resta e dividiu o dinheiro com os filhos. Uma parte foi para o projeto de ampliação da Santaconstancia, outra seria destinada à compra de uma fazenda no Mato Grosso a ser administrada por Nino e sua nova esposa, Mariella. A terceira financiou a vinda de Ugo e Zdenka para São Paulo.

O lema de Gabriella era "fazer, fazer, fazer... até acertar". Era assim quando desenvolvia os tecidos com Luigi Castiglioni e elaborava a paleta de cores dos fios. Seguia para a tinturaria e não saía de lá até que os fios da seda alcançassem o tom que ela havia imaginado. Antes de embarcar nessa aventura, nunca havia sequer visto um tear, mas acreditava que podia aprender. Contou com a experiência de viver numa atmosfera de elegância desde pequena. O resto, sabia que viria com o tempo. De fato, não demorou muito para que seus *jacquards* ficassem famosos pela beleza e qualidade e fossem cada vez mais cobiçados.

No início dos anos 1950, Getúlio Vargas proibiu a importação de fios. Gabriella estava convencida de que a produção de seda local não daria conta e decidiu que era hora de diversificar os produtos da Santaconstancia para sobreviver àquele contratempo. Intuiu que conseguiria fabricar bons tecidos de decoração com algodão brasileiro e, como já tinha bons amigos decoradores, resolveu que seria o momento propício para investir em fazendas de tapeçaria. Mais uma vez, ela recorreu à sua intimidade com a história da arte e a referências das casas e *palazzi* onde vivera.

Não demorou até que os Pascolato pagassem suas dívidas. Eles se mudaram para uma casa maior, Miki tornou-se sócio da Hípica Santo Amaro e começou a montar todos os finais de semana, como fazia na Itália. As crianças frequentavam o Colégio Dante Alighieri junto com os filhos dos mais nobres integrantes da colônia italiana e, durante o verão, iam para São Vicente num apartamento que o casal alugava. Ela e o marido não podiam se dar ao luxo de tirar férias, então Blanche ficava com as crianças no litoral. Nos finais de semana, iam ter com os filhos nem que fosse só para passar o domingo.

O casamento com Miki sofria altos e baixos, provocados em parte pelas inúmeras dificuldades que tiveram de superar e pela profunda depressão que o marido enfrentou ao processar a derrocada de sua vida na Itália e a falência de uma ideologia equivocada. Se as coisas já não estavam fáceis para ele, ficaram ainda piores após dois grandes golpes: uma operação bastante séria por conta de uma ruptura de menisco que o obrigou a ficar de cama durante um mês e, o mais contundente, um telegrama que recebeu às vésperas da cirurgia trazendo a notícia da morte de Mamma Ida por causa de uma embolia, decorrência de uma fratura no quadril.

Ida Pascolato, mãe de Miki.

Apesar das muitas crises, algumas aparentemente insuperáveis, Gabriella e Miki permaneceram juntos. É fato que, para a sociedade, uma separação seria muito malvista. Mas ela sabia que sua união com o marido ia além de um pacto tácito de convivência compulsória. O que os mantinha juntos, além do amor, era a parceria; o projeto conjunto da construção de uma vida em família.

3.

Costanza
1949

A vida estava melhorando. Mesmo assim, após a mudança da rua Joaquim Eugênio de Lima para um sobrado na rua Ouro Branco, Gabriella, como era seu costume, aproveitou as cortinas da antiga casa para fazer roupinhas de verão para as crianças. Se para ela essa prática era comum, para a sociedade paulistana emergente podia causar certa estranheza. Aos nove anos, Costanza estava se achando linda, vestida para a festa de Ines Carraro:

A casa era de esquina. Os adultos estavam no jardim de inverno. Entrei segurando o Alessandro, pequenininho, pela mão para cumprimentá-los. Minha mãe não estava, talvez se encontrasse em outro canto da casa, não sei. Circulei a sala dando a mão a todos e dizendo "buon giorno, buon giorno".

Mamãe nos vestia igual – quer dizer, eu de menina e ele de menino, mas com os mesmos tecidos. As roupas de inverno eram feitas com os ternos velhos que Nonno Alfredo nos mandava dentro de baús grandes. Mas era verão e ela fez uma camisa para Alessandro e uma sainha para mim a partir de uma cortina de chinz estampado.

Uma das senhoras que estavam lá falou em tom de deboche:
— Olha as crianças Pascolato com roupas de cortina!

Ninguém prestou muita atenção, estavam todos distraídos com uma coisa ou outra, mas eu não achei a menor graça naquilo e pensei: Ah, é? Você está achando ruim, é? *Wait and see.* Eu vou ser a mais bem-vestida de todo o mundo, vocês vão ver!

Foi uma das coisas que me serviram para tocar a vida em frente.

4.

Costanza
1951

— *Tire tes robes.*

Durante todo o jantar Costanza esperou por esse momento com um nó no estômago. Lançada pela Blanche em seu tom suíço, ríspido, quase ditatorial, a frase chegava assim que acabava a refeição. O francês corrompido pelos anos de Brasil trocava as palavras correspondentes a "roupa", *habits* ou *vêtements*, por *robes*, que na verdade queria dizer "vestidos", mas que soava mais como o português "roupa". Costanza não entendia muito bem a pressa de Milèle* em despi-los, ela e seu irmão, nem bem terminavam a última garfada da sobremesa:

— *Subito, au bain, tout souite! Tire tes robes!***

Não passava pela cabeça da menina de 12 anos que era responsabilidade de Blanche lavar a roupa das crianças, o que fazia antes de dormir para não acumular tarefas para o dia seguinte. Se

---

* Apelido dado à Blanche pelas crianças, corruptela de *mademoiselle*.
** *Subito*, para o banho, já! Tira a roupa!

atrasasse muito, iria para a cama tardíssimo. Daí, acordar às seis horas da manhã do dia seguinte para preparar o café deles e aprontá-los para a escola seria uma tortura.

Se normalmente a afobação já era chata, naquela noite, a espera do momento inevitável era uma tortura. Quando sua mãe pisou no botão no chão da sala de jantar que soava a campainha da cozinha chamando a copeira para servir a fruta, começou a suar frio. Tudo isso porque já fazia alguns dias que ela vinha notando uma mancha marrom em sua calcinha. Não entendia o que tinha acontecido. Será que tinha feito cocô? Mas como? Sem perceber? O medo de levar bronca era tão grande que, das duas primeiras vezes, deu um jeito de lavar a roupa de baixo escondida. Nos dias seguintes, ao se vestir, por baixo da saia do uniforme, subiu a calcinha só até o meio das coxas, o que era muito incômodo, para dizer o mínimo. Correr, brincar, jogar bola com os amigos, nem pensar. Andava com as pernas abertas, pois, a qualquer distração, a calcinha poderia cair. Por fim, ela desistiu. Se aquela situação continuasse, só restava se resignar e enfrentar a bronca que viria por aí. Afinal, talvez ela estivesse com alguma doença, talvez precisasse ir a um médico. Acanhada, tirou a roupa e a deu à Milèle toda emaranhada, o que não era comum para ela, virginiana organizada. Por ironia, se não fosse isso, talvez Blanche não tivesse reparado.

— *Mais*, Costanza, o que é *esto* na sua *culotte*?

— Não sei! Faz alguns dias que está assim. Eu não me lembro de fazer cocô nas calças...

Blanche deu risada e disse:

— Mas isso *sont les regles!** Vou *falarr con* a sua mãe e ela vai te *explicarr. Agorr* vá *dórrmirr.*

Costanza não fazia ideia do que seria isso. Mesmo porque, ela nunca gostou de regras de nenhum tipo e essas pareciam não fugir à regra (com o perdão do trocadilho). Por que ela tinha que falar com a mãe? Por que Milèle não podia explicar diretamente? Enfim, só restava esperar.

No dia seguinte, foi chamada aos aposentos da mãe. Ainda crente de que levaria uma bronca, subiu devagar os degraus que

---

* São as regras!

a levavam ao segundo andar do sobrado geminado na rua Ouro Branco. Embora lá fora fizesse um calor terrível, o quarto de sua mãe estava fresco, na penumbra, graças às cortinas e vidros fechados que guardavam o ar mais ameno da madrugada e protegiam do bafo quente daquela manhã de verão. Viu Gabriella sentada numa poltrona de couro ao lado da janela. Linda como sempre, vestia seu roupão de seda com estampa japonesa. Lia o jornal, estava levemente reclinada sobre um dos braços e tinha os pés no pufe que fazia par com a poltrona. Levantou os olhos, sorriu ao ver a filha e pediu que se aproximasse. Ainda confusa, Costanza se sentou no cantinho do pufe, a saia do uniforme na altura dos joelhos juntos, inclinados um pouco para o lado, as mãos entrelaçadas sobre as pernas.

— Você sabe como as borboletas se reproduzem? – perguntou Gabriella.

— Cooomo?! – a filha exclamou surpresa, sem entender absolutamente nada.

— As borboletas, sabe como elas se reproduzem?

A explicação do sexo das borboletas passou batida por Costanza, que ficou sabe-se lá quanto tempo divagando sobre elas: *como são bonitas... as asas coloridas parecem estampas... elas voam com tanta graça... ah, que vontade eu tenho de voar assim...* o peignoir *de Mamãe tem várias borboletas... mas afinal, o que as borboletas têm a ver com as regras?... o que são as regras?...* Foi aí que lembrou que precisava prestar atenção na história da mãe, que àquela altura chegara, de algum jeito misterioso, na menstruação. Fosse como fosse, Costanza entendeu que aquilo iria se repetir todos os meses. Por fim, disse:

— Ah, mas que coisa chata! Eu não quero isso! Me atrapalha, eu quero correr, quero brincar, quero nadar! Todo mês vou ter essa coisa?!

Gabriella virou os olhos, rindo, dispensou-a e disse que Blanche iria lhe explicar as questões práticas.

Descendo, encontrou Milèle já a postos com uma cinta elástica que tinha dois ganchinhos em forma de tridente. Ela ensinou como se prendia o *modess*, que mais parecia um caminhão.

— *Esso* é ótimo, no *mio* tempo a gente usava *unas* toalhas de pano que tínhamos que *lavarrr* à noite...

5.

Costanza
Diário de Costanza, 10 de outubro de 1955

Darling, *depois da experiência de ontem, tive necessidade de escrever novamente em tuas páginas virgens. Já que tu nasceste para isso, por que não te utilizar? Sinto-me tão bem exprimindo todos os meus sentimentos em tuas páginas, livre daquela espreita, que se torna preconceito, de ter que escrever como se alguém haveria de ler depois. As palavras correm fluentes sobre o papel e, temo, também livremente os erros, já que minha gramática é minha, mesmo, e por isso completamente pessoal. Odiaria ter que escrever o tipo de diário "para ser lido" com todos os fatos mais importantes sintetizados de modo primário e sem expressão. É verdade que a finalidade de um diário seria mesmo descrever para a posteridade os fatos interessantes, ou não, de uma vida em ordem bastante cronológica, mas prefiro modificar esta regra e escrever quando me passarem pela cabeça acontecimentos ou mesmo sentimentos passageiros. Agora, por exemplo, um tão entusiástico que me levou a assim pensar e agir, acha-se levemente atrofiado, já que ouço os passos e as ralhadas tão costumeiras da "mula manca"[*] com meu irmão no quarto vizinho; e certamente se entrar aqui sairá o banzé e fuá tão peculiares da referida: "Tenho que estudar", mas minha alma vagabunda se recusa firmemente a aceitar isto como um lema. É verdade e vergonha, mas que há de se fazer?*

Bem, você sabe o que se passou agora: gritos, esperneios, cenas, cuspidas, broncas escancaradas, preceitos morais ditados a altos brados etc. etc.

---

[*] Durante sua adolescência, Costanza chamava, secretamente, Blanche de "Mula manca". Não por maldade ou falta de afeto, como se verá mais adiante, mas por causa de uma rebeldia e ironia juvenis provocadas pelos olhos sempre vigilantes de *mademoiselle*. N.A.

Ela tem razão, mas quem lhe colocou no meu caminho, para que viesse ter um papel fundamental durante esses anos que são os mais importantes da minha vida? Porque minha existência toda depende deles. E é composta de sentimentos que carimbam impressões indeléveis no meu coração. No resto, que é feito de minha vida? Eu que, atrevida, me joguei (muito forte este termo) nas loucas paixões e agora, bem sei, cheia de ilusões, me sinto calejada naquele pontinho de coração lá no fundo...

Por exemplo A., meu primeiro grande amor, era tão lindo ver suas olhadas, aliás completamente indiferentes, mas que eu julgava plenas de admiração e interesse. Depois M., uma louca paixão que durou dois dias realmente e uma semana com tentativas de reincidência, três meses oficialmente. Depois Ricardo, que foi um caso bastante continuado. Coup de foudre, *desesperadas tentativas de conquistar, vitória, dois anos aproximadamente de amor, brusca caída, separação. Então entrou em jogo minha fraqueza (fraqueza das fraquezas), os olhos verdes, cabelos negros, expressão* ébete,[*] *diga-se de passagem, mas quando amado lhe dá uma panca de sofredor indiferente das causas terrenas e materiais. Belo, afinal.*

Continuando: foi uma ruptura muito estúpida, mas embebida de sentimento ainda e, para não ficar desamparada, triste e só, me agarrei ao Roberto, o primeiro galho que, aliás, achava firme e agradável e já confesso havia premeditado. Agarrei-o porque era fácil e tu sabes por quê, diário? É porque estava em férias e não pretendia estragá-las vivendo de ruminações dolorosas. Talvez se estivesse aqui em São Paulo com aulas isto não teria acontecido, mas via-me com 15 dias livres e gozáveis à minha frente! Era assombrada pela persistente lembrança de Ricardo. A primeira perda se sente, foi angustiosa para mim, porque a impressão deixada pelas ardentes e vigorosas experiências era realmente forte, viva e principalmente recente. É necessária, naturalmente, uma adaptação em qualquer situação e foi o que eu fiz. No começo era duro, sabe?! Mas depois, como tinha todos os elementos a favor da mudança, fui me

---

[*] Abestalhado. N.A.

acostumando. A imagem dos olhos de Ricardo, verde-azulados, profundos, suas narinas sensíveis, sua boca carnuda com lindíssimos dentes, a expressão daquele raciocínio aloucado, mas completamente arrasador me voltava à memória. Analisando friamente, é claro que se chega à conclusão de que o dito-cujo é um, ou quase um, cretino altamente superficial e sem base honesta, mas tudo é transformado por esse bendito sentimento...

...Talvez seja necessário esconder-te, Darling, *não é uma ação muito franca nem reta, mas é para evitar uma outra muito menos reta e franca de parte de minha cara dita-cuja acima citada ("mula manca"), que com certeza virá te xeretar. Um beijo and* bye.

Ainda no mesmo dia...

Darling, *o amor fraterno é realmente uma grande coisa, não achas? Amo meu irmão com todo meu coração e não conceberia uma existência normal se ele partisse. Creio que mais tarde irei me acostumando a viver sem ele, pois o destino de toda mulher é criar família, mas espero que Ele o conserve sempre intacto. É tão triste brigar quando mais velhos, e depois não somente brigar, mas enveredar por caminhos diversos, cada um para seu lado e estabilizando-se num meio social ou outro em que um se sente superior, o outro inferior e este último se dá importância para poder sucumbir na mediocridade, mas sempre com a obsessão do poder na antecâmara do espírito.*

Vovô [Alfredo] *chegou hoje! Como gosto deste velho, que teve tudo na vida por merecimento de seus feitos baseados na profunda força de vontade! Chegou ao Rio com uma cantora do Municipal e nos mandou avisar ao empresário da chegada desta.*

Escrevo apenas para mais tarde me lembrar destas ideias. Uma das coisas que sempre me preocuparam foi o fato de ter-me surpreendido muitas vezes com minha completa aversão a tomar qualquer responsabilidade sobre a consciência. Talvez seja esta uma forma como outra de preguiça, mas creio que é medo, medo de minhas, ou melhor desconfiança de minhas capacidades e medo de parecer o que realmente sou, uma medíocre. Eu, na vida de todos os dias, me iludo, porque me fio na minha aparência, e quando me olho no espelho digo: "esta sou eu"; e mesmo se estou mais feia do que me vejo, me convenço, me autossugestiono: "sou bela, tenho muitos recursos". Talvez não o faça declaradamente, mas no meu subconsciente quem sabe?... E o resto se forma em base a este tema: minha beleza física. E se algo não vai, me consolo, olho para mim mesma!... Isto pode parecer de certo modo uma monstruosidade de convencimento, mas não o é, porque não é ostentativo. É certo que algumas vezes chega a transpirar, aliás muito frequentemente, já que polariza todo o meu raciocínio, minha forma de desenvolver as ideias. Não é para ferir o próximo, mas, sim, para defesa contra as feridas que este mesmo outrem me administraria. E, depois, esta beleza é tão precária e tão pouco extraordinária...

Boa noite, Darling, *estou com sono.*

Desenho feito por Costanza no seu diário de 1955.

6.

Costanza
27 de novembro de 1955

Chegaste, oh, verão! E contigo o calor do sol triunfante que reclama a leveza dos vestidos e a nudez parcial das donzelas.

...O Ibirapuera com os alto-falantes de sons fugidios que chegam com as brisas continua em sua obra de conquista de gente para a frequentação. No entanto, duvido muito que hoje, por exemplo, alguém se amontoe para o empurra-empurra dos divertimentos. Somente meu irmão e outros sujeitos apaixonados pelos motores desafiaram os rigores da temperatura para ir assistir às corridas em Interlagos.

...As pessoas, contrariando os meus prognósticos, aderem às caminhadas pelas ruas (arborizadas em parte) dos Jardins. O pobre sorveteiro parece feliz num tempo destes, por poder vender bastante, mas em compensação empurra o carrinho, que não deve ser nada leve e que emburra em cada buraco deste magnífico asfalto; faz-lhe pagar desde agora alguns anos de purgatório. Ele possui uma estranha vozinha aguda, que não se distinguiria se feminina ou masculina, se não começasse com uma espécie de gargarismo rouco:

— Aaah Kibooon!!

...Estou admirando um verdadeiro desfile de calças boquinha dos mais afamados alfaiates do país neste estio, creio eu. O linho azul-claro, então, parece estar na ordem do dia. É sem dúvida muito apropriado, apesar de amarrotar-se um pouco. É, também, usado de maneira que o faz ressaltar esplendidamente, com sapatos de bico para salientar a elegância do pé e gravatas xadrez de cores vivas intensamente originais, ou então aquelas americanas, famosas e apreciadíssimas – se possível lustrosas – com desenhos que demonstram alto teor de imaginação de arte e bom gosto de quem as fez. Os eternos janotas, que se dirigem sempre a pé-dois mesmo a algum lugar de extrema importância, passam olhando críticos para suas unhas.

Fui ver ontem à tarde um filme que não me inspirava nada, nada mesmo. Não foi mal, e pelo menos pude sair um pouco daqui. Hoje percebo que detesto os feriados, sábados e domingos quando não tenho um programa já traçado. Rasga-me o coração quando ouço os automóveis dos filhinhos de papai passando apressadamente com um barulhão como que gritando a todos que: "hoje é sábado, hoje é domingo, hoje é feriado!". E eu aqui, por minha culpa, evidentemente, chocando nesta cadeira. É absolutamente impossível aturar esta situação sem revoltar contra mim mesma, que sou a verdadeira culpada. Tive, porém, o imenso prazer de ver Ava [Gardner] *no Jornal Cinematográfico. Extremamente linda. A mantilha e os pentes lhe ficam extraordinariamente bem. Estava em lugar de honra na Plaza de los Toros, e um dos toureiros deixou-se ferir por exagerar mostrando suas bravuras à* gorgeous.*

Saindo do cinema, senti falta da gafieira que ouvi outro dia. É realmente interessante observar as manobras dos rapazes e das moças para entrarem no salão e também quando na rua ficam se observando mutuamente. Os homens parados à porta que precede uma escadinha tortuosa que sobe a um salão de onde escapam ruídos de uma orquestra extraordinariamente ritmada. E as mulheres, após momentos de indecisão, quase sempre advêm a uns poucos metros da entrada e parecem medir forças para se lançar às umbigadas. Passam muito barulhentas, sorridentes, perfumadas, penteadas e empastadas, envoltas de vestidos brilhantes (e de certo modo barbaramente luxuosos) ante os olhares perscrutadores dos homens, que, com suas infalíveis calças boquinha, comem amendoins. Se eles acham (depois do exame visual) que vale a pena entrar, o fazem, seguindo à distância de alguns passos aquela que escolheu como parceira. O resto infelizmente não posso contar com detalhes porque não pude assistir nenhuma vez diretamente, mas imagino.*

O quarto de canto no segundo andar da casa da rua Alemanha era bem iluminado. Uma das janelas, sobre a passagem de carros, olhava para o vizinho, a outra dava para a rua. A escrivaninha de Costanza, uma mesa retangular do século XIX, normalmente tinha a cadeira com as costas viradas para a rua – uma tentativa de Gabriella de minimizar as distrações e fazê-la se concentrar nas tarefas escolares. Tentativa vã, já que a coisa mais fácil do mundo era puxar a cadeira até a janela larga e, lá, escrever, dando assim asas às divagações.

Tinha outra cadeira na escrivaninha, esta, sim, encarando a rua. Quem se sentava ali era o professor particular de matemática que vinha duas vezes por semana, como viera mais cedo naquele sábado. Era um italiano de meia-idade que fazia um esforço sobre-humano para tentar capturar a atenção de Costanza. Tudo o que conseguia, porém, era um olhar embaçado, distante. "X?" é o que pareciam perguntar aqueles lindos olhos, amendoados, cor de mel. Mas o professor estava tão interessado na beleza dos olhos de Costanza quanto ela no valor de "X". Sua única vontade era fazê-la entender a matéria para que pudesse ir para casa naquele dia ensolarado. Mas como?! Talvez tivesse maior sucesso se conversasse com a parede. Frustrado, via os carros passarem lá fora e reproduzia em voz baixa o *slogan* da famosa indústria automobilística:

— *Volkswagen, o leão do asfalto!...*

Agora, sozinha, ela teria que solucionar uma série de problemas que o professor deixara, mas, em vez disso, levou sua cadeira até a janela. Seu sonho era ser escritora, assinar romances e longas reportagens jornalísticas. Para que, então, precisaria saber o valor do "X"? Mas fato era que, se não passasse na prova escrita de matemática, repetiria o ano. O exame oral de história fora um desastre. E ela que achou que tinha elaborado o plano perfeito.

Diante dos professores da bancada, sorteou o ponto e fingiu desmaio. Levaram-na até a enfermaria, onde abriu o papelzinho ainda dobrado na palma da mão. "Fenícios", era o que dizia. Quando ninguém estava olhando, saiu pela janela da enfermaria, andou pelas sacadas largas do Dante até seu armário, pegou o livro e leu tudo sobre a matéria designada. Depois de uns 40 minutos, supostamente recuperada, voltou para diante de seus mestres. Teria sido um plano perfeito se os professores, que não eram burros nem nasceram ontem, não a tivessem mandado sortear outro ponto. "Etruscos", dizia. Tirou zero.

Normalmente ela até que era boa em história, mas, dessa vez, não estudara porque foi à Bienal com a Vera, sua melhor amiga. Daí desenvolveu esse plano infalível.

Sua única esperança agora era a prova de matemática. Se bombasse, teria de ver as mesmas matérias no ano seguinte. Imaginava a decepção de seus pais, a humilhação de se sentir medíocre, confirmando o que sempre lhe diziam.

Será que ela era a única de sua família fadada ao fracasso? Será que era burra e indolente, uma mancha no nome Pascolato, como dizia sua mãe? Gabriella citava antepassados distantes que haviam sujado o nome da família, afirmando que a filha teria puxado deles sua incompetência. (Sempre Pascolato, só podia ser daquele lado, jamais um Pallavicini ou Quaglia, que, com certeza, eram todos perfeitos!) Sentada na janela, em vez de estudar, Costanza filosofava, confirmando uma profecia autorrealizável:

É pena ser a ovelha negra da família, o acúmulo de defeitos de gerações e gerações. Mas será que é-se mau em função da família ou por conta própria? É verdade que os traços físicos e morais sempre aparecem, mas não é imprescindível que uma pessoa seja má ou boa apenas a depender dos antepassados. Aliás, seria injusto porque estes não têm nada que ver comigo e, na maioria, como é natural, nunca teriam pensado que em épocas remotas haveriam de ter uma descendente, não degenerada, porque o termo é muito forte, mas não 100% como deveria ser, aliás, bem pior. É como ser taxada de inútil para toda a vida, ao menos contraproducente à retidão moral de uma linhagem. Está claro, se não consigo me dedicar aos estudos, que agora são as coisas mais importantes de minha vida, tenho uma probabilidade sobre 10.000 de conseguir me dedicar aos trabalhos que terei mais tarde, nem que seja simplesmente o de dona de casa, que apesar de não parecer é uma coisa bastante difícil e complexa para ser bem-feita...

Tudo o que ela queria fazer era escapar. Fugir da rigidez dos pais, dos olhares sempre vigilantes de Blanche, que não a deixavam relaxar por um segundo que fosse. Toda aquela dureza talvez funcionasse com seu irmão, muito mais certinho, mas para ela tinha o efeito contrário.

Poucos anos antes, Costanza tinha pulado daquela mesma janela, onde agora se sentava. Não com intenções macabras. Sabia que se algo desse errado as azaleias embaixo amorteceriam a queda. Ela segurava um guarda-chuva aberto achando que assim poderia voar. A não ser por alguns poucos arranhões, a única coisa que saiu ferida foi seu orgulho.

Costanza estava sempre em busca de uma via de escape: os filmes de Hollywood, com seus atores e atrizes glamourosíssimos, o diário, os namorados, as festas e os amigos, os devaneios e a literatura.

Ela adorava ler; sempre, muito, desde pequena. Em boa parte graças à Blanche, que, em seus dias de folga, ia para a Livraria Francesa na rua Barão de Itapetininga e comprava romances para ela. Depois passou para o italiano e o português. Quando ficou sabendo da existência do Index do Vaticano, uma lista de títulos banidos que poderiam "provocar a corrupção dos fiéis", foi correndo procurá-los. E não eram fáceis de se encontrar. Afinal, tinham sido proibidos.

Ela os lia com a voracidade de quem queria se provar diferente. Às vezes cabulava a aula e fugia para o Cemitério da Consolação. Sentava-se num banco e mergulhava nas mais diversas histórias. No silêncio, entre esculturas, mausoléus e painéis de artistas como Victor Brecheret, Álvares Penteado, Galileo Emendabili e Ramos de Azevedo, acompanhada por um bom livro, ela se sentia em paz.

Na busca constante por novas maneiras de escapar da realidade, ela deu para roubar as bebidas de seu pai. Naquele mesmo sábado, no fim da tarde, ainda sentada à janela, começava a sentir os efeitos do copo de uísque que pegara no bar. Apesar de alegrinha, não conseguia se livrar de um sentimento distante de preocupação, como se tivesse feito algo de errado. Em sua confusão alcoólica, estava certa de que estragara uma garrafa inteira de *scotch*. O copo que havia enchido com o líquido grosso de cor caramelo continha algumas gotas de Carpano, a bebida favorita de seu pai. Como achou que era muito o uísque despejado, devolveu-o à garrafa com Carpano e tudo. Evidentemente, uma burrada.

— *Costanza, au lit!*[*] – ouviu Blanche dizer do outro lado da porta.

Não posso, não quero, não quero, não posso..., pensava. Sentia uma vontade de fazer xixi, nos lábios secos um sentimento de saciedade. Ouvia rumores em surdina, os tique-taques nervosos de Alessandro se expandindo em seu quarto. As vozes metálicas de sua mãe, de seu pai e da "mula".

7.

Costanza
Diário de Costanza, 14 de dezembro de 1955

Hoje acabou. Repeti de ano. Estou com vergonha de mim mesma, mas já é tarde. O ano que vem vou fazer tudo novamente, mas vou procurar uma atividade fora disso. Não posso começar tudo novamente como se nada tivesse acontecido. Aconteceu. Perdi um ano. É uma vergonha. A reação de minha mãe foi violenta como eu esperava e tenho certeza que pagarei bem caro tudo isto, por minha vontade ou não. Falta meu pai. Não quero nem pensar no que vai acontecer. Quanto ao Guarujá, para mim não tem nenhuma importância, aliás, se não for, precisarei de

---

[*] Costanza, já pra cama!

professores particulares. Mas creio que vou, e se for estudarei, porque o ano que vem terei que fazer um ano bomba com um aproveitamento máximo e, portanto, tenho que me desenferrujar desde agora.

Espero só a reação de meu pai. O desgosto já sei que será o máximo, pois, até agora, não fiz outra coisa senão dar-lhe desgostos. Mas se por acaso mereço um pouco de piedade da parte de meu Senhor, peço-a agora. Quero que meu pai não sinta demasiadamente este meu fracasso. Espero no ano que vem, já começando com as férias, ter mais vontade, não me deixar vencer pela inércia. Peço-o, imploro-o.

15 de dezembro de 1955

Estou no Guarujá. O mar está verde perto da praia, e vai se tornando sempre mais azul, desaparecendo no horizonte. Há uma ilhota com o cimo verde e pedras que quanto mais próximas ao mar mais escuras são. Úmidas, palpitantes, cheias desta vida misteriosa que se desprende do mar. No complexo, tudo é belo e, se pudesse ser considerado com mais otimismo, mesmo maravilhoso.

Agora, me dedicaria à descrição da natureza, se não sentisse que ela está farta de ser inspecionada e decantada sob todos os aspectos, entre os quais a maioria infame. E, depois, é sempre a mesma tecla. Para que mentir e dizer que este mar me impressiona? Este que hoje está claríssimo e parece querer que lhe conheçam os segredos. Continua fascinante, misterioso como sempre e, na sua aparência plácida, creio, algo traiçoeiro. E do outro lado, os montes. Os montes que são quase banais, inteiramente revestidos de vegetação. Ela é abundante, quase exagerada, de plantas que chamam de "mata atlântica" e parecem ser o símbolo da "união faz a força". Uma árvore isolada é uma nulidade, um aglomerado é uma força arrasadora.

Do sopé à praia há os mais variados tipos de ambientes. Começando com os "barracões pendurados no morro", vai se sofisticando até chegar à praia, onde os corpos mais ricamente oleados e mais sumamente revestidos espreguiçam-se na areia. Perto do mar, é ultramoderno, ultraluxo etc. O contraste, principalmente daqui de cima, destes monstros de cimento armado é impressionante e nada charmant. Mas ignora-se o feio...

Si Guarujá m'estait conté[*], *creio que não dormiria mais em paz. Chego por vezes à conclusão de que muitas coisas são mais belas quando desconhecidas, onde a imaginação pode trabalhar. Sim, porque a imaginação, principalmente a dos jovens, é otimista. Quão lindo era meu sonho da piscina no "Conto da misteriosa" que escrevi no ano passado. Tudo possuía aquele tom irreal, belo e quase sublime. Tudo de perto é tão banal...*

Tomando como parâmetro o Guarujá de hoje em dia, é difícil explicar o que ele significou nos anos 1950. Podia-se até dizer que, durante as férias de verão, a sociedade paulistana existia no Guarujá. Todos passavam a temporada na linda e, até então, despoluída ilha do litoral sul.

Segundo Rita Lee:

Nas férias de verão, o Guarujá era o paraíso perdido. Uma peixaria, uma sorveteria, uma quitanda, um armarinho, um pronto-socorro, um microcineminha e uma central telefônica era tudo que os poucos nativos precisavam... nos anos 1950, o Guarujá era conhecido internacionalmente pelo Gran Cassino, uma espécie de ilha da fantasia dentro da Ilha de Santo Amaro. Celebridades planetárias lá se hospedavam e festas nababescas aconteciam num contraste surreal com o resto da aldeia.[**]

Até hoje, Costanza se lembra do Guarujá de suas férias. Os passeios pelas lindas praias, o sorvete, o cinema e o *glamour* do Cassino, ainda mais sedutor por ser proibido para ela, que era menor de idade. Sobre o desconhecido, escrevia contos e imaginava enredos fantásticos, romances hollywoodianos.

---

[*] "Se o Guarujá pudesse falar".
[**] Rita Lee. *Rita Lee: uma autobiografia*. São Paulo: Globo, 2016.

Poucos dias depois de sua chegada ao balneário, na praia da Enseada não se dava dez passos sem ouvir o *buongiorno*, *buonasera*, *buongiorno* dos integrantes da colônia que desciam de São Paulo em massa. Ela gostava de caminhar na praia, de tomar sol, de fazer exercício, de perceber como os homens viravam a cabeça para olhá-la. Aos 16 anos, ainda era quase uma menina, mas, muito precoce, já parecia adulta.

Desde muito cedo, Costanza aprendeu a reconhecer sua beleza. Miki e Gabriella ficavam furiosos com os pretendentes que apareciam na rua Alemanha a qualquer hora do dia ou da noite. Aqueles mais jovens e com menos dinheiro ficavam em pé do outro lado da rua, olhando para as janelas do segundo andar, tentando adivinhar qual seria a do quarto de sua amada. Os outros, que vinham de famílias mais abastadas e já estavam motorizados, davam voltas no quarteirão, diminuindo a velocidade e fazendo pose em frente à casa. Não eram maiores de idade nem tinham carta de motorista. Na época, era comum que filhos de grandes famílias ganhassem possantes de seus pais quando faziam 16 anos. Nos finais de semana, iam todos apostar corrida em Interlagos.

Se Miki e Gabi não achavam graça alguma naquele assédio, Alessandro, então com 12 anos, tinha um *approach* mais pragmático. Identificava os possíveis pretendentes e cobrava trocados ou favores para ajudá-los a se aproximarem da irmã.

As musas absolutas de Costanza eram Ava Gardner e Silvana Mangano, com quem se achava parecida. Passava horas se contemplando em frente ao vidro da janela. (Ainda no projeto "evitemos distrações para Costanza", Gabriella tirou os espelhos do quarto da filha, que, cheia de recursos, usava o reflexo do vidro na janela.) Examinava seus vários ângulos para ver qual a favorecia mais, pinçava o queixo para aumentar a semelhança com a musa norte-americana, ou arrebitava o nariz aquilino, que ela achava comprido demais. Já sua semelhança com a atriz italiana, anos mais tarde, lhe rendeu um retrato feito por Luchino

Visconti. Era bom se sentir bela não apenas por mera vaidade, mas por uma crença de que o mundo era mais fácil para as mulheres bonitas.

De fato, Costanza tem histórias incríveis que aconteceram ao longo de sua vida. Quando tinha 15 anos, seus pais quiseram mostrar a ela e Alessandro um pouco do que fora a vida deles antes da guerra. Organizaram uma viagem para Roma, não poupando recursos ao reservarem quartos no Grand Hotel, que, durante um tempo, fora o segundo lar do casal. Costanza, que visitava a Europa pela primeira vez desde a vinda para o Brasil, sete anos antes, ficou maravilhada. Na sua curiosidade infinita, circulava pelos corredores e salões do hotel observando cada detalhe; dos candelabros aos rodapés e carpetes.

Durante essas perambulagens, às vezes cruzava com Errol Flynn, já velho, com a carreira em decadência. Ele estava com a esposa gravando no Cinecittà e passava o resto do tempo passeando pelo hotel, puxando um carrinho de chá cheio de canapés com uma mão e segurando um copo de uísque com a outra. Adolescente de tudo, Costanza vestia saias pregueadas com sapatos fechados e meias brancas, soquete. Vê-se que ele achou aquilo interessante, porque passou a seguir a jovem e conversar com ela sempre que a oportunidade se apresentava. Quando Miki percebeu o que estava acontecendo, ficou louco da vida! Reclamou com a gerência do hotel, mas os italianos, com aquele ar displicente, não deram muita atenção. Sem outros recursos, proibiu a filha de andar sozinha para poder ficar de olho, o que ela achou meio chato, já que a impedia de continuar explorando aquele lugar maravilhoso. Mas assim era a vida.

Ser bonita trazia uma série de vantagens, mas, por outro lado, punha uma pressão grande demais numa jovem de apenas 16 anos. Costanza puxou de sua mãe a constante preocupação com o corpo, que, é claro, se intensificava à medida que as férias se aproximavam:

Parece que tenho que emagrecer. Emagrecer para ter um lugar de destaque lá embaixo, onde não é mais matinho, nem vagabundice, mas é society no duro, em parte (e outra parte que tenta se infiltrar). Veremos* millions *de gente bem e teremos que parecer um pouco bem idem, por questão de prestígio pessoal. Já agora pode-se ver as pessoas que andam por lá, perfeitamente adaptadas, com roupa muito* habillé, *apesar de ser completamente fora de estação...*

Alguns dias depois:

Estou com fome. Não quero comer. Esquecer, nas brumas do idealismo severo, é o que quero, para somente três vezes por dia me saciar, ligeiramente. Juro que chegarei aos 52 quilos. Espero conseguir com a ajuda de my gods. *Será que o cigarro tira a fome? Se tirar, lindos macinhos, podeis contar com minha visita de vez em sempre. [...] Estou fumando, mas não passa a fome. Talvez tenha que amenizar os rigores da dieta. A mim parece que estou queimando muitas calorias, sem dúvida mais do que ingeri e, portanto, as que estão acumuladas em gramas, nas minhas vastas banhas.* Darling, *ajuda-me a pensar no céu, nas estrelas, nas aves, nas plantas, nas flores, em tudo para esquecer que estou com fome. E pensar que lá embaixo existe um pudim de pão e uma torta de abacaxi no forno, quente e saborosa, para ser mastigada e deliciada.*

E alguns dias mais tarde:

Não emagreço mais nem a tiro! Estou nos 55 quilos e ninguém me tira disso. Creio que não deveria beber. É um sacrifício que impus a mim mesma, voluntariamente, para pagar vários pecados de gula que andei fazendo.

"Pecados de gula" cometidos na maior parte com queijos e frios, que sempre foram seu fraco. Não era raro ela, no meio da noite, ir faminta até a cozinha com um firme propósito. Normalmente conseguia

---

* No Guarujá.

se safar roubando algumas fatias de *prosciutto* sem que ninguém percebesse, mas, em certas ocasiões, a gula lhe custava caro. Como quando uma das empregadas portuguesas voltou de férias da terrinha trazendo para Dona Gabriella um lindo queijo da Serra da Estrela.

Impossibilitada de dormir por causa da fome e assombrada pelo incessante chamado daquela maravilha de terras lusitanas, Costanza cedeu à tentação, desceu a escada, deu um jeito de abrir o cadeado da despensa, fez um furo na parte inferior da casca e, usando uma colher, se jogou na cremosidade láctea. Depois tampou a casca que, sendo dura, camuflava bem o oco que restara, pôs a peça no mesmo lugar em que a tinha encontrado, trancou a despensa e foi dormir feliz.

Dali a alguns dias, seus pais, recebendo amigos para um coquetel antes de sair para jantar, serviram o famoso queijo; uma iguaria para os hóspedes de honra. Assim que seu pai enfiou a faca, a casca oca afundou...

Frequentando ou não o luxuoso Cassino em Guarujá, aquelas foram as melhores férias que Costanza já tivera, em grande parte por causa de seu namoro com Roberto Lenci. Desde os 12 anos se interessava por ele, mas havia pouco que começaram a namorar de forma inocente, como era o padrão para uma moça de boa família. Sair, só em turma ou se a Blanche fosse junto.

Roberto estava hospedado no apartamento de seu melhor amigo, Claudio Bardella, no mesmo prédio que ela e, portanto, os dois se viam praticamente todos os dias. Claro que, com o *flair* dramático de Costanza e o *pathos* inerente à juventude, esse romance não podia deixar de ser um tanto quanto movimentado. Tudo narrado à exaustão, em seu querido *Darling*:

15 de janeiro de 1956

Domingo. Dia idiota do começo ao fim. Na Enseada não demos as caras. No começo pensei que afinal não seria tão trágico assim, porque à noite poderia ver meu bem, mas passou-se a manhã, passou-se

263

lentamente, muito lentamente a tarde, veio a missa e nela soube que ele tinha ido embora para voltar sábado. Como viera de supetão a notícia e principalmente por meio da Vera, não fiz muitíssimo caso, pensando que ele viria se despedir como fez sempre. Fui jantar em casa da Vera e pensei que no sorvete o encontraria. Mas quando vi o Dante solitário aparecer, corri e perguntei onde estava o Ro, ou melhor, se já tinha partido. Ele falou que sim, mas que tinha ido me procurar. Bem, foi a nota. Você deve saber, Darling, *que eu sou propensa muitas vezes a dar uma série de espetáculos grátis a quem se encontra em minha companhia. E nesta noite de domingo, onde tudo era festa, eu me desesperei. Sintetizando: indignei--me, falei, gritei, protestei, xinguei e também, com espanto dos presentes, chorei. Isto tudo no trajeto Cassino-Mondubar. E lá chegando, minhas lágrimas já haviam secado. Mas estava combativa, relutante e tristonha.*

16 de janeiro de 1956

Hoje de manhã, devido às bolhas de sol, que finalmente apareceram, não muito profundas graças a Dios, *coloquei uma camada de Picratão, e saí por aí com um* chandal *azul, o mais descolado possível. Não fui à praia, porque certamente iria fazer uma carnificina com minhas pobres costas...*

À tarde saímos Pa, Ma e eu para irmos ao contrabandista[*] (que está muito mixo). À noite fomos decididamente ao cinema com a Linda e a Vera e lá encontramos os meninos e meninas. Eu tentava economizar meu bom humor para aguentar firme até sábado, mas me sentei muito pouco comodamente no chão. Após duas horas, o mau humor era generalizado quando, finalmente, o filme, que não era grande coisa, terminou, as portas se abriram e o fluxo humano começou a escorrer delas. De repente, um raio de felicidade tão doce me atingiu, que por momentos me senti um verdadeiro marron glacé. *Era o possante lustrosíssimo, com suas três calotas novas e uma velha, e o Roberto ao volante. Não sei se corri, voei ou simplesmente andei, mas sei que cheguei e as minhas duas mãos enlaçaram com as*

---

[*] Nos anos 1950, as importações eram proibidas, era comum se frequentar "contrabandistas" ou "sacoleiros" que traziam as novidades da Europa.

duas mãos dele e, entre uma Julieta (da era superatômica 56) e um Romeu (idem), que se fitavam cheios de amor, um colóquio dulcíssimo teve lugar. É inútil dizer que Shakespeare teria morrido de colapso ao ver comparadas as suas figuras com estas duas e os colóquios dos medievais amantes com estes. Mas o movente era sempre o mesmo: Amor. Mais ou menos intenso, mais ou menos profundo, mas era amor. E aí então, naquele momento tão rápido, esqueci os choros de meia-noite tão amargos embaixo do chuveiro.

8.

Costanza

No verão paulistano, às vésperas de voltar para a escola, Costanza, angustiada, se lembrava da primavera de 1945, que ficou marcada na história da família como a mais terrível de todas.

16 de fevereiro de 1956

Vai se aproximando o dia fatal. Depois de amanhã. E agora, o que é de minha vida? Ou melhor ainda, o que será dela? Tenho nas costas um ano perdido, que me pesa mais do que possa parecer e que, creio, irá me pesar mais ainda com o passar do tempo. Será que os outros pensam em coisas mais alegres em vez de pensarem sempre em coisas desagradáveis? Gostaria imenso de saber. Porque as pessoas que conheço intimamente e que tu também já conheces, têm preocupações, e as que conheço assim, mais por cima, não demonstram o que sentem no íntimo. Serão palhaços como Turner, como Ava Gardner, como Marilyn, quem sabe? Talvez todos sejam assim, como eu mesma em muitas ocasiões. Mas deixemos isso de lado. Não gosto.

*Connie** está pálida, Darling. Isto é raro. O que terá? Não se sabe. Talvez um tremendo resfriado esteja para dar as caras. Ou então Connie se prepara para fazer os exames. E assim, depois de amanhã será o dia decisivo. Pensa, Connie, naquilo que você sempre quis dar a culpa de sua letargia melancólica: aqueles fatos não tão trágicos, nem tão importantes quanto você quer que pareçam. Você, que conta aqueles fatos de sua infância com uma decisão, um sentimento, uma expressão tão realísticos que consegue chorar e fazer os outros fazerem o mesmo. Contar os fatos tão impregnados de sentimentos nobres, puros; enlameados.*

A história dos roubos, a dos castigos dos dirigentes do campo de refugiados na Suíça e dos espancamentos da quadrilha de "guys". E dos abraços sarnentos e pulguentos dos iugoslavos de "Getz" de peles. E da doença de minha mãe, da separação de Papai, da folga de meu irmão, das noites sobre palha dos estábulos onde as aranhas passavam bem onde se comia tabletes de chocolate como desjejum, almoço, chá, jantar e ceia.

E a mudança de um campo para o outro com aquelas marchas em plena rua, expostos à curiosidade pública, e onde se viam lojas bem fornecidas, imaculadas, que não desmereciam a fama de perfeitos cleaners *dos suíços. Vitrines, onde a fruta se mostrava sedutora, perturbadora, quase imoral aos prisioneiros que comiam sopas de batatas que saíam moles, amarelas, malcheirosas, aos borbotões dos panelões comuns. Dos panelões para os pratos de estanho e os pratos em cima das mesas longas, rústicas, mal plainadas, acompanhadas de bancas do mesmo estilo, sem encosto, bem lixadas pelos tantos sentar. E também, nas vitrinas, o que sempre me atraiu: as guloseimas.*

Naquele dia, a caminho da estação, justamente com a turma de rapazes e moças na retaguarda da fila-grupo, toda encapuzada, ou não, apenas com a roupa, roupa no corpo, via o céu tão azul atrás dos montes e as folhas novas de um verde forte, tão claras nos ramos escuros. Eram folhas tímidas, como que encabuladas de aparecer em público com sua pequenez, insignificância. Mal sabiam elas quanta beleza davam e um sentimento de alívio que quase podia-se chamar felicidade.

E de repente, meus olhos embevecidos, distraídos, contempladores, de menina de cinco anos caíram sobre aquela vitrine. Era estreita, com

---

* Apelido que Costanza deu a si mesma.

os vidros limpíssimos, e como enfeite tinha montes e montes de formas marrom-escuras tão eloquentes que me davam a impressão de estar sentindo o aroma embriagador. E depois os celofanes, os papéis dourados e prateados e as tortas com maçãs em gelatina, pêssegos, damascos, e vidros e latas de geleias de morango, amora, cerejas... Foi um golpe. Como se um sino começasse a tocar de forma ensurdecedora dentro de minha cabeça. E eu via os morangos boiando sobre o chantilly *e as xícaras de chocolate fumegantes com creme... Coisas que, naquela época, não assustavam minha silhueta de pele e ossos. E o guizo no crânio não parava, continuava, continuava... E eu hipnotizada, de olhos arregalados, ia de encontro àqueles vidros que, se os tivesse lambido, teriam-me parecido saborosíssimos, só de conter aquelas maravilhas monstruosas. Mas já de minha prostração veio-me tirar uma voz irônica, rouca, em falso, que dizia para seguir, seguir com pressa senão iria-se perder o trem.*

O trem... Sempre tive a especialidade de esquecer as viagens feitas nos trens. E essa não fugiu à regra. Depois veio a estação de chegada, gente, muita gente, feliz e infeliz, que contava com lágrimas ou sorrisos para onde se dirigia. E pacotes, e sol, e árvores. E a sensação de conhecer uma nova casa onde se vem morar. Era um bom campo de refugiados. Uma lindíssima ex-mansão com imenso parque, com "terras" para flores, já semidemolidas bem no centro do extenso jardim, muito pouco frequentadas. Quartel-general mais tarde dos "guys".

E depois vieram os serviços para ser aceita na companhia dos moços. E o medo, o medo petrificante, o medo da incompreensão. Mas, assim mesmo, eu era uma estranha. Entrava sorrateira nesses lugares de reunião encolhendo-me o mais possível para poder passar desapercebida. Mas invariavelmente viam-me e paravam os diálogos de repente, voltavam todos a cabeça em minha direção e me pareciam lívidos, amarelos, de olhos vítreos com expressão de dura expectativa, com uma sombra de desprezo. Eu era uma intrusa, mas se não podia ficar com os bebês, porque não me deixavam. Com quem iria eu ficar, já que a sorte fizera com que não existissem mais crianças do meu tamanho?

Então me davam os serviços mais desprezíveis, mais desinteressantes, mas ao mesmo tempo perigosos porque, uma vez ou outra, me apanhariam. Como de fato me apanharam. Senti pesadamente sobre mim o horror de ser covarde. Porque senti que por medo eu delataria meus companheiros. É verdade que não os queria muito, mas por dignidade, lealdade, eu não deveria delatar. Mas que sabia de lealdade aos cinco anos? Nada ou quase nada. Ainda assim, é verdade que os caracteres se delineiam quase com precisão nas mais tenras idades. Mas eu tinha muitos fatores contra e me sentia tão fraca, tão infeliz, tão impotente...

Depois foram melhorando o trato para todos nós até que, um dia, vieram as enfermeiras fardadas para nos acompanhar a um piquenique. Eu fui, levando todo meu amor na cestinha de vime coberta por um guardanapo xadrez, onde estava meu lanche. Era uma coisa finalmente minha, só minha, e que haveria de ser somente eu a destruir. E levava minha cestinha embaixo do braço, feliz. Via passar o céu por sobre as árvores muito verdes, céu quase sem nuvens, mas quando eu caminhava para a frente, sempre para a frente, apressava-se em correr do lado oposto e eu o via através das copas frondosas. O resto não sei como foi, mas sentia que era o fim daquilo e de fato, alguns tempos depois terminou.

Fui então para a Suíça: Sierre Montana. De Sierre me lembro dos pomares tão perfumados de ameixa, das uvas que rastejavam com seus ramos retortos, pesados, pelos cachos, por centenas de metros numa profusão de folhas e frutos. E os laguinhos domingueiros cheios de sol, onde todos os burgueses honestos iam dar seu passeio após a missa. E os bosques tão irreais, com a luz do sol filtrada pelas folhas e o musgo atapetando o chão, com cogumelos rompendo a terra, amoras e morangos selvagens com o vermelho perfumado. Mas para compensar a parcela de bom, havia a ruim. E como ruim havia a falsidade intriguenta das freiras, aquela "pomponière" cujos dormitórios cheiravam a leite em pó das mamadeiras, e onde, pelos corredores longos, escuros, de chão vermelho encerado, as enfermeiras passavam com os uniformes brancos cheirando a goma.

1º de agosto de 1956

Eis o que penso de vocês:

A Blanche é uma egoísta acostumada com sua vida parada e, de uns tempos para cá, fanática, que gosta de fazer tudo o que lhe agrada e que detesta que alguém lhe modifique os planos, seja mesmo de um milímetro. Os sacrifícios e os belos gestos fazem parte de um misticismo pelo qual estes bastariam para abrandar os crepúsculos de consciência nos seus exames diários e matemáticos.

Minha mãe é sempre mãe. Mas quando o egoísmo chega ao ponto de se deformar tanto a fazer crer aos outros, com atos e comprovantes, que é altruísmo, é monstruoso. O que é bom é dela, o que não, é fora, ou então para o outro lado. Há egoísmo, egoísmo puro em tudo o que ela pensa e fala. Tudo deformado, tudo distribuído de maneira a não parecer. E depois me humilha, humilha, humilha, humilha, humilha, humilha, humilha, humilha, eu não suporto!! Eu a odeio às vezes, que Deus me perdoe.

É sempre uma cena, sempre uma representação, ela não vê que toda a falsidade, a duplicidade de caráter, mesmo que aplicada de outra forma, vem dela. Nunca houve nada em mim, moralmente falando, segundo ela, parecido com ela. Mas existe, todo o mal que eu encarno não pode ser apenas de meus antepassados por parte de pai, mas também do lado dela, sempre do lado dela. Todos os defeitos, as podridões, as monstruosidades de caráter são meus. Sou uma ruína, ruína progressiva e, já que sou assim, sou feliz em pensar que um pouco, senão muito do mal que tenho é dela, é dela e não adianta negar! Não adianta pôr a culpa nele, meu pai! Disse-me uma vez: "Árvore que cresce mal é melhor cortá-la pela raiz logo, do que deixá-la crescer aleijada". Assim se faça. E se por acaso fui posta ao mundo para fazer expiar os poucos ou muitos pecados deles, sou feliz de ser a ovelha negra. Pelo menos tenho a missão de ser medíocre: nem completamente podre nem completamente pura.

Não quero mais nada. Nunca serei nada e não me importa. Nem por eles. Não adianta ter remorsos. Os remorsos, tão cedo esquecidos como tive até agora, de nada me servem. Não sou uma inteligência também. Eles, sim, são inteligentes. E meu irmão também. Eu não. Sempre não... Não me importa nada, não quero remorso, não quero gostar de ninguém por mais que eles digam me amar tanto, talvez haja um lapso em tudo isso, eu não os quero. Sou um monstro de egoísmo. Não gosto deles, não os amo, não os quero. E assim eu sei muito bem que, se me encontrar em situações difíceis, amaldiçoarei tudo dizendo que são injustos comigo. Tudo me é dado e eu nada dou, nada devo.

9.

Costanza
1962

Justamente em feliz dezembro com os seus verdes novos, no dia 15 ao meio-dia, na mais bela igreja de São Paulo, porque simples e ultramoderna como São Paulo, a igreja de São Domingos, Costanza Pascolato sobe ao altar para tornar-se a senhora Richard Lane Blocker. Na véspera, Michele Pascolato e Gabriella Pallavicini Pascolato, pais de Costanza, recebem na Hípica Paulista para apresentar os noivos aos amigos. *

A gafe da coluna social ficou guardada durante todos esses anos em um recorte no caderninho de *clipping* de Costanza. A nota deveria registrar o matrimônio da *socialite* com o então desconhecido jovem Robert Hefley Blocker, só que, por engano, publicou o nome de seu irmão mais velho.

Robert nasceu em Santana do Livramento, no Rio Grande do Sul. Seu pai, de uma família de tradição pecuarista texana, viera ao Brasil trabalhar para a empresa Armour. Seu avô paterno fora um dos maiores *cattle drivers* (transportadores de gado) norte-americanos, chegando a mover em um ano 82.000 cabeças, tocadas apenas por *cowboys* montados e seus cachorros, como se vê nos velhos filmes de faroeste.

Dos pampas gaúchos, os Blocker se mudaram para São Paulo. Encontraram uma casa no Alto da Lapa, que, como todos os bairros da Companhia City, tinha ruas sinuosas, tranquilas e arborizadas. As duas meninas do casal, irmãs de Robert, brincavam que moravam em *Lapá Heights*, fingindo sotaque francês para dar um ar mais sofisticado ao bairro de classe média. Foi lá,

---

* Jornal desconhecido, terça-feira, 27 de novembro de 1962.

Robert Blocker com o pai, o Bambino, na fazenda da família.

com muito amor e bom humor, que Clarita e Bambino (Richard Lane pai) criaram os cinco filhos: Bibi (Elizabeth Ann), Lane, Lee, Robert e Suzy. Todos os dias eles pegavam o bonde para a Escola Graduada de São Paulo, então localizada na rua Oscar Porto, próximo à avenida Paulista.

Era uma família bem tradicional, fundamentada em conceitos que hoje em dia alguns considerariam caretas. Nas férias, iam para a Fazenda Ribeirão, administrada por Bambino para a Cia. Armour. Eram 2.000 alqueires entre Campinas e Mogi Mirim, perto de Jaguariúna. Cada um tinha seu cavalo: Bibi, Capitão; Lane, Silver; Lee, Tony; Robert, Dudu; e Suzy, Antoninho.

Os rapazes aprenderam a montar com um método muito eficaz. Assim que completavam seis anos, o pai os colocava em cima de um tourinho e dizia:

— Segura, peão!! – e soltava o bicho.

Na época de transportar o gado, os rapazes seguiam com os peões por dias, dormindo a céu aberto e usando as selas como travesseiro. Subiam em árvores, tomavam banho de rio e comiam fruta no pé. No Natal, cada um ganhava uma latinha de leite condensado, faziam doce de leite, que guardavam na geladeira. Todos se achavam espertíssimos quando comiam o doce da lata dos irmãos para economizar seu próprio. Só que, como todos faziam a mesma coisa, o doce de leite sempre acabava indo embora sem que ninguém comesse o seu.

Em 1948, quando Robert tinha 13 anos, a fazenda foi vendida para a Associação Holandesa dos Lavradores e Horticultores Católicos, para abrigar imigrantes fazendeiros no pós-guerra, e recebeu o nome de Holambra.

Alguns anos mais tarde, Robert foi para a faculdade nos Estados Unidos, cursou dois anos de História no Virginia Military Institute e terminou sua formação acadêmica na University of Texas com um diploma em Administração. Foi contratado pelo Chase Manhattan Bank, em Nova York, sendo em seguida transferido para Porto Rico e depois para o Rio de Janeiro.

Em 1961, ainda morando na Cidade Maravilhosa, numa visita a São Paulo para comparecer à magnífica festa de casamento de Maria Pia Matarazzo com Roberto Lee, ele conheceu Costanza. Quem fez a apresentação foi o xará e melhor amigo de Robert, primogênito dos Civita e futuro presidente do Grupo Abril. Os dois estudaram juntos na Escola Graduada e, apesar da separação geográfica durante os anos de faculdade, continuaram grandes amigos.

Robert ficou fascinado por Costanza e insistiu durante meses com inúmeros telefonemas malsucedidos até conseguir sair com ela uma primeira vez. Um ano mais tarde, estavam de casamento marcado.

— Alô, Banço Lar Brasileiro.

— Boa tarde, eu gostaria de ter referências de um funcionário de vocês, Robert He...Hefley Blocker.

— Referências? Poderia saber do que se trata?

— Eu sou um investigador particular, a família de sua noiva gostaria de saber se ele é um rapaz de bem.

— Sim, ótimo, inteligente, sério, eficiente. Tem uma carreira muito promissora. Ela não poderia ter escolhido melhor partido.

Bem nessa época, o Chase comprou uma participação de 60% no Banco Lar Brasileiro e Robert foi transferido para São Paulo junto com seu superior para garantir que a fusão corresse da forma mais suave possível. Querendo saber mais sobre esse americano que queria se casar com sua filha, Michele contratou um detetive particular para investigá-lo. Não devia ser muito bom, pois telefonou para o banco sem noção de que o escritório tinha apenas dois funcionários. Robert atendeu o telefone e passou as melhores referências sobre si mesmo.

10.

Gabriella

Gabriella não morria de amores por americanos, afinal, foram eles que saquearam seu lindo apartamento em Roma, roubando até as cadeiras centenárias que Mamma Ida lhe dera quando se casou com Miki. Mas isso tinha sido em tempos passados e seu futuro genro nada tinha a ver com a atuação do Exército Aliado na Segunda Guerra. Robert parecia ser um rapaz sério e o detetive que Miki contratou lhes trouxe as melhores recomendações. Além do mais, foi um alívio ver Costanza mais tranquila, sua vida tomando rumo depois de tantos anos difíceis.

Por mais que tentasse, Gabriella não conseguia entender a filha. Ela vivia num mundo próprio, preocupada com futilidades. Quase nunca falava com os pais e, quando dizia algo, geralmente era mentira. Os estudos foram um desastre. Parecia ter melhorado depois de repetir de ano, mas descobriram que era mais uma grande farsa. Nem os livros de matemática ela comprou. Gastou todo o dinheiro indo ao cinema. Quando Miki descobriu, ficou tão bravo! Deu um tapa no rosto de Costanza na frente do prof. Porta, o diretor do Dante, que o havia chamado para discutir a situação da filha. Também ficou enfurecido com o colégio por não tê-lo notificado antes de que ela estava indo tão mal. Foi aí que descobriram que a aluna vinha falsificando a assinatura do pai nos boletins. Repetiu de ano novamente, desta vez o último colegial, então decidiram tirá-la da escola e pô-la para trabalhar na Santaconstancia.

De início, a fizeram ajudar a Lídia, secretária de Miki, no escritório da Vieira de Carvalho. Costanza tinha como principal tarefa arquivar documentos, mas foi terrível. Errava tudo, guardava os papéis fora do lugar...

Por sorte e iniciativa própria, Costanza começou a observar Gabriella e suas vendedoras, entrosando-se no departamento comercial. Parecia que levava jeito para a coisa. Sabia falar com os clientes, era muito elegante, entendia de moda e os compradores pareciam respeitar sua opinião. Era uma luz no fim do túnel.

A vida amorosa, até conhecer Robert, fora outro desastre! Primeiro o vai e volta com Roberto Lenci. E depois, quando ele finalmente terminou o relacionamento, Costanza começou a aparecer cada hora com um namorado diferente. Era um mundo de mentiras para conseguir sair com eles sozinha.

Por que será que não podia ser um pouco mais como seu irmão? Alessandro ia muito bem nos estudos. Tinha se formado cedo no Dante e agora cursava Economia na USP. Sempre objetivo e aplicado, logo se juntaria ao pai na administração da Santaconstancia. É verdade que aprontava das suas. Gostava de correr de motocicleta, inventou até um nome falso para que a mãe não descobrisse que participava de corridas em Interlagos, mas nunca deixava isso atrapalhar suas obrigações. Que Deus o mantivesse naquele caminho!

Agora, Costanza estava de casamento marcado. Gabriella mal conhecia o noivo da filha – só estavam juntos fazia três meses –, mas parecia boa pessoa, sério, divertido. Oxalá ele a fizesse se acalmar um pouco.

11.

Costanza

— Você quer casar comigo? – perguntou Robert.

— Quero, sim, claro que quero! Mas tem uma coisa.

— O quê?

— Eu sou preguiçosa, não quero trabalhar, não quero fazer nada.

— Tudo bem, eu cuido de você.

A percepção que Costanza tinha de si mesma era precipitada e preconceituosa, mas é claro que ela não poderia imaginar tudo o que viria a fazer no futuro.

É bem possível que sua postura indolente tivesse sido um ato de rebeldia contra o discurso de *marketing* pessoal de sua mãe, que lançava aos quatro ventos o quanto sempre estudou e trabalhou. Na verdade, durante toda sua vida, Costanza se sentiu partida ao meio, dividida entre duas personalidades completamente diferentes. Uma era sonhadora e preguiçosa, a outra responsável e trabalhadora ao extremo, chegando quase ao fanatismo quando acreditava em algo ou queria se provar capaz. Até hoje, as duas vivem dentro dela numa luta constante – o que, além de exaustivo, causa um transtorno absurdo.

Naquele momento, ela se via entregue a seu lado indolente, embora tivesse de admitir que, superado o período de profunda depressão decorrente de sua saída catastrófica do Dante, o relacionamento tortuoso com seus pais e o fora que levara de Roberto Lenci, as coisas começavam a melhorar.

O pior foi enfrentar a decepção de seu pai, que a chamou de ignorante e decretou que nunca aprenderia nada, pois não estudava. Sua recomendação:

— Já que você gosta de ler, leia livros de história, porque ela sempre se repete – um conselho que carrega sempre consigo.

Na verdade, ela até gostava de estudar, mas não tolerava qualquer tipo de rigidez. Costanza queria aprender o que lhe interessava, o que lhe desse na telha, e não o que lhe impunham – mas isso seus pais não viam. Continuava lendo muito em português, italiano e francês. E não apenas romances açucarados, mas escritores importantes como Simone de Beauvoir, Jean Paul Sartre e Jean-Jacques Rousseau.

A não ser pelos filmes de Hollywood, que sempre foram uma paixão, o inglês só veio fazer parte de sua vida depois do casamento. Bem que Gabriella tentou lhe ensinar a língua. Dava aulas, colocou-a na Cultura Inglesa, mas para o desespero da mãe tudo o que ela aprendeu foi o hino da Rainha: *God save the gracious Queen/ Long live our noble Queen/ God save the Queen*.

— Não é possível! Você não aprende nada! É im-pos-sí-vel!!!

Resumindo, Costanza se interessava por tudo o que não devia. Faltava à aula com a Vera para ir à Bienal, para frequentar museus, ir ao cinema.

Gostava de trabalhar na fábrica, observar sua mãe na criação de novas padronagens, na interação com os clientes. Tinha jeito para a coisa. Certa vez, até impediu um cliente de roubar o mostruário de seda pura. Eram recortes de tecido grandes o suficiente para fazer lenços e gravatas, que um comprador de Minas Gerais "acidentalmente" pôs no bolso. Costanza saiu correndo atrás dele.

— Sr. Fulano, volta aqui! O senhor esqueceu de devolver o mostruário. Olha ali no seu bolso. O senhor está levando por engano...

Pela primeira vez na vida tomava responsabilidade. Era bom ver o alívio e reconhecimento de seus pais, com certeza bem melhor do que ficar enfurnada em casa à toa, com um turbilhão de coisas passando pela cabeça e sem conseguir falar nada com ninguém.

Mas o ponto alto de sua vida naquela época era o curso de Artes Plásticas na FAAP. O estético e o visual sempre pautaram sua vida, porque era assim que entendia o mundo: pelo olhar. Então, quando viu que os melhores artistas da época davam aula ali, ao lado do apartamento em Higienópolis onde morava com seus pais, não perdeu a chance. Entrar naquele prédio três vezes por semana e ver o mural maravilhoso de Clóvis Graciano lhe trazia um calor, uma sensação de liberdade. Gostava da alegria, da informalidade do ambiente, tão diferentes da eterna rigidez de sua casa. Tinha aula com artistas do calibre de Mário Gruber, Darel Valença Lins e o próprio Clóvis Graciano.

Teria gostado, mesmo, de ir para a Itália trabalhar com Emilio Pucci. O estilista era amigo da família havia anos, desde quando foi piloto de bombardeiro junto com Miki durante a guerra. Os dois tinham muitos amigos em comum. Depois que os

Pascolato já tinham se mudado para o Brasil, Pucci se casou com a filha de um conhecido de Alfredo Pallavicini e ficou bastante próximo de Nino.

No final dos anos 1940, ao frequentar Cortina d'Ampezzo durante a temporada de esqui junto com a nata da sociedade italiana, Emilio reparou que não existiam roupas femininas elegantes o suficiente para a noite, mas não tão formais quanto os vestidos de alta-costura. Via as mulheres aparecerem para o jantar em traje de gala depois de um dia de esporte intenso. Aquilo lhe parecia um despropósito. Sentia falta de algo que fosse chique, mas um pouco mais despojado. Comprou metros de um jérsei de seda pura que se fabricava em Florença, mandou estampar com padrões geométricos de sua autoria – coloridos, ultramodernos – e fazer peças únicas (macacões estilizados) mais esportivas. O caimento era lindo e valorizava a silhueta esbelta das atletas (da qual ele sempre foi grande fã). Anos mais tarde, contou a Costanza que a inspiração para suas famosas estampas veio das bandeiras medievais usadas em cerimônias como a do Palio de Siena. Foi assim que inventou o *casual wear* e se tornou um dos primeiríssimos estilistas a fazer a transição entre a alta-costura e o *prêt-à-porter*.

O sucesso, já grande, aumentou ainda mais quando a musa maior, Marilyn Monroe, o elegeu como seu *designer* de escolha. Ela chegou a dizer que queria ser enterrada com uma roupa Pucci, o que, infelizmente, aconteceu muito mais cedo do que qualquer um pudesse imaginar.

Pois bem, quando Pucci foi ao Brasil, fez uma visita a seus velhos amigos Pascolato e viu, por acaso, os desenhos que Costanza fizera na FAAP. Eram paisagens urbanas em guache, supercoloridas, perfiladas com nanquim, expressionistas, quase abstratas. Ele ficou tão impressionado que pediu a Gabriella que deixasse a filha ir trabalhar em seu ateliê. Gabriella proibiu-a de ir, alegando que sua filha, então com 20 anos, não tinha maturidade para morar sozinha em um país estranho. Além do mais, ela sabia da fama de mulherengo do amigo. E assim foi (ou não foi, melhor dizendo...).

Para Costanza, não existia contestar a decisão da mãe e, embora houvesse uma grande frustração por não viver essa aventura, sentiu uma boa dose de alívio por não precisar se arriscar nessa incógnita. Afinal, ela nem sabia se seu trabalho era bom mesmo e se conseguiria fazer o que era esperado dela.

Três anos depois, casou-se com Robert (que chamava de Roberto, como muitos de seus amigos). Ela se apaixonara pelo entusiasmo, energia infinita e senso de humor dele. Fora que era charmoso, muito bonitão, alto e elegante. Animado, conhecia todo mundo, saía sem parar e vivia uma realidade totalmente diferente da sua.

O casamento, como bem detalhou a coluna social, foi na Igreja de São Domingos, em Perdizes. Uma construção modernista de concreto aparente e vidro. O modelo do vestido era Balenciaga. Corina, modista que tinha trabalhado no ateliê do grande costureiro na Espanha, adaptou a tela na zibeline de seda pura fabricada pela Santacostancia, que, de tão boa, era exportada para grandes *maisons* francesas nas décadas 1950 e 1960. O véu era antigo, veneziano, da família Pascolato. A tia Sandra, que agora vivia no Canadá, quando soube que a sobrinha e afilhada iria se casar, fez questão de enviá-lo. Seus cabelos estavam em um coque alto, com direito a extensões para aumentar o volume, luvas brancas até o cotovelo e sem buquê, apenas um terço nas mãos. No altar, só homens de fraque, como o noivo. Tudo foi escolhido por Costanza. A uniformidade e linearidade foram suas exigências estéticas. Sempre precisa, construiu um visual minimalista e ultraelegante para combinar com a igreja e a ocasião, marcando aquele como um dos casamentos mais requintados do ano.

No momento em que o padre disse "os noivos podem se cumprimentar", em seu melhor estilo "Costanza Pascolato distraída", ofereceu ao esposo a mão para um aperto. Robert pegou-a e, rindo, puxou sua mulher para o beijo que consagrou a união.

nas de um casamento: Costanza, 1962.

O sol tinha nascido fazia pouco tempo quando ela acordou e olhou para os lados ainda precisando se situar na casa nova. Ao se lembrar de onde e com quem estava, levantou-se o mais silenciosamente possível para não acordar o marido e foi ao banheiro.

— Meu marido – repetia com um sorriso, ainda se acostumando com a ideia.

"Nós casamos e fomos morar no Paraíso", era a brincadeira que faziam com o nome do bairro onde ficava o apartamento da rua Maria Figueiredo. Estava todo pronto, novinho. Gabriella o tinha decorado junto com seu grande amigo Hans Domke, um dos arquitetos mais procurados da época. Foi o presente dela para os noivos, além de quadros e objetos antigos de família e todos os móveis; alguns originais, que vieram da Itália, outros imitações de móveis seus e mais alguns que o próprio Hans desenhara.

Costanza nem sabia direito como conseguia acordar sempre 20 minutos antes de Roberto. Alguma coisa no subconsciente? Até na lua de mel, que passaram na Argentina com o Lane e sua mulher, Gloria, ela conseguira cumprir esse ritual. Mesmo depois daquele pileque histórico em que teve um coma alcoólico e foi parar no hospital. Apesar da ressaca, se levantou e foi colocar a maquiagem. Agora, no apartamento novo, também. Vinte minutos antes do despertador do marido, seu alarme interno disparava e lá ia ela se embonecar. Fazia uma pintura levinha, um *teasing* no cabelo para dar volume, deitava na cama espalhando a cabeleira displicentemente sobre o travesseiro e fingia dormir. Tudo para parecer linda e maravilhosa a qualquer hora do dia ou da noite. Fez isso durante semanas. Até que, neste dia, enquanto passava delineador no olho esquerdo, ouviu do quarto:

— Connie, você é linda com ou sem maquiagem. Eu gosto de você de qualquer jeito. Agora, para com essa bobagem e vem dormir.

Ela pôs a cabeça para fora da porta com um olho pintado e o outro não.

— Há quanto tempo você sabe que eu faço isso?

— Desde a primeira manhã.

— Então por que não me parou antes?

— Queria ver até quando você ia aguentar...

O Cadillac alugado percorria quilômetros e quilômetros de planícies cobertas por pastos, plantações de algodão e sorgo entrecortados, bem ao longe, por bosques eventuais. Robert disse que em inglês aquelas enormes bombas de petróleo eram chamadas de *grasshoppers,* por se parecerem com gafanhotos. Eram tantas, uma depois da outra, balançando para cima, para baixo, trabalhando sem parar a fim de enriquecer o gigantesco (e profundamente exótico) estado do Texas.

Eles estavam casados fazia seis meses, e Robert achou que era hora de ela conhecer a família americana. Apesar de curiosa, Costanza estava com um pé atrás. Era um território estranho. Já tinha visitado os Estados Unidos quando era menina, mas aquilo era diferente.

Nos anos 1950, viajara com os pais e o irmão para Nova York. Não era comum separar-se do resto da família, mas um dia quis ir ao museu enquanto eles faziam compras para seu irmão, Dino. Voltando para o hotel, pegou um ônibus. Subiu e, como sempre fazia em São Paulo, sentou-se no primeiro lugar vazio. Imediatamente chegou alguém e lhe disse que o fundo do ônibus era reservado para os negros, ela tinha que se mudar para a frente. Isso em Nova York! Ficava imaginando como seria no Texas. Costanza sabia o quanto os americanos podiam ser conservadores, principalmente aqueles do sul. Além do mais, mal falava inglês. Lembrava-se um pouco das aulas da Cultura Inglesa, de ouvir letras de música, de assistir a filmes americanos e só.

No entanto, olhando aquelas planícies com suas vaquinhas pastando, torres de petróleo e o subir e descer rítmico dos *grasshoppers,* não podia deixar de se sentir tranquila. Chegando à entrada de Wharton, avistaram um carro de polícia parado e um oficial que pedia para que encostassem.

— *Bob Blocker?*[*]
— *In the flesh.*[**]
— *I'm the town sheriff, your uncle asked me to escort you to a hotel downtown.*[***]

E assim foram para o tal hotel. Uma construção antiga com um bar muito elegante. Foi lá que encontraram um senhor muito alto com as pernas compridas e finas e uma barriga bastante importante. Costanza olhava aquelas perninhas e imaginava como elas podiam carregar todo aquele peso. Robert foi cumprimentá-lo.

— *Good to see you, Bob!*[****]

Abriu um sorriso para Costanza:

— *Nice to meet you!* – E virando-se para o Robert: – *My, I'm pleasantly surprised, she's not at all what I expected!*[*****]

Tomaram alguns drinques, ele puxou Costanza de lado e começou a fazer perguntas talvez para entender quem era aquela mulher que tinha se casado com o sobrinho. Com um inglês macarrônico, ela procurava ser gentil e responder da melhor maneira possível. Depois de um tempo, ele se levantou e disse:

— *Well, let me take you all home.*[******]

Levou-os para sua casa, enorme, com amplas janelas e colunas na fachada *a la* Tara de *...E o Vento Levou*.

No dia seguinte, por volta das onze, todos entraram no Cadillac conversível do tio. O dia estava lindo, fazia muito calor. Andaram de carro durante uns 15, 20 minutos por um bairro residencial. Mansões coloniais, com automóveis enormes e gramados impecáveis, que se prolongavam até a rua, sem calçada. Não se via uma alma viva. Quando ele finalmente estacionou o carro, Costanza olhou em volta

---

[*]   Você é Bob Blocker?
[**]   Em pessoa.
[***]   Eu sou o xerife da cidade, seu tio me pediu para acompanhá-los a um hotel no centro.
[****]   Bom te ver, Bob!
[*****]   Prazer! Nossa, estou agradavelmente surpreso, ela não é nada do que eu esperava!
[******]   Bom, vamos para casa.

e avistou um pouco adiante uma casa idêntica à que estavam hospedados. Como ela achava as casas todas meio iguais, ficou na dúvida:

— Mas a gente não estava ali?

— Sim – respondeu Robert.

— Então por que não viemos andando? Seria muito mais rápido!

— No Texas ninguém anda a pé.

Chegaram a outra casa igualmente grande, e foram recebidos por uma prima. Atrás da casa tinha um gramado extenso com algumas árvores e um rio. Na margem do rio havia mesas compridas de madeira onde já se viam pessoas bebendo. Sim, porque no Texas, além de não se andar a pé, todos bebiam desde as onze da manhã e sempre drinques de gente grande: gim-tônica, uísque, martíni. Aos poucos foi chegando mais e mais gente. Todos usando óculos tipo gatinho, brilhantes, típicos dos anos 1950. Simpaticíssimos, a primeira coisa que faziam era tentar explicar a Costanza qual o parentesco deles com o Roberto. Tios e primos de segundo, terceiro, quarto grau... Era família que não acabava mais! Com medo de fazer um papelão, ela maneirou na bebida e caprichou no inglês. Aos poucos, a comida foi chegando. Costela de boi assada com molho *barbecue*, bolo de carne, purê de batata, pãezinhos quentinhos, tortas de maçã, abóbora e pecã com chantili. Tudo delicioso.

Eu achava maravilhoso! Esse foi o Texas, foi muito engraçado, eu me diverti à beça. Eram coisas que eu nunca tinha visto. E eles foram tão gentis.

Assim começou a vida do casal. Conforme sua vontade, Costanza parou de trabalhar para cuidar da casa. A única coisa que fez questão de trazer de sua vida antiga foi o curso de Artes Plásticas.

Robert era ambicioso, trabalhava muito e a carreira começou a decolar. Quase todas as semanas, eles ofereciam jantares e coquetéis para chefes, colegas e amigos. A turma da sede do Chase em Nova York vinha com frequência, inclusive David Rockefeller, e cabia a Costanza organizar as recepções. Se teve uma coisa que aprendeu com a mãe foi receber bem. Detalhista, com bom gosto, sabia direitinho não só os protocolos, mas a melhor maneira de agir socialmente. Sempre, ou quase sempre...

Certa noite, tinha acabado de voltar da FAAP e foi correndo para o banho. Bob estava trazendo Roberto Civita para jantar. Era um encontro íntimo entre amigos, mas ela queria supervisionar os últimos preparativos para garantir que estava tudo em ordem. Mal saiu do chuveiro, o telefone tocou. Costanza se enrolou numa toalha e foi correndo atender. Naquela época, telefone sem fio ainda era uma obra de ficção científica. Os aparelhos ficavam presos à parede, guardados em nichos em algum canto da casa ou sobre mesinhas feitas especialmente para eles. Nelas, cabiam o telefone, um caderninho de anotações e uma caneta. Só. Havia também uma gaveta ou prateleira para a lista telefônica, as páginas amarelas e a agenda de contatos dos donos da casa. Embaixo dessa mesinha ficava um banco para quando a conversa fosse um pouco mais prolongada.

Costanza atendeu. Era sua mãe. Sentou. Por que é que as duas nunca conseguiam ter uma conversa rápida? Elas se falavam todos os dias. Discutiam todos os dias, quer dizer. Sobre qualquer coisa. No começo, preocupada com o hóspede que chegaria a qualquer momento, até tentou encurtar a conversa, mas logo Gabriella disse alguma coisa que fez o sangue subir e começou o enfrentamento. Ela perdeu a noção do tempo, só voltou a si quando ouviu a chave na porta de entrada. Do corredor se tinha uma ótima vista da porta, e viu direitinho os Robertos entrando em casa. A visão deles (ela ainda enrolada numa toalha) foi igualmente boa. Costanza desligou o telefone e, com um sorriso amarelo, foi correndo para o quarto se vestir.

A outra gafe que ficou para a história aconteceu em uma viagem do casal a Nova York. Enquanto ele trabalhava, ela visitava museus, fazia turismo e compras. Certo dia, foi encontrar o marido e seus chefes para o almoço. Era meia-estação, estava friozinho. Chegando, começava a tirar o sobretudo para exibir, toda orgulhosa, um minivestido da Emmanuelle Khanh recém-comprado. Lindo, combinava superbem com a bota preta de verniz de cano até a coxa. Nos anos 1960 aquele era o último grito! Indo a seu encontro, Bob pegou as lapelas do casaco, que ela ainda não tinha terminado de tirar, e fechou-o novamente.

— Você vai almoçar assim – decretou.

Politicamente incorreta, um pouco prafrentex demais para o pessoal do banco. A partir daí Costanza entendeu que não bastava se vestir bem, era importante se vestir de acordo com as pessoas com as quais ia se encontrar.

— O Sana Khan tá aqui! Por que ele não lê a mão de vocês? – perguntou Jorge a Kiki e Costanza.

Era uma baita oportunidade. José Kalil, pai de Jorge, não fazia nada, não tomava decisão nenhuma sem antes falar com Sana Khan, uma espécie de conselheiro da quarta dimensão – e, a julgar pela sua carreira meteórica, o médium era bom mesmo! Imigrante libanês, Zé Kalil começou a vida na 25 de Março. Durante todos os anos em que viveu no Brasil, nunca aprendeu a falar o português direito, mal conseguia completar uma frase, mas, de tão sagaz e grande avaliador de pessoas, se transformara num excelente vendedor. Casou-se com dona Josefina, que vinha da nata da elite libanesa de São Paulo. Sua família tentou, sem sucesso, proibir a união. Os dois se casaram e, em pouco tempo, José fez fortuna.

Dona Josefina era uma personagem à parte. Já na época era uma mulher liberal, extremamente inteligente. Quando seus filhos atingiram a puberdade, contratou um professor de educação sexual. Isso nos anos 1940, 1950.

Jorge era um dos melhores amigos de Robert e, como de costume, os dois foram com as esposas jantar na casa dos pais dele. Costanza adorava ir lá. A companhia era ótima, muito divertida e a casa gigantesca, de uma opulência inacreditável – só o lustre de prata da sala, anos mais tarde, foi vendido por 1 milhão e meio de dólares. Fora a comida árabe, que era a melhor do mundo! Tudo feito, cuidado e supervisionado por dona Josefina.

No meio do jantar, Kiki e Jorge anunciaram que ela estava esperando um bebê. Felicidade geral.

— Ah, o Sana Khan tá aqui! Por que ele não lê a mão de vocês?

— Eba!

Kiki foi primeiro. Depois chegou a vez de Costanza. Ela entrou no escritório onde o Zé Kalil fazia seus negócios. Era uma sala enorme, grandiosa, com o pé-direito altíssimo e livros de cima a baixo. Ela se sentia tão pequena naquele lugar! Provavelmente a intenção do velho Kalil era essa, uma estratégia para intimidar os que iam lá negociar com ele. Sana Khan estava sentado no sofá no canto da sala. Tinha um ar estranhamente normal, muito magro, os cabelos brancos e ralos e o nariz grande, aquilino. O mago fez sinal para que ela se sentasse ao seu lado, pegou sua mão, examinou-a rapidamente e disse:

— Esse bebê que você vai ter agora é uma menina.

— O quê?

— É, você está grávida de uma menina, vai ter duas filhas.

Ela parou, fez as contas e a ficha caiu. Não esperou o resto da leitura, saiu correndo falar com Robert:

— Eu estou grávida!

12.

Consuelo

Me chamaram de Consuelo Susan Blocker. Meu nome, que quer dizer "consolo", em espanhol, surgiu por eu ter sido um prêmio de consolação. Eles queriam um menino... Não, é brincadeira! A verdade é que minha mãe era fascinada pela *contessa* Consuelo Crespi, *socialite* norte-americana, chiquérrima, que encarnava o elo entre seu país de origem, os Estados Unidos, o do marido, a Itália, e o Brasil, onde Rodolfo Crespi tinha negócios. Esse conjunto espelhava sua realidade: o triângulo cultural entre aqueles três países e o amor pela moda e pela elegância. Susan veio em homenagem à querida tia Suzy, irmã mais jovem e fantasticamente original de meu pai. Com essa bagagem toda, acho que minha vida já prometia ser colorida!

Cheguei a este mundo já grande... mais de 4 quilos e meio e 52 centímetros! Tadinha de minha linda mãe, que apesar de seus 25 quilos a mais após a gravidez, sempre foi, como posso dizer, *mignon*. Meu pai, sim, com seu 1 metro e 87 de altura, fazia jus àquele bebê gigante que colocaram na primeira fila da maternidade do Samaritano, em São Paulo.

"*Qué* coisa?...". Desde pequenita sempre fui curiosa e quis agradar aqueles ao meu redor. Quando chegavam visitas em casa, eu, com mais ou menos três anos, logo dava as boas-vindas:

— Boa tarde! *Qué* água? – perguntava, muito animada.

— Não, obrigado – respondia nosso hóspede, achando aquela cena muito bonitinha.

— *Qué quefé*? – eu persistia.

— Não... obrigado... – ainda com um sorriso, um pouco menos entusiasmado.

— *Qué whiky*? – já exasperada.

— Não.

E, por fim, muito frustrada, partia para a minha última tentativa:

— *Qué* coisa?!!!

O que provocava uma grande risada de todos.

Por fim, satisfeita que as necessidades dos hóspedes haviam sido atendidas, eu me sentava no sofá, de perna (gorducha) cruzada, meus pés sem alcançar o chão, a meia branca até o joelho e o queixo na mão. Escutava as histórias dos adultos com olhos arregalados e fronte franzida. Ai, que vontade de fazer milhares de perguntas! Mas a severidade da casa Pascolato Blocker não permitia conversa com adultos para além dos gracejos sociais.

Acho que essa vontade de interagir, de dar e receber, de comunicar, de sentar e bater um papo para saciar a minha curiosidade foi o combustível ou a força propulsora de quase tudo o que fiz na vida. Às vezes para o bem e às vezes nem tanto. Na aula de catecismo – quando eu tinha uns 11, 12 anos –, tivemos que escrever uma frase que incluiríamos em nossas preces todas as noites. Colocamos o papelzinho aos pés de uma estátua de Jesus na capela. O meu juramento foi: "Me ajude a fazer felizes todos aqueles em volta de mim!". E foi um juramento que mantive por décadas. Afinal, estava lá escrito nos pés de Jesus. Não era bom brincar com isso.

Sou capricorniana, pé na terra, fiel, ótima amiga, cabeçuda e batalhadora. Mesmo não entendendo nada de astrologia, tenho que admitir, as características do meu signo me descrevem bem. Só funciono sabendo em qual direção estou indo, embora sempre tenha dado espaço para o destino influenciar esse caminho.

Cautelosa, nunca faço planos para além de dois, três anos. Não consigo enxergar mais longe. Ao longo do caminho, analiso a rota e vou ajustando conforme meu instinto. Com a experiência, sinto que minha intuição tem se aperfeiçoado, me ajudando a tomar decisões bem acertadas. Embora nem todas elas tenham sido boas, todas provaram ter um motivo. Quanto ao destino, ele sempre me deu uma mão. Essa talvez seja a parte de sorte da minha vida. Meu anjo da guarda é primo do Rambo e não tira férias!

Nunca dei trabalho no quesito comida. Minhas coxas estão aqui para comprovar. Algumas das primeiras memórias que tenho são gastronômicas...

Eu devia ter uns dois anos quando fomos ao Uruguai visitar meu tio Lane, que morava lá. O destino quis que as chuvas colocassem uma série de obstáculos em nosso caminho. Dramático na época, fonte de ótimas histórias e risadas até hoje. Estradas alagadas, bloqueadas por causa de deslizamentos, e pontes caídas acabaram criando uma amizade e parceria entre meu pai, minha mãe, a querida Blanche (sim, sempre a mesma) e os caminhoneiros.

Antes de partirmos, a Blanchinha fez justiça à sua origem suíça e garantiu cada uma das minhas refeições, todas organizadas em marmitinhas (afinal, ela havia passado não por uma, mas duas grandes guerras, tinha que ser precavida). Para o espanto geral de nossos companheiros de dilúvio, fizesse o tempo que fizesse, na hora do café, almoço ou jantar, ela saía do carro, usava nossas malas de banco e mesinha, punha a toalha branca de linho, o pratinho e a colher de prata com minhas iniciais (presentes de batizado), para me dar de comer.

Privilégio fez parte da minha vida desde o princípio. Cedo entendi que era algo a ser usado com responsabilidade e tentei não desperdiçar. Estudei e trabalhei com seriedade, mas, apesar de procurar constantemente o caminho mais seguro, o destino, como sempre, surpreendeu. Nem tudo foi fácil. Mais adiante na minha trajetória, ao superar os piores obstáculos, encontrei um modo de compartilhar essa boa fortuna nas plataformas sociais, o que me deu enorme alegria. Mas vamos falar mais disso depois.

As histórias da viagem ao Uruguai são tantas! Como aquela do dia em que tivemos que dormir em uma pensão tão simples que, ao nos levar até o quarto, o dono bateu na porta e disse:

— Zé, sai daí que tem gente!!

Consigo imaginar a cara da minha mãe e a risada do meu pai!! Ainda bem que a Mummy (assim mesmo, como "múmia" em inglês, foi como escolhemos chamar nossa mãe) trouxera toalhas limpas e as colocou sobre as camas antes de deitar. Quando estava quase adormecendo, percebeu que o teto tinha uma cor escura, bem estranha. À medida que seus olhos foram se acostumando com a luz fraca, ela foi se dando conta de que o forro mexia. Era um mar de moscas! Grávida da minha irmã, resolveu dormir na banheira. Mas não sem antes tê-la desinfetado com álcool!

Quando eu tinha dois anos, o Daddy teve que se submeter a uma cirurgia nos pés, que só era feita nos Estados Unidos. Meus pais passaram bastante tempo lá. Apesar de sentir uma dorzinha que muito mais tarde entendi se chamar saudade (sentimento que, com minhas idas e vindas pelo mundo, me acompanha a vida toda), foi uma época gostosa. Para compensar o fato de que estava só com a Blanche e minha irmã, Alessandra, então apenas um bebê, meus avós paternos e maternos vinham me visitar trazendo batatinhas de marzipã da Kopenhagen (até hoje meu doce favorito, pena que não fabricam mais) e me levar ao clube ou ao cinema!

Nós éramos bem próximas de nossos avós. Mesmo depois da volta do Daddy e da Mummy, eles continuavam saindo conosco, especialmente para ir ao cinema, que sempre foi nosso programa favorito. Muitos dos filmes que víamos na época se tornaram clássicos, como o *Submarino Amarelo*, dos Beatles. Aliás, o disco *Sgt. Pepper's Lonely Hearts Club Band* eu já sabia de cor com cinco anos... eu e minha irmã! Sabemos inclusive a ordem das músicas. Minha mãe passava horas registrando nossas vozes com um gravadorzão, daqueles que tem que passar a fita aqui e ali até prendê-la em outro rolo de plástico. K7 nem existia ainda!!

Minha irmã, Alessandra, a alma por trás deste livro, nasceu quando eu tinha dois anos e meio. Certas pessoas fazem parte de quem somos. Quando meus pais se separaram, estávamos com quatro e sete anos. Se eu não tivesse a Alessandra, não teria um rumo. Ficamos por cinco anos com meu pai e a Blanche no Rio, enquanto minha mãe foi morar em São Paulo. Na minha cabecinha, senti a necessidade de proteger minha irmã. Taí algo que fiz de errado. Falava no seu lugar e tomava decisões por ela. Anos mais tarde, ela me disse como isso a irritava. Na época, não entendi que a superproteção a despia de seus direitos.

Logo que a Alessandra nasceu, nos mudamos para uma casa na rua dos Tamanás, em Pinheiros. Pouco depois do "*qué* coisa?" (que até hoje é uma marca registrada minha), ganhei uma minibatedeira a pilha. Lembro que na cozinha grande havia uma mesa com tampo de fórmica verde. Era o coração da casa. Todos passavam por lá. As cozinhas sempre são, não é?

Nem sei bem por que, mas me lembro de ter feito um pão de ló. Que impaciência esperando os minutos, controlando o ponto com aquele palitinho!... Por que o tempo passava tão devagar?!

Quando ficou pronto, que orgulho! Não sou uma pessoa com grandes habilidades manuais, mas esse bolo veio direitinho, bonitinho e tão gostoso! Com o peito estourando e um sorriso que fazia doerem as bochechas, levei um pedaço no pratinho de plástico para cada um lá de casa. *Quero só ver agora quando eu perguntar 'qué coisa?' e começarem a rir, vou trazer meu pão de ló!*

Esse foi o começo e o fim das minhas prendas domésticas. Sou adepta da fórmula 1-2-3: 1. Abre. 2. Esquenta. 3. Come. Na Itália, onde moro agora, meu método se provou um grande desafio. Nessa linda sociedade que aprendi a amar, cozinhar é um ritual, uma religião. Não designar a ele parte do seu tempo, amor e devoção é prova de desleixo, um desrespeito. Gosto de comer (estão lembrados que nasci com quatro quilos e meio?), adoro! Só não gosto de cozinhar. Para quem diz que relaxa, tiro o chapéu. Eu acho uma perda de tempo. Aliás, posso ser tão metódica com meu tempo que julgo um desperdício ter que me alimentar só porque tenho fome. Quanto ao sono, será possível que com todos os milhares de anos de evolução ainda precisemos passar tantas horas do dia inconscientes?

E por falar em ineficiência do desenvolvimento humano, não entendo por que temos que nascer com o cérebro vazio, *tabula rasa*. Não seria melhor já virmos ao mundo sabendo o que nossos pais sabem? Andar, falar algumas línguas, dirigir, tudo que aprendemos na escola, e aproveitar só para acumular conhecimento em cima disso?

Elocubrações à parte, tive a sorte de ficar "de pé em ombros de gigantes", como disse Newton. Sempre discuto com minha mãe sobre como educar os filhos. Mas logo que ela começa a me dar seus conselhos, que eu nem sempre entendo, perco a paciência. Ela fala devagar demais para mim. Em vez disso, acredito que são suas ações que mais me ensinaram.

Diria que minha infância foi alegre. Não importava que eu fosse gorducha, que tivesse cabelo curto, meu nome terminasse com "o" ou que minha mãe fosse mais bonita do que eu. Todos morávamos na mesma casa, não me faltava nada e tudo era tranquilo e sereno.

Mas às vezes via que a Mummy tinha um olhar meio triste. Sem poder compreender o que aquilo significava, levava a vida. Incrível pensar como era simples...

Em dias supremos íamos ao Guarujá da manhã à noite empinar papagaio com a Mummy, a Blanche e o nosso cachorro, um *terrier* escocês chamado Monty. Ou dançávamos sob um toró no terraço do quarto dos meus pais. Sempre ideia da minha mãe. Adorava quando ela me ajudava a fazer o dever de casa. Teve uma vez que lembro bem. Falei que sou ruim com as mãos? Fizemos o desenho de um sino para a escola onde colamos um lindo "brilhante" verde no lugar do badalo. Ganhei um A+! E, apesar de o caderno não fechar direito, sua imperfeição sempre me levava de volta àquela tarde feliz que passei com ela.

Foi meio complicado quando mudei da pré-escola, Serelepe, para o colégio britânico, St. Paul's. Tinha cinco anos e todo mundo já falava inglês, menos eu. Meu pai nasceu no Brasil, mas grande parte da sua cultura é americana. Com a família, sempre conversou em inglês. Só que, conosco, achou importante falarmos português para criarmos raízes. Funcionou com minha irmã, comigo não...

Apesar de viver a vida quase inteira no Brasil, minha mãe nunca se naturalizou. A Alessandra se sente brasileira, meu pai se sente brasileiro, apesar de ter muito de americano nele. Eu já me sinto estrangeira onde quer que eu esteja, mesmo quando estou em um país do qual faço parte por sangue ou cultura (Brasil, Estados Unidos ou Itália). Minha busca por um lar durou grande parte da vida. Um dos meus únicos sonhos recorrentes era o de subir uma escada infinita ou ficar entrando de porta em porta em busca do meu quarto, onde me sentiria segura, alegre e em paz.

Mas voltando ao colégio. Apesar da dificuldade, aprendi o inglês e, eventualmente, ele se tornou a língua na qual me sinto mais confortável. Certa vez, a rainha Elizabeth veio ao Brasil. O pessoal do colégio quase não cabia em si. Nossa, lembro tão bem! A empolgação foi imensa!! Até o topete do diretor ficou mais empinado!

Paredes pintadas, chãos limpos, ensaios da cerimônia. Chegou o dia e... PAFT!! Catapora!!! Nada de rainha para a Consuelo. Fiquei arrebentada de triste. Mas imagine se eu fosse a responsável por passar catapora à Queen Elizabeth?! Talvez seja por isso que tenha essa fixação por tudo que se relacione à monarquia... Londres é a minha cidade favorita, sigo no Instagram todos os membros da Família Real e não perco um seriado que trate do assunto, como *Downton Abbey* e *The Crown*! Mas, enfim, meus problemas da época se restringiam à catapora...

Eu adorava a casa da rua dos Tamanás, em Pinheiros! Se me lembro bem, era um cubo modernista *à la* anos 1950/1960, quase todo de vidro, com um jardim ao redor. Na parte de trás, uma piscina. Nosso quarto tinha portas de correr de vidro, enormes, que davam diretamente para ela. Adorava quando em noites quentes nadávamos com meu pai. Me parecia tão exótico!

Tenho várias memórias de lá. Das longas cortinas nas portas-janelas do quarto que usávamos para criar tendas e brincar de casinha. A Alessandra segurava a cortina e gritava:

— Entra no palhaço, entra no palhaço! – confundindo a palavra "palácio".

A simples recordação já me traz a leveza da infância. Pelo menos me lembro assim da época, com muita nostalgia.

Sou uma pessoa ansiosa, e quando tudo não está perfeito fico aflita. As rugas mais fortes do meu rosto são as de franzir as sobrancelhas, mas também as do sorriso. Sempre tento ver o lado positivo das coisas, nem que seja racionalmente, mas a briga pela felicidade, sua conquista, é uma eterna batalha!

Nessa casa demos uma superfesta para meu aniversário. Na minha cabeça, foi a maior de todos os tempos! As festas infantis não eram as fanfarras de hoje, mas eram bacanas. Minha mãe trouxe as toalhas, copos, pratos e centros de mesa de papel dos Estados Unidos. Estávamos em pleno regime militar e os portos não permitiam a entrada de mercadoria estrangeira.

Consuelo e Alessandra, aos sete e cinco anos de idade, com o pai, na piscina da casa em Pinheiros, São Paulo. Ao lado, as duas com a mãe, em 1970.

Essas decorações eram maravilhosas! A fim de inventar jogos e diversões para a ocasião, meus pais fizeram um *brainstorming* comigo. Que bálsamo essa recordação dos dois cúmplices. Eles são amigos até hoje e nos têm como ligação, mas nessa memória vejo sorrisos e olhares que já não existem faz muito tempo. Me senti importante.

Organizamos uma pescaria na piscina com vara e gancho. Ficamos horas embrulhando os presentinhos que colocamos no centro da rede de proteção que cobria a piscina. O Monty ficou louquinho tentando pegar um! Teve projeção de um filme, presentes e bolo. Guardo com carinho um álbum que ganhei naquele dia e enchi com fotos da festa. Adoro revê-lo. Foi um dia mágico! (Será que gosto de ser o centro das atenções?... hmmmm!!... Meus filhos dizem que sim... sempre viro uma conversa para algo que me diga respeito!)

Meu pai dizia que minhas pernas eram de piano; gorduchas e meio sem forma. Apesar disso, minha mãe, como era costume na época, nos vestiu para a festa com um *look* curto de voal estampado de florzinhas, meia branca até o joelho e sandálias brancas da Casa Tody. Lógico que a Alessandra estava 10.000 vezes mais bonita do que eu. Sempre era assim. Magrinha, com nariz arrebitado e o cabelo em corte pajem, ela era uma graça. Mas eu não tinha inveja, só ficava meio triste, me sentindo inadequada. Esse, porém, era um dia de festa e logo esqueci! Me senti feliz, popular, *cool,* até bonitinha! Guardo com muito carinho uma foto que a Alessandra tirou do fim daquele dia onde, num sofá, minha mãe linda, de míni verde, cabelo armado da época e fumando, se apoiava no meu pai e eu, do outro lado, fazia o mesmo enquanto ele nos abraçava e entrelaçava seus longos dedos em cada uma das nossas mãos.

A Mummy sempre nos vestia igual. No auge da Carnaby Street de Londres, comprava para nós camisas vitorianas em estampas Liberty, vestidos com listras, bolas gigantes ou flores nas cores primárias; outros de veludo, curtos, que usávamos sobre malhas de gola rulê. Ela não deixava passar uma tendência.

Nessa época, eu era apaixonada pela Jovem Guarda e seu calhambeque, bip, bip! Achava eles incríveis e a Wanderléa, linda! Por isso, não pensei duas vezes antes de pedir à minha mãe:

— Mummy, quero uma bota branca de verniz até o joelho, com um zíper assim do lado. Igual à da Wanderléa.

— Não!

Foi a resposta mais sonora e direta que recebi da minha mãe em todos os tempos! Fiquei chocada, ao ponto de me lembrar até hoje. A severidade de sua convicção estética não abria espaço para brincadeiras. E entendi imediatamente. Fim de papo!

Foi em Pinheiros também que descobri que Papai Noel não existe. Certa vez, entrei na garagem alguns dias antes do Natal e vi, escondido, o escorregador que dia 25 encontramos "embaixo" da árvore! Supostamente foi Papai Noel que trouxe... hmmm... Fingi surpresa. Eu, a eterna diplomata!

13.

Costanza

— A mãe da Consuelo, por favor, dirija-se ao caixa.

Não adiantava quantas vezes isso acontecesse, sempre que Costanza ouvia o anúncio pelo alto-falante, era um alívio. Já deveria estar acostumada. Quando levava Consuelo para passear na Sears Roebuck da praça Oswaldo Cruz, ali ao lado de sua casa da rua Maria Figueiredo, a filha sumia. A loja era linda, até melhor do que o Mappin. Roupas de pronta-entrega de boa qualidade, os cosméticos mais finos da praça. Consuelo, é claro, adorava a seção de brinquedos. Foi lá que comprou sua boneca favorita, que nunca mais largou. Ia para cima e para baixo com aquela boneca de plástico horrenda, maior do que ela, debaixo do braço. Sentava no sofá, a punha ao seu lado e travava com ela discussões longuíssimas, seríssimas, gesticulando a mãozinha sem parar.

Mais do que tudo, Consuelo gostava de perambular, descobrir. Era questão de segundos. Costanza se distraía e pronto:

— Cadê a minha filha?!

O ritual era sempre o mesmo: cerca de meia hora de busca desesperada pelos quatro andares da loja, e nada. De repente, o chamado no alto-falante. Corria até o ponto de encontro e via sua filha tagarelando alegremente com a caixa. Consuelo sumia, mas sempre dava um jeito de se encontrar. Não se pode fugir à própria natureza. Aquela menina com menos de três anos e olhos enormes, que pareciam querer engolir o mundo inteiro de uma só vez, já prenunciava seu futuro. Para uma mãe, porém, é terrível essa coisa de a filha sair para a vida.

Consuelo tinha quase dois anos quando Costanza engravidou pela segunda vez. Bem nessa época, Robert foi diagnosticado com uma doença raríssima. Uma espécie de calcificação da sola do pé que o obrigou a se submeter a duas grandes cirurgias, que só eram feitas no Memorial Hospital, em Nova York. Nas duas vezes, as viagens duraram mais de um mês. Robert alugou o apartamento de uma amiga no Peter Cooper Village, um condomínio de prédios de tijolo aparente, todos iguais, ao lado do East River, na parte sul de Manhattan. Ainda não existiam empreendimentos assim no Brasil e, talvez por isso, quando viu aquele aglomerado de edifícios pela primeira vez, Costanza achou muito esquisito, feio até. Mas, chegando ao apartamento, entendeu que não era ruim. Superbem construído, tinha uma vista ótima. Além do que ela mal parava em casa.

Viajar grávida não era um problema. Quando ia a Nova York, comprava na Bloomingdale's e na Sacks 5th Avenue vestidos de gestante, lindos. Eram tubos, bem à moda dos anos 1960, que vinham com sobras internas de tecido para que pudessem ser alargados à medida que a barriga (e os quadris) fossem crescendo. Aliás, nada nas gestações foi um problema. Pelo contrário, foram as únicas duas vezes na vida em que Costanza se permitiu comer o que quisesse. Quando estava nos Estados Unidos, parava nas *delis* e se entupia de *cheesecake*. Em São Paulo, deitava na cama com uma televisãozinha portátil em cima da barriga e comia o *zabaione* (um creme de ovos com açúcar e rum) maravilhoso que a cozinheira piemontesa, Fedora, fazia. Robert brincava que o nome do nenê seria Zabby, de tanto *zabaione* que Costanza comia.

Desde a barriga, Alessandra fazia tudo em seu próprio tempo. Dez dias depois da data prevista para o nascimento, não dava nem sinal de querer sair. Costanza subia no sofá e pulava para o chão, procurando agilizar o processo. Mais dez dias se passaram até que começassem as contrações. O parto levou 22 horas. Ela estava com o cordão umbilical enrolado no pescoço e nasceu toda roxinha, mas saudável.

Poucos meses antes de Alessandra nascer, Costanza pediu a Blanche que viesse cuidar das meninas. Afinal, apesar dos comentários maldosos em seu diário, Milèle era sua segunda mãe. Por sorte, bem naquela época, Blanche estava largando seu trabalho na casa dos Gelpi porque as crianças, já crescidas, não precisavam mais de sua ajuda. Aceitou o convite. Graças a Deus, já que Costanza acabou precisando dela muito mais do que imaginava.

— Tem alguma coisa errada com a perna dela!

Costanza tinha acabado de voltar da segunda viagem a Nova York para o que ela esperava ser a última intervenção no pé de Bob.

Chegando em casa, resolveu trocar a fralda da filha na tentativa de se reconectar com ela – ou por saudade, ou culpa de ter passado tanto tempo longe. O motivo não importava, o que importava é que viu algo.

Em relação à saúde das filhas, a intuição de Costanza sempre beirou o sobrenatural. Ela mesma se diz meio bruxa nesse quesito. Daquela vez, não foi diferente. Não tinha nada de perceptível, apenas um sentimento forte de que havia algo de errado com a perna da filha.

— Nós acabamos de voltar do pediatra! – respondeu Gabriella, irritada.

— Não interessa, vou voltar lá agora!

Telefonou para o médico e foi. De fato, depois de um exame mais detalhado, ele percebeu que tinha algo de estranho na perna esquerda da menina e resolveu fazer uma radiografia:

— Ela tem uma luxação congênita do quadril. É uma malformação do acetábulo, o osso que se encaixa na cabeça do fêmur. Não cresceu completamente. Vamos precisar operar.

— Não vai operar nada, como é que vai abrir um bebê pequenininho desses? Fazer um enxerto que o senhor nem sabe se vai pegar!

Consultaram um milhão de médicos, um depois do outro. Todos dizendo a mesma coisa:

— Precisamos operar.

Ao que Costanza respondia:

— Não, eu não vou abrir essa menina. Não vou, não vou, não vou!

Por fim, descobriram um ortopedista que trabalhava no Hospital Matarazzo, o dr. Carrera. Ele era mais moderninho e disse que não precisaria operar.

— Mas precisaremos imobilizá-la durante um tempo para o osso poder crescer corretamente.

Voltando de uma viagem de trabalho, Robert conseguiu trazer dos Estados Unidos um gesso especial, mais leve. Os disponíveis no Brasil eram pesados demais para um bebê de seis meses conseguir sustentar.

Tiveram que dar anestesia geral para engessar a perna na posição certa. Nos primeiros dias, Alessandra chorava sem parar.

Aterrorizada e morrendo de culpa, Costanza não tinha coragem de entrar no quarto da filha. Ficava atrás da porta escutando seus berros e as cantigas que Blanche cantava na tentativa de acalmá-la.

Como tudo na vida é uma questão de hábito, Alessandra foi se acostumando a viver imobilizada. Ficou engessada por um ano e meio. As pernas abertas, em arco, como se estivesse montando um cavalo. Por não caber nos carrinhos convencionais, o sempre engenhoso vovô Michele bolou e mandou fazer um especial.

Durante todo esse tempo, Alessandra não pronunciou uma palavra, só emitia uns grunhidos ininteligíveis, o que causava certa apreensão nos pais e avós. Quando tirou o gesso, já com dois anos, estranhou a liberdade recuperada. Passou noites e mais noites chorando sem parar, repetindo o ritual de um ano e meio antes: enquanto a mãe número um ficava atrás da porta ouvindo, Blanche, a mãe número dois, cantava e conversava com ela procurando reconfortá-la.

Não demorou muito para que começasse a andar, pulando a etapa do engatinhar. Uma tarde, sem mais nem menos, disse:

— Eu quero um copo d'água.

A partir daí, começou a falar em frases completas.

Costanza se divertia à beça sendo mãe. Com a ajuda de uma faxineira, da maravilhosa Fedora e da Blanche, não precisava fazer nada além de coordenar jantares e se divertir com as filhas. Pegava as meninas, a Blanche e o cachorro, Monty, e saía de carro para pequenas viagens de um dia. Tomavam banho de mar, visitavam lojas de quinquilharias. Na época, ainda se achavam a preços módicos antigos tachos de cobre enormes que, depois de polidos, ela usava como cachepôs. E assim seguia sua vida.

Nas férias ela ia com Robert, as meninas e Blanche para a fazenda da família em Lutécia, perto de Paraguaçu Paulista, na Alta Sorocabana, onde morava o Lee com sua esposa, Renata. Robert e Costanza dirigiam, enquanto Blanche e as crianças pegavam o trem noturno. O trem nem parava direito na estação, só diminuía

Férias em família na fazenda: Consuelo e Alessandra com Bambino e, abaixo, a mãe Costanza, em 1967.

a velocidade. Blanche jogava as malas na plataforma e pulava segurando Consuelo pela mão e Alessandra no colo.

À procura de algo para fazer enquanto estava na fazenda, Costanza resolveu reformar uma velha casa de caboclo abandonada que havia lá. Pediu para Blanche passar cera no piso de ladrilho industrial, mandou remendar e pintar a parede de madeira, comprou chita florida na cidadezinha próxima para fazer cortinas. Ficou uma graça, parecia uma casinha de bonecas.

14.

Costanza

Foi num jantar em Santo Amaro que ela perdeu o chão.

Barnabó, sobrinho do famoso cineasta italiano Luchino Visconti, crescera em São Paulo e era amigo de Costanza desde a infância. A família de sua avó paterna, Erba, tinha um enorme laboratório farmacêutico, para o qual trabalhava e pelo qual ele havia se transferido para o Oriente. Na ocasião, veio ao Brasil visitar os pais. Bom motivo para reunir os amigos. Talvez a excentricidade fosse um traço de família, ou apenas característica dele e do tio cineasta. Impossível dizer, mas era fato que Barnabó adorava organizar programas diferentes. Dessa vez, tinha descoberto um restaurante tailandês lá longe, em Santo Amaro. Coisa exótica, todo mundo sentado no chão.

Como de costume, o casal Blocker chegou atrasado porque Costanza demorou para conseguir prender o aplique no cabelo e colocar os cílios postiços. Já entrando na sala reservada para a festa, de longe, avistou aquele que mudaria sua vida. Estava com uma cara de tédio. Não era exatamente bonito. Tinha uma elegância intrínseca nos traços e nos gestos, as mãos grandes, um rosto forte, largo, com o nariz adunco e os olhos azuis como um dia claro de verão. Ela foi surpreendida por uma sensação estranha, um interesse súbito e se perguntou: *quem será esse cara?*.

Robert já o conhecia do clube de golfe e apresentou-os. Sentaram-se ao lado dele e, imediatamente, começaram a conversar trocando piadas e brincadeiras. Giulio era um marquês de Gênova e fazia parte de uma leva de executivos que viera para o Brasil com multinacionais, atraídas pelo Milagre Brasileiro. Havia pouco, chegara com a esposa Giovanna e os dois filhos, Ferdinando e Maria, para atuar como CFO da Pirelli.

Era um misto de afogamento com claustrofobia. Como se tivesse sido condenada à prisão perpétua em um quarto sem porta nem janelas, embaixo d'água. Costanza se via pensando nele nos momentos mais indesejáveis. Vê-lo com a esposa, na intimidade banal que existe entre os casais, era profundamente doloroso.

De fora, parecia a combinação perfeita. Os homens gostavam de jogar golfe, as mulheres se davam cada vez melhor e as crianças, que regulavam em idade, se divertiam juntas. Aos sábados, enquanto eles enfrentavam os 18 buracos do Clube São Francisco, elas conversavam e tomavam sol na piscina dos Cattaneo, que ficava em Osasco, perto do golfe, e os filhos brincavam alegremente. Depois saíam todos para comer alguma coisa. Tudo ótimo, exceto pelo fato de que Costanza se sentia sempre mais angustiada na presença de Giulio.

Ela procurava tocar a vida como de costume, não pensar no assunto, mas o via praticamente todos os dias levando e buscando os filhos no colégio. *Por que isso, meu Deus do céu?!*, pensava. Para piorar as coisas, Giovanna acabara de dar à luz Paola, a terceira filha do casal.

Ela gostava do Robert, tinha uma vida boa, as meninas estavam ótimas. No que é que estava pensando?!

No Giulio, sempre no Giulio.

Por dois anos sofreu calada. Até o dia que, num domingo, na casa dos Cattaneo, ele estava vindo do quarto, ela indo ao banheiro. Ao se cruzarem, ela se virou para olhá-lo. Continuou alguns passos de costas e não viu que a porta do lavabo onde ia entrar estava fechada. Bateu com a cabeça na porta, ele se assustou com o barulho e percebeu, no constrangimento dela, interesse.

No dia seguinte, Costanza deixou as meninas como de costume e voltava para casa quando, de repente, um louco fechou seu carro e freou. Não era muito difícil saber a quem pertencia aquele Alfa Romeo, marca raríssima no Brasil. Giulio o tinha trazido da Itália na mudança. O coração dela disparou. O que é que ele poderia querer?! Já não bastava a humilhação da véspera? Ele saiu do carro, se debruçou na janela e convidou-a para tomar um café.

— Você não tem que trabalhar?

— Tenho, mas faço uma exceção.

15.

Consuelo

Se você ainda é jovem, preste atenção: cuidado com as conversas sérias! Essas sempre são as que mudarão sua vida para sempre; aquelas que, até um segundo antes de acontecerem, tudo estava bem, em paz, sob controle e depois, nada nunca mais será o mesmo.

Um dia, nosso pai nos chamou até a sala. Éramos pequenas, mas notamos algo de importante na sua voz e nos seus olhos. Era uma dor... meu avô, o pai de meu pai... Nunca mais veríamos o Bambino. Que apelido carinhoso para um homem enorme! Me lembro do quanto me pareceu estranha aquela notícia, quão definitiva. Foi a primeira vez que senti a morte de perto.

Não muito tempo depois, tivemos outra notícia bombástica. Meu pai, presidente do Banco Lar Brasileiro em São Paulo, fora promovido. Agora ele seria presidente da América Latina (eba!). Iríamos todos morar no Rio (COMO!?!?!??!!!!!).

— Mas... e o meu quarto?

— Todos os seus móveis irão conosco.

— E o Monty?

— Ele vem conosco.

— E a minha piscina tão querida, e a casa?!!

— Vamos encontrar outra bem bacana...

Eles nos disseram para não nos preocuparmos.

— Mas e as minhas amigas?

— Você vai fazer outras...

Ufa!! Aquela noite, nas minhas rezas, estava bem chateada com Deus.

Chegamos ao Rio. Calor, umidade e beleza! Fomos logo conhecer a casa nova. Não poderíamos morar lá ainda até pintarem e chegarem nossas coisas. Mas a escola ia começar, então nos mudamos para o Copacabana Palace. Ahhh, essa parte foi divertida! Morávamos numa suíte enorme com *closets* tão grandes que serviam para brincar de casinha! E o serviço de quarto?! Que maravilha! *Club sandwich* e batatinha frita. Minhas coxas agradecem até hoje!

Fomos matriculadas na Escola Americana, que na época ainda era no Leblon. E lá fomos nós rumo ao desconhecido... e não é que aquele pessoal falava inglês, mas tudo diferente?! Já tinha sido duro aprender o inglês britânico da escola em São Paulo, agora tinha que reaprender tudo de novo? Ufa-*again*! Mas sou capricorniana e uma batalha sempre foi o meu forte, me adaptei rapidamente.

A casa ficou pronta e era uma delícia! Perto da escola no Leblon, não tinha muito jardim, mas uma piscina gostosa, duas palmeiras e terraços divididos pelos seus quatro andares!... Do lado de lá do muro morava a Deborah (que a Blanche pronunciava *Béborra*). Ela era filha de diplomatas canadenses e estava na minha classe na escola. Logo ficamos amigas e pulávamos o muro para brincar e dormir na casa uma da outra. Foi na sua que descobri o que era o *french toast*! Algo bem parecido com nossa rabanada!

Na casa existia um pequeno quartinho que eu chamava de meu escritório. Lá coloquei uma lata de Leite Ninho, que enchi com o troco do lanche da escola. Quando ficou bem pesada, perguntei ao meu pai o que fazer. Ele, banqueiro, abriu a minha primeira poupança! Foi uma sensação tão boa de realização!

Logo fizemos mais duas amigas, as irmãs Vilia e Ingrida Mikevicius. Elas vinham de uma família lituana. Junto com a Alessandra, formamos uma turma. Tínhamos aula de balé e ginástica juntas. Um dia, resolvemos fazer três bibliotecas afiliadas para compartilharmos nossos livros. Quando fui decorar a nossa com uma placa de isopor onde estava escrito *Green library*, achei que seria fantástico fazer uma iluminação diferente. Puxei uma luminária até a estante alta, o fio esticou e a puxou para trás. A lâmpada bateu na minha mão abaixo do polegar, queimando-a e deixando uma cicatriz até hoje.

A piscina era o nosso centro de divertimento. Lá passávamos horas e horas, dia após dia. O Rio é tão bom para isso... Éramos sereias, ouvíamos Liza Minnelli em *New York, New York* no *hi-fi* (quem se lembra dessa palavra?), enquanto nos pendurávamos em uma corda sobre a piscina amarrada em uma das palmeiras. Almoçávamos e brincávamos de pega-pega até escurecer. Foi em uma dessas brincadeiras e numa supergargalhada que bati a boca no corrimão da escada da piscina e quebrei um dente da frente. Essa foi uma cicatriz de que não gostei e carreguei com peso por muitos anos, até encontrar um bom profissional que escondesse esse meu desgosto. Os dentes são certamente o meu calcanhar de aquiles. Sempre me deram trabalho.

Como disse, a casa tinha quatro andares. A garagem, outro intermediário onde ficava a piscina, a área de serviço, quartos de empregadas e nosso "escritório", que também fazia as vezes de quarto de brinquedos. Depois vinha o andar principal. Esse era lindo! As salas de estar e de jantar davam para um terraço com vista para o Corcovado! Mas ele tinha uma função mais importante e... perigosamente excitante. Servia de trampolim para a piscina! A ideia foi do meu pai, é claro, e minha mãe morria de medo! Tudo era beeeem anos 1970...

Fico tentando imaginar como é hoje. Há poucos anos fui a um coquetel na mesma rua. Hoje ela é fechada com guarita nas duas pontas, o que me causou certa melancolia. Éramos mais livres. A pé, no caminho da feira que íamos com a Blanche, víamos os restos de macumba nas encruzilhadas. Ela nos dizia para não olhar, mas eu achava fascinante!

Nosso cachorro Monty ganhou um amigo, um *cairn terrier* chamado Buji-Buji. Um branco e um preto, pareciam a marca daquele uísque Black & White. Eram grandes companheiros. No aniversário deles, enchíamos a sala de bexigas e os soltávamos lá dentro. Eles enlouqueciam! Só conseguíamos ver os balões subindo pelos ares, e as cabecinhas pulando, estourando-os com seus dentes afiados.

O último andar da casa tinha os nossos quartos. No fundo, a suíte dos meus pais, a seguir o quarto de hóspedes, o da Blanche e depois o nosso. Fora este último, os outros davam para um terraço maravilhoso com vista, mas era sempre tão quente que nunca o usávamos. Meu pai não queria que tivéssemos televisão no quarto, então assistíamos ao Topo Gigio no da Blanche antes de ir dormir.

A vida no Rio não combinava comigo... Além de gorducha, era muito pálida, com sotaque paulista e cabelo encaracolado em uma época que o liso lambido era *in*. Tempos de Ali MacGraw no filme *Love Story*! Bom, não deu outra: touca!! Quem nasceu depois dos anos 1970 não pode imaginar o que era. Você enrolava todo o cabelo comprido em volta da cabeça, prendia com grampos e ia dormir. No meio da noite, acordava e virava tudo para o outro lado! De manhã estava liso... até atravessar a rua. Sem nenhum produto pré ou pós-touca, nenhum fio aguentava a tirania da umidade carioca! Depois de um tempo, lançaram um secador rosa da Arno que tinha um tubo conectado a uma touca de plástico para agilizar o tempo de secagem. Marcou uma época!

Para vocês entenderem o quanto eu não combinava com o Rio, uma vez, voltando tranquilamente para casa a pé, escutei um pirralho do outro lado da rua gritar: "Perna brancaaaaaa!". Quis morrer!

Mas o que realmente destruiu o Rio para mim ainda estava por vir...

Blanche com Alessandra e Consuelo nas férias, início dos anos 1970.

16.

Costanza

— Alô?

— *Ciao Costanza, sono Giovanna.*

— Ah, *come stai*?

— Não muito bem... não sei como dizer isso... desculpe te ligar, mas precisava conversar com alguém e não tenho com quem falar. Somos amigas há pouco tempo e sei que está ocupada aí no Rio com a mudança, mas eu me sinto estranhamente próxima de você.

— O que aconteceu?! Está tudo bem? As crianças estão bem?

— As crianças? Ah... sim... estão ótimas! O problema é o Giulio... acho que ele está tendo um caso.

Não vamos nem levar em consideração a culpa que, para uma moça católica, sempre vem a tiracolo, como um apêndice incômodo com o qual nos acostumamos a conviver. No caso de Costanza, a eterna rebelde, servia até como um incentivo à transgressão. É claro que sabia que seu romance clandestino envolvia muito mais do que apenas ela e o Giulio, mas ser forçada a enxergar essa realidade escancarava a gravidade do que estava fazendo.

Depois daquela fechada na saída do colégio das meninas, Giulio e Costanza passaram a se encontrar sistematicamente e, a cada vez, repetiam a promessa de que aquela seria, mesmo, a última. A mudança para o Rio parecia ter sido a salvação. Ela andava às voltas com a casa nova, a mudança, o colégio das meninas (as meninas...) e a distância física, que obrigara os dois a terminar, de uma vez por todas, com aquela doença. Para que trazer ainda mais dor a Giovanna? Talvez, se Costanza conseguisse convencê-la de que era só impressão...

— Você tem certeza? Às vezes é só uma impressão. Talvez ele esteja muito ocupado com o trabalho...

— Não, eu conheço meu marido. Já passamos por muita coisa juntos, mas isso é diferente. Até desconfio que ele já tenha dado suas escapadas no passado... eu fazia vista grossa porque sabia que não era nada importante, mas agora é diferente, acho que ele está apaixonado.

— Não estou concordando com você, ainda acho que é sua imaginação, mas, caso você esteja certa, talvez seja só um flerte, algo passageiro...

— Não, desta vez é sério, ele está estranho, distante, fechado.

Quando ela viu que nada que dissesse iria adiantar, resolveu encarar a realidade. Fez um longo silêncio enquanto tomava coragem e, de repente, falou. Parecia que as palavras saíam da boca de outra pessoa, em câmera lenta.

— Era eu... nós estávamos tendo um caso, mas já foi, acabou. Terminou. Além do mais, eu estou aqui no Rio e vocês em São Paulo...

17.

Consuelo

Um dia, minha mãe disse que partiria em uma viagem sozinha. Algo parecia estranho, mas nunca poderia ter adivinhado o que estava acontecendo.

Antes de ela ir embora, Alessandra e eu decidimos que faríamos algo que vimos em um filme. Enchemos um vidro com feijões, um para cada dia que ela estivesse longe. Diariamente tirávamos um grão, assim podíamos ver quanto faltava para seu retorno. Mas os feijões terminaram e nada de Mummy voltar... As respostas a nossas perguntas eram evasivas e não existia na época insistir com adultos.

Então, outra coisa estranha aconteceu. Meu pai tirou da sala um porta-retrato com uma foto linda da minha mãe. Fiz um pequeno escândalo dizendo que ele não podia fazer isso! Para me tranquilizar um pouco, o Daddy colocou a foto no quarto de hóspedes. Sem mais feijões e sem saber o que estava acontecendo, a conclusão de nós, irmãs com sete e quatro anos, foi que nossa mãe teria morrido.

Não existia nenhuma outra explicação plausível na nossa cabeça. Então, todos os dias, trazíamos flores frescas do jardim, as colocávamos em frente ao porta-retratos e fazíamos uma oração.

Na verdade, minha mãe viajou porque, ao contar para meu pai que tinha se apaixonado por outro homem, o Daddy sugeriu que ela fosse para Londres ficar com a tia Suzy, de quem era muito amiga. Acreditaram que assim ela se esqueceria do outro e a vida voltaria ao normal. Só que, na véspera de sua volta ao Brasil, não sei como, o Giulio conseguiu entrar em contato com ela dizendo que estava em Zurique e queria que ela fosse encontrá-lo.

No dia que nossos feijões terminaram, meu pai foi ao aeroporto e nada. Ele foi de novo no dia seguinte... e por mais dois dias. Sem conseguir notícias, já que ligações internacionais eram dificílimas de se fazer, meu pai e meus avós maternos decidiram mandar um detetive descobrir o que havia acontecido. Ele encontrou minha mãe e Giulio esquiando na Suíça.

Costanza e Giulio, quando foram esquiar na Suíça.

Começou o processo do desquite. Mas nós não sabíamos de nada...

Até que meu pai me chamou e disse que minha mãe estava no telefone, como se fosse a coisa mais natural do mundo! Me lembro daqueles segundos entre ele me dizer "É a Mummy" e eu pegar o fone como um tempo imensurável, surreal, em que tantas coisas passaram pela minha cabeça: *Ela não morreu! O Daddy não brincaria com isso! Ela está voltando! Ela nos ama!...*

— Alô?...

Estaria em casa no dia seguinte.

Tocou a campainha e saímos correndo pelas centenas de escadas para abraçar a Mummy! Alessandra, eu, Blanche, nossos cachorros Monty e Buji-Buji... e o Daddy? Não estava lá. Que estranho... É a Mummy, vou pensar no Daddy depois.

Que delícia vê-la de novo!

Mais uma vez, algo estava estranho. A mala dela era muito pequena. Depois de todo esse tempo, certamente deveria ter pelo menos umas cinco malas! Conversamos, rimos, almoçamos à beira da piscina e de repente a Mummy nos chamou e ficou séria. Sentadas na borda com os pés dentro d'água, ela nos disse (eis de novo aquele segundo que muda tudo na vida) que não moraria mais conosco.

— Como assim?!!

— O Daddy e eu amamos vocês muito, muito, mas nós não vamos morar mais juntos. Eu vou viver em São Paulo.

— O quê??!!!!!!!!!! Não vai, não – eu disse. – Vou segurar a sua mala!

Por isso que a mala era tão pequena!

Assim que seria de agora em diante. Ela viria nos ver só nos finais de semana. Sua chegada às sextas à noite eram uma felicidade e as noites de domingo uma tristeza só. Mas fomos nos acostumando... Preparávamos recitais para ela. Lembro quando usei uma saia que estava escondida dentro de um baú. Só mais tarde descobri que fora parte de seu vestido de casamento! Ela tinha encurtado o original para usá-lo outras vezes e sobrou só o resto da saia, que anos depois eu usaria para apresentar um espetáculo para ela...

A Escola Americana se mudou para o alto da Gávea em um projeto arquitetônico ultramoderno para a época. Eram seis estruturas hexagonais com vários andares. Cada ano ficava em um piso de um dos hexágonos. Dentro, havia divisórias demarcando as salas de aula como se fossem gomos de uma mexerica. A classe olhava para a parede externa que servia de lousa. Na verdade, elas nem eram paredes propriamente ditas, mas portas articuladas que podiam abrir de acordo com o calor e a necessidade do professor, dando vista para a mata. No centro do hexágono havia um espaço aberto, um anfiteatro que servia para pequenas peças que encenávamos, aulas de música ou para reuniões com os alunos. Era sensacional!

Foi no jardim da escola que contei aos meus amigos que meus pais tinham se separado. Me lembro tão bem da sensação esquisita de saber que a coisa não era boa, mas excitada por ter uma novidade tão incrível. Me achei muito moderna. Na época ninguém se separava. Mas acredito que não me dei conta do que estava acontecendo. Ainda devia estar meio em choque.

Meu pai fazia o possível para amenizar o trauma da separação. Sua carreira estava em ascendência veloz. Ser solteiro, ainda mais naquela época, não era fácil. Era preciso muita estrutura para atender também às exigências sociais que o cargo exigia. A adaptação não era só nossa. Por isso dava ainda mais importância quando o via chegar, elegante, de terno, no fundo da sala de aula, no meio da tarde, para me assistir numa peça de teatro na qual eu só tinha uma frase. Me emociono até hoje! E as noites em que vinha jantar conosco e depois voltava para o escritório, terminar o que tinha que fazer?

Eu era uma estudante média, tinha alguns amigos e me adaptava à vida. Mas comecei a carregar uma certa angústia.

O que me ajudou várias vezes foi o fato de eu ser muito racional. A minha melhor amiga, Deborah, foi embora. Isso acontece muito em escolas internacionais onde os pais têm trabalhos "itinerantes", como diplomatas ou executivos de multinacionais. Meu pai ficou preocupado que eu estava muito só, sem amigos, e me mandou para a psicóloga da escola. Apesar de não ser uma menina muito feliz, achei meio exagerado, mas como cabularia aula durante as sessões, no começo gostei. Depois de um tempo, entendi o processo mental da analista, aonde queria chegar, e comecei a ficar entediada... decidi que já estava bom. Fui dizendo tudo que sabia que a tranquilizaria para que ela me mandasse de volta para a classe. Dito e feito. Deu mais uma ou duas sessões e fui dispensada. O que é que eu falei? Racional.

18.

Costanza

Tectectec...

Tectectec...

Tectectec... as asas do morcego batiam sem parar no teto do quarto. *Será que é mesmo um morcego?* Devia ser, porque o barulho só começava à noite. *Melhor morcego do que rato.* De madrugada, era só o que se ouvia. O "tectectec" das asas do morcego, o ronco de seu estômago vazio e, por fim, o barulho de sua cabeça batendo contra a parede. Talvez, se a dor que sentia por dentro se manifestasse fisicamente...

Como é que ela tinha chegado àquele ponto?

— Que merda que eu aprontei desta vez!

A vida de Costanza desde aquele dia na saída do St. Paul's passou a ter uma qualidade abstrata, etérea. Como se estivesse num sonho ou pesadelo de onde, por mais que tentasse, não conseguia acordar.

Primeiro o caso com Giulio, aquela doença perniciosa, incurável... a mudança para o Rio... a conversa com Giovanna. Mesmo depois de tudo aquilo, mesmo morando em cidades separadas, eles não conseguiram parar de se ver. O golpe de misericórdia foi a noite do coma alcoólico. Eles estavam namorando, ela tomando vinho e... desmaiou. Giulio a levou para o hospital... ele não teve como não chamar o Robert. Ao saber do caso, seu marido chorou... depois sugeriu que ela fosse visitar a Suzy em Londres. Tirasse um tempo para relaxar e se esquecer do Giulio... foi, mas não esqueceu... Sozinha no hotel em Paris, na véspera da volta para o Brasil, ela estava em lágrimas... não queria voltar... não queria enfrentar a vida... de repente, chegou o telegrama.

Sono a Zurigo. Vieni a trovarmi. Chiamami [número]. *Ti aspetto. Giulio**

Não avisou ninguém, simplesmente foi. Passaram o Natal esquiando. Como é que algo podia ser tão maravilhoso e terrível ao mesmo tempo? Por fim, Robert, Miki e Gabriella descobriram onde ela estava.

Voltou. As meninas ficaram tão felizes em vê-la. Acharam que tinha voltado para casa. Quando, depois do almoço, contou que iria morar em São Paulo, os choros. Consuelo não queria deixá-la sair, agarrou sua mala e não largava.

— Você não vai embora! Eu não deixo.

Agora estava em São Paulo, numa casinha geminada (mal) decorada em Perdizes. Nojenta. Suja, mofada, os móveis horrorosos. Seus pais não falavam mais com ela e o Giulio, apesar de

---

* Estou em Zurique. Venha me encontrar. Me liga (número). Estou te esperando. Giulio.

ajudar com o aluguel da casa e com algumas despesas, continuava vivendo com Giovanna, que insistiu que ele tinha de ficar por causa das crianças.

Costanza pensou que iria ficar com a guarda das filhas, mas não foi o que aconteceu. O juiz decretou abandono do lar e declarou que elas ficariam no Rio de Janeiro com o pai. Miki apoiou a decisão. Talvez tanto ele quanto Robert achassem que, longe das filhas, ela mudaria de ideia e voltaria para casa. Ou, talvez, acreditassem que as meninas teriam mais estabilidade com o pai, uma vez que nem casa direito ela tinha.

Mas voltar seria embarcar numa mentira sentimental. Então, decidiu assumir todos os riscos. Começou aquela vida semimiserável. Precisava encontrar um trabalho. E pensava: *Assim que arranjar um emprego, vou conseguir ficar com minhas filhas.* Depois, sabia que elas estavam bem com a Blanchinha. Talvez se não fosse a certeza de que Milèle estava cuidando delas, não teria saído de casa.

Giulio vinha visitá-la quando podia, o que, por causa da vida dupla que mantinha com a esposa, não era muito. Talvez Giovanna nutrisse esperanças de que ele mudasse de ideia. Então, Costanza passava a maior parte do tempo sozinha. No começo, ficava o dia todo desenhando nas paredes da casa. Só comia arroz com caldo Knorr. Com o resto do pouco dinheiro que ganhava de Giulio pagava o aluguel e comprava passagens para o Rio.

Durante o dia, telefonava para todos que conhecia pedindo emprego. Recebeu alguns convites para almoçar, ia toda animada, até descobrir que aquilo que estava no prato não era exatamente o que seus amigos queriam comer. Agora ela era uma mulher separada, o que na época era sinônimo de puta. Caso ainda não tivesse entendido isso, os "amigos" faziam questão de informá-la.

No começo, achou que poderia ter uma vida social mais ou menos normal. Ia a coquetéis e festas, mas era sempre abordada por alguém:

— Sua prostituta! O que você está fazendo aqui? Aqui é lugar de gente de bem.

Então, preferiu não sair mais.

— Oi, Bob, tudo bem? – perguntou Roberto Civita assim que seu amigo atendeu o telefone.

— Como vai, Roberto? Sabe como é, *one day at a time*.*

— E as meninas?

— Estão tristes, mas bem.

— Olha, estou te chamando porque a Olga quer contratar a Costanza para fazer um editorial na *Claudia*, mas decidimos falar com você primeiro.

Olga Krell, que trabalhava na redação da *Claudia*, também tinha estudado com os dois Robertos e formava com eles um trio inseparável.

— *Thanks, Mon*, mas não tem problema. Vai ser bom ela trabalhar.

— Como estão as coisas?

— O David Rockefeller está aqui, não tenho tempo de ficar na fossa. Fora que eu preciso cuidar da Consuelo e da Alessandra. Ainda bem que tem a Blanche pra me ajudar.

— Você sabe, *if you need anything, just let me know*.**

— Eu sei. *Thanks*, Roberto.

— Eu não posso aprovar isso, a leitora de *Claudia* não tem dinheiro pra comprar esses tapetes e objetos de luxo. Tem que refazer – foi o que disse a editora-chefe da revista.

Por que não podiam ter dito isso antes de ela terminar a produção das 12 páginas? DOZE. Ela nunca tinha trabalhado em revista, feito produção. De repente a Olga ofereceu esse frila na *Casa Claudia*, que ainda não era uma revista independente, mas uma edição especial sobre decoração e arquitetura da *Claudia*.

A essa altura, Costanza estava tão acostumada a levar "não" pela frente que ficou em choque quando ouviu o "sim" da Olga. Logo dela, que era tão amiga do Robert. Mas talvez por ter estudado nos Estados

---

* Um dia de cada vez.
** Se precisar de alguma coisa, é só falar.

Unidos, ou por ter sentido na pele o quanto o mundo podia ser duro com mulheres que buscavam independência, Olga tenha se compadecido de Costanza. Seu lado feminista, aquele que acreditava que as mulheres tinham de apoiar umas às outras, deve ter falado mais alto...

Ou talvez a oferta não tivesse nada a ver com compaixão ou feminismo, e sim com o fato de ela não ter encontrado mais ninguém que topasse fazer aquele abacaxi de matéria. Não importava o motivo. O que importava era que ela via um potencial em Costanza que ninguém mais enxergara. Foi um alívio, uma luz no fim do túnel, e Costanza tinha que fazer aquilo funcionar de qualquer jeito.

Eram 12 ambientes decorados com móveis da Teodoro Sampaio. Costanza não teve coragem de perguntar como se fazia uma matéria fotográfica, resolveu que iria descobrir na marra. Deve ter subido e descido aquela rua tantas vezes quanto as páginas que tinha que produzir. Os móveis eram horrorosos. Todos em estilo neocolonial industrializado, malfeitos, com madeira de baixa qualidade. Escolheu os melhorzinhos e, para tentar disfarçar, pegou emprestados tapetes, lâmpadas e objetos de suas amigas ricas. No final, até que o resultado ficou bonitinho. Orgulhosa, foi apresentar à editora, que disse que o conteúdo não era compatível com o perfil da leitora.

— Eu faço de novo – não reclamou, não disse mais nada. Saiu da redação e recomeçou.

Foi à feira *hippie* na praça da República procurar objetos de artesanato baratos que pudessem criar ambientes interessantes. Se, alguns anos antes, tinha conseguido transformar aquela casinha de peão abandonada na fazenda em Lutécia em algo bacana, por que não conseguiria agora? Pendurou boás de plumas coloridas como os que Gal Costa usara na capa de seu LP, jogou tapetes de algodão cru no chão e inventou umas lâmpadas que ela mesma fez com tubos largos de PVC. Cortava fitas adesivas coloridas e decorava os tubos com desenhos psicodélicos. Depois inseria uma lâmpada dentro do tubo e cobria com um globo de vidro fosco. Trabalhava noite adentro. Deixava tudo montado para, no dia seguinte, o fotógrafo clicar.

Quando ficou pronto, foi direto à Olga Krell:

— Ficou ótimo! E eu sei que você fez tudo sozinha, não teve a supervisão da sua editora.

Costanza nem sabia que precisava de supervisão. Só aí entendeu a sabotagem da editora.

A matéria foi um sucesso e Olga começou a dar mais trabalhos até efetivá-la como produtora na revista *Claudia*.

Por causa do seu *layout* de dondoca, a maioria das pessoas achava que ela não seria capaz de fazer coisa alguma. Quando entrou pela primeira vez na redação de *Claudia*, viu todos trabalhando, sem notar sua presença. Não estava acostumada com aquilo. Pensou: *faz sentido. Elas, afinal, não me conhecem*. Foi se apresentar de mesa em mesa.

— Olá, eu sou Costanza Pascolato e vou trabalhar como produtora. Qual é o seu nome? – perguntou na tentativa de socializar, ainda que fosse difícil lembrar tantos nomes...

Imediatamente depois da contratação, uma delegação de jornalistas a abordou no corredor.

— É uma vergonha que essa empresa contrate alguém como você – disseram.

— Vergonha por quê? – perguntou toda inocente, tão pouco preparada estava para aquela batalha.

— Porque você está tirando o nosso pão, o pão de quem precisa.

Percebeu que era a primeira vez que teria que se defender sozinha, sem pai nem marido.

Eles reclamavam porque, além de não ser jornalista, ela não era nem brasileira e vinha de uma situação privilegiada. Então disse a eles:

— Entre o pão de vocês e o meu, prefiro o meu.

Virou as costas e foi embora. Alguns segundos depois, teve um estalo. Voltou correndo para onde eles ainda estavam reunidos e falou:

— E tem mais, aquilo que vocês sabem, eu vou aprender direitinho, mas há coisas que eu sei que, infelizmente, vocês jamais saberão.

Entendeu que estava pronta para a luta. Tímida, insegura, preguiçosa só até o momento que a cutucaram. Virou leoa. Descobriu uma força que nunca havia exercitado. Depois vieram limitações reais, seguidas de pequenas superações, sempre com esforço considerável. Como responsável pela escolha das roupas nas fotos de moda, achava no mínimo estranho outra pessoa, que não ela, fazer as legendas, as frases com informações sobre as peças usadas. Costanza tinha todo o conteúdo, mas não conseguia sequer escrever uma linha. *Vou ter de aprender*, pensou. Autodidata, quebrava a cabeça e a cara, mas aprendia. Aos poucos foram reconhecendo o valor de seu texto...

Mas o que mais a fascinou foi quando começou a perceber que estava virando uma profissional de verdade. Foi por volta de 1975, depois de quatro anos na Abril. Naquela época, a televisão ainda não tinha o poder de hoje. Por isso, as revistas exerciam uma influência enorme. Unido ao fato de que a pronta-entrega estava nascendo no país, estava na posição perfeita para ensinar à mulher brasileira o que era a moda contemporânea. Desconfiava da força da revista porque começou a ver algumas das invenções que punha nas matérias fotográficas acontecerem na rua. Tinha, por exemplo, mania de trançar cintinhos para usar no *jeans*. Via várias meninas fazendo aquilo e imaginou ser uma influência. Mas não acreditava que fosse verdade. *Olha a coincidência*, pensava. Uma vez, duas, três... um dia, não resistiu e perguntou a uma garota de onde ela havia tirado a ideia.

— Da *Claudia*.

19.

Alessandra

— Alessandra, por que você reza tanto?

— Nada, não interessa, Consuelo.

— Aposto que é para a Mummy voltar para casa.

— Não...

— É, sim! Como você é burra! Não adianta nada você rezar, ela não vai voltar!

— ....

Toda sexta-feira era a mesma coisa. Tudo o que eu tinha a fazer era terminar de copiar no meu caderno aquele textão que a professora escrevia na lousa. Eu estaria livre. Livre para ir para casa, me comunicar telepaticamente com os cachorros, nadar ou deixar o tempo passar enquanto boiava na água fresca da piscina e ouvia os Beatles tocando a toda no estéreo do meu pai. Mas meu cérebro engripava...

No Rio de Janeiro fazia tanto calor! Calor que serviu de inspiração para aquela arquitetura incrível da Escola Americana. Não tinha como não abrir pelo menos parte daquela porta articulada, que também funcionava como parede externa e lousa. Era uma sanfona enorme, que se dividia ao meio e corria para os dois cantos da parede. Eu ficava olhando aquilo dobrar para lá e para cá... *Como será que essa porta dobra? Como será que corre?* Mais um motivo para eu divagar...

Devagar. Era assim que eu copiava as palavras da lousa no meu caderno...

Se a professora abrisse tudo, não teria nem lousa, nem parede, nem porta. Seria só a sala e o lado de fora. Então não podia abrir tudo, porque tinha que ter a maldita lousa com aquele texto que eu precisava copiar no meu caderno para conquistar a minha liberdade. Não fazia ideia do que dizia o texto. Copiava uma palavra, depois a outra...

A porta que era lousa e parede abria e deixava entrar a vista da mata. Que linda a mata... Também dava para ver a rua de paralelepípedo que descia da mata e, mais além, da Rocinha. As mulheres desciam o morro e iam lavar roupa no rio que passava por dentro do colégio e saía, entre as pedras do muro, para a rua. Era tudo tão lindo e tão miserável. Coitadas daquelas mulheres. Da primeira vez que as vi, no melhor estilo Maria Antonieta perguntei ao adulto a meu lado:

— Por que elas não lavam a roupa em casa?

— Porque as casas delas não têm água encanada.

Tinham que lavar a roupa nas pedras do rio... Elas desciam a rua de paralelepípedo que vinha da Rocinha com a tina cheia de roupa equilibrada na cabeça. Algumas nem usavam as mãos para segurar.

Como é que elas conseguem carregar esse peso todo na cabeça e não deixar cair?, eu pensava. *Esquece as moças, Alessandra, termina de copiar o texto senão você não sai mais daqui!*

Palavra, palavra, palavra copiada da lousa para meu caderno. Para mim, eram apenas letras de giz na parede – que era lousa, que era porta –, que se transformavam em letras de caneta no meu caderno. Uma depois da outra, não me diziam nada. Eu só sabia que precisava acabar aquele maldito texto e mostrar para a professora. Ela lia e assinalava os – muitos – erros que eu cometia ao copiar aquele texto desconexo, letras sem significado escritas a giz na lousa, que era parede. Não corrigia, só assinalava os erros. Eu tinha que voltar, olhar para meu caderno e para aquele textão e entender o que havia feito de errado. E começava tudo de novo...

Quando as mulheres desciam o morro com suas tinas gigantes na cabeça, eu sabia que era hora de voltar para casa. Todos os meus colegas já tinham terminado e ido embora. Lá fora, fora daquele textão, fora daquela lousa – que era porta, que era parede –, estava o estacionamento. A Consuelo devia estar lá na Brasília bege, me esperando junto com o sr. Alonzo, o motorista do Banco Lar Brasileiro, que vinha nos buscar todos os dias. A Blanche, na confusão de línguas da cabeça dela o chamava de *Senhórr Anúncio*. Às vezes ele trazia o Monty e o Buji. *Ai, a Consuelo vai me matar porque eu me atrasei. Tomara que ele tenha vindo com os cachorros.*

— Finge que você tem que pegar um avião para ver sua mãe, como naquele dia – dizia minha amiga.

Ela era tão legal! Ficava comigo até eu terminar. E eu nem me lembro do nome dela... mas também, faz quantos anos? Uns 40? Quase 50...

No dia em que eu tive que pegar o avião para São Paulo, a Blanche me disse naquele jeito bravo dela:

— *Temm de sairr na hôrra! Non pode atrasarr senó perrde o avión!*

Pedi à professora para sair no horário, não podia perder o avião.

— Só sai quando terminar de copiar o texto. Se quiser pegar o avião, vai ter que trabalhar mais rápido – eu a achei a pessoa mais cruel do mundo. Uma megera, uma bruxa.

Mas a tática deu certo e, por uma vez na vida, meu cérebro não deu *tilt*. Terminei o texto antes de todo mundo. E sem erros! Queria explicar à minha amiga que não funcionava assim. Não era escolha minha, não fazia de propósito. Se soubesse como tinha conseguido o feito do dia do avião, repetiria a dose todas as sextas-feiras, mas não sabia. Naquela sexta, só o que me restava era olhar as letras dançando na lousa, que era parede e era porta, e tentar capturá-las com tinta azul no meu caderno.

Minha mãe exercia um fascínio exagerado sobre nós. A vida era sempre divertida junto dela. Até o ato de lavar as mãos com a Mummy era motivo de gargalhadas. Ela passava bastante sabonete, pegava nossos pulsos e os chacoalhava ultrarrápido, fazendo nossas mãos tremerem enquanto esfregavam uma na outra, rápido, rápido. Era água e espuma por todo lado! Depois formávamos um círculo com os dedos e assoprávamos para fazer bolhas gigantes de sabão. Quando chovia, íamos tomar banho no terraço. Cantávamos alto e dançávamos. Antes de ela viajar e de tudo acontecer, nós passávamos o tempo todo juntas e cada momento trazia uma aventura diferente.

Mas desde o dia fatídico em que voltou da Europa para dizer que não ficaria mais em casa conosco, suas visitas ao Rio vinham contaminadas pelo amargo sabor da ausência. Apesar da saudade, eu torcia para ela não poder vir nos finais de semana para não termos que passar pela despedida horrorosa domingo à noite no Santos Dumont. Minha mãe chorava tanto, que eu me sentia culpada pela tristeza que provocava. Nós também chorávamos, nos agarrávamos a sua cintura sem querer largar e deixá-la ir embora... horrível. Parecia uma cena tirada de filme de julgamento, com o réu abraçando os filhos logo após ser injustamente condenado à prisão perpétua.

Chegando em casa do aeroporto, Consuelo e Blanche se trancavam no banheiro para conversar sobre "assuntos de gente grande". Por algum motivo eu era proibida de ouvir o que elas diziam. Até hoje me escapa à imaginação o que a Blanche teria a dizer para minha irmã de oito anos que eu não podia ouvir. Será que discutiam o sexo tórrido que a Mummy estava fazendo com um homem desconhecido? Acho que não. Só sei que a Consuelo, com um sorrisinho sádico típico dos primogênitos, ainda se recusa a me dizer sobre o que conversavam. Eu grudava o ouvido na porta para ver se escutava alguma coisa, mas nada... e ainda apanhava da Blanche por bisbilhotar.

No dia em que tive que pegar o avião e terminei o texto antes de todo mundo, já tinha se passado um bom tempo desde a separação. Talvez um ano? Talvez mais. Pela primeira vez, ela não viria nos visitar, nós iríamos para São Paulo. Eu fiquei imaginando que ver minha mãe lá seria um pouco melhor. Não sei explicar o motivo. Talvez porque, finalmente, eu participaria de uma parte de sua vida da qual eu havia sido excluída. Nem sabia quem era seu namorado. Ele devia ser muito importante, já que nossa mãe nos deixara por sua causa.

Entre um final de semana e outro, nossa vida no Rio continuava. Até então, fora minha mãe a se ocupar de nós enquanto meu pai trabalhava o dia todo. Mas agora, com medo de que nosso cotidiano ficasse muito ocioso, Blanche nos pôs em aulas de balé, piano e francês. Todo dia uma atividade diferente.

— *Biishh*!

A professora de piano dizia isso e virava o rosto com um sorrisinho maroto, daqueles que a gente faz quando acha que está arrasando. Depois nos olhava de novo e dizia com seu sotaque carioquíssimo:

— Quando digo *biishh*, não é *purrque* eu *goshtei*, não, é *purrque* precisa *repetirr* para *milhorarr*.

Ela era uma figurinha, literalmente, já que devia medir por volta de 1 metro e 40. Tinha uma perna bem maior do que a outra e usava sapato plataforma em um dos pés para compensar a diferença de tamanho. As mãos eram minúsculas e os dedos tinham o tamanho das minhas primeiras falanges, mas se moviam super--rápido no teclado: trrrrrr, corriam pela escala. Sua casa era decorada com crochês, bordados, bonequinhos, objetos de louça com motivos florais e, como todo apartamento de professora de piano, cheirava a fritura velha.

Não bastava ir à aula, tinha que praticar em casa. A professora sugeria que puséssemos oito feijões de um lado do teclado e, a cada repetição, passássemos um dos grãos para o outro lado. Por algum motivo, em casa, ao invés de feijão usávamos sapatinhos de boneca. Eu achava muito mais divertido vesti-los na ponta dos dedos e fingir que minhas mãos eram bonequinhos dançando sobre as teclas do que me dedicar à partitura.

No quarto de brinquedos e estudo, onde ficava o piano, enquanto uma fazia lição a outra tinha que praticar. Depois de um tempo aparecia Elza, a faxineira, com a desculpa de que precisava fazer a limpeza. Era ela entrar e nós pedirmos para que nos contasse histórias de quando era pequena. Última de oito irmãos, seus pais não conseguiram sustentá-la e mandaram-na morar com a avó. Aparentemente, a avó era uma pessoa horrível que batia nela de cinto. Com um olhar desafiador, Elza mostrava as cicatrizes, provas de suas vicissitudes. Consuelo e eu amávamos ouvir esses contos de horror, com os olhos cada vez mais esbugalhados à medida que as desventuras de sua infância se intensificavam. Em nossa imaginação, essas histórias pareciam uma fábula dos irmãos Grimm e eram muito mais divertidas do que praticar piano. Aí chegava a Blanche, dava bronca em todo mundo e dissipava a turba.

Passada uma semana, voltávamos para o apartamento fétido de nossa diminuta professora e levávamos um belo de um "*Biish*" na cara por não termos estudado.

Eu já gostava da casa do Rio antes mesmo de conhecê-la. Das poucas memórias que tenho de antes da separação, é a de quando meus pais voltaram do Rio para dizer que tinham escolhido nossa casa nova.

— Tem um bar na piscina!

Eu achei aquilo a coisa mais sensacional do mundo. Só não entendia muito bem como as bebidas não sairiam flutuando do balcão subaquático e como faríamos nossos pedidos se estivéssemos debaixo d'água. Talvez alguma supertecnologia? Talvez os copos viessem com uma tampa e um canudinho especial que não deixasse vazar nosso precioso drinque? Eu ficava imaginando como isso poderia acontecer. Foi um pouco frustrante, portanto, quando descobri que o bar não era dentro, mas ao lado da piscina, e que não havia um *barman* 24 horas de plantão. Mesmo assim, gostava muito de lá, passávamos horas inventando drinques diferentes, misturando Guaraná com Fanta Uva, Coca-Cola e Fanta Laranja.

— Hmmm, que delícia!

— Eu gosto mais do de Coca-Cola com Guaraná. Não sei por que não inventam um refrigerante assim já pronto. Ia ser o maior sucesso!

Por ser grudada numa encosta, a casa era construída em patamares, o que significava, para o horror da Blanche e das empregadas, uma infinidade de escadas. De fato, entre as internas, externas, principais e de serviço, elas contaram mais de 100 degraus. Mas para mim, criança, aquilo tudo era muito incrível. No alto verão carioca, chegávamos da escola e pedíamos à Blanche para nadar de calcinha sem ter de subir até o quarto para pôr maiô.

— *Oh, Mon Dieu! Oui!* Mas só hoje! – respondia.

A vida no Rio era boa. Eu tinha algumas amiguinhas no colégio. Me lembro bem de umas gêmeas que eu adorava, mas que eram um tanto temperamentais. Num dia brincávamos e nos divertíamos aos montes, no outro eu chegava perto de uma e ela me dizia:

— Nós decidimos que hoje não gostamos de você.

Então tá...

Um de meus passatempos favoritos era tentar me comunicar telepaticamente com o Monty e o Buji. Durante horas, enquanto eles dormiam, os encarava na tentativa de passar alguma ordem telepática. Se eles mexessem a orelha um milímetro, eu achava que estava começando a dar certo. Influência direta de *Fuga para a Montanha Enfeitiçada*, meu filme favorito de todos os tempos da época. A história de um casal de irmãos alienígenas que pareciam humanos, mas tinham poderes! Ele conseguia mover objetos tocando gaita. Ela era mais poderosa e, além do poder da telecinesia, se comunicava com bichos! Conversava com eles, domava cavalos bravos, ursos selvagens e até cães ferozes. Todos viravam seus amiguinhos. Meu maior desejo era ter um poder assim.

Já morávamos na casa nova na Gávea quando Blanche veio falar conosco ao chegarmos da escola:

— O Buji-Buji *morrê*.

Aquela casa fazia parte de um condomínio fechado e os cachorros gostavam de passear pelas ruas que quase não tinham movimento de carros. A Blanche disse que ele devia ter sido atropelado ou espancado. Se esforçou para voltar para casa, mas não resistiu. Até hoje, sou assombrada pela imagem dele subindo nossa rua – um morro íngreme – sozinho, machucado, com dor, precisando de ajuda. A uma certa hora não aguentou, caiu e rolou encosta abaixo. Depois disso, o Monty nunca foi o mesmo. Começou a roer o tapete, fazer xixi dentro de casa e fugir com frequência, até que um dia comeu veneno de rato no jardim e morreu. Eu acho que ele morreu de tristeza pela perda do amigo.

Mesmo com toda a tristeza da separação, a carga do trabalho e a vida social intensa, o Daddy sempre dava um jeito de chegar cedo em casa para ver se tínhamos feito a lição, brincar, jantar conosco e nos pôr na cama. Ele chegava e a Consuelo e eu íamos preparar o *whisky soda* dele. Uma punha o gelo, a outra enchia o *thimble*, um copinho dosador em forma de dedal gigante. Tinha que encher até a boca.

— Cuidado, cuidado pra não derramar!

E, por fim, quem pôs o gelo podia pôr a soda, já que o mais importante era o uísque.

— Tá gostoso?

— Uma maravilha! – ele respondia enquanto desatava seus suspensórios de meias e alargava a gravata. Nós, orgulhosíssimas, acreditávamos piamente que éramos as melhores *bargirls* do universo.

Depois de relaxar com o *whisky soda*, ele brincava conosco. A brincadeira de que eu mais gostava era quando ele nos segurava pelos pés e balançava de cabeça para baixo gritando:

— Vende porquinho baratinho!!!

Jantávamos e, se o Daddy tivesse que sair, ficávamos conversando com ele enquanto fazia a barba. De repente, ele pegava a latinha de espuma de barbear e espirrava na gente, iniciando uma guerra. Nós agarrávamos outra latinha e partíamos para o ataque. Era um tal de sair correndo pelos corredores da casa berrando e batendo as portas, que ficavam forradas com os restos mortais de nossa batalha!

Na hora de dormir, ele vinha nos dar um beijo. Nossas camas eram juntas, então se deitava no meio das duas e contava histórias de quando era pequeno: na Fazenda Ribeirão, dos meus tios, de seu cavalo Dudu, que, ao contrário dos majestosos corcéis de seus irmãos mais velhos, era um potrinho desastrado...

— A Bibi ia na frente com o Capitão, um garanhão lindo. Depois o Lane e o Lee com o Silver e o Tony e, por fim, eu com o Dudu. Chegava numa encruzilhada, o Dudu de repente virava à direita e eu seguia em frente sem ele e caía no chão...

— HAHAHAHAHAHA! – nós duas gargalhávamos em uníssono.

Por fim, nos dava um beijo e passava a ponta da gravata sobre nosso nariz, ou, se estivesse com a barba malfeita, raspava nossas bochechas com ela.

O Daddy nos ensinou a cumprimentar os adultos com um *knix*, uma espécie de pequena reverência. Dávamos a mão para os convidados, púnhamos o pé direito atrás do esquerdo e dobrávamos um pouquinho o joelho, bem rapidinho. Uma coisa meio antiquada, mas que fazia um sucesso danado.

Como presidente do banco, meu pai com frequência oferecia enormes jantares. Eu adorava o zum-zum-zum do dia da festa. Todos ficavam tão atarantados com os preparativos que não davam muita bola para nós duas. Então, podíamos ver a novela, o que era uma coisa proibidíssima em casa. Em dias normais, eu assistia escondida com a Elza e a Nilza (a cozinheira, irmã da Elza) até meu pai chegar. Quando ouvia o carro dele entrando na garagem, ia correndo fingir que estava fazendo outra coisa.

Eu adorava a correria das organizações. Olhava tudo, ajudava enchendo as caixas e os copinhos de prata que disponibilizavam cigarros para nossos hóspedes, verificava os isqueiros, também de prata, para ver se funcionavam, se precisavam trocar a pedrinha da faísca ou encher o compartimento de querosene. Gostava da cerimônia, de como tudo era tão elegante e bonito; os arranjos de flores, os talheres de prata, os copos de cristal, as toalhas engomadas de linho branco. Ficava lá até ter de me esconder quando chegavam os primeiros convidados. Depois ia assistir à televisão e jantar canapé! Que delícia! Meus favoritos eram os pasteizinhos de anchova assados, os ovinhos de codorna com molho rosê e umas torradinhas de pão de fôrma redondas com uma gororoba quente de creme de queijo e cebola em cima.

A uma certa hora, o Daddy nos chamava. Descíamos arrumadas com vestidos iguais, meias brancas três-quartos e sapatinhos boneca de verniz comprados na Casa Tody. Dávamos a volta pela sala cumprimentando todos os convidados com nosso *knix*. Eles achavam aquilo a coisa mais bonitinha do mundo e eu me sentia elegantérrima. Depois subíamos e íamos para a cama.

Fiquei muito triste quando o Daddy disse que estávamos grandes demais para fazer *knix*.

20.

Consuelo

A casa da Mummy era muito pequena e, quando íamos a São Paulo para visitá-la, ficávamos no apartamento de nossos avós. Como ainda éramos meio novinhas e tanto a Mummy quanto os Nonni trabalhavam muito, a Blanche vinha conosco. A Nonna Gabriella fez uma pequena reforma, abrindo uma porta entre a sala de televisão, onde tinha um sofá-cama para a Blanche, e o nosso quarto. Dessa maneira podíamos dormir as três próximas umas das outras e usar o mesmo banheiro.

A estadia na casa deles era uma delícia. Eram avós jovens e dinâmicos. Nas férias, ficávamos mais tempo e íamos com eles à Santaconstancia durante a semana. Lá transformávamos os tubos de papelão onde enrolavam os tecidos em cavalos de pau. Pintávamos um rosto, uma crina e amarrávamos um barbante para servir de rédea. Corríamos para cima e para baixo nos longos corredores da fábrica.

O apartamento deles em Higienópolis tinha um cheiro maravilhoso de cera de madeira... Na copa, no fundo de um armário, havia grandes latas cor de creme com biscoitos e chocolate "escondidos". Quando nos recolhíamos para dormir, o Nonno contava histórias que ele mesmo inventava ou as aventuras de um tal Ulisses, que tiravam nosso fôlego de tão emocionantes. Muitos anos depois, na escola, descobri que faziam parte da *Odisseia*. A Nonna se sentava ao seu lado, serena como eu quase nunca a via, admirando-o e às vezes rindo até chorar (sempre achei linda essa sua habilidade de se entregar ao riso).

Quando minha mãe não estava trabalhando, ficávamos com ela. Um dia a vi chorando e perguntei por quê. Ela sempre foi muito sincera e acredito que essa característica sua tenha me feito uma pessoa mais forte e resolvida. Tentar entender a verdade por trás de mentiras é muito pior! Ela me contou que chorava porque o Nonno não a havia perdoado. Fiquei tão tristinha...

Alessandra e Consuelo entre Nonno e Nonna no apartamento no Sumarezinho, em São Paulo, início dos anos 1980.

Como nunca soube ficar quieta, na próxima oportunidade em que me encontrei a sós com o meu avô, lhe perguntei por que ele não a perdoava. Me respondeu que o que ela havia feito era muito grave. Mas eu o encarei e disse:

— Mas, Nonno, se eu posso, você não acha que também pode?

Perguntei ao meu pai por que éramos católicas se ele era protestante. E ele me disse:

— Em geral as crianças seguem a crença do pai mais religioso. No caso de vocês, é a Blanche!

Quando meus pais se separaram, ela ficou preocupada com a nossa educação religiosa. Tomou as rédeas e decidiu que teríamos que fazer nossa primeira comunhão o mais cedo possível. Inclusive a Alessandra, que ainda era pequena demais. Mas isso nunca foi um problema para a *mademoiselle*, como boa leonina, bem cabeçuda! Falou com as freiras de um colégio perto de casa e conseguiu nos encaixar na primeira comunhão das alunas de lá. Como os horários da Escola Americana conflitavam com os do curso de catecismo, tínhamos aulas particulares com uma religiosa superboazinha.

Ela nos deu uma apostila muito bonitinha com ilustrações de Jesus. Às vezes falava conosco enquanto cortava as hóstias que acabavam de sair do forno. Era um *wafer* branco, fininho, que tomava a forma da assadeira retangular, daquelas bem comuns, de fazer bolo. Eu achava aquilo muito estranho.

— Como é que isso pode ser o corpo de Cristo?!

— Ainda não é. Só depois que o padre benzer.

Hmmm... ainda não me convenceu...

Ela cortava aquele *wafer* com uma forminha redonda que deixava uma marca d'água. As bordas que sobravam e as hóstias que saíam mal cortadas nós podíamos comer.

E a confissão?! Me lembro do medo absoluto naquela hora: *o que que eu digooooooo?!*. Tudo o que eu pensava não me parecia ruim o suficiente. Que canseira! Cheguei a gaguejar!

Tenho uma certa inveja de quem tem fé. Essa para mim não veio. Acho difícil na minha cabeça racional acreditar que um homem de barba branca tenha criado tudo. Por que não uma mulher elegantérrima? Ou Buda, ou, o que mais faz sentido para mim, uma energia maravilhosa? Será que a figura que conhecemos de Deus é só uma metáfora do que Ele é de verdade? Mesmo assim, noto que quando estou em apuros sempre peço ajuda a Deus. Idem quando algo dá muito certo, é a Ele que agradeço. Isso me faz pensar que tem algo ali. Fazer um pedido, de coração, pode dar certo. Já aconteceu comigo. Se foi mérito de um barbudo, de uma mulher espetacular ou de uma energia, eu não sei. Prefiro deixar isso como um mistério e continuar pedindo ajuda e agradecendo.

A primeira vez em que me senti realmente especial e bonitinha foi na nossa primeira comunhão. Minha mãe desenhou a roupa e os convites. Adorei o vestido e o véu. Já a Alessandra, bem menos. Seu véu era mais curto do que o meu, não sei bem por quê, e ela ficou bravíssima! Tem uma foto ótima disso.

***

Pouco depois de minha mãe se mudar para São Paulo, meu pai construiu a casa dos seus sonhos na Gávea. O projeto foi de seu amigo de infância, o ótimo arquiteto Gregório Zolko, por coincidência o mesmo que projetou a nova fábrica Santaconstancia que meus avós inauguraram em Guarulhos, alguns anos antes. A casa ficou linda! Em um terreno íngreme, com uma vista mágica para o Morro Dois Irmãos e para a cidade. Parecia suspensa nas árvores que a cercavam.

A decoração ficou por conta do Howard Dilday, um arquiteto inglês radicado na Itália que o Daddy conheceu através da *zia* Mariella. Sim, a mulher do *zio* Nino, irmão da Nonna. Àquela altura meu tio-avô já tinha morrido, mas a *zia* Mariella ficou muito amiga de meu pai e ajudou-o a encontrar um decorador. A casa era maravilhosa! Nós adoramos o nosso quarto com papel de parede azul-celeste, superfeminino, com flores e bolinhas brancas. Ele projetou a escrivaninha onde nos sentávamos uma em frente à outra, e um

Aquarela da casa da Gávea, no Rio, feita pelo arquiteto Gregório Zolko.
Abaixo, o mau humor de Alessandra, junto à Consuelo, na primeira comunhão.

abajur de cerâmica na forma de um coala subindo uma árvore (soa *kitsch*, não é? Mas nós adorávamos!). Nosso banheiro tinha nuvens pintadas no teto... Uma delícia!

A vida não era tão ruim assim. A Blanche nos deixava sempre bem ocupadas entre escola, piano e balé (de todos os tipos: clássico, *jazz*, sapateado, moderno), não tínhamos muito tempo para reclamar. Piano durou pouco, mas balé na escola da Dalal Achcar uns bons anos... Todo Natal, dançávamos a suíte *Quebra-Nozes*. Era uma superprodução que trazia estrelas "de fora" para dançar os papéis principais. Um deles, um bailarino francês chamado Cyril Atanassoff. Nós nos sentíamos importantíssimas. Agora, em retrospecto, fico com pena dos meus pais e avós, pensando em quantas dessas apresentações tiveram que assistir!!

Eu, porém, sentia uma tristeza constante, que se traduzia em dor e um certo desconforto com a minha aparência. Além de uma profunda solidão. Lutava contra tudo com bom humor. Sempre cheia de energia e meio palhaça, o humor era a cortina entre meus sentimentos e o mundo. Não queria colocar sobre meus pais e a Blanche a responsabilidade de me fazer feliz.

21.

Gabriella

Entre o final da década de 1960 e começo de 1970, a Santaconstancia não parava de crescer. Encarregada da criação e do departamento comercial, Gabriella viajava continuamente. Visitava compradores Brasil afora e partia para a Europa não apenas para ver as coleções em Paris duas vezes por ano, mas para descobrir novas tecnologias.

Seu propósito era inovar para baratear o custo de produção e se manter em sintonia com o que havia de mais moderno no mercado mundial, sem comprometer a qualidade dos tecidos. Por isso nutriu um relacionamento muito íntimo com a Rhodia. Eles faziam a pesquisa de fios que cediam a ela com exclusividade para que criasse novos produtos. Chamadas de contra-amostra, essas peças eram usadas pela própria Rhodia como mostruário para outros possíveis compradores. Um de seus maiores orgulhos foi a Liganete®, um jérsei sintético com toque de seda pura que virou mania nacional.

Gabriella não parava um minuto sequer entre a casa e a fábrica. Além disso, Alessandro se casara em 1969. Como fizera com a filha, decorou um apartamento de presente para ele e sua esposa, Tita, na avenida Angélica. Seu filho agora trabalhava em tempo integral na Santaconstancia. Uma bênção para ela e seu marido. De repente, a surpresa da separação de Costanza. Ela sumiu sem deixar vestígios. Quando apareceu, disse que queria se mudar para São Paulo.

Aquela ali sempre fez o que queria, pensava. O problema maior não era nem o escândalo, embora durante um tempo Costanza estivesse vivendo como uma leviana, à disposição de um homem casado! O pior foi ela ter deixado a família, as duas filhas! E Gabriella, que achava que ela e Miki a tivessem educado para prezar a família acima de tudo... Após a separação, seu marido não conseguia nem olhar para a filha. Ele, possivelmente a pessoa mais doce que conhecera, também podia ser muito duro. Mas o tempo suaviza todas as arestas. Agora eles estavam se falando, graças à ajuda dela e da neta Consuelo. *Aquela menina tinha um coração enorme!*

Graças a Deus, agora Costanza estava trabalhando. De repente, ela virou outra pessoa. Não parava de trabalhar. Gostava do que fazia e fazia bem-feito. Bem, bom gosto ela sempre teve de sobra. Gabriella gostava de imaginar que tinha algo a ver com aquilo. Afinal, a ensinara a apreciar a beleza e a qualidade.

Ela gostava das visitas das meninas. De vê-las correndo pelo apartamento com aqueles tubos de enrolar tecido que enfeitavam como se fossem cavalos. Da gritaria, das brincadeiras de esconde-esconde. Mas aquele vai e vem não era saudável para elas. *O lugar das filhas é ao lado da mãe*. Miki agora se empenhava em ajudar

Costanza a reaver a guarda delas. Talvez agora que o Blocker resolvera se casar, seu marido teria mais facilidade para conseguir trazer as meninas definitivamente para São Paulo.

22.

Alessandra

O telefone tocou de madrugada no nosso quarto de hotel em Foz do Iguaçu. Consuelo e eu dormíamos já fazia tempo. Abri os olhos e vi a Mummy se levantar correndo e ir atender. Estávamos num quarto grande com dois ambientes.

— Alô? *Ciao Papá*.

De longe, no lusco-fusco dos meus sonhos, eu a ouvia chorando enquanto falava.

Na manhã seguinte, bem cedinho, ela nos acordou e disse:

— Vamos embora.

— Mas a gente acabou de chegar!

— Eu sei, mas aconteceu uma coisa que eu tava esperando já faz tempo.

Uma das vantagens de ter pais separados eram as férias. Além de viajarmos em dobro, não sei se por culpa ou concorrência, eles se esmeravam na produção.

Com meu pai, os destaques foram a viagem a Londres, para visitar a tia Suzy, e a para Nova York e Califórnia.

Nós pegamos o avião sozinhas e fomos encontrá-lo na *Big Apple*, onde estava participando de um seminário para os executivos do banco. Menores desacompanhadas, tínhamos todo tipo de regalia. Éramos levadas até o avião numa *van* especial em vez do ônibus superlotado, nos sentávamos na frente, comíamos antes de todo mundo e as aeromoças eram sempre gentilíssimas.

Regalias à parte, Consuelo passou mal depois do voo. Na noite seguinte, já recuperada, fomos comer no La Fondue. Eles queriam de carne, eu de queijo. Do alto dos meus dez anos e 1 metro e 20 de altura, devorei a panela toda e ainda achei que seria uma boa ideia comer uma fatia gigante de *cheesecake*. Sozinha. Que delícia! Meu pai chorava de rir com o moto contínuo do garfo, que ia do prato até minha boca e de volta para pegar mais um pouco. No dia seguinte, riu mais ainda quando meu fígado não aguentou e coloquei todo aquele queijo para fora.

Durante aquela semana, enquanto Daddy trabalhava, passeávamos nós duas, sozinhas pela Quinta Avenida, namorando os brinquedos da FAO Schwarz ou comprando papel de carta na loja gigante da Hallmark (que colecionávamos em álbuns e trocávamos com nossas amigas no colégio).

Terminado o seminário do meu pai, ficamos mais uns dias em Nova York para fazer compras. Ganhei um roupão de matelassê estampado com um cintinho de veludo verde, um vestido azul listrado com mangas bufantes e um coletinho. Na hora de provar o sapato que combinaria com o vestido, o vendedor me pediu o pé direito e eu ofereci o esquerdo.

— Outro pé – disse meu pai, demonstrando uma certa irritação.

Lentamente, tirei do sapato o pé direito e produzi o motivo de tanto acanhamento. Um furo gigantesco na meia por onde saía o meu dedão. Em meio a gargalhadas, meu pai perguntou:

— Onde encontro meias para comprar?

Na semana seguinte, fomos a São Francisco visitar nossas amigas Vilia e Ingrida, que tinham se mudado para lá. Depois alugamos um carro, fomos para o Parque Nacional de Yosemite (onde Consuelo comemorou seus 13 anos), Carmel, e fechamos com chave de ouro na Disney. Foi uma das primeiras vezes que viajamos sem a Blanche. Só nós duas e o Daddy.

O cinto de meu lindo roupão se desprendeu. Sem a Milèle, lá fui eu, aos dez anos, me aventurar na arte de corte e costura.

Ficou ótimo, com um pequeno porém: em vez de pregar na cintura, preguei o cinto embaixo da manga. Descosturei-o pacientemente, preguei de novo, fui ver o resultado, de novo no mesmo lugar. E mais lágrimas de risada escorriam pelo rosto de meu pai. Assim foi durante toda aquela viagem, com mil e uma histórias diferentes.

A Mummy nos levou para esquiar em Portillo, no Chile. Do esporte não aprendi muita coisa. Achava aquelas aulas descendo morrinhos cruzando os esquis muito chatas. Do que eu gostava mesmo era de nadar na piscina aquecida ao ar livre e gelado. Ficava com a cabeça afundada até o nariz, o suficiente para não morrer afogada. No final da tarde, a Mummy encomendava *leche condensada caliente*, que nada mais era do que leite condensado diluído e quente, que tomávamos como se fosse chocolate.

No ano seguinte, fomos para Foz do Iguaçu de carro. Levamos dois dias, fazendo um pequeno desvio até Curitiba para conhecer a cidade e passar a noite. Por mais que eu tente evitar o clichê, não consigo escapar da expressão "de tirar o fôlego" para descrever as cataratas. Fiquei maravilhada com a sensação acachapante de ficar encharcada só de chegar ao observatório e com a piscina incrível do Hotel Cataratas. As férias tinham acabado de começar e eu estava superanimada para passar a semana inteira naquele lugar maravilhoso.

Mas na segunda noite, de longe, fui acordada pelo toque do telefone. Minha mãe foi correndo atender:

— Alô? *Ciao Papá*.

23.

Costanza

Ela esperara cinco anos por aquele telefonema que chegou numa madrugada em Foz do Iguaçu. Costanza mal podia acreditar que seu pai, finalmente, havia conseguido a guarda das meninas para ela. Precisava assinar o contrato o quanto antes, por isso interrompeu as férias com as filhas.

Finalmente a ponte Rio–São Paulo com o sofrimento da despedida nos domingos à noite acabaria. Foram cinco anos de espera. Mas, enquanto aquela chamada não vinha, sabia que precisava tocar a vida adiante...

Depois da separação, Michele parou de falar com a filha. Ela costuma dizer que foi deserdada. É fato que ficou apenas com o que lhe cabia pela lei: 25% das ações da Santaconstancia, os móveis e objetos da família. O resto foi para seu irmão. Resta saber se seu pai teria feito essa divisão mesmo se ela não tivesse se separado. Afinal, Alessandro era *il figlio maschio*, o varão, e desde muito cedo havia começado a trabalhar na tecelagem. Por isso, Miki e Gabriella achavam que ele merecia mais.

Fosse como fosse, quando se mudou para São Paulo, Costanza não foi buscar emprego na Santaconstancia. Talvez por não achar que seria aceita, ou por querer provar que conseguiria se virar sozinha. No final das contas, o machismo de seus pais acabaria mudando a história do jornalismo de moda no Brasil.

As relações com a mãe recomeçaram pouco depois que conseguiu um emprego na Abril. Embora o trabalho ajudasse Costanza a parar de pirar, ou seja, chorar o tempo todo e ficar desenhando nas paredes compulsivamente, sua cabeça continuava viajando. Em parte, porque Giulio ainda não tinha decidido sair de casa para morar com ela (depois de tudo o que abdicara por causa dele!), em parte porque virava noites trabalhando e, nos finais de semana, ia para o Rio ficar com as meninas. Não dormia direito, não conseguia descansar. Por isso ela não viu o carro que a jogou no chão quando tentava atravessar a rua. Acordou no hospital, sua mãe ao lado da cama. Bem ou mal, Gabriella ainda era seu contato de emergência. Por sorte não aconteceu nada de grave, apenas uns arranhões, mas, a partir daí, as duas começaram a se falar.

O reencontro foi providencial, pois assim Costanza conseguiu que as meninas ficassem na casa dos pais quando vinham para São Paulo. A casinha geminada em Perdizes era pequena demais para abrigar as duas e a Blanche. Além do mais, ela trabalhava o tempo todo.

Aos poucos, seu pai também voltou a falar com ela.

Estava tudo certo. A próxima edição de *Claudia Moda* seria fotografada em Belém do Pará. Costanza tinha acertado com o prefeito da cidade. O contato veio através da Santaconstancia, porque, além de prefeito, ele tinha uma transportadora que a fábrica usava para a distribuição de tecidos no Nordeste. A equipe de produção era enorme: seis modelos femininas, seis masculinos, o J.R. Duran para fotografar, um assistente, maquiador/cabeleireiro, Costanza e o editor de moda masculina, Fernando de Barros, com malas e mais malas de roupa.

Tinham se passado alguns anos desde que ela começara a viajar pelo país para fazer editoriais. Até o começo dos anos 1970, as revistas femininas como *Claudia* e *Desfile* importavam matérias de agências internacionais e as mulheres copiavam o modelo em casa, sozinhas ou com a costureira. Aí, a Rhodia contratou o Livio Rangan para promover seus tecidos e tudo começou a mudar. Ele inventou os desfiles da Fenit e passou a produzir editoriais com Attilio Baschera, que na época era diretor de arte da *Claudia*.* Eram matérias maravilhosas. Viajavam a Roma, Veneza, só para fazer o editorial. Livio lançou uma série de talentos, descobriu modelos que depois fizeram sucesso na Europa, como Mila Moreira, Dalma Callado, Betty Lago. O único problema era que as roupas não existiam no mercado, eram elaboradas por ele para promover as fibras da Rhodia. Foi um ponto de partida, e a procura pelas roupas da Rhodia mostrou que existia espaço para um mercado de pronta-entrega. A partir de então apareceram confecções com bossa em São Paulo e no Rio de Janeiro. Veio

---

* *O Brasil na moda 1*, op. cit., p. 232.

o *boom* da moda carioca, que tinha um espírito próprio, a tradução perfeita do estilo de vida à beira-mar. De Ipanema as roupas migraram para as vitrines dos grandes magazines paulistanos, que chamaram a atenção de Thomaz Souto Corrêa, então diretor da *Claudia*. Ele mandou Costanza ao Rio para fazer editoriais.

A primeira matéria na Cidade Maravilhosa foi em Laranjeiras. O Attilio inventou um cenário futurista, com o fundo preto cheio de estrelas de purpurina flutuando. Costanza saiu de São Paulo com cinco malas, entre roupas e as benditas estrelas, sozinha, sem nenhuma assistente, nada. Chegou lá com as peças de São Paulo para complementar a produção carioca. Era tudo improvisado. As estrelas, que precisavam ser penduradas no teto, caíam, amassavam... A equipe de produção do Rio de Janeiro olhava para ela como quem diz: "Essa daí é meio imbecil". Mas ela só estava começando. Era território novo, não havia sido feito antes, o único jeito de aprender era apanhando. Então ia fazendo as coisas, que, por fim, davam certo.

Aos poucos, graças a seu esforço, talento e garra, Costanza foi ganhando experiência e responsabilidade. Fazia a moda de *Claudia* e *Claudia Moda*, que deixou de ser um suplemento anual da revista e virou uma publicação independente, ganhando força e anunciantes. Passou a ser semestral, trimestral, bimestral... A cada dois meses, Costanza e Fernando de Barros precisavam preencher 150 páginas de editorial de *Claudia Moda*, além das costumeiras 23 de *Claudia*. Era uma loucura. Ela fazia a feminina, e ele, a masculina.

Toda essa visibilidade chamou a atenção de prefeitos e governadores de cidades e estados espalhados pelo Brasil. Eles ofereciam locação para promover o turismo. As empresas de aviação e os hotéis faziam permuta, davam passagem e estadia em troca de páginas de publicidade. Algo completamente novo na época.

Apesar da bagunça que era viajar com toda a trupe, montar o editorial fora de São Paulo tinha suas vantagens. Funcionava como um intensivão. Chegavam lá com o único propósito de fazer a matéria e, em uma semana de trabalho *non-stop*, fechavam tudo. Além de conseguirem locações maravilhosas.

Aí, a uma semana da viagem, o senhor prefeito de Belém ligou:

— Olha, Costanza, o governador brigou comigo...

A briga foi um escândalo tão grande que acabou no jornal. O prefeito teve de renunciar ao cargo. Ele não podia mais recebê-los, a viagem estava cancelada. Desesperada, Costanza foi falar com o Fernando:

— Não temos mais locação, e agora?!

— Ah, calma, nenê! Alguma coisa aparece.

E apareceu.

Costanza tinha um amigo muito próximo chamado Ruizito Ferraz. Ele era de uma família de fazendeiros de sociedade, conhecia todo mundo.

Ao saber do problema da amiga, disse:

— Hmmm, eu conheço o prefeito de uma cidade lá no Norte. Tem umas praias lindas... Ele vai adorar se você pedir pra fotografar lá na cidade.

— Será que ele fala comigo?

— Pode deixar. Ele é da pá virada, eu conheço bem, vai adorar que você ligue.

Feliz com a solução que caiu do céu, ela ligou para o telefone *private* do tal prefeito:

— Oh, Costanza, como vai, blá-blá-blá... – disse com a voz empolada. – Claro, claro, será um prazer! Quanto tempo vocês precisam ficar?

— Olha, pelo jeito, se a gente ficar uma semana inteira, de sábado a sábado, seria bom.

— Pode deixar, eu vou organizar tudo com muito prazer, só que você tem que me prometer uma coisa.

E ela, com sua mania de sempre querer agradar:

— Claro, claro!

— Eu queria que vocês todos viessem jantar comigo no primeiro dia.

— Ah, que gentil, com certeza!

Costanza foi na véspera para organizar a vinda da cambada. Assim que o avião aterrissou, apareceu um carro preto com chapa branca bem no meio da pista, no pé da escada do avião. De lá saiu um homem enorme de terno preto. Foi até Costanza e produziu algo que ela nunca tinha visto na vida: um maço de rosas gigantes, congeladas. Fazia um calor do cão, as flores ficavam no congelador para não murcharem.

— Eu vim para levar a senhora até o hotel...

Subiu no carro lá mesmo na pista e foram para o hotel, onde a deixaram – ela e suas rosas, que já não estavam mais congeladas.

No dia seguinte, chegou o resto da trupe. Corre para lá, corre para cá:

— Meninas ali, meninos acolá. Não esqueçam que hoje a gente tem um jantar com o prefeito. Não pode atrasar!

Para Costanza, essas viagens eram sempre estressantes. Ela funcionava como uma governanta responsável por aquele bando de adolescentes, algumas bem desmioladas, o que é normal para moças daquela idade. Embora procurasse não perder a paciência, sabia que tinha de ser bem rigidazinha...

À noite, fazia um calor terrível, todos de sandália de dedo, *shorts* e camiseta regata, até mesmo Costanza, que naqueles anos 1970 juntava ao *look* básico pencas de colares de prata, garimpados em feiras *hippies*, e anéis gigantes em todos os dedos. Seis carros pretos oficiais vieram buscá-los, os motoristas vestidos iguais, com terno preto. Ela entrou em um deles com Duran e Fernando. E anda, anda, anda, cada vez mais para o meio do mato. Preocupada, perguntou:

— Tá difícil, né, onde que é?

— Ah, é numa praia mais afastada...

A uma certa altura eles pararam numa encruzilhada, onde um carro preto igual aos outros estava estacionado com a porta do passageiro aberta.

Veio o motorista deles e disse:

— Dona Costanza, o senhor prefeito pediu para a senhora ir com ele.

Então lá foi ela, de *shorts* e sandalinha, entrou no carro onde estavam o prefeito, de terno e gravata, e uma *socialite* amiga dele vestindo um longo de paetê *by* Markito, um estilista importante da época. Costanza ficou meio constrangida por causa de sua roupa informal demais, mas fez que não tinha reparado e tudo bem. Afinal, não podia fazer nada lá no meio do mato. Aí anda,

anda, anda, mais e mais... até chegarem a uma praia totalmente deserta, com umas cabanas de palha e madeira, as mesas e bancos bem baixinhos, quase no chão, e uns homens esquisitíssimos. Não havia uma mulher, eram só homens. Ela olhou aquilo e começou a ficar nervosa, mas como era uma turma grande achou que não corria perigo...

Só serviram umas lagostas assassinadas (sim, assassinadas; porque, coitadas, não mereciam ter morrido para serem tão mal preparadas) e champanhe a rodo. Só, e mais nada. Costanza percebia que a coisa estava se encaminhando para algo que não era legal. E todos no oba-oba, porque as pessoas não pensam – ou talvez pensem, mas não estão nem aí...

Nervosa, ela foi falar com o Fernando:

— Escuta, mas isso aqui tá esquisito...

— Não, nenê...

Aí olhou para o Duran e o viu com um sorriso de orelha a orelha. Sem saber o que fazer, falou:

— Meninas, lembrem que amanhã a gente vai trabalhar, portanto, olha lá o que vocês vão fazer.

Se passaram duas, três, quatro horas... ela cada vez mais nervosa. Até que levantou e falou:

— Eu vou voltar porque tá na hora, que amanhã a gente trabalha. E quem não vier comigo agora não vai trabalhar nunca mais em nenhuma outra revista da Editora Abril.

As meninas todas levantaram a contragosto, os meninos ficaram lá parados, até que Fernando achou que tinha de acompanhar a colega. Ao ver isso, a fisionomia do prefeito mudou completamente. Ele ficou uma fera! Costanza achou que fosse apanhar. Embora fosse um pouco difícil ele bater nela com tanta gente em volta, tudo podia acontecer naquele cenário. Mesmo assim, Costanza não se constrangeu e ficou lá, impávida:

— Olha, prefeito, eu sinto muito, mas a gente veio para trabalhar. Eu sou assim. A gente tem que ir, tá na hora.

— Bom, eu só deixo vocês saírem daqui se você me prometer outra coisa.

— O quê?

— Que vocês virão jantar comigo no último dia.

— Tá ótimo. Então tá, tchau!

Durante a semana, ela correu para acabar as fotos logo e foi embora levando as meninas um dia antes do combinado. Nunca mais falou com o prefeito, que, alguns anos depois, começou a despontar na mídia como a nova salvação da pátria e teve uma carreira meteórica, subindo até o mais alto escalão do Governo Federal. No auge da carreira, foi pego num escândalo monstro que o obrigou a renunciar ao cargo. Passados nove anos, voltou à ativa...

A pronta-entrega era o espírito da época. O mundo tinha mudado, não comportava mais uma moda tão careta. É claro que o fato de ser muito mais barata ajudava seu sucesso, mas não era só isso. A pronta-entrega traduzia um novo estilo de vida. Por quê? Qual foi a diferença? A partir dos anos 1960, a mulher começou a trabalhar fora de casa, o que lhe dava menos tempo para costurar as próprias roupas. Esse fato e a invenção da pílula anticoncepcional, que lhe proporcionou a liberdade sexual e o controle sobre o próprio corpo, mudaram seu estado de espírito e influenciaram sua maneira de vestir.

Sim, havia diferentes categorias. O universo dos banqueiros, por exemplo, era mais tradicional e por isso ainda não aceitava um minivestido da Emmanuelle Khanh com botas acima do joelho. Mas o espírito da época eram os jovens, os famosos *baby boomers*, que sempre foram mais abertos e bem-humorados.

Yves Saint Laurent foi um dos primeiros a perceber esse movimento e lançou a grife Rive Gauche em 1966, uma marca mais barata de roupas prontas que não abria mão do estilo. Junto com ele surgiram estilistas como Kenzo, Emmanuelle Khanh, Dorothée Bis, Chantal Thomas e Sonia Rykiel, que se lançaram diretamente na pronta-entrega e começaram a influenciar as tendências do mundo todo. Se você trabalhasse com moda e não vestisse Kenzo, estava perdida.

Foi a época em que a pronta-entrega teve uma enorme crise de crescimento e se tornou adulta.* A uma certa altura, aquele crescimento astronômico criou um caos. Cada marca se lançando de forma independente, em datas diferentes, dificultando muito a divulgação e venda aos grandes magazines, seus principais clientes e distribuidores. Então, Jean Jacques Picart inventou a semana de moda, juntando todas as marcas francesas em um calendário único. Os compradores, jornalistas e clientes se uniam em Paris duas vezes ao ano para assistir à proposta do estilista e comprar a coleção que seria entregue uns seis meses mais tarde. E assim a história se fez.

Enquanto isso, no Brasil... A indústria da confecção começava a crescer. Era fundamental que os jornalistas ficassem a par do que acontecia na Europa. A Abril montou um escritório na França e mandava suas editoras duas vezes ao ano para cobrir as coleções de primavera/verão e outono/inverno. Mas os franceses não estavam nem aí para os brasileiros. As importações eram proibidas e a única maneira de fazerem dinheiro no nosso mercado era autorizando o uso da marca em produtos licenciados. Alguns deles, como o Pierre Cardin e o Paco Rabanne, começaram a fazer qualquer negócio. Desde tapetinho de chuveiro a jogo americano.

A equipe do escritório de Paris da Editora Abril era ótima, superprestativa. Tinha o Pedro de Souza, um português maravilhoso que trabalhava feito um louco. Eles conseguiam tirar leite de pedra em relação aos convites, mas os dos principais desfiles, aqueles mais concorridos, eram impossíveis de conseguir. Por que iriam convidar umas revistinhas do Brasil, sem interesse comercial ou prestígio internacional? Segundo Christiane Fleury, que trabalhava junto com Costanza na Abril:

"A gente só recebia convites para os caretões e para a alta-costura. Dior, Givenchy, essas coisas, nós tínhamos. Mas aquele era o começo do *prêt-à-porter* e o novo de verdade estava acontecendo nesses

---

* *C'est l'époque ou le prêt-à-porter a pris une formidable crise de croissance et a devenu adulte.*

Costanza quando trabalhava como produtora de moda na Editora Abril, em São Paulo.

desfiles; de Montana, Mugler, Kenzo. Uma vez eu e a Costanza entramos na fila do Montana, sem convite, e na minha frente estava uma jornalista correspondente de *O Globo* que tinha sido convidada. De repente ela cai no chão – no meio do empurra-empurra acabou desmaiando. Chamamos os seguranças e, quando eles vieram resgatá-la, nós falamos que estávamos com ela. Quando vimos, já nos encontrávamos lá dentro. E ali ficamos, assistindo ao desfile. Nos anos 1970 e 1980 realmente era uma guerra total. Só muito depois a gente conseguiu se estabilizar."[*]

O mais radical de todos era Kenzo, que proibia qualquer brasileiro de entrar em seu desfile. Tinha um bom motivo: o país era um dos principais centros de falsificação. Mas numa época sem internet, se você não assistisse à coleção na passarela, ao vivo, só a veria semanas ou meses depois, nas páginas da concorrência. Em 1976, Kenzo anunciou que lançaria sua coleção no Palais des Congres, um centro de convenções enorme, moderníssimo.

"E aí pensamos: como a gente vai ficar de fora disso? O que levou a outra pergunta: como a gente vai entrar nisso? Eu fui toda vestida de Kenzo porque era fã total. Não adiantou, a gente tentou pelas vias normais e levamos patadas de todos os capangas que ele tinha posto na porta. Então resolvemos subir no telhado, porque devia ter uma entrada qualquer por lá. Imagine. Chegamos a fazer um mapa! Mesmo assim, entramos, mas caímos na sala errada, no meio de um *show* da Silvie Martin... que estava acontecendo em outra sala do Palais des Congres."[**]

Costanza continua a história:

Nos escondemos no banheiro e lá ficamos até a sala esvaziar. Quando não tinha mais ninguém, saímos pela janela e subimos no parapeito do prédio, que era superlargo. Só que, como havia várias salas e em algumas delas rolavam reuniões, a gente precisava andar de quatro para não aparecer. Entramos pela janela de um corredor mais ou

---

[*] *O Brasil na moda 1*, op. cit., p. 237.
[**] Christiane Fleury, *O Brasil na moda 1*, op. cit., p. 237.

menos perto da sala do desfile e começamos a andar em direção a ela. Nisso, vimos umas pessoas do outro lado vindo em nossa direção. Nós olhamos para eles e, com medo que fossem seguranças, viramos para o lado contrário e saímos andando, e eles fizeram o mesmo. Foi aí que eu entendi que também estavam procurando a sala do desfile. Eram uns italianos, claro. Eu falei:

— A gente tá indo pro Kenzo, vocês também?

— Também, mas é pra cá ou pra lá?

— Pra lá...

Então fomos indo, indo, indo, até que chegamos... O desfile já tinha começado, conseguíamos ouvir a música lá dentro. Não havia ninguém na porta. Pensamos que fosse um golpe de sorte, mas erramos o andar. A porta dava nas vigas de concreto que seguravam os holofotes. Assistimos ao desfile de cima pra baixo. Não dava pra entender nada, claro que não.

24.

Alessandra

É claro que eu não tinha ideia, mas aquele telefonema de madrugada, lá em Foz do Iguaçu, mudaria minha vida. No dia seguinte, a Mummy nos acordou cedinho dizendo que tínhamos que voltar para São Paulo.

— Mas a gente acabou de chegar!

— Eu sei, mas aconteceu uma coisa que eu tava esperando já faz tempo.

E assim voltamos, nós, meninas, a contragosto sem saber o que era essa coisa tão importante que tinha acabado com nossas férias. Não me lembro dos pormenores da volta, mas tenho nítida a sensação de profundo desapontamento e de que alguma coisa muito grave estava para acontecer. Só fomos descobrir do que se tratava quando voltamos para o Rio e nosso pai nos disse que podíamos escolher com quem queríamos morar. É claro que não era bem verdade. E bastante injusto. Como é que duas meninas, uma de 12 e outra de nove anos, iriam escolher entre o pai e a mãe? E não escolhemos, mesmo. Já estava tudo escolhido.

A outra notícia bombástica era que o Daddy ia se casar. Muito galante, ao longo dos anos ele teve várias namoradas. Das mais importantes dessa época – aquelas a quem fomos apresentadas – me lembro de três: a Lou, que nós adorávamos, mas que não durou muito; a Nonô, que fazia a linha megera; e a Maritza, com a qual ele se casou.

Maritza fez uma série de mudanças na casa. A decoração do Howard, que nós achávamos irretocável, recebeu vários ajustes, que talvez hoje eu gostasse mais do que na época. Cadeiras e anjos barrocos, uma águia de cristal da Steuben que eu, brincando com meu cachorro, deixei cair e quebrei. Anos depois fui descobrir que custava mais de 1 mi de dólares. Mas a maior mudança foi a dos quartos. Antes do casamento, o quarto de meu pai ficava no térreo, bem em frente à piscina. Esse virou um escritório. O casal se mudou para cima, usando aquele que era da Blanche; o nosso virou o *closet* da tia Maritza. Nós ficamos com o quarto de hóspedes, o que me deixou um pouco magoada na época porque meu pai, ao anunciar que íamos nos mudar para São Paulo, enfatizou:

— Vocês sempre vão ter o quarto de vocês em casa.

Literal como toda criança, achei que ele estivesse se referindo a nosso lindo quarto com papel de parede azul florido. Eu adorava acordar lá e ver o reflexo da piscina dançando no teto, entrecortado pela sombra listrada da veneziana. Ficava um tempão deitada na cama relaxando com as ondinhas de luz que brincavam no forro. Para mim, que sempre amei água, era o prenúncio de um dia bom. O quarto de hóspedes, embora muito confortável, dava para a rua, nada de reflexo dançando no teto. Nossos móveis, junto com o papel de parede azul--claro com flores e bolinhas brancas, foram para São Paulo, para um apartamento no Sumarezinho que minha mãe comprou com a ajuda de meus avós e do Giulio (que àquela altura já morava com ela).

Eu gostava da tia Maritza, ela sempre foi carinhosa conosco, embora, desde pequena, eu fosse eternamente desconfiada da atenção de quem tivesse algo a ganhar com meu afeto. (No caso, o amor de meu pai, mas também tinha os funcionários da Santaconstancia, do Chase e os fãs de minha mãe, que já começavam a aparecer.) Eu sempre fui muito grata pelo cuidado que ela teve conosco. Toda vez que íamos para o Rio, organizava uma programação nova: um cinema, uma caminhada na praia, almoços no Country, churrascos na piscina, uma viagem para Angra ou para a fazenda de uma amiga. No fim do dia, jogávamos buraco ou, se tivesse mais gente em casa, como meu tio Lane e meus primos, brincávamos de mímica.

A comida era deliciosa, sempre. Meu pai comprou uma máquina de fazer sorvete e ela inventava milhares de sabores diferentes, inspirados na sorveteria do Morais, na Visconde de Pirajá, a melhor do Rio de Janeiro. Desses, o que eu mais gostava era o de banana, embora meu favorito de todos os tempos continuasse sendo o de pistache verde neon do Bob's que o Daddy às vezes nos levava para tomar depois do jantar.

Maritza assumiu também o trabalho de organização dos jantares lá de casa. Uma recepção para David Rockefeller teve arranjos de flores feito por Roberto Burle Marx.

Consuelo tinha mais ciúmes do Daddy e não aceitava muito bem as mulheres na vida dele. Ninguém nunca poderia ser boa o suficiente para o seu paizão!

Eu não entendia bem por que ela não parava de fazer perguntas esquisitas:

— Tia Maritza, em que ano você casou? Quantos anos tinham a Márcia e a Noêmia [filhas dela] quando elas se casaram? Com que idade você teve as duas? Nossa, tia Maritza, mas você teve filhos cedo!

— Sim, eu era muito menina! Sou de família mineira, as mulheres se casam e têm filhos cedo.

Pra que ela queria saber tudo aquilo?! Descobri o motivo escuso por trás daquele questionário bizarro no dia em que nós duas fomos para o banco encontrar com meu pai. De lá, íamos direto jantar no centro. Já era tarde, dona Estela – secretária maravilhosa –, tinha ido para casa. Consuelo fuçava no fichário de contatos e eu brincava com a máquina de calcular, daquelas que a gente puxava a manivela e, com um barulhão, imprimia o cálculo numa fita de papel, *tudum tudum*. De repente, ouço um berro de minha irmã:

— 51 anos!!!!

Olho assustada.

— A tia Maritza tem 51 anos!!!

—............?

Nisso, apareceu nosso pai, que acabara a reunião na sala ao lado. Consuelo olhou para ele com ar de triunfo e disse:

— ELA TEM 51 ANOS!!!

Resignado, ele riu:

— Nossa, ela ficou tão deprimida quando fez 50 anos!

Maritza era quase dez anos mais velha do que o Daddy.

— Alessandra, descobri quem é o namorado da Mummy!

— Quem?!

— O pai da Maria e do Ferdinando! Eu vi uma foto dele num porta-retratos no quarto da Mummy!

E assim foi que ficamos sabendo quem era o tal namorado. Como de costume, Consuelo era a curiosa e ligada em tudo, enquanto eu vivia no mundo das nuvens.

O Daddy sempre viajou muito. Nos dias que precisava pegar o avião, chegava em casa mais cedo e fazia a mala. Nós sentávamos na sua cama e observávamos a organização do *nécessaire* já pronto com garrafinhas tamanho viagem, as roupas e sapatos tão bem encaixados que não sobrava espaço vazio. As camisas e os paletós eram dobrados à perfeição, com meias e cuecas aninhados nos colarinhos para evitar que amassassem e perdessem a forma. Foi assim que aprendemos a fazer mala – habilidade que, desde sempre, é fonte de orgulho para nós duas.

Quando ele voltava, era uma festa. Trazia chicletes e chocolates que não existiam aqui: sacos de um quilo de M&M's e a grande novidade, M&M's com amendoim, que imediatamente devorávamos inteiros. Lifesavers, chiclete Bubaloo e Bubblicious dos mais diversos sabores, que levávamos para a escola e trocávamos por atenção e popularidade. Era tanto açúcar e corante que chegávamos a passar mal.

Mas os presentes que mais usamos foram as duas malas verdes cobertas com um tecido de estampa florida bem à moda da década de 1970. Uma um pouco maior para a Consuelo, e uma menor para mim. Durante anos, aquelas malinhas nos acompanharam em nossa ponte quinzenal São Paulo–Rio, para visitar nosso pai: às vezes de trem noturno (meu favorito), às vezes de carro, às vezes de avião. O trem saía tarde da noite da Estação da Luz. Na cabine com beliche e banheiro, a Blanche dormia embaixo e nós duas de valete (cabeça de uma com o pé da outra) em cima. De manhã, íamos tomar café no vagão-restaurante e, quando voltávamos, o quarto tinha se transformado numa sala com um sofá vermelho. UAU! Outras vezes, o Trindade (motorista do Chase que a Blanche chamava de *Trrinitád*) saía do Rio com o Galaxie Landau branco de capota preta, nos buscava na porta da escola e se lançava de novo na Dutra para nos levar a nossa casa carioca. Avião na ida só em ocasiões especiais, quando viajávamos para Angra dos Reis ou para a fazenda da dona Mercedes, uma amiga da tia Maritza que morava numa casa do Niemeyer no Leblon e tinha uma fazenda sensacional na serra fluminense, com uma sede antiga, do período colonial.

A volta Rio–São Paulo era sempre de avião. Pegávamos o Electra da Varig no Santos Dumont para Congonhas. Na cauda do avião havia uma salinha redonda, separada por uma porta de vidro, que eu achava o máximo.

Ainda nos sobraram algumas amigas da Escola Americana, que às vezes vinham brincar conosco na casa de meu pai, normalmente com direito a piscina e churrasco. Eu confesso que já naquela época era autossuficiente. Gostava de pessoas, mas ficava bem sozinha. Depois de um certo tempo brincando, tudo o que queria era ficar a sós com meus devaneios. Dizer que eu era feliz sozinha é um exagero, aquela não foi uma época especialmente feliz, mas a solidão me dava uma sensação de contentamento.

Havia algumas exceções. Momentos em que eu gostava da companhia de outras pessoas: quando jogávamos baralho, brincávamos de mímica, quando saíamos com nossos primos Lanezinho e Robertinho, filhos do tio Lane, que fora transferido para o Rio pouco tempo depois de meu pai. Eles eram mais velhos do que a gente. O Robert tinha uns três anos a mais do que a Consuelo e o Lane quase oito anos a mais do que eu. Mesmo assim, nos dávamos muito bem.

A melhor descrição para meu primo Robert é o termo em inglês "*goofy*". Ele sempre aparecia com alguma invenção, alguma maluquice. Certa vez, prendeu uma pequena hélice em cima do boné de beisebol e ficava andando para cima e para baixo com aquele chapéu "helicóptero". Quando iam de Fusquinha para a fazenda no Mato Grosso, ele adorava deitar no espaço entre o banco de trás e o motor para ficar olhando o céu e curtindo as estrelas.

Depois do Fusca, tio Lane comprou uma Veraneio e a gente se amontoava no porta-malas para ir jantar fora (sim, na época não se usava cinto de segurança e era normal enfiar a criançada no porta-malas). Nós adorávamos, não tanto pelo conforto, que era zero, mas pela bagunça. Certa vez, a buzina do meu tio enguiçou e disparava toda vez que ele girava o volante. A cada curva, Robert chorava de tanto rir.

Lane era um menino lindo e muito sensível. Contrário à norma, ele nunca teve ciúmes do irmão caçula. Gostava de ajudar tia Gloria a empurrar o carrinho e, quando Robert jogava os brinquedos e bichinhos de pelúcia para fora do berço, ele pacientemente saía da sua cama para recolhê-los e devolvê-los ao berço. Na escola, Robert sempre foi o menor da turma. Além de baixinho, era magro e vivia apanhando dos colegas. Quando Lane ficava sabendo disso, saía em defesa do irmão. Na fazenda, gostava de montar a pelo e fazer rodeio com os bezerros. E conosco, seus primos mais novos, sempre foi extremamente carinhoso.

Logo depois de Consuelo e eu nos mudarmos para São Paulo, Lane foi para a faculdade nos Estados Unidos, só que ficou pouco tempo e voltou diferente. É claro que não percebi muita coisa, apaixonada por ele, só fiquei superfeliz com sua volta. Uma noite, fomos jantar fora e ele apareceu arrebentado: a mão enfaixada, metade do rosto roxo e alguns dentes quebrados. Disse que tinha sido atropelado. Um certo domingo, estávamos só eu e ele na piscina, brincando. Estava tudo bem quando, de repente, meu primo teve um espasmo e deu uma cusparada na água da piscina. Foi muito rápido. Achei estranho, mas não dei muita bola. Alguns minutos se passaram, ele pediu para eu não dizer a meu pai que tinha vomitado, saiu da água e se vestiu para ir embora. Nem se despediu, o que me deixou um pouco magoada. Já na saída, Daddy o viu e disse que não podia ir a lugar algum. Eu assistia a tudo da piscina, enquanto os dois brigavam feio. Gritavam, o Daddy quase bateu nele, só que Lanezinho o empurrou, praticamente o derrubando, e foi embora. Passei o resto da tarde na piscina sozinha, evitando cuidadosamente o cuspe/vômito que ainda via flutuando. Cumpri minha promessa de não contar nada a meu pai, sem saber exatamente o que aquilo queria dizer. Foi a última vez que vi meu primo.

Pouco tempo depois, sem saber mais o que fazer para ajudar o filho – após infinitos tratamentos médicos, psicólogos e internações –, meu tio cedeu a seu pedido de passar um tempo na fazenda... de lá, ele sumiu. Meus tios contrataram um investigador, mas Lane não deixou vestígios. Dali a alguns meses, tia Gloria recebeu uma carta sua. A redação era muito diferente do seu estilo infantil, característica de quem tinha dificuldade para ler e escrever (ele sofria com uma dislexia acentuada). Havia uma qualidade poética, bonita, embora melancólica. Era uma despedida. Fico imaginando o sofrimento deles de não saber o que aconteceu com o filho. Alguns anos mais tarde, se separaram. Tio Lane procurou construir uma vida nova, casou de novo e adotou uma filha. Tia Gloria se envolveu com o espiritismo e recebeu várias cartas psicografadas do Lane e do Bambino. Acredite ou não na procedência das cartas, elas lhe trouxeram uma certa paz.

Esse foi meu primeiro e mais traumático encontro com as drogas. A Mummy, quando Lane sumiu, decidiu nos explicar o que era o vício. Na época, diziam que nós não podíamos de jeito nenhum aceitar balas de estranhos (nunca soube de alguém que tenha ficado viciado porque aceitou bala de um estranho, mas sei lá...). Com seu jeito dramático e grandiloquente, ela montou um cenário tão aterrorizante que me deixou sem dormir por uns bons dias. E se eu comesse sem querer uma bala com drogas e ficasse viciada para o resto da vida?

Logo que me mudei para São Paulo, eu flanava pela vida num torpor bizarro. Nunca fui boa aluna, mas ia cada vez pior na escola. Lição, nem pensar. Sentava na escrivaninha que o Howard tinha projetado para nós, onde uma ficava de frente para a outra, e começava a conversar com minha irmã. Só que ela era mais aplicada e acabava a lição. Eu não.

Para minha vergonha, os professores me punham em turmas sempre mais atrasadas. Eu frequentava a aula de português para estrangeiros e ESL (*English as a Second Language*), ou seja, não era nativa em língua alguma. Tentava esconder dos meus amigos esse fato, morria de medo que eles me achassem retardada. A julgar pelas notas, minha família começou a desconfiar que aquele cordão umbilical enrolado no pescoço deixara sequelas...

Na verdade, quando prestava atenção até que aprendia, mas quem disse que prestava? Eu era tão dispersa que minha professora de ESL me chamava de *endangered species*, uma espécie em extinção. Apelido que, embora eu não conseguisse entender o que queria dizer em língua alguma, eu intuía não ser coisa boa.

Por sorte tive um professor, Mr. Fisher, o tipo que atendeu ao chamado da vocação. Ele começou a desconfiar que tinha alguma coisa errada e me mandou para a psicóloga da escola, que por sua vez me submeteu a um monte de testes de lógica, matemática, interpretação de texto etc. Inclusive o da mancha no papel. Aquele que fazem com todo *serial killer* de seriado de TV.

Mr. Fisher também chamou minha mãe para conversar várias vezes. Foram muitos dias. Não faço ideia de quantos, só me lembro de ficar depois da aula esperando do lado de fora, enquanto eles conversavam. No final, os testes revelaram que eu tinha o QI acima da média e uma leve dislexia. A psicóloga recomendou que me mantivessem estimulada. Ou seja, tudo ao contrário do que estavam fazendo: me punham em turmas cada vez mais atrasadas, eu ficava mais e mais entediada e ia sempre pior. Não sei bem se foi o estímulo ou o simples fato de minha mãe, que não parava de trabalhar, ser obrigada a gastar tempo comigo. Só sei que, depois disso, minhas notas pularam de Ds para Bs. Não alcançava a nota máxima porque eu continuava não fazendo lição e me recusava a decorar o que quer que fosse, duas coisas que sempre achei perda de tempo. O maior esforço que fazia era aproveitar a hora que o ônibus demorava para nos levar de casa para a escola todas as manhãs para aprender alguma coisa antes da prova.

25.

Costanza

As coisas melhoravam para Costanza. Ela adorava o trabalho. Ganhava direitinho. (Na época, salário de jornalista era bom.) E as meninas tinham voltado a morar com ela.

Costanza não se aguentava de alegria quando soube que ganhara a guarda das filhas. A primeira coisa que lhe passou pela cabeça foi: *Tenho que trocar de casa para elas terem um espaço próprio.* O lugar onde morava na Granja Julieta era gostoso, mas nada adequado para as meninas. Além de ser longe de tudo!

Foi um golpe de sorte ter lido uma matéria sobre um condomínio no Sumarezinho cuja construção fora embargada. As obras recomeçariam em breve e ela imaginou que o preço devia estar lá em baixo. Tirou o fundo de garantia e comprou o apartamento 101 do Bloco B, seus pais compraram o 102, ao lado, e Giulio o 91, logo abaixo. Eles derrubaram a parede entre os apartamentos 101 e 102, criando um ambiente amplo. Os quartos dela e da Blanche numa ponta, os da Consuelo e da Alessandra na outra e o apartamento do Giulio foi interligado por uma escada caracol. Uma disposição esquisita, mas funcionava bem. Preservava seu relacionamento com Giulio, já que ele fumava muito e era bagunceiro demais para sua organização virginiana. E, além disso, não invadiria o espaço das meninas.

Giulio ficou preocupado com a adaptação das enteadas.

— Eu não sou pai delas, elas têm pai, eu quero que cheguem para mim devagar. Que me conheçam, que no começo minha presença seja discreta. Já estão passando por uma mudança tão complicada.

A rotina se estabeleceu muito rapidamente. Durante o dia, a casa era toda para as meninas. Chegando perto da hora do jantar, todos iam para a sala. Ele fumava e bebia seu uísque e elas contavam como tinha sido o dia. Às quartas-feiras Giulio buscava os filhos para jantar em casa. Quando Costanza chegava, era hora de comer. Conversavam, contavam piada, riam. Ela se sentava no colo dele.

— Você me ama? – perguntava.

— *Si, si* – ele respondia dando risada.

Segundos depois de terminar a sobremesa, Blanche mandava as meninas tirarem a roupa correndo, escovarem os dentes e irem para a cama.

— *Tire tes robes!*

Depois do banho, trazia um copo de suco de laranja para cada uma – a ser tomado num só gole porque, segundo o pai delas, a vitamina C é volátil e em cinco minutos vai toda embora.

— *Tout d'un souf!*[*]

Depois era escovar os dentes e ir dormir.

---

[*] Num gole só!

No silêncio da noite, Costanza se encontrava com o marido em um dos dois quartos. Era o momento deles. De se amarem, de trocarem figurinhas, rirem juntos e de ela crescer.

Giulio levava uma vida muito desregrada. Não gostava de seu trabalho na Pirelli, fumava maços por dia e bebia demais. Mas, no melhor estilo "façam o que eu digo, não façam o que eu faço", ele era um excelente conselheiro. Não só em questões práticas ao opinar sobre o que fazer, mas na sabedoria de enxergar o mundo com objetividade e, sobretudo, muito senso de humor. Um humor que botava em perspectiva até o problema mais difícil, tornando-o um pouco mais leve. Foi com o apoio dele que Costanza encontrou a coragem de enfrentar as muitas adversidades na vida e no trabalho – e, em parte, foi graças a ele que conseguiu atingir seu sucesso.

A maior frustração dele era a escolha da profissão. Como muitos homens de sua geração, escolheu estudar Economia e Administração porque era o "caminho certo". Muito inteligente, executava sua função com eficiência, mas sem o menor prazer. Por isso resolveu sair da Pirelli e virar avicultor. A ideia era criar uma raça nova de perus que tinha visto na fazenda de uma prima na Itália. Resolveu montar uma granja perto do aeroporto de Viracopos, para não gastar muito dinheiro em logística. Nos finais de semana ele e Costanza procuravam terras na região de Campinas e Indaiatuba.

Passaram muito tempo procurando. Giulio estava quase desistindo. Das dezenas de terrenos que viram, ou eram horrorosos ou estavam bem acima de seu orçamento. Afinal, ele tinha que sustentar Giovanna e seus três filhos. Mas resolveram fazer uma última tentativa.

Os dois chegaram ao bar no horário marcado, mas o corretor de imóveis não estava lá. Giulio ficou na dúvida. Será que tinha errado a hora ou o nome do bar? Só o que lhes restava era esperar e depois vasculhar a cidade atrás do sujeito. Indaiatuba não era tão grande assim, não deveria ser difícil encontrá-lo.

— Não, ele não apareceu aqui hoje – respondeu o garçom do décimo bar em que eles entraram à procura do corretor.

Foi quando ouviram uma voz:

— Por que vocês procuram esse corretor? Estão atrás de terreno?

Quem perguntou foi um sujeito de boa aparência mas que arrastava a língua, como quem já tinha tomado umas a mais, mesmo sendo antes do meio-dia.

— Sim, estou querendo comprar umas terras aqui por essa região.

— Eu tenho um sítio à venda. Se quiserem, levo vocês lá para dar uma olhada, mas antes preciso passar em casa.

— Por que não? Melhor do que perder a viagem.

Passaram na casa para pegar a esposa. Ela explicou que tinham uma chácara pequenininha com uma plantação de uva para produção de vinho ali do lado.

— Mas estamos precisando de dinheiro, então queremos vendê-la. Vocês não querem ver?

O dono do terreno contou que também trabalhara na Pirelli, mas que seu sonho era ter uma vinícola. O sítio era uma graça, do tamanho certo para uma granja. Tinha muitas oliveiras e morros cobertos de parreiras. O preço era ótimo, Giulio queria voltar na semana seguinte para dar o sinal, mas ele falou:

— É que eu tava precisando de dinheiro já, vocês não podem me dar o cheque agora?

O Giulio nem tinha trazido talão, então Costanza pegou o seu da bolsa e fez um cheque sem fundo em cima do capô do carro. Ele cobriu a conta em alguns dias e o terreno passou a ser seu. Logo depois, saiu da Pirelli. Começou a fazer frilas para ganhar dinheiro e a investir na granja, que chamou de Chácara Miraflores.

— *Cianghi** – era como Giulio chamava Costanza –, vi um condomínio que se chama Polaris, lá perto da granja. Tem uns terrenos à venda. Eles são pequenos e não muito caros. A gente podia construir uma casa de fim de semana para nós e as crianças.

---

* *Cianghi* (se pronuncia "tchiangui") é um termo carinhoso em italiano, mais ou menos como "querida".

— Ótimo, tá bom, mas como vai construir se a gente não tem dinheiro?

Ele projetou uma casa que mais parecia um galpão. Dois banheirões, um em cada ponta, um para os homens e outro para as mulheres. Do lado do banheiro feminino tinha um biombo que separava um dos "quartos" do resto da casa; do lado do banheiro masculino, o mesmo. O resto era uma sala gigante com cozinha americana no centro. O fogão era industrial, enorme. Não tinha empregada, só uma caseira que vinha uma vez por semana fazer a faxina. Eles cozinhavam todas as refeições. As portas de vidro abriam para um terraço coberto e uma piscina que era quase do tamanho da casa (porque Giulio não queria que a piscina fosse um bidê), um caramanchão com uma churrasqueira e um enorme gramado.

Foi nessa casa que as crianças passaram boa parte de seus finais de semana, feriados, bailes de Carnaval no clube de Indaiatuba... Costanza, Giulio, Ferdinando, Maria, Paola, Consuelo e Alessandra. Foi lá que todos cresceram e que Alessandra começou a namorar.

26.

Consuelo

Sempre me perguntam com qual nacionalidade mais me identifico. A resposta é: "Com aquela do país em que não me encontro". Por exemplo: quando estou no Brasil, me sinto menos brasileira do que o resto da população. Isso é verdade para qualquer lugar com o qual eu tenha alguma ligação. Observo as culturas com distanciamento. Elas não são totalmente naturais para mim, nem totalmente estranhas. Olho para os costumes com curiosidade e, apesar de tentar me divertir com esse fato, até tirando sarro dessa minha qualidade "estrangeira", sinto um certo desconforto onde quer que eu esteja. Pode ser na Itália, nos Estados Unidos ou no Brasil, todos os países onde já morei, sempre sinto que não pertenço a eles totalmente.

Ao mesmo tempo, por conhecer todas essas culturas tenho uma visão mais ampla. Acredito que consigo enxergar e entender comportamentos justamente por ter sido exposta a partes tão diferentes do mundo. *Compare and contrast* (comparar e contrapor), frase usada *ad infinitum* nos exames da universidade, virou meu modo de operar! Não por coincidência, vim descobrir uma paixão por Antropologia Social, algo que me ajudou muito no trabalho. Afinal, moda e *marketing* estão enraizados no comportamento.

O sentimento de não pertencer a nenhum lugar certamente fez de mim uma pessoa insegura. Minha índole gregária busca raízes, algo com o qual me identificar. Ainda hoje, quando vou a um bar, mercado ou restaurante na Itália, onde moro há quase 30 anos, não sei se me expresso de forma estranha ou se sorrio demais, só sei que me olham torto. Com mais de 50 anos, minha camada de Tefal, que não deixa grudar coisas desagradáveis ou indesejadas – o proverbial "foda-se" –, está mais aprimorada e não ligo tanto. De criança e adolescente, no entanto, era outra história... e ainda mais por eu não me encaixar no que a estética da época pedia.

Quem me vê hoje nas mídias sociais, com fotos lindas e tratadas, talvez tenha dificuldade em acreditar no meu pesar da época. A verdade é que a bela foto no Instagram é fruto de uma batalha diária, tanto interna quanto externa. É difícil superar traumas que vêm da infância. Aqueles mais perto de mim sabem disso. Apesar de os leitores queridos me assegurarem diariamente que sou bonita, eu sempre vejo o patinho feio nas fotos. O coitado do Roberto (o HDMV: Homem da Minha Vida) tem que tirar centenas de retratos meus antes que eu aprove um...

Qual era a minha referência? Uma mãe divinamente maravilhosa. Não é culpa dela. Na verdade, não é de ninguém. Mas meu coração doía. Fisicamente! Na adolescência, andando na rua e vendo meu reflexo no vidro dos carros estacionados, sentia uma enorme tristeza ao me reconhecer em uma imagem da qual não gostava.

O que fiz? Virei palhaça, simpática e espirituosa. Isso foi um presente. Hoje acho até que todo mundo deveria ser um pouco patinho feio desde pequeno. Ajuda a nos transformar em pessoas melhores, com maior empatia, por entendermos a dor do outro. Mais tarde na vida, encontrei vários amigos que me contaram como eu os havia defendido na escola por sofrerem alguma forma de *bullying*; um por ser *gay*, outra porque não se enquadrava nos padrões estéticos e ainda outro por ser tímido. E olhem que eu não era superpopular. Tinha amigos, me esforçava nas campanhas para ser eleita presidente da classe, mas não tinha namorado! Aquele item necessário para a aceitação de uma menina na adolescência. Afinal, se você não tem namorado, é porque existe alguma coisa de errado. Não sei qual força me levou a defender os outros... mas fiquei muito feliz por descobrir meus pequenos atos de "heroísmo".

A mudança do Rio para São Paulo me fez bem. De estudante medíocre, passei a ser uma das melhores da classe. E algo também mudou no meu jeito de vestir. Seria a primeira de várias transformações no meu estilo ao longo da vida.

O Rio não era meu hábitat natural e, traduzindo isso em roupa, o resultado era que só me sentia bem em duas calças jeans e cinco camisetas. Elas viviam em rodízio no meu armário. Quando cheguei a São Paulo, aos 12 anos, nunca soube explicar bem o porquê, mas mudei. Foi realmente do dia para a noite. Me lembro dessa transição como algo de muito estranho sobre o qual eu não tive controle. Talvez por ter sido apresentada ao mundo da moda em que minha mãe trabalhava? Foi incrível e muito importante para mim.

Macacão: um charme em qualquer idade

"Pessoalmente gosto muito do macacão, porque ele pode ser usado de manhã, para trabalhar, até a noite, mudando apenas os acessórios. A sandália, no mesmo tom do macacão, faz com que a silhueta se alongue. As listras miúdas em preto e branco, da camiseta de jérsei, e o cinto de verniz preto, todo trançado, servem para quebrar o intenso brilho do amarelo, tornando o modelo apropriado para uma mulher de minha idade. Minha filha deu a ele um toque romântico e jovem. Misturou o azul da bolsa Tilty's com o azul do sapato Danieli e o cinto da Cori. Lembrou o vovô com a palheta da Tilty's. Ela conseguiu uma interpretação pessoal, de acordo com a sua idade."
O macacão é da Cori.
Costanza usa camiseta Gonna Sport, cinto Ellus, sandália Siboney.
As jóias são criações de Annalu Remmert e Antônio Bernardo.

Consuelo vibrando ao participar do editorial de moda da revista *Claudia* ao lado de sua mãe.

Um dia, quando a Mummy voltou (como sempre, exausta) de uma longa jornada na editora, eu fui lhe dar um beijo e ela me olhou de cima a baixo:

— Nossa! Muito bacana o que você está usando!!

— Isso?! É aquele seu vestido velho de tricô. Só coloquei uma camisa por baixo...

— Eu sei, mas tá perfeito! Tem estilo e personalidade! Você sabe o que está fazendo e é criativo.

Eu tinha gostado do *look*, até amarrei uma fitinha com laço tipo gravata. (A época era de *Annie Hall*, o filme de Woody Allen que fez Diane Keaton revolucionar o vestir feminino.) Mesmo assim, não tinha achado aquilo tão diferente a ponto de ser digno de nota. Mas o olho da minha mãe nunca deixava passar nada, e esse foi o começo da minha vida *fashion*.

A Mummy trabalhava muito e, para poder vê-la durante as férias e finais de semana, nós a acompanhávamos nas produções. Que mundo surreal! O estúdio do Luiz Tripolli, um dos maiores fotógrafos da época, era escuro, com paredes pretas, e tocava *The Dark Side of the Moon* do Pink Floyd a todo volume! Fazíamos dever de casa no banheiro, o único lugar que tinha luz suficiente! Outras vezes íamos aos *showrooms* de confecções como Petistil, Cori e Gledson, onde ela fazia a seleção da roupa para as produções. Às vezes eu dava sorte e ganhava uma peça. A moda começava no Brasil, e minha mãe estava lá para registrá-la nas páginas da *Claudia*! Chegamos até a fazer um editorial juntas, mãe e filha, em uma das minhas fases magras. Cada uma interpretava o mesmo *look* do seu jeito! Eu adorei!! Foi uma das coisas mais gostosas que fiz com a Mummy naquele período. Me senti linda!

Aos poucos, comecei a entender e adorar aquele mundo da moda. Os desfiles do Rio eram incríveis. Me lembro de Monique Evans deslumbrante na passarela, de biquíni e com uma arara no braço. Ou Isis de Oliveira nua, tendo seu corpo pintado ao vivo. A energia, a cor, a convicção sempre me fizeram acreditar que criatividade não falta no Brasil.

Quando viajávamos, levava o dinheirinho guardado do Natal e aniversário e ficava horas na Laura Ashley escolhendo peças de inspiração vitoriana, enquanto Alessandra se entediava sentada no chão do trocador. Ela sempre foi mais para um livro do que para um maxicolete. Cheguei até a ser eleita uma das mais estilosas no anuário do meu último ano no Graded.

Então fui estudar numa universidade americana. Eu seguia minha busca de identidade e estilo próprio e o projeto de ir para um mundo novo, onde ninguém soubesse quem eu era, quem eram meus pais, foi uma forma de começar do zero.

Foi assim que cheguei a Providence, Rhode Island (EUA), para estudar na Brown University. Tenho muito orgulho de ter sido parte de uma instituição de enorme prestígio, que me moldou para o resto da vida.

O foco de uma universidade desse gabarito é intelectual, o que não queria dizer que eu tivesse de ser desleixada. Emagreci uns dez quilos nas férias antes de partir, com a ajuda de um regime e algumas pílulas milagrosas que um médico me deu e que não sei até hoje se eram tão legais assim.

Me lembro da transição. Saí de São Paulo com uma só mala para Nova York, onde encontrei meu pai. Ele, sempre ele, presente nos momentos decisivos de minha vida, com uma mão firme e o sorriso amigo. Entre uma reunião de trabalho e outra, o Daddy me levou à Bloomingdale's para comprar lençóis, travesseiro, cobertores, toalhas etc. Algo que, 33 anos mais tarde, eu faria com a minha filha. Foi um momento tão gostoso! Comida e compras sempre foram nosso ponto de encontro!

Para escolher o guarda-roupa, fomos ao reino do mundo *preppie,* * a Brooks Brothers. Compramos camisas oxford nas cores

---

* Termo que se refere aos internatos norte-americanos. São chamadas de escolas preparatórias e abrigam jovens de famílias tradicionais.

branca, azul-celeste e rosa-pastel. O tecido de algodão com poliéster era ultratecnológico e não precisava ser passado. Detalhe essencial para uma menina mimada de Terceiro Mundo na sua primeira aventura sem ajuda doméstica. O resto do *look* que completava o uniforme de uma aluna de *college* americano no início dos anos 1980 era o tênis Tretorn e um casaco de plumas *à la* bonequinho Michelin.

Meu pai e eu rimos ainda hoje com o contraste de duas fotos daqueles dias. Uma saindo do elegante Hotel Pierre, na Quinta Avenida, com enormes malas lotadas e eu vestida toda comportada e feliz. A segunda já no meu quarto vazio no dormitório, vestida *preppie* com um olhar bem desesperado e todas as malas por abrir.

Mas eu sou assim, antes de começar um projeto importante fico superansiosa, procrastino e no último minuto do segundo tempo dou a largada. Daí, sai da frente! Não paro até terminar, nem que a bunda fique quadrada, o pé cheio de bolhas e eu vare a noite!

Na minha escrivaninha tenho um Post-it no qual escrevi a seguinte frase: *"Feel the fear and do it anyway!"* (Sinta medo e faça mesmo assim.) É o título de um livro de Susan Jeffers escrito há mais de 30 anos. A primeira vez que o li senti o que a minha melhor amiga, Lucia, chama de "pizzada", uma epifania: "É isso!! Nossa! Não sou só eu que tenho esse pavor diário que me faz rolar na cama durante a noite e gemer de nervoso pela manhã. OBRIGADA, SUSAN!". Dizem que capricornianas têm batalhas diárias. Não sei se isso é verdade para todas as mulheres que compartilham meu signo, mas eu tenho, sim.

Uma das minhas saias justas inaugurais em Brown foi quando, na primeira pequena queda de temperatura, coloquei a jaqueta de plumas. Me achando, fui ao refeitório. Na fila para pegar o "rango", um loirão alto riu da minha cara e disse:

— Tá muito quente pra isso ainda!

Hoje em dia eu tiraria de letra esse tipo de comentário, mas na época, murchei…. Bobão!

E estudar?! Apesar de ter sido uma das melhores alunas da minha classe no *high school*, conseguia me virar estudando o mínimo possível. Em Brown, logo entendi que o esquema seria outro. Depois do primeiro dia de aula, vi outros alunos lendo os livros com voracidade e marcando tudo com canetas neon! Fiquei com os olhos esbugalhados e disse:

— Mas vocês leem o livro todo?!!

O pessoal olhou para mim como se eu fosse louca!

— Lógico!

Percebi que ia ter de me adaptar a isso também.

Virgem, meu maior medo era me deparar com uma situação ultrapromíscua na faculdade. Além do medo das drogas! Até hoje nunca experimentei um baseado nem nada. Só lança-perfume e mesmo assim só umas duas vezes! Mas logo vi que o problema daqueles jovens longe de casa pela primeira vez era o álcool. Nunca vi pessoas beberem tanto. Eram engradados e mais engradados de cerveja! Mas não entrei nessa cena.

Quanto ao que eu chamava de promiscuidade, eu era certinha e minhas amigas também. No primeiro mês de aula foi todo um "avisa aqui e avisa ali" por parte dos professores e diretoria para tomarmos cuidado para não engravidarmos. Na enfermaria, a pílula e outros métodos anticoncepcionais eram subsidiados. Achei aquilo superinteligente!

Fui me adaptando à vida e virando mais e mais americaninha. Já no segundo semestre, minha mãe veio me visitar. Pelo telefone, ela me informou a hora que chegaria de trem de Nova York.

— Ok, Mummy, vou te buscar!

— Ai, que bom, filhinha! Estou morrendo de saudade! Então tchau!

— Tchau... Mummy?...

— Sim?

— Queria te pedir um favor.

— Fala.

— Será que você poderia vir vestida de... mãe?

Silêncio...

Explico. Na época, 1983, começara a era dos japoneses na moda. Eles trouxeram roupas pretas e formas incomuns. Lógico que Costanza mergulhou na onda.

Depois de alguns segundos ela me perguntou:

— Qual mãe você quer? Ralph Lauren, Donna Karan...?

— Mãe, mãe...

— Ah, tá.

— Tchau.

— Tchau.

Com um coração meio pesado, desliguei. Fiquei triste de pedir aquilo. Não é que não gostasse de sua ousadia. Eu já estava acostumada, até me divertia, abria a minha mente... mas me adaptava a uma cultura e achei que ela chegar toda "estranha" desequilibraria o *status quo* que eu acreditava ter conquistado.

Chegou o dia e fui buscá-la na estação. Ela me contou que viu de longe uma pessoinha que parecia a sua filha com uma mochila (na época só americanos usavam mochilas no dia a dia) e andar americano!!! *Wow*, eu estava mais adaptada do que pensava! Ela, por sua vez, vestia uma capa enorme, toda de preto e cabelo curtinho. Me confessou:

— Filhinha, quase me fantasiei de mãe, mas no fim achei que vir autêntica seria uma lição mais importante.

E foi mesmo!

Uma hora mais tarde ela estava sentada na minha cama no *dorm* costurando minha meia furada. Como se diz, "o hábito não faz o monge"!

Em 1982, no mesmo ano em que fui para Brown, Jane Fonda lançou seu primeiro vídeo *Jane Fonda's Workout!*. Quem não viveu essa época não pode imaginar o que isso significou. Antes de Jane, as academias eram só para homens. As mulheres não podiam ser musculosas. As mais fortes eram consideradas feias. Aí apareceu Jane, aos 45 anos, com o cabelo de franja e permanente, corpo perfeito, vestindo um *body* rosa listrado com um cintinho, meia-calça e *legging* de tricô para suar bem as pernas e perder a gordura. Ela executava sua rotina de exercícios com um sorriso largo, explicando todos os benefícios de um corpo forte e saudável.

— *Feel the burn!* – "Sinta queimar", era o que ela dizia feliz da vida, enquanto, de quatro, levantava a coxa na lateral 951 vezes.

Jane construiu um império e revolucionou dois mercados: o de *fitness* e o de entretenimento. Sim, porque, antes de seus vídeos, ninguém achava que a despesa de uma máquina de videocassete valesse a pena. Depois, as donas de casa que queriam se manter em forma resolveram investir nesse novo equipamento.

Fazendo um de seus abdominais senti pela primeira vez um formigamento sensual que tomava conta de meu corpo e minha imaginação... Eu não entendia direito o que aquela sensação queria dizer, nem tinha ideia de como explorá-la.

Qual a minha surpresa quando descobri que uma professora recebia em casa pequenos grupos para conversar sobre masturbação. E lá fui eu... Depois de chá e bolinhos, ela nos levou à sala de TV e exibiu o vídeo de uma mulher se masturbando. Não tinha nada de erótico ou sujo. Era realmente muito bonito. Terminada a exibição, tirou o vídeo da máquina dizendo:

— Deixa eu fazer isso antes que esqueça, senão amanhã vou ter que responder perguntas muito complexas à minha filha de cinco anos.

E lá, entre lésbicas e héteros, mulheres mais e menos jovens, tivemos uma discussão aberta, inteligente e respeitosa sobre nossas dúvidas, receios e medos. Não é incrível?! Me emociono ao pensar o quanto um mundo de aceitação e respeito pode ser bonito.

— Você tem que criar uma boa base, aprender a escrever bem, a usar o computador (estávamos nos primórdios do *personal computer*), a entender contabilidade e, principalmente, a raciocinar... o resto vem depois, com a vida.

Era o que dizia meu pai e o que, de certo modo, me orientou quando escolhi Brown. Também levei em conta o prestígio, a localização e a qualidade de seu sistema de ensino, onde eu só precisaria escolher minha especialização após o segundo ano.

O que aprendi de mais importante foi a pensar e a respeitar. Entendi que o questionamento é uma arma que precisa ser bem usada. Naquela "utopia", tudo o que se dizia tinha de ser embasado e argumentado com fatos, experiências ou ideias, mas todas as opiniões eram ouvidas. A diversidade era celebrada como uma riqueza! Os alunos e professores vinham do mundo todo, cada um trazendo o seu ponto de vista. Poder compartilhar e discutir em um ambiente assim foi um privilégio.

Brown era certamente uma das escolas mais liberais da época. Foi lá que vi os primeiros casais de lésbicas andando de mãos dadas e a naturalidade delas me marcou para sempre.

O extracurricular era tão instrutivo quanto o ensino formal. Estudantes podiam organizar corais *a cappella*, independentes, que se apresentavam pela escola afora. Foi assim que fui apresentada às belíssimas canções americanas dos anos 1940 e 1950. Grupos de teatro que me deixaram pasma pela qualidade.

Acabei escolhendo Relações Internacionais, pois o curso unia história, economia, ciência política, além de línguas e antropologia. Mas, se tivesse que voltar atrás, talvez me formasse em Antropologia e Semiótica, que demonstram como o destino do mundo é determinado pelo comportamento humano, suas linguagens e símbolos; inclusive a moda.

Em uma disciplina, estudamos a vida do ser humano do nascimento à morte comparando duas culturas, a americana e a chinesa, esta última campo de especialização do professor. Em outra, o advento da metrópole através das artes (cinema, literatura, escultura etc.), e em outra, ainda, a posição da mulher na sociedade americana durante a Segunda Guerra Mundial através dos filmes da época. Foi incrível! Nunca tinha parado para pensar como as mulheres assumiram os empregos dos homens quando eles foram lutar na Europa e que, na maioria dos casos, precisaram abandonar aquele trabalho após a volta dos soldados.

Também cursei Filosofia; minha classe favorita foi o estudo da utopia. Me apresentaram ainda aos impressionistas e à cultura japonesa em um curso de história. Quando me senti muito burra perto dos meus colegas, pensei: *Ah! Vou fazer um curso de Literatura Portuguesa! Não, de Contos de Língua Portuguesa, assim nem vou precisar ler tanto! Quero ver! Nessa classe vou ser a melhor!.* Que nada! Lá também só tinha gênio.

Não é complicado entender o quanto uma universidade assim muda e enriquece uma pessoa. Afinal, educação é a maior riqueza que alguém pode ter. Infelizmente, governos e religiões se alimentam da ignorância. Mas como tenho presenciado com tantos leitores corajosos do *blog*, que compartilham suas histórias comigo, a falta de oportunidade não precisa ser uma âncora que impede nosso crescimento. Hoje, mais do que nunca, com a internet e mil facilidades para viajar, é possível construir uma cultura pessoal, se expor a novas ideias e nunca aceitar um dogma como a única realidade.

Foi também na universidade que descobri Mark, meu primeiro amor. Depois de tê-lo assediado por quase um ano, tempo em que ele me dava um pouco de atenção, o suficiente para me manter interessada, mas não muito próxima, desisti. É lógico que, quando ele percebeu que eu não passava mais para visitá-lo diariamente, começou a sentir saudades. Me pediu para sair. Eu estava tão nervosinha! Fomos a um parque de Providence, onde bebemos uma tequila com o verme dentro. Ele deitou com a cabeça no meu colo, com o braço puxou o meu rosto e me deu meu primeiro beijo de língua! Quase estourei de emoção!

Daí ficou difícil estudar. Só pensava nele. Que tonta! Namoramos dois anos. Mas em algum momento uma outra perua roubou a atenção dele e fiquei só. Arrasada, fazia muita ginástica e comia pouco. Logo fiquei em forma e conheci o Chris. Um doce de pessoa. Conversávamos e ríamos muito. Fui eu que tomei a iniciativa e dei um beijo na bochecha dele. Isso mexeu tanto com o rapaz! Depois de alguns dias estávamos namorando...

27.

Costanza

— *Amore mio, hai proprio bisogno?*[*]

Foi só isso que o Giulio disse ao ver Costanza vestida para a festa. Era um macacão rosa-choque da Gloria Coelho da G, de ligante. Praticamente um pijama de corpo todo com o ombro gigante, os bolsos largões, meio caídos, e calça cenoura, bem solta em cima e estreita embaixo.

Bisogno de quê?, ela pensou, mas logo se deu conta. De se vestir daquele jeito. A roupa era genial, como tudo que a Gloria faz, mas funcionava nas modelos de 1 metro e 90. Na vida real, ainda mais naquela época, era muito estranho sair vestida daquele jeito. É claro que, bem ou mal, Costanza segurava aquilo, as pessoas achavam engraçado, mas ela entendeu que talvez fosse melhor separar as duas personagens: Costanza editora de moda e Costanza pessoa, mulher casada e mãe. Até que, nos anos 1980, o japonismo a ajudou a juntar as duas personagens.

Antes, nos anos 1960 e 1970, o *prêt-à-porter* oscilava entre o careta e algo totalmente jovem, como o futurismo *à la* Barbarella da Jane Fonda, inspirado na corrida espacial, ou a moda *hippie,* que, em parte, surgiu por consequência dos voos *charter* para a Índia e o resto da Ásia. Eram voos superbaratos que deram aos jovens a chance de conhecer uma parte do mundo antes inacessível. Coincidiu com a época dos Beatles, seus retiros espirituais e o uso que faziam de instrumentos como a cítara em seus arranjos. Da Índia, os jovens traziam roupas tradicionais de algodão estampado e técnicas de tingimento como o *tie-dye.* Era um estilo muito livre, fantasioso, em sintonia com os movimentos de libertação da mulher. Mas, aos poucos, até a moda *hippie* começou a ficar careta e padronizada. Até que surgiu o japonismo, nos anos 1980, como consequência do crescimento econômico do Japão e sua abertura para o mundo ocidental.

---

[*] Amor, você acha isso necessário?

O primeiro a aparecer foi Issey Miyake, em 1980, com o patrocínio de uma indústria de fios que queria divulgar o uso de tecidos sintéticos. Ele reproduzia no pano a tecnologia de dobras em papel tradicionais de seu país e construiu uma nova maneira de se vestir.

O desfile da Comme des Garçons em 1981, em Paris, foi um escândalo. As roupas ultra-amplas, assimétricas, sem forma, uma caída totalmente diferente, os tecidos desgastados ou desfiados, os sapatos baixos, as moças maquiadas com os rostos sujos, descabeladas, como se tivessem saído de um desastre nuclear! Foi o ponto de partida do japonismo, com a Rei Kawakubo, estilista do Comme des Garçons, e o Yohji Yamamoto, que era menos ousado, mas extremamente chique. Quem queria ser diferente adotava o japonismo, que, ainda por cima, era prático e confortável. Discreto, todo preto e elegante, imprimia um ar intelectual. Os japoneses tinham outro tipo de pensamento, mais *blasé* e *design*. Mas o que fascinou Costanza foi o fato de eles terem adotado o estilo de modelagem tradicional japonesa. Tudo no *flat*, quadrado como nos quimonos, não no *moulage*, aquele manequim que se usa no Ocidente.

Eu adorava, tanto que quando a Consuelo me pediu para visitá-la vestida de mãe, eu não entendi direito. Pensei um pouco, não muito, porque era por telefone fixo, né? A gente só se falava de madrugada e rapidamente por causa do preço e da diferença de horário. E perguntei:

— Mas que tipo de mãe que você quer? Tipo Ralph Lauren, tipo Donna Karan?

E ela:

— Não, de mãe, assim, normal.

Cheguei com uma capa superampla, como se fosse um kaftan *de tricô. Bom, tinha uma roupa embaixo, não era só o tricô.* Well*... pode ser que não fosse certo para o ambiente acadêmico, sei lá.*

Já fazia mais de seis meses que tinham descoberto um câncer no intestino de Miki. Era início dos anos 1980 e, naquela época, os médicos e familiares acreditavam que era melhor manter esse tipo de diagnóstico em segredo do paciente. O consenso era que, se soubesse que estava com uma doença de prognóstico tão difícil, seu moral baixaria e ele pioraria ainda mais. É claro que, em meio a exames e mais exames, cirurgias invasivas e tratamentos agressivos, só permaneciam alheios aqueles que negavam sua doença.

Quando Dino, numa decisão conjunta com Gabriella e Costanza, finalmente se rendeu à inevitável necessidade de contar ao pai sua verdadeira condição, ele não esperava receber uma gargalhada como resposta:

— Eu sobrevivi a uma campanha de guerra de onde partiram 20 homens e voltaram três. Tenho dois filhos saudáveis, competentes e muito bem encaminhados. Quatro netos ótimos. A Santaconstancia é um sucesso e está em boas mãos. Vivi uma grande paixão e uma vida cheia e feliz. Minha única ambição agora é completar 80 anos.

28.

Alessandra

Meu avô continuou trabalhando na Santaconstancia todas as manhãs mesmo que, cada vez mais, suas responsabilidades fossem assumidas por meu tio Alessandro. À tarde, descansava em casa. Meditava, organizava suas coisas, ouvia música em seu aparelho de som sofisticadíssimo para a época. Como minha avó se recusava a incluir na decoração da sala um equipamento cuja modernidade conflitava com os móveis centenários, Nonno o escondia dentro da gaveta gigante de uma cômoda do século XVIII, decorada com um trabalho espetacular de marchetaria.

Todos os dias, à mesma hora, ele ia até a cômoda, dava corda num relógio antigo que ficava em cima do móvel e ajustava o horário se precisasse; abria a gaveta apoiando-a sobre uma barra de ferro que desenvolvera especialmente para ajudar a madeira, já enfraquecida pelo tempo, a aguentar o peso da tecnologia. Era o momento de ouvir os discos de vinil ou, a grande novidade, os *CDs* de sua vasta coleção: Bach, Beethoven, Mozart, Vivaldi, Pachelbel, Albinoni... Pouco depois, chegava eu, sua neta, que tinha desistido do curso de Veterinária da USP. Enquanto esperava o final do ano para prestar Letras, dava aula de inglês no CCAA da Veiga Filho, a apenas algumas quadras do apartamento da rua Rio de Janeiro, onde moravam meus avós. No hiato de duas horas entre uma aula e outra, aproveitava para visitá-lo.

Não era uma fase especialmente feliz na minha vida: um misto de pós-adolescência tardia com uma crise de identidade e uma pitada de depressão. Por algum motivo, estar naquele apartamento e conversar com o Nonno sempre fazia-me sentir melhor. São infinitas as lembranças que tenho de lá. Os finais de semana que passava quando vinha do Rio visitar a Mummy. As histórias que ele contava antes de irmos dormir. As brincadeiras de esconde-esconde com a Consuelo e meus primos Luca e Lella (filhos de Alessandro). A caça aos ovos de Páscoa, que meus avós escondiam nas gavetas e compartimentos secretos dos móveis antigos. Os jantares depois da aula de balé, porque a escola ficava logo ali do lado e eles iam nos buscar para jantarmos juntos naquele lindo apartamento. As canções do Vêneto que o Nonno cantava acompanhando um disco que tinha comprado na Itália. A favorita contava a história do pobre melro, um pássaro que perdeu o bico – *povero merlo mio come farà a beccar?*[*] –, depois o olho – *come farà a guardar?*[**] – etc., até perder *il culo – come farà a cagá?.*[***] É lógico que nós sempre caíamos na gargalhada.

Nas tardes que eu ia visitar meu avô doente, nós ficávamos ouvindo algum concerto ou sinfonia, enquanto ele explicava baixinho. Tão baixo que exigia um certo esforço para conseguir entender o que dizia:

---

[*] Coitadinho do meu melro, como ele fará para bicar?
[**] Como fará para olhar?
[***] O cu – como fará para cagar?

Tudo era assunto para o avô que conversava sobra metafísica com as netas e gostava de ouvir música clássica na sala do apartamento.

— Depois desse longo discurso da orquestra, finalmente o piano lembra que tem que entrar para expor o primeiro tema... Agora o oboé responde o argumento do violino... As cordas vieram dar uma contrapartida ao que disseram os sopros.

Traduzia a linguagem da música, falava de sua vida na Itália, da infância, da juventude como aluno de Direito e músico do conservatório de Veneza, de sua carreira política. Anedotas de quando era *federale*:

— Fui visitar um manicômio. Lá vivia um homem que achava que tinha a bunda de vidro. Uma vez ele caiu sentado e morreu de susto, pensando que a bunda tinha quebrado.

Ou de quando foi lutar na África. Contava de seu amor por Gabriella:

— Quando você ama uma pessoa, você ama por completo. Não apesar dos defeitos, mas também por causa deles. Por exemplo: quando vejo sua avó tendo um acesso de raiva, enxergo nela uma menina que sofre e me vem uma grande ternura.

E olha que os acessos de raiva dela eram famosos!

Outros dias divagava sobre suas sessões de meditação e teorias metafísicas, sobre o tempo ou sobre a ausência dele. Tudo era assunto para aquela cabeça branca, octogenária e linda que continuava afiada, curiosa, entusiasmada.

29.

Costanza

Como era de esperar, a doença de Michele teve um impacto grande sobre o resto da família. Gabriella precisou diminuir a carga horária na fábrica para cuidar do marido e decidiu que era hora de chamar a filha para ajudá-la no departamento de criação e desenvolvimento de produto.

Costanza tivera um pouco de experiência com a tecelagem antes de se casar com Robert, mas seu conhecimento era muito limitado perto do talento e anos de prática de sua mãe. Sabia, portanto, que para ser levada a sério por Gabriella e por seus colegas na Santaconstancia teria que se jogar de cabeça naquela nova profissão. Ficava lá das oito da manhã até as seis da tarde como uma maluca, querendo entender tudo, falando com todos, procurando saber como se fazia o tecido, como era tingido etc. Em função da nova atividade, achou que iria pendurar suas chuteiras de jornalista. Foi falar com Roberto Civita:

— Mas você tem certeza de que quer parar totalmente o trabalho com a revista? Por que não continua escrevendo sua coluna na *Claudia Moda*? Assim você mantém um pé aqui – foi a resposta dele.

A coluna de Costanza na *Claudia Moda* era famosa. Sua história, porém, pouco conhecida e um tanto quanto peculiar.

Desde aquele "comitê de boas-vindas" que a recepcionou em seu primeiro dia de Abril, ela entendeu que teria que trabalhar e estudar três vezes mais do que todo mundo para conseguir se provar como profissional. Por isso, em suas viagens à Europa, começou a comprar livros e mais livros sobre moda, que lia com voracidade. Criou uma biblioteca de dar inveja a qualquer um! De repente, descobriu um universo muito mais interessante e profundo do que poderia imaginar. O mundo se abriu e ela conseguiu colocar em palavras o que sempre soube intuitivamente: que a moda era muito mais do que uma sucessão de tendências, era um reflexo da cultura, dos costumes e dos anseios de uma sociedade e de seus integrantes em diferentes momentos da história.

Enquanto intelectualmente o mundo começou a ficar muito mais leve e cristalino, Costanza percebia o peso da força da gravidade sobre os seus 40 e tantos anos.

— Hora de fazer uma plástica!

O médico operava em Campinas, o que era cômodo, já que ela poderia descansar alguns dias na casa de Indaiatuba até que o inchaço e o hematoma diminuíssem antes de dar as caras em São Paulo.

Tudo certo, às nove horas da noite anterior Costanza foi com a Blanche para Indaiatuba. No dia seguinte, às seis da manhã, foi operada. A cirurgia parecia ter sido um sucesso... até que, poucos dias depois, já no condomínio Polaris, começou a sentir uma dor de cabeça debilitante e a ter febre alta com calafrios. Blanche chamou o vizinho, que a levou, no meio da noite, às pressas para o hospital. Tinha contraído uma infecção hospitalar: meningite.

Depois de uns dez dias de internação, começou a voltar a si e a entender um pouco do que acontecia ao redor. Do corredor, de longe, ouviu a voz de Gabriella, que falava com o médico:

— E aí, doutor, ela já não bate bem, o que vai acontecer agora que teve essa meningite?

Na hora, talvez por causa da fraqueza, ela não ficou ofendida. Pensou: *Hmmm, eu não bato bem... então vou ter que fazer exercício pra cabeça funcionar melhor. Assim como a gente faz exercício físico... Quando voltar, vou falar com o Thomaz que preciso escrever.*

E foi a primeira coisa que fez:

— Olha, Thomaz, preciso escrever, quero uma coluna sobre vanguarda.

Uma das minhas primeiras colunas foi sobre o kitsch. *Imagine, falar sobre o* kitsch *na moda naquela época? Além de aprender muito mais, comecei treinar essa cabeça que eu tenho. Sobretudo, me colocava sempre um pouco além do resto das pessoas na profissão. Mas não pensava nisso, só queria me aprofundar na questão que me interessava. Por que as coisas acontecem?* Why?

— Sabe, às vezes é muito importante cortar o cordão umbilical.

Mais do que cortado, foi arrancado a dente pelo Thomaz. Ou pelo menos era essa a sensação de Costanza. Tudo por causa de uma entrevista publicada pelo *Meio & Mensagem*. Mas ela não tinha falado sobre a Abril especificamente, e sim sobre a função das revistas na sociedade.

Com o fim da ditadura, em 1985, os meios de comunicação finalmente reconquistaram sua liberdade. As revistas estavam no auge, eram quase tão importantes quanto a televisão. Tinham poder de trazer transformação. Por isso era fundamental serem mais ousadas, mexerem com o imaginário, com a sociedade. O que Costanza não calculou, porém, foi que escrevia para a segunda revista mais lida do país. Ao dar a entrevista para o *Meio & Mensagem* e afirmar que as revistas precisavam ousar mais, estava criticando seu próprio veículo. Infelizmente, política nunca foi seu forte. Desde que se afastou da *Claudia* para trabalhar na fábrica, falando diretamente com Roberto Civita, Thomaz já estava por conta. Aproveitou o ensejo para mandar um recado.

Costanza perdeu o chão. Minutos depois de enviar por fax a coluna da edição seguinte com um bilhete dizendo que mandaria as fotos por portador, recebeu um telefonema da secretária do chefe:

— O Thomaz disse que você não precisa mais fazer a coluna.

Era verdade que já tinha começado a mudar o rumo profissional. Sua principal ocupação agora era a fábrica. Mas ela tinha se reinventado e se tornado adulta na Abril. Ser jornalista da *Claudia* era parte da pessoa em que havia se transformado.

Apavorada, foi falar com o pai em seu escritório, no andar de baixo. Ele lia alguns papéis que estavam sobre sua mesa. Para conseguir virar a página com suas digitais finas, ressecadas pela idade, molhava a ponta do indicador e do polegar numa engenhoca que inventara. Nada mais era do que uma pequena bola de quartzo rosa dentro de uma cumbuquinha de cristal com um pouco d'água. Virava a pedra, que trazia água suficiente para umedecer os dedos sem molhá-los demais a ponto de estragar a página. Miki adorava resolver pequenos problemas com suas invenções. Quando era criança, fazia gaiolas para moscas cavando um buraco numa rolha e fechando a "entrada" com alfinetes. Capturava moscas e as enfiava lá dentro. Dizia que o jeito mais fácil de pegar uma mosca era quando ela levantava voo. Fato, a gaiolinha não resolvia problema algum, mas era bem divertida. Pequenas invenções que deixavam o dia a dia mais interessante e divertido.

Ele já estava mal. Passava as manhãs vendo alguns números e falando com seu filho sobre o futuro da empresa, mas, no fundo, seu trabalho era pró-forma. A presidência fora transferida para Alessandro já fazia algum tempo.

Quando Costanza entrou em sua sala, ele, como sempre, abriu um sorriso largo, carinhoso.

— Eu fiz uma bobagem e fui despedida da Abril – disse.

Ele não parou de sorrir; muito pelo contrário, começou a dar risada. Perguntou o que tinha acontecido, como ela se sentia dentro da fábrica, o que estava acontecendo em casa e, por fim, respondeu:

— Sabe, às vezes é muito importante cortar o cordão umbilical.

A coluna rejeitada por Thomaz era sobre Christian Lacroix, que estava no auge do barroquismo dos anos 1980. Costanza tinha levado o final de semana inteiro para escrever. Todos em casa já estavam acostumados. Em época de fechamento, ela andava para cima e para baixo com cara de desespero, ou deitava no chão segurando uma pirâmide de cristal sobre a cabeça para ver se baixava alguma inspiração do além.

— Preciso espremer minhas meninges.

Daquela vez não tinha sido diferente. E, depois de tanto sofrimento, a coluna estava pronta, com imagens e tudo. Jogar fora seria uma pena, ainda mais porque, como sempre, para agilizar o processo, ela já tinha comprado as fotos do Ruy Teixeira e pagado do próprio bolso. Normalmente a Abril reembolsava, mas, se não publicassem a matéria, Costanza morreria no prejuízo. Ligou para Lilian Pacce, que na época editava uma revista da *Folha de S.Paulo* chamada *Casa e Companhia*:

— Ó Lilian, eu tô com essa matéria que era pra Abril, mas me dispensaram. E, como eu comprei as fotos, são minhas, e eles não querem mais publicar, queria saber se você quer comprar.

A Lilian topou. Com o sucesso da primeira experiência, a prática se repetiu algumas vezes até chamar a atenção de Matinas Suzuki, então editor-chefe da *Ilustrada*. Chamou Costanza para fazer umas duas matérias sobre comportamento em colaboração com outros jornalistas:

Acho que ficou me testando. Aí, uma hora disse:
— Eu queria que você escrevesse uma página para a Ilustrada.
Quase morri, mas não ia falar não, entende, naquela situação e com quase 50 anos, né? Aí... Você sabe... Teve o casamento da Consuelo, depois o governo Collor mergulhou o país num caos com aquele plano econômico louco dele. Todas as minhas economias foram para o espaço.

Mesmo a *Folha de S.Paulo* sendo um dos veículos mais importantes do país, Costanza recebia pouquíssimos convites para as semanas de moda europeias. Isso em boa parte por causa dos correspondentes de Paris, que se davam um ar de superioridade. Faziam parte de uma elite intelectual que ainda considerava moda uma futilidade.

— Pra que ir ao desfile? Pra que comprar foto? Por que você em vez disso não...

— Por enquanto ainda precisamos da imagem, não tem outro jeito. Se não, como é que eu faço? Desenho? As leitoras não vão acreditar, né? – respondia Costanza, frustrada.

Então começou a falsificar os convites. Chegava para as moças da Abril, que eram convidadas para os eventos, e pedia:

— Você me empresta seu convite? Eu te devolvo daqui a uma hora, onde que eu te acho?

Eram editoras "pós-Costanza Pascolato" e a consideravam quase um mito, então topavam. Ela pegava os ingressos e ia correndo fazer uma xerox colorida. Normalmente funcionava, mas os seguranças do Jean Paul Gaultier, o suprassumo dos anos 1990, eram escolados em todo tipo de truque. Esquece fazer cópia colorida, eles sabiam direitinho ver a diferença. Como entrar no Le 78 para descobrir o que aquele francês maldito havia inventado e, de lambuja, ver Madonna e Almodóvar sentados na primeira fila?!

Acontecia que o Le 78 ficava numa galeria na Avenue des Champs-Élysées, que Costanza conhecia bem. Na fachada tinha lojinha, lojinha, lojinha e a porta do clube na lateral, completamente vigiada. Mas ela estava certa de que devia haver alguma outra entrada. Percebeu que os vendedores saíam por trás e não voltavam mais, e imaginou que as lojas deveriam ser interligadas por um corredor pelos fundos.

— Onde vai dar isso daí? – perguntou a um lojista.

— Ah – disse, – tem uns banheiros, um corredor e depois uma escada que vai lá pra baixo.

Ela pegou o assistente do Fernando de Barros, que também estava sem convite, e entrou numa loja onde os vendedores eram mais distraídos.

— Eu tento sair por trás, se você não conseguir vir junto, vai até outra loja e eu te espero lá dentro.

O tal corredor deu numa escada perto das máquinas de calefação. Eles começaram a descer e não paravam mais. Mesmo meio preocupada, pensou: *Entre não entrar e tentar, vamos tentar*. Finalmente, chegaram aos míticos túneis subterrâneos que correm por toda a cidade de Paris. Lá, encontraram uma equipe com crachá (falso) e tudo. Deviam ser holandeses ou belgas, mal falavam inglês.

— Sabemos que é por aqui. É preciso andar muito e não temos ideia de onde fica a entrada, mas há um acesso.

— Muito bem, então lá vamos nós.

E anda, e anda, e anda... De fato, começaram a ouvir algum barulho. Finalmente, encontraram outra escada que subia para uma entrada. Ela dava em uma espécie de estúdio fotográfico montado com um telão. O fotógrafo era muito bom, fazia todas as campanhas do Gaultier. Foi uma sorte, porque, com os modernos equipamentos da equipe que ela havia encontrado nos túneis, pareciam mais profissionais. Foram para trás do telão e chegaram aonde? Em plena passarela. Como ainda era cedo, não havia ninguém. Conseguiram assistir ao desfile.

30.

Costanza

Costanza subiu no parapeito da janela do seu quarto no décimo andar e ficou lá agachada, olhando para baixo, ensaiando o pulo. Entre pensamentos sinistros de "eu não aguento mais essa dor, não aguento mais, vou me jogar", uma sensação incômoda de esmagamento naquela esquadria de alumínio. "Por que será que essa janela é tão pequena, mas que coisa mixa!"

Mas como, aos 47 anos, ela chegou a ponto de querer morrer?

Ao se formar na Brown, em 1986, Consuelo decidiu ir para Nova York, onde conseguiu entrar no programa de treinamento em uma das maiores lojas de departamentos de lá, a Bloomingdale's. Costanza foi visitá-la e, de repente, deu de cara com a realidade: sua filha estava com um emprego, um plano de carreira e um lindo apartamento no sofisticado Upper East Side, que Roberto tinha comprado.

Seu bebê não iria mais voltar para casa. Por mais que estivesse feliz pela filha, a certeza de que não a teria mais por perto começou a deixá-la cada vez mais triste. Como sempre aconteceu em sua vida, achou que tocaria pra frente e as coisas iriam se acertando. Não contava com a melancolia que foi se assentando e tomando raízes. Até que um dia acordou com um som perturbador dentro de sua cabeça, como se fosse uma orquestra a todo volume. "O que será isso?!" Levantou e foi trabalhar. A orquestra não dava sossego. Era o tempo todo, às vezes mais baixa, às vezes tão alta que ela não conseguia ouvir mais nada.

Começou a vagar num estado de sonambulismo perene. Tentava levar a vida normalmente, mas não fazia nada direito. Afinal, ela sempre lutou contra as adversidades – ou, pelo menos, tentava. Mas, naquele momento, se sentia paralisada. Parecia um mergulho no inferno sem nenhuma possibilidade de reação.

Giulio a olhava daquele jeito, letárgica, sem conseguir completar uma frase, e perguntava:

— O que você tem? Você bebeu? Só pode ser. A gente fica deprimido assim depois que bebe.

— Não, você sabe que eu não bebo.

— Então o que você fez?

— Não sei.

A reação das amigas não era diferente:

— Ah, Costanza, para! Vai fazer alguma coisa pra se divertir. Vai dançar, beber, trepar, sei lá!

Não foi à toa que, além de deprimida, Costanza começou a se sentir muito isolada e incompreendida. Até os anos 1980, não se falava muito em depressão. Talvez entre os médicos, mas para os leigos as pessoas ficavam "chateadas", "pra baixo", "na fossa", "na pior" – ou eram simplesmente loucas. Aí, em 1986, surgiu o Prozac e tudo mudou. Começaram a aparecer os primeiros amigos medicados e matérias sobre a doença.

Costanza continuou assim, perambulando a esmo, até que uma amiga a levou para ver o novo médico vedete da sociedade: um neurologista italiano chamado Daniele Riva. A consulta foi longa, ele conversava numa voz macia, um pouco professoral. Tinha um sotaque bem leve e jeito de falar antiquado, quase formal. Perguntava a respeito de tudo: passado, relacionamentos, projetos, outros remédios que ela tomara durante a vida.

— Quando eu era adolescente tomava anfetamina. Queria emagrecer a todo custo e o remédio era vendido que nem balinha na farmácia. Percebi que me sentia ótima, então continuei, durante anos. Tinha energia para um monte de coisa. Um dia, minha mãe foi ver por que eu estava tocando violão de madrugada. Entrou e falou: "Isso só pode ser droga! Minha filha é uma drogada!". Eu nem sabia o que era. Quando soube que fazia mal, parei. Não estava viciada. Não senti nenhum efeito colateral.[*]

---

[*] Nina Lemos. "Chiquita Bacana", *TPM*. São Paulo, setembro de 2002.

— É aí que você se engana. Essa sua depressão pode ser um reflexo da anfetamina que você tomou 30 anos atrás. Converso muito com minhas pacientes para distinguir se elas estão com depressão ou simplesmente tristes. Você está realmente com algum desequilíbrio químico no cérebro que te deixa desse jeito. Vou te dar um remédio que chama Tryptanol. Você não vai ficar boa imediatamente, é um processo. Vai ter altos e baixos, mas no fim você vai melhorar.

De fato, as mudanças não aconteceram logo que começou a tomar o medicamento, mas, com o tempo, começaram a surgir momentos de alívio.

Agachada na janela de seu quarto, naquele dia em que cogitou se jogar do décimo andar, ela olhou para o terno Armani que estava vestindo e pensou: *Vou ficar horrível lá embaixo de branco.*

E desceu. Foi o anjo da guarda *fashion* que a salvou. A partir daquele momento, começou a se policiar mais.

Porque, sabe, na verdade a gente tem um instinto de autopreservação, graças a Deus. Foi depois que a Consuelo ficou nos Estados Unidos, né? Não é culpa dela. Ela foi cuidar da vida, mas eu não sabia...

31.

Consuelo

Há tempos acredito na vida como um jogo de baralho. Recebemos algumas cartas, o que fazemos com elas nos define e dá direção à nossa vida. Podemos blefar, desistir ou jogá-las da melhor maneira possível. Mas a decisão é só nossa. O destino é definido pela maneira como escolhemos fazer nosso jogo...

Primeira carta: nasci numa vida de privilégio. Segunda: relativamente inteligente. Terceira: cheia de recursos. Quarta: com muitíssima energia. (Minha irmã diz que quando eu nasci suguei da Mummy toda a energia disponível aos filhos e não sobrou nada para ela.)

Mais duas cartas chegaram depois. Quinta: desenvolvi um estilo próprio. Sexta: mesmo não sendo linda como as mulheres da minha família e tendo tendência a engordar, consigo me fazer bonita, o que ajuda quando se trabalha nas mídias sociais e se fala de moda. Acredito que tenho uma estratégia ao jogar as minhas cartas sem nunca deixar a pelota cair. (Fiz uma certa confusão com as metáforas aqui, mas tudo bem.)

Mas como foi o tal do "desenvolver um estilo próprio"?

Depois da mudança para São Paulo, onde comecei a me interessar por moda e acompanhava minha mãe aos *sets* fotográficos, tive a fase *preppie* na universidade e fui morar em Nova York. Com um diploma em Relações Internacionais da Brown, não foi difícil ingressar no programa de treinamento da Bloomingdale's. Lugar ideal para casar meu jeito fashionista (termo que na época ainda não existia) com meu talento para *marketing*, negócios e vendas.

O trabalho era bem puxado e as chefes, além de duronas, me tratavam mal. Eu me perguntava por que, mas não achava uma resposta. O jeito era arregaçar as mangas, trabalhar muito e da melhor maneira possível! Estávamos sendo treinados para integrar a elite do varejo americano através de experiência nas lojas, nos escritórios de compras e nos cursos que ofereciam. Em meados da década de 1980, as lojas de departamento estavam no auge. Para dar uma ideia, o volume de pessoas era tão grande que, nos finais de semana, precisava ter um segurança junto às escadas rolantes garantindo o fluxo das visitas. Se alguém parasse ou ficasse de bobeira, seria atropelado pela horda que vinha a seguir!

Entrei como assistente da gerente do departamento de *designers*. Foi o ano em que Donna Karan lançou seu conceito revolucionário para a mulher que estava pronta para quebrar o *glass ceiling*,* as 7 *easy pieces***. A ideia era simples: a mulher moderna tinha simplificado tudo na sua vida, menos o guarda-roupa. Com essas sete peças básicas (que vinham numa caixinha não muito maior do que uma *clutch*), ela poderia ir do escritório a um coquetel, uma viagem ou um passeio, uma festa ou o supermercado – sempre com estilo. A base de tudo era o *body*. Por cima vinha uma saia ou calça, um suéter de *cashmere* ou um *blazer* de malha. Existia também uma camisa branca e um *foulard*. Tudo era preto, menos a camisa e o *foulard*, e fácil de pôr na mala sem amassar. Foi um sucesso estrondoso e eu estava lá para testemunhar. Que sorte! Ainda tenho uma calça que comprei na superliquidação.

A seguir fui transferida para o departamento da Liz Claiborne. Era uma marca mais acessível, também de enorme sucesso. Aqui a ideia era o conjuntinho. Suas coleções se organizavam em grupos compostos por três a seis peças que combinavam entre si. Fantástico! Anos depois, tive a sorte de poder assinar minhas próprias coleções, e nelas sempre penso e aplico o que aprendi com Donna Karan e Liz Claiborne.

Nós trabalhávamos de salto e meia-calça das oito da manhã às sete da noite (pelo menos) e, durante a época de Natal, seis dias por semana. Eu tinha um apartamento lindo que meu pai comprou como investimento, mas a graninha era curta. O único problema desse programa de treinamento ótimo e prestigioso era que pagava pouquíssimo. Meus jantares eram *mac and cheese* (um macarrão com molho de queijo amarelo, quase de plástico, que vem semipronto no pacotinho) a 99 centavos ou *clam chowder* (sopa de moluscos) em lata. Tinha dois sabores: creme e tomate. Eu alternava para dar "uma variada". Naquela época quase não se encontrava verduras e frutas frescas em Nova York. A onda dos orgânicos ainda não existia.

---

* Literalmente, "teto de vidro", conceito que se refere a uma barreira invisível que impede as mulheres de alcançar cargos de poder no mundo corporativo.

** Sete peças fáceis.

A Times Square era perigosa e o Soho eletrizante, com pequenas lojas superoriginais. Aos 22 anos, morar na *Big Apple* era um sonho! Alguns amigos alugavam casas nos Hamptons durante o verão, mas não cabia no meu orçamento. Eu tomava sol em um deque que tinha no teto do prédio (sempre gostei de me bronzear, como bem provam minhas sardas). Para mim, eu estava na melhor cidade do mundo, pra que sair dali? No verão tinha Shakespeare no Central Park, fogos de artifício no Dia da Independência, 4 de julho, os museus na quinta à noite eram de graça. Saía com amigos para jantar fora (era aqui que comia carne e verdura, tirando uma folga da dieta enlatada). Andava de metrô e comprava roupas com desconto por trabalhar na Bloomingdale's. Dava para viver uma vida sem excessos, mas gostosa, divertida.

Até cheguei a entrar em uma academia, mas foi o dinheiro mais malgasto da minha vida! Mais uma vez, me dei melhor fazendo ginástica com um videocassete em casa. O problema foi o dia em que o vizinho de baixo veio bater na minha porta reclamando. Disse que achou que estivéssemos num terremoto. Combinamos um horário que não o atrapalhasse!

Para ir e voltar do trabalho eram quinze quadras. Verão, inverno, neve ou chuva, era sempre a pé, pois em Nova York caminhar é uma forma de locomoção. Lá não se flana, anda-se com objetivo e velocidade. Mesmo que ao cair da tarde, no caminho de casa, eu andasse com calma, "absorvendo" aquela cidade que sempre amei, onde desde pequena sonhei morar. Como adorava passar pelas calçadas cheias de pinheiros à venda na época do Natal! O cheiro era incrível! Me sentia dentro de um filme!

Foi no meu segundo ano que conheci meu ex-marido, Francesco. Um italiano que veio fazer estágio em Nova York, também na Bloomingdale's. A empresa de sua família, BP Studio, produzia roupas maravilhosas de *cashmere* e lã merino em Florença, que vendiam muito bem nos Estados Unidos.

Eu estava com meu segundo namorado, Christopher. Um homem lindo, com um coração de ouro. Ele vinha de uma família católica de origem italiana, das que não fazem uso de contraceptivos – e que, portanto, são grandes: seis irmãos. Apesar de seu pai ser um engenheiro bem-sucedido, não vivia em uma casa luxuosa. O amor à família era a prioridade. No verão, depois de me formar, passei vários finais de semana na casa de madeira de dois andares, com um belo jardim nos subúrbios de New Haven, em Connecticut. Ia e vinha de trem.

Dessa época guardo algumas histórias engraçadas... Do Chris, o garanhão italiano, vindo me visitar no quarto de sua irmã (onde eu dormia sozinha, já que ela morava fora) para roubar noites cheias de paixão e risadas (tentando não fazer barulho, para não acordar – e chocar – a casa toda)! Naquela família tão religiosa, não existia a possibilidade de namorados dormirem juntos. As paredes eram finas e o chão de madeira rangia! Um dia, sozinha, com todos na rua, decidi limpar e organizar a geladeira. Levei o dia inteiro! Estava bem bagunçada. Fiquei tão orgulhosa... Quando a mãe chegou em casa, em vez de ficar feliz, morreu de vergonha pela desorganização que estava antes. Aprendi uma lição. Sempre me colocar no lugar da outra pessoa e imaginar como minhas ações podem afetá-la.

Para meu presente de Natal e aniversário (sendo do dia 4 de janeiro, sempre foi comum ganhar um presente para as duas datas), Chris tricotou uma longa echarpe e esculpiu uma caixa de madeira de um tronco do seu jardim e, dentro, um coração da mesma madeira gravado com nossas iniciais. Nossa! Achei tão, tão lindo!! Ainda tenho essa caixinha... mas a echarpe não encontro mais.

Tivemos uma história doce. Com ele, aprendi o valor da vida simples e pacata e o que é a verdadeira ternura. Mas a distância e as luzes da Times Square me seduziram. A vida tranquila me parecia restrita e comecei a ter dúvidas sobre nosso futuro juntos. Nesse vão abriu-se um espaço para me apaixonar à primeira vista ao me deparar com Francesco pelos corredores da Bloomingdale's. A sua elegância italiana, altura de quase 1 metro e 90 e, mais que tudo, seu jeito seguro de caminhar com o queixo para cima, me fascinaram. Me lembro de ter dito a uma colega de trabalho:

— Com esse aí eu me casaria.

Incrível, não?! Nunca achei que ele me daria bola, mas esbarramos na sala do correio (*e-mail* era um conceito inexistente, e fax só estava começando!) onde íamos buscar a correspondência dos nossos chefes. Morri de vergonha, ele me deu um oi e foi embora só para voltar cinco segundos depois e me perguntar se eu gostaria de sair. Nossa, fiquei passada por dentro, mas por fora bem calma e disse sim!

Escrevendo este texto, entendo o quanto me comportei mal. Ainda estava namorando o Chris. Mas acredito que, apesar de podermos controlar as cartas da nossa vida, o ambiente ao redor, a natureza, já tem um plano geral. Meus filhos, Cosimo e Allegra, tinham que nascer do jeitinho deles e isso só seria possível se eu me casasse com o Francesco. Então, com Chris ou sem Chris, Francesco e eu tínhamos que nos unir.

Saímos para jantar e foi incrível. O garçom vinha tirar o pedido e nem reparávamos que ele estava lá, de pé, ao lado da mesa. Só tínhamos olhos um para o outro. Aquele italiano espertinho orquestrou tudo. Fomos a um restaurante onde o conheciam e em outra mesa estavam amigos seus. Imagine eu, com 25 anos: achei isso super *cool*!! Que homem mais cosmopolita!

Mas não me dei imediatamente. Tenho convicção de que "ser um pouco difícil" tem muito poder, apesar de ultimamente algumas jovens independentes me explicarem que, se têm vontade de ir para a cama com um cara, elas não precisam fazer tipo. Respeito. Mas é uma atitude que nunca foi familiar para mim. Francesco dormiu comigo depois de algumas saídas, mas não fizemos amor. Dormi supermal, pois estava desconfortável ao lado de uma pessoa que conhecia pouco. Acho que ele também...

Passei um mês conturbado. Fui a um casamento com Chris em Connecticut antes ainda de Francesco ter dormido na minha casa. Já havia decidido que o deixaria, portanto, aquela festa seria um adeus. Me lembro ainda do sentimento doce e ao mesmo tempo amargo do último abraço, o último beijo antes da carta que escrevi chorando. Ao chegar ao apartamento, domingo, me esperavam flores de Francesco acompanhadas de um cartão seu com o sobrenome riscado e nenhuma palavra. Esses italianos danados sabem como seduzir uma mulher. Pronto, eu era dele. Aquele ato misterioso foi meu PLOFT! Hesitei antes de depositar a carta ao Chris em uma caixa de correio na calçada de Manhattan, a caminho do trabalho numa manhã gelada, mas mandei.

Já procurei Chris por todas as mídias sociais da vida, mas nunca mais o encontrei.

Um mês depois, Francesco teve de voltar a Florença. Havia chegado ao fim o seu período de trabalho nos Estados Unidos. Ele precisava terminar a universidade.

Como ele mesmo conta, naquela época do namoro à distância, se alguém precisasse de um lápis em Nova York ele ia levar pessoalmente, correndo. Me lembro de ir recebê-lo no aeroporto de ônibus (com salário de *trainee*, só de ônibus mesmo) com lingerie *sexy* por baixo, rssssss! Ele me trazia malas cheias de roupas da marca de *tricot* da família, a BP Studio. Lindas! Saias tubo até o tornozelo de *tricot* fino e *tops* largos de lã merino com ombreiras (era o fim dos anos 1980). Muitas cores escuras. Usava com meias-calças opacas, pretas, e mocassins pesadões.

Foi outro momento decisivo no meu estilo. Me senti confortável nessas peças, além de mais segura e poderosa. Quando dizem que moda é fútil, me lembro desse momento da minha vida. Ela pode ser um aliado psicológico eficaz, não é por acaso que tenha se transformado numa das indústrias mais importantes do mundo!

Namoramos à distância por um ano e meio. Nesse tempo, Francesco me convenceu a me mudar para a Itália. Eu não queria. Quase não falava a língua, estava começando uma carreira de que gostava em Nova York e tinha um apartamento em meu nome. Imagino o desespero dos meus pais ao saberem da minha decisão de largar tudo para ir morar em Florença. Mas aprendi, agora que sou mãe: não podemos forçar os filhos a nada. Eles disseram que só poderia ir se fosse para casar. Achei exagerado. Hoje entendo que era uma tática tanto para me fazer desistir da mudança como para testar as intenções do Francesco. Imagine eu ir morar sozinha na Itália, sem emprego, sem amigos e ficar esperando aquele escorpiano decidir se queria casar comigo ou não... Comuniquei a ele a exigência dos meus pais e quando fui visitá-lo no Natal ele me deu um anel de diamantes e safiras. O destino estava traçado. Era parte do plano da natureza.

Finalmente chegou a hora de ir para Florença. Como a Mummy é italiana, tirei a cidadania, chamei a (santa) Blanche para me ajudar com a mudança e fui. Honestamente, não estava muito convencida. Até hoje me dá uma peninha ter deixado Nova York... Hoje eu ADORO minha cidade, apesar de ter demorado uns 20 anos para me apaixonar por ela. Mas, na época, não existiam os recursos tecnológicos de hoje e morar em Florença significava MORAR EM FLORENÇA, com todo o provincianismo e a distância que isso significava.

Antes de partir, aconteceu mais uma coisa. Sempre mantive contato com Mark, meu primeiro namorado, que também morava em Manhattan. Conversando ao telefone, contei que ia me mudar para a Itália e me casar. Ele ficou quieto no outro lado do aparelho. Depois de alguns segundos, me convidou para jantar. Naquela noite ele chegou em casa com flores... um buquê na forma de um cachorro branco, gigante, com olhinhos que se moviam! Levei um susto! Não entendi bem o porquê daquela extravagância. Saímos e, antes de jantar, ele quis pegar uma carruagem daquelas que dão a volta no Central Park. Começou a me contar como, apesar de ter terminado nosso namoro anos atrás, ainda imaginava que teríamos um destino juntos. A volta pelo parque terminou e ele pediu ao senhor da carruagem que desse outra volta, pois ainda tinha que falar algo (não sem antes negociar o preço. Nota aos rapazes aí: não façam isso!). Comecei a achar cada vez mais estranho... Pimba! Ele me pediu em casamento! Disse que queria ter trazido o anel de cinco quilates da avó (!!!), mas o pai sugeriu que ele fizesse a proposta antes! Bom, o pai tinha razão.

Falei que o adorava, mas estava apaixonada pelo Francesco. Perguntei até se não achava uma boa pedir a mão da minha melhor amiga, Lucia, em casamento! Meu Deus! Às vezes até eu me surpreendo com esse meu jeito capricorniano! Na minha cabeça fazia sentido. Acreditava que eles pudessem ser felizes juntos. Vai entender. Tadinho... ficou arrasado. Àquela altura já tínhamos perdido a reserva no restaurante e estávamos morrendo de fome. Fomos jantar em um outro, simplesinho, perto do meu apartamento. Ele meio tristinho e eu tentando manter um clima semidecente, sorrindo e falando de outras coisas. Mas ele não aguentou e disse para o garçom que eu tinha acabado de recusar a sua proposta. Coitado do sujeito, não sabia o que dizer!

O cachorro de flores murchou.

32.

Alessandra

Ainda meio bêbada e sem enxergar direito pela falta de óculos, eu andava descalça pelas ruas dos Jardins à procura de um táxi. O sentimento não era de tristeza, de certa forma achava até graça no ridículo daquela situação. O que predominava era uma raiva de mim mesma por ser tão idiota e me valorizar tão pouco. Aquele foi, decididamente, o fundo do meu poço emocional.

Mas aquela noite viria muitos anos depois. Para entender como cheguei àquele ponto, preciso começar do começo...

Quando penso no início de minha jornada amorosa, me sinto a própria Terezinha de Jesus. Aquela da cantiga que "de uma queda/ Foi ao chão/Acudiram três cavalheiros/Todos de chapéu na mão". Não que eu tivesse caído, muito pelo contrário. Eu estava muito bem lá em Indaiatuba, com meus 14 anos, sentada na rede do terraço, conversando com a Consuelo e a Maria, quando de repente entrou correndo atrás do Moustache, meu *poodle* meio vagabundo, um cachorro parecido com um *cocker spaniel*, só que maior. Eram outros tempos, não tínhamos o menor problema de segurança no condomínio. As ruas eram de terra e apenas uma cerquinha de arame liso delimitava os terrenos. Qualquer um podia entrar e sair. E eis que apareceram, atrás do cachorro, o Toninho, filho do nosso vizinho e dono do animal, e o Zeca, primo dele.

— Que raça é?

— *Springer spaniel...*

O Zeca era bem mais velho, tinha 17 anos e, segundo a versão que Blanche me apresentou uns 20 anos após os fatos, era para a Consuelo namorá-lo, mas eu acabei "levando a melhor". Não sabia nada disso e ainda acho que a imaginação da Miléle se deixou levar pela história de Sissi, a Imperatriz, cuja versão cinematográfica, estrelada pela Romy Schneider, era nosso filme favorito daqueles tempos.

Fosse como fosse, conversa vem, conversa vai, vários finais de semana em Indaiatuba com troca de olhares e sorrisinhos depois, eu estava dando meu primeiro beijo ali mesmo, no terraço de nossa casa. Na época não me dava conta de que eu era jovem demais para namorar. Gostava do Zeca. O friozinho na barriga estava ali. Além de ser supercarinhoso, ele era bonitão e muito divertido. Mas eu tinha 14 anos e o assunto "meninos" só não era a última coisa na minha cabeça porque a Consuelo e suas amigas não paravam de falar neles. Fato era que eu estava muito mais para brincar com meu cachorro do que para namorar. Só que a oportunidade se apresentou e eu acabei seguindo o fluxo.

Alguns anos antes, da primeira vez que a oportunidade se apresentou, eu não segui o fluxo; pelo contrário, desviei e dei uma trombadona com perda total. Quase todos os verões, passávamos uma parte das férias na fazenda do meu padrinho Jorge Kalil. Era sempre uma turma enorme: além dos três filhos do tio Jorge e da tia Kiki, Joey, Carlinhos e Marcelo, havia mais um bando de amigos, que regulavam em idade conosco. Nos conhecíamos muito bem, já que nos encontrávamos lá todos os anos. Depois de um café da manhã delicioso, os cavalos já apareciam selados em frente à casa. Brincávamos de polícia e ladrão montados, voltávamos para o almoço, depois íamos para a piscina, jogos e mais jogos. Eu devia ter uns 11 anos quando o Fábio me pediu em namoro. O filho mais novo dos Kalil, Marcelo, tinha arranjado uma namoradinha e o Fábio queria ficar comigo. Se aos 14 eu ainda estava mais para bonecas do que para meninos, imagine naquela idade. Fiquei apavorada! Não sabia o que dizer, muito menos o que fazer. Qual foi minha reação? Comecei a xingar o Fábio de tudo quanto era nome. Toda vez que vinha falar comigo eu disparava uma quantidade absurda de palavrões que nem sabia que sabia! Eu estava morrendo de medo do desconhecido.

Em vez de ficar bravo comigo, ele culpou a Blanche, que não tinha nada com isso. Mas, como eu e Consuelo éramos as únicas da turma que ainda iam para a fazenda com a governanta, ela levou a culpa. Aplicaram todo tipo de trote contra a coitada. Jogaram migalha de biscoito dentro da cama, puseram um balde de água sobre a porta entreaberta do quarto para que, quando ela a abrisse, caísse em sua cabeça, esconderam o seu maiô – que só foi encontrado pela tia Kiki 15 anos mais tarde! Ainda bem que ela tirava tudo de letra.

Mas, voltando ao Zeca, nós namoramos por três anos. Ao final do primeiro, perdi minha virgindade. Aconteceu. De um lado foi bom, de outro, tinha quase a sensação de não estar presente. De novo, o tesão existia. Estava lá, e o Zeca era supercuidadoso, mas para mim ainda não estava na hora.

Sempre tive um temperamento forte e nunca fiz o que não queria, mas por outro lado, sei lá... Ele era bem mais velho e, talvez por isso – e por um certo machismo –, achava que tinha que cuidar de mim. Às vezes agia como meu pai, me dando broncas e dizendo o que eu tinha que fazer. Depois de três anos, logo antes da minha formatura do colégio, terminei.

Minha mãe me disse que quando eu era pequenininha, passava em frente ao espelho, me olhava sorrindo e dizia:

— Que bonitinha!

Eu não me lembro de nada disso. Para mim, bonitas eram a Mummy, minha avó e a Maria, filha do Giulio. Certa vez, assistindo a um concurso de *Miss* Universo, fiquei admirada como a

Miss Estados Unidos era tão linda, mas tão linda, que conseguia ser mais bonita do que minha mãe.

Sabia que algumas pessoas me achavam bonita e às vezes me olhava no espelho e gostava do que via. Outras vezes, não. Procurava não pensar no assunto. Até que fiquei gorda e comecei a me sentir feia.

Ganhei peso no cursinho. Entrei na Veterinária na USP, devia estar empolgadíssima, mas só tinha vontade de chorar, comer e dormir.

Uma amiga de colégio, a Monica, morava pertinho da praça Panamericana, do lado da Cidade Universitária. Batia meio-dia, eu achava que ela devia estar acordada, fugia da aula e ia para a casa dela. De lá, nos dirigíamos até o cursinho Anglo da rua Sergipe visitar nossa outra amiga, a Elena. Foi lá que conheci o Miguel, que fazia parte de uma turminha que fumava maconha no cemitério. Eu não, minha experiência com drogas veio depois.

Era 1985, o *dark* estava na moda. Miguel se vestia todo de preto e, não importava o calor, usava um paletó longo até o joelho. Tinha 1 metro e 93, os cabelos pretos, pretos, escovados para trás com algum tipo de goma. Era magro, pálido e para melhorar (ou piorar) as coisas, andava para cima e para baixo com um canivetinho, que servia para fazer um pequeno furo no próprio dedo para chupar o sangue. Por quê? Porque ele gostava do sabor. E ainda emprestava a faquinha para os amiguinhos que quisessem fazer o mesmo. (No auge da epidemia da AIDS, já pensou o perigo?!) Parecia um vampiro, um doce vampiro, e tudo o que eu queria era que ele viesse me beijar. Mas eu estava quase 20 quilos acima do peso e me achava inadequada. Jamais pensaria que ele pudesse se interessar por mim.

Formamos uma turma com a Monica, o irmão do Miguel, Marcelo, e mais alguns amigos, até que o semestre terminou. Miguel entrou na Getúlio Vargas, a Monica viajou para a França e eu comecei a namorar o Marcelo (não o irmão dele, outro Marcelo).

Conheci esse outro Marcelo através do Rui, um amigo do colégio. Nós três fomos almoçar no Sattva, um restaurante vegetariano moderninho que tinha na rua Gabriel Monteiro da Silva, em frente à Brunella. Marcelo e eu ficamos amigos na hora e começamos a sair. Eu nunca me senti inadequada em sua companhia. Talvez achasse que ele não ligava tanto para estética, ou simplesmente por ele ser uma das pessoas mais gentis que já tenha conhecido. O salto da amizade para o namoro aconteceu porque tinha que acontecer. Ficamos dois anos juntos.

Marcelo morava com os pais e a irmã numa casa geminada na Vila Mariana. Linda, além de muito gostosa. O pai dele era arquiteto e se orgulhava do fato de ela ter sido projetada por Gregori Warchavchik, um ucraniano que veio para o Brasil nos anos 1920 trazendo consigo o estilo modernista. Eu adorava aquele lugar. Gostava da decoração, dos quadros que a mãe dele, artista plástica e professora do Liceu Pasteur, pintava. Gostava dos pais, da irmã e do ambiente que conseguiram construir. Me sentia bem ali. Tão bem que preferia ficar em casa com a família a sair. O que, é claro, se tornou um problema para o relacionamento.

Meu pai já havia se mudado para São Paulo fazia alguns anos. Isso porque, logo depois do primeiro ano de casamento com a Maritza, decidiu que queria se separar, largar o Chase, vir para São Paulo e começar o próprio escritório de investimentos.

A readaptação levou algum tempo, mas, àquela altura, seu negócio já estava indo bem. Ele morava num lindo apartamento na alameda Campinas com vista para a Mansão Matarazzo (que ainda estava em pé) e tinha uma namorada bem simpática chamada Monika. Era um namoro crônico, daqueles que iam e voltavam. A gente nunca sabia se eles estavam juntos ou não. Numa das "voltas", foram para o Caribe a convite de Roberto Civita e, presos dentro do chalé por causa de um furacão, sem muito mais o que fazer, eis que Monika voltou de Saint Barths com uma bagagem extra na barriga.

Cheguei à casa dele para nosso jantar de quarta-feira, a Monika estava de saída. Perguntei se ela não viria conosco, ela deu uma resposta um pouco vaga, meio constrangida, e saiu correndo. De repente, meu pai perguntou:

— O que você acha de ter um irmãozinho ou irmãzinha?

Alguns segundos de silêncio e confusão se passaram até que minha ficha caísse. Reagi como se fosse a mãe dele:

— Como assim?! No que você estava pensando?!!! Por que não usou camisinha?!!!!

— Sabe, foi uma dessas coisas que acontecem no calor do momento...

— Se você não consegue se controlar, faz uma vasectomia!

— As coisas não são tão simples assim...

Mas, depois de me acostumar com a ideia, curti muito a gravidez. Passamos nove meses discutindo possíveis nomes para o bebê sem chegarmos a um consenso. Se fosse menino, meu pai brincava que iria se chamar Klaus, em homenagem ao furacão homônimo, responsável pela reclusão compulsória naquele chalé caribenho. A não ser pela Monika, ninguém mais quis saber o sexo. Mas foi só minha irmã nascer e ser exposta na primeira fila do berçário, com seus quase cinco quilos e cabelos *platinum blond*, que meu pai disse:

— Bianca!

E foi assim que surgiu minha querida irmãzinha.

Depois do parto, Monika precisava emagrecer, então meu pai ofereceu para nós duas uma estadia no *spa* da Ala Szerman, no Guarujá. Quase morri de fome! Nunca tinha visto uma coisa igual. Comíamos uma rodela de *carpaccio* ou alguma outra proteína do mesmo tamanho no almoço e jantar. De tão fina, dava para ver o fundo do prato. Mas não era só isso! Tinha também uma folha de alface e meio tomate-cereja. De lanche, nos davam um "drinque" que nada mais era do que gelatina *diet* batida com água. Enfeitavam o copo com uma rodelinha de cenoura.

— Cuidado, não coma a cenoura porque tem muito açúcar.

Foram cinco dias de dor de cabeça constante por causa da fome, mas ao final engatei num regime que me fez perder 15 quilos.

Meu namoro com o Marcelo seguiu firme e forte. Eu gostava muito dele e acredito que a recíproca também era verdadeira. Mas, pensando nas conversas que tínhamos, vejo que o relacionamento era muito mais fraternal do que qualquer outra coisa. Ele me contava das outras mulheres de sua vida – uma que foi morar na Europa e outra que exercia algum tipo de magnetismo sexual sobre ele – como se eu fosse uma irmã, ou um bom e velho amigo.

Não sei quem retomou o contato, se eu ou o Miguel. O fato é que, 15 quilos mais magra e com um guarda-roupa novo, cheguei na casa dele me sentindo a moça feia da novela que ressurge, linda, depois da transformação e faz cair o queixo do galã.

Eu sempre tive uma proximidade natural com o Miguel. Nós éramos muito parecidos, tanto fisicamente quanto no senso de humor e na maneira de pensar. Não levou muito tempo para ele me dizer que estava a fim de mim. Não só isso, descobri também que ele tinha sido "a fim de mim" dois anos antes, quando comecei a namorar o Marcelo!

— Mas por que não disse nada? Agora é tarde, ele chegou antes.

Esse "ele chegou antes" não caiu bem. Miguel ficou injuriado. Disse que parecia que eu estava fazendo um leilão, tipo "Quem dá mais?", "Quem chega antes?". Mas, mesmo com esse desentendimento, continuamos nos vendo e intensificando nosso relacionamento platônico até que um dia... "desplatonicou".

Eu terminei meu namoro com o Marcelo. Simplesmente disse que tinha acabado, achando que poderíamos retomar a amizade sem problemas nem interrupções. Eu podia ter agido com muito mais decência. Em minha defesa, adoro o Marcelo até hoje, mas não sentia uma ligação romântica nem de um lado nem de outro. Para minha surpresa, ele chorou. Sério mesmo, fiquei surpresa. Anos depois, ele disse que se sentiu trocado. Mas não era essa a questão. Eu não gostava mais ou menos dele, não mesmo!

Enfim, desimpedida, fui toda linda e pimpona dizer para o Miguel que tinha terminado o namoro com o Marcelo. Mas o colega resolveu que tinha que recuperar o brio, sei lá. Aquela coisa de "ele chegou antes" ficou atravessada na garganta e Miguel achou uma boa ideia se fazer de difícil. Era só um jogo. Queria se vingar, mas aquilo acabou comigo. Muito antes de fazer terapia, muito antes de entender o que estava acontecendo, mergulhei numa viagem que só anos depois consegui identificar. Doía uma enormidade. Tudo doía: respirar, vestir a roupa, comer... Tudo me provocava uma tristeza imensa. Não lembro quanto tempo durou essa fase. Talvez duas semanas, que para mim pareceram uma vida inteira. Achei que nunca mais iria sair daquele buraco.

Aí ele fez aniversário, 20 anos, e me ligou para convidar para uma festona em sua casa. Me produzi toda. O bom da dor de cotovelo *ultra-mega-super-duper* foi que eu emagreci mais ainda e pude vestir uma minissaia tubo de tecido *stretch*, que estava despontando na época. Fui. Chegando lá, ele me deu um beijão na boca, um abraço e me ignorou o resto da festa. Dançamos um tanto e, lá pelas tantas, ele sumiu. Foi para a piscina fumar maconha, o que sabia que me excluiria, já que eu não usava nenhum tipo de droga. Fui para casa e chorei até dormir. Não entendia por que ele tinha feito aquele esforço todo para me seduzir e depois, simplesmente, me preterir.

No dia seguinte, ele me ligou. Estava tão louco na festa que torceu o pé. (Bem feito!) Teve que engessar. (Tadinho!) Fui visitá-lo e, a partir daí, começamos a namorar. Foi um namoro intenso, apaixonado, que durou pouco menos de um ano. Tempo em que fui muito, muito feliz. Aí acabou. Não sei direito por quê. Ele não quis mais e eu desmoronei. No fim, ao contrário da Terezinha da cantiga, eu fui ao chão por ter dado a mão ao terceiro cavalheiro. Como segue a cantiga: "Quanta laranja madura/Quanto limão pelo chão/ Quanto sangue derramado/Dentro do meu coração...".

33.

Costanza

Por que será que eles pintam as paredes dessa cor? E o sofá cor de burro quando foge? Como é que esperam que uma pessoa se recupere num ambiente assim? Costanza olhava em volta daquele quarto de hospital sem conseguir ler a revista que havia trazido para lhe ajudar a passar o tempo. Como poderia, com seu pai sofrendo tanto ali ao lado?

A dedicação de Gabriella ao marido era ferina, metódica e contribuiu para que ele tivesse uma sobrevida com qualidade por mais de três anos. Mas, no início de 1988, tomado pelo câncer, ele foi internado no Sírio-Libanês esquelético, quase sem forças, sedado para não ser engolido pela dor... Aquilo não era sobrevida, e muito menos vida.

Organizada como sempre, Gabi planejara os turnos das enfermeiras para quando ela não pudesse estar ao lado de Miki. Mas houve um imprevisto e pediu para a filha tomar seu lugar. Para Costanza, estar em paz sozinha com seu pai era uma espécie de resgate. Ela sempre soube que ele a amava, que se preocupava com seu futuro e com as netas. Mas, para um homem ultraconservador como ele, as atitudes da filha no final de seu casamento foram inconcebíveis.

O fim estava próximo, porém, e antes disso ele pôde testemunhar o renascimento dela tanto no lado profissional quanto no pessoal. As meninas estavam bem, Giulio era uma boa pessoa, seu sucesso na Abril foi inquestionável, assim como o trabalho que estava fazendo na Santaconstancia e em sua coluna na *Folha de S.Paulo*. Joyce Pascowitch, uma das principais colunistas da época, a tinha apelidado de "Papisa da moda" e Paola, filha do Giulio, tinha dito a célebre frase que a definia direitinho:

— Costanza, você é famosa, mas ninguém te conhece!

O sussurro quase inaudível tirou Costanza de sua divagação. Ela se aproximou do pai para tentar entender o que estava falando. Por entre devaneios causados pela morfina, pediu desculpas pelas injustiças que cometera com ela.

— Tudo o que eu fiz foi por amor.

— Papá, não fala isso agora pra mim, já foi, tá tudo ok, a vida anda. Eu aprendi tanta coisa, sabe...

— *Per favore, di alla tua mamma che non si ocupe tanto di me.*[*] Eu estou cansado. Eu me sinto como a água de um rio passando embaixo da ponte e eu quero ir embora, *sono stanco.*[**]

---

[*] Por favor, diga a sua mãe que não se preocupe tanto comigo.
[**] Estou cansado.

Ele sabia que os cuidados extraordinários de Gabriella o fizeram viver mais, o que foi ótimo durante um bom tempo, mas agora causava um sofrimento que ele precisava que acabasse.

Por fim, pediu:

— *Fammi un favore,* [*] pega minha escova – ele tinha uma escova de marfim com cerdas naturais no *nécessaire* – e me penteia, meu cabelo deve estar uma bagunça.

E aí, eu peguei a escova e realmente foi como se eu o acariciasse. Porque meu pai precisava saber que eu não tinha nada contra ele, que entendia tão bem aquilo que ele tinha tentado fazer, porque era seu jeito de pensar. Quando a gente gosta de alguém precisa procurar compreendê-lo. A maior prova de amor é aceitar o que o outro está pensando e não confrontar sua própria maneira de viver ou de enxergar as coisas com a do outro. Tadinho, ele sofreu tanto.

Aí, depois acabou o dia, eu fui para casa. Na manhã seguinte a gente foi para a fábrica e no meio do dia a enfermeira ligou para dizer que ele tinha morrido.

34.

Alessandra

— Então, você vai devolver a herança que recebeu do seu avô para o governo italiano?

— Como?!

Pouco menos de um ano depois da morte do Nonno, fui visitar minha amiga Monica. Ela tinha se casado com um francês e ido morar em

---

[*] Me faça um favor.

Paris. Eu ficaria lá cinco dias e depois iria ver a Consuelo em Florença. No jantar da última noite, conversa vai, conversa vem, veio à tona o fato de meu avô ter sido um ministro fascista. O jantar prosseguiu normal, quando, lá pelas tantas, o marido dela me fez a pergunta acima.

Foi uma atitude idiota. Ele sugeria que meu avô fora corrupto pelo fato de ter sido fascista. Ou talvez quisesse que eu ressarcisse o povo italiano pelos horrores que o partido tinha causado à pátria? Ou seja, estava passando julgamento em alguém que nem sequer conhecia.

Além do fato de eu não ter recebido um puto de herança, a não ser um relógio que eu amava, ainda estava de luto. Mesmo assim, foi bom eu ter tido aquele choque de realidade. É claro que fiquei com uma pulga atrás da orelha. Até aquele momento, meu amor pelo Nonno tinha me cegado para o fato de que ele tinha feito parte de um dos governos totalitários mais terríveis da história. A paixão e o orgulho que eu nutria por aquele senhor carinhoso, com a fala mansa, que conhecia cada funcionário da fábrica pelo nome e que era amado por todos, não condizia com a ideia de que ele teria sido um grande vilão.

Bem nessa época, saiu um filme do Costa-Gavras chamado *Music Box.*[*] Nele, uma advogada criminalista interpretada por Jessica Lange via seu pai acusado de crimes cometidos na Segunda Guerra Mundial. Segundo a denúncia, ele teria sido líder de um grupo fascista húngaro que colaborava com os nazistas perseguindo judeus, ciganos e comunistas. A filha achou que fosse um caso de identidade trocada, mas no decorrer do filme descobre a verdade macabra. Será que eu podia estar tão enganada assim em relação a meu avô?

A primeira coisa que fiz foi procurar a Nonna. Ela ficou chocada com a pergunta, brava até:

— *Nooo*, imagine, ele teve problema com o governo por ajudar amigos judeus. Além disso, já não fazia parte do governo quando a República de Saló foi instaurada e mandaram todos os judeus para a Alemanha.

Meu avô nunca mudou o nome e, poucos anos depois do final da guerra, voltou à Itália e viajou para os Estados Unidos sem problema algum. Aquilo deveria significar alguma coisa, não? No tempo em que

---

[*] Lançado no Brasil com o título *Muito Mais que um Crime.*

convivi com ele, e convivi muito e de perto, nunca ouvi comentários antissemitas, pelo contrário. Falava mal, sim, do Hitler por ser um louco sanguinário e do Mussolini por ter sido ambicioso a ponto de pôr tudo a perder ao entrar na guerra com a Alemanha. Mas a internet ainda não existia e meus recursos de pesquisa eram escassos. Além do mais, ele estava morto e eu não iria deixar de amá-lo.

Décadas se passaram, comecei a escrever este livro. Achei que era tempo de pesquisar um pouco mais a fundo. Além dos diários de minha avó, que citam passagens de perseguição por parte do governo republicano contra meu avô e um episódio em que ela e a Blanche se arriscam para esconder mãe e filha judias da SS em Siena, eu encontrei um livro sobre a história de Veneza publicado pela Yale University Press. No volume, localizei passagens a respeito de meu avô, um jovem e ambicioso advogado que teve problemas com o governo por ajudar seus amigos judeus. O autor até inclui referências de documentos oficiais corroborando seu conteúdo.

É fato que, por idealismo ou não, ele fez parte de um governo que não temos como defender. Daí a dizer que ele era um monstro? Não era. Nunca foi corrupto e sempre lutou pelo povo italiano, que amava fervorosamente. Disso eu tenho certeza. Durante uma época, até quis voltar à Itália para recomeçar a carreira de advogado. Tinha algumas ofertas de trabalho, inclusive a cargos políticos, mas minha avó havia se encontrado na fábrica e no Brasil. Ele ficou aqui por causa da esposa e dos filhos.

35.

Gabriella

Dias depois da morte do marido, Gabriella, que sempre acreditou no espiritismo, disse que Miki aparecera para ela na sala de TV.

Cochilava em sua poltrona favorita, de couro, com um pufe para os pés. A mesma que seu marido pôs no quarto do primeiro apartamento em Veneza e na qual se sentava quando explicou a Costanza a história das borboletas. De repente acordou, olhou para a porta e o viu sorrindo, como se quisesse entrar. Ele ficou ali por alguns instantes... então foi embora. Gabriella contava isso com uma serenidade, uma alegria decorrente da certeza de que ainda estavam juntos e que se encontrariam novamente.

36.

Costanza

1990 foi um ano bizarro. Em janeiro, Costanza ajudou Consuelo a se mudar para Florença, depois a organizar o casamento e a fazer o vestido em tempo recorde para a cerimônia em 21 de abril. Em março, Collor confiscou o dinheiro de todo mundo e, alguns meses depois, Alessandro pediu concordata da Santaconstancia.

Logo antes do pedido de concordata, Dino declarou que estava na hora de a irmã encontrar um apartamento melhor.

— Eu te ajudo a pagar.

Ela só foi entender esse excesso de generosidade depois, quando começou o processo de recuperação judicial. Aí ficou claro que era uma forma de seu irmão garantir que ela tivesse algo de concreto, caso a Santaconstancia falisse. Graças à habilidade dele, porém, a tecelagem conseguiu navegar as ondas da política econômica de Zélia Cardoso e sair da crise fortalecida, o que não foi a realidade para várias outras empresas da época.

Costanza começou a procurar um apartamento. Como a família toda morava em Higienópolis, esse foi o bairro de escolha.

Ela tinha se apaixonado por uma cobertura na rua Sergipe, mas não queria fechar negócio sem que Giulio e Alessandro vissem. Então, pediu à dona do imóvel:

— Ah, eu adorei o apartamento, gostaria de ficar com ele. Só que meu marido e meu irmão estão viajando, voltam semana que vem.

Voltaram e marcaram uma visita. Foram superbem recebidos pela proprietária. Cafezinho, bolinho, conversa, até que ela soltou, meio constrangida:

— Ah, sabe, infelizmente eu já vendi o apartamento.

Dada a situação da economia, todo mundo que tinha algo para vender vendia. Para quem tivesse dinheiro, portanto, era uma ótima hora de comprar. E dinheiro, aparentemente, não faltava ao senhor que ofereceu pagamento à vista para a compra da cobertura.

Tensão na descida do elevador. Injuriada, Costanza já estava achando que teria de começar a procurar tudo de novo. Até que o corretor falou:

— Tem um outro apartamento à venda no quinto andar.

Costanza respondeu:

— Ah, eu não quero ver!

— Não? Mas vale a pena, eu vou falar com a dona Penha, proprietária do apartamento.

— Vamos ver, não custa – disse Giulio.

Chegando à portaria, interfonaram, subiram, dona Penha abriu a porta: *croc, croc, croc,* 20 mil fechaduras. Entraram e ficaram espantados com a qualidade dos pisos de mármore, tacos de madeira e armários embutidos super bem-feitos. Estava meio caído, mas era lindo. Aí, o Giulio falou:

— Eu acho esse mais legal do que aquele e, também, não é tão grande...

Por ser cobertura, o outro tinha uma sala com lareira e um terraço aberto na laje. Era lindo, mas seria grande demais só para os dois. Afinal, a Alessandra estava se formando na faculdade e sairia de casa em breve.

O do quinto andar tinha três quartos. Uma suíte americana, onde Costanza e Giulio teriam um quarto para cada um, dividindo o banheiro. Esses dois cômodos eram idênticos, a não ser por uma estante enorme de parede a parede em um e um armário exclusivamente para sapatos no outro. De todas as coisas lindas no apartamento, Giulio se apaixonou pela sapateira:

— Você fica na biblioteca e eu fico aqui com a sapateira.

Ela comprou o apartamento no final de outubro. Em dezembro, ele morreu.

Costanza não podia imaginar a gravidade do problema no coração de Giulio quando o internou no Sírio-Libanês no dia 21 de dezembro de 1990. Ela sabia que o problema existia, pois seu marido visitava o cardiologista com certa frequência e reclamava que, se um médico o mandava tomar aspirina para afinar o sangue, o outro, seu gastroenterologista, proibia o mesmo remédio porque causava úlcera.

Como é que ela poderia desconfiar que havia algo de tão sério? Ele fazia tudo errado! Bebia, fumava, comia mal, era desregrado. Anos depois, olhando as fotografias, foi se dar conta do quanto estava desgastado. Quando morreu, estava com 58 anos, mas aparentava ter no mínimo 65. No dia a dia, porém, não se tem esse tipo de perspectiva. O rosto dele parecia normal. Era aquele que sempre havia amado.

Naquela noite, chegando em casa de mais uma das infindáveis festas de final de ano, Giulio reclamou de dor nas costas:

— Como é que é a dor?

— Não sei. Ela passa pra frente e depois pra trás.

— Quer saber? A gente vai pro hospital.

— Mas por quê?

Costanza se preocupava com os excessos dele. Qualquer desculpa era boa para levá-lo ao Sírio-Libanês. Internava e exigia que fizesse uma bateria de exames. Ele se assustava com os resultados e maneirava durante uns dois, três meses. Depois voltava à ativa, mas pelo menos tinha reduzido o ritmo durante aqueles meses.

Antes de sair de casa, ligou para o clínico geral, que estava na formatura do filho. Assim que recebeu a mensagem pelo bipe, respondeu à ligação e disse:

— Vou falar para meu assistente esperar vocês no hospital.

— Mas essa dor é diferente, doutor. Vai das costas para a frente, da frente para as costas. Pode ser coração?

— Eu vou deixar o cardiologista de prontidão. Depois da festa da formatura, encontro vocês lá.

O médico decidiu que era melhor passarem a noite no hospital.

Giulio dormiu muito bem, de manhã estava ótimo, já querendo fumar dentro do quarto e ir embora, pois estava se sentindo melhor:

— Eu não vou ficar aqui outro dia.

— Você vai fazer o que o médico mandar, né?

Entediado, ele pegou o telefone e chamou os amigos, pedindo que trouxessem o tabuleiro de xadrez para jogarem uma partida.

De repente, chegou o médico:

— Vamos fazer outros exames lá embaixo. Como ele está bem, pode ir andando, não precisa de cadeira de rodas.

Então eu lembro muito bem: Giulio calçou aquele seu mocassim. O couro era tão molinho que vestia como um chinelo, enfiando a parte da frente e dobrando atrás para ficar debaixo do calcanhar. Vestiu um roupão de seda por cima do pijama e fomos a pé para o andar de baixo. As salas de exame estavam ocupadas e ficamos sentados num banco, esperando. E eu falei:

— Giulio, acho que é melhor você, seriamente, começar a se tratar.

Nunca tinha falado isso. Ficávamos só quebrando o galho. Aí ele olhou bem pra mim, dentro do olho, e falou:

— Cê acha que vale a pena?

— Claro que vale a pena! Como não vale a pena?!

De repente ele disse:

— Recomeçou a dor.

Levantou, deu quatro passos e começou a cair. Me joguei embaixo dele pra que não batesse a cabeça no chão e fiquei olhando para seu rosto, que conhecia tão bem. E aí eu vi o Giulio ir embora. Você enxerga a pessoa indo embora. É...

Imediatamente chegaram os enfermeiros, que o enfiaram na UTI. Fiquei seca, com seu sapato na mão. Mas sabia que ele tinha ido. Depois de uma meia hora saíram e disseram... eu peguei o telefone, liguei pra Giovanna.

E ficava pensando: Ele foi embora. *Você leva um tempo pra entender a verdade. Pensei:* A única coisa boa nessa história toda é que não ficou doente. *Não ia aguentar ficar numa cama sem poder fumar, beber, comer, jogar golfe e xadrez com os amigos. E assim foi.*

Tomada pela dor do luto, Costanza deu graças a Deus que a dona do novo apartamento levou um tempão para desocupá-lo. Não tinha condições de organizar uma mudança. Estava arrasada, sem energia alguma. Quando finalmente, em fevereiro, dona Penha saiu, Costanza foi até lá dar uma olhada. Sentou no meio da sala vazia. Linda, mas em pandarecos, e pensou: My God, *o que é que eu vou fazer... A fiação está toda podre, a tubulação enferrujada, tem que refazer os armários, a cozinha está destruída...* O Giulio ia ajudá-la na reforma tanto financeiramente quanto na organização. Mas ele não estava mais lá...

De repente, tocou o telefone. Ela ficou olhando para o aparelho no chão da sala, como se aquele som estivesse vindo do além. Nem sabia que a linha estava funcionando!

— Alô? Costanza? Desculpe a invasão... eu liguei na sua casa e me deram esse número. Sou seu vizinho de prédio aqui no Sumarezinho. Talvez você se lembre de mim, sou tio do Júnior que mora na Chácara Polaris em Indaiatuba. Uma vez você ficou doente, tinha acabado de operar em Campinas e pegou algum tipo de infecção. Eu estava lá... te levei para o hospital, lembra?

— Sim, claro que lembro!

— ... é que estou interessado em comprar seu apartamento do nono andar.

Sem ânimo para pensar em nada, respondeu:

— Ah, obrigada pelo seu interesse, mas eu não consigo nem falar sobre isso agora.

— Eu sei que você está de luto, sinto muito pela morte de seu marido. Mas pensa bem no caso. Depois nos falamos.

Ele ficou insistindo duas, três semanas, até que ela finalmente disse:

— Então vem aqui e nós conversamos.

Naquela noite, ele foi se encontrar com ela e disse:

— Eu preciso desse apartamento! E, olha, quero comprar como está. Sou construtor, para mim é fácil fechar a escada caracol. Eu arco com as despesas, arrumo tudo lá embaixo, não precisa fazer nada.

— Ok, mas eu quero que você pague à vista e em dólar.

— Ah... tá bom.

Poucos dias depois, chegou com duas caixas de sapato cheias de dólar.

Algum tempo mais tarde, Costanza ouviu pelas más línguas o porquê do interesse: a mulher dele estava tendo um caso com o tal sobrinho. Da janela do quarto do Giulio dava para ver o apartamento onde ele morava com a esposa. O plano era ficar espionando para ter certeza (e provas) do *affair*.

Costanza nunca teve costume de celebrar a desgraça alheia, mas encontrar um comprador para aquele apartamento, naquela época, foi uma espécie de milagre. *Deve ser o Giulio me ajudando*, pensou. *Não é possível alguém cair do céu querendo comprar um imóvel! Ainda mais agora, que ninguém tem dinheiro! Ele deve ter olhado lá de cima e dito:*

— *Coitada, essa aí não sabe o que fazer...*

Com o dinheiro ela pôde pagar a reforma.

Depois de abrir concordata, Alessandro demitiu vários trabalhadores da manutenção. Eletricista, encanador, pintor, marceneiro. Maravilhosos, treinados pelo dr. Michele com aquela sua precisão impecável! Era exatamente do que Costanza precisava para arrumar o apartamento. E eles foram na maior felicidade! Afinal, ganharam muito mais dinheiro fazendo esse serviço do que na fábrica.

A correria da reforma ajudou Costanza a se distrair um pouco. A mudança da mobília foi feita com os caminhões e pessoal da Santaconstancia e... daí... acabou... e mais uma vez ela se viu sozinha naquele apartamento. Agora a sala não estava mais vazia, tinha seus móveis amontoados no centro. Tentou algumas arrumações, mas tudo ficava esquisito. Dava um ar muito quadrado, muito sem graça... uma sala tão grandiosa com aqueles objetos menores. Mais uma vez, bateu o desespero e se sentou para chorar. Aquele tinha sido um projeto seu com o Giulio. Agora estava na hora de se mudar e ela não conseguia se entender naquela casa. De repente, o telefone...

Era o Carlos Fernando, vocalista do grupo de jazz Nouvelle Cuisine. Ela tinha dado alguns tecidos para a roupa da banda. Mantiveram contato e ficaram amigos.

— Eu liguei na sua casa e me disseram que você estava aí. Moro pertinho, quer ajuda? Eu sou arquiteto...

— Ah, que bom!

Ele chegou com mais dois amigos e começaram a mexer os móveis para lá e para cá até que, entre risos e conversas, chegaram à disposição que continua até hoje.

37.

Consuelo

Sempre adorei ser metropolitana. Mas o destino quis me trazer a essa pequena grande cidade. Nem sei como deixei que as circunstâncias me levassem a isso. Mas na juventude você acha que pode tudo e que nada é para sempre. Nunca teria escolhido esse destino, mas o ser humano é uma espécie que se adapta a quase tudo... e lá fui eu.

O meu primeiríssimo entardecer em Florença no início de 1990 me trouxe lágrimas. Não foram de emoção, e sim de tristeza! Para uma menina cheia de energia de 26 anos que havia morado em São Paulo e Nova York, as luzes amarelas dos lampiões daquela cidade medieval entravam em enorme contraste com o branco das metrópoles. Não via esperança, e o amor pelo homem que me trouxe à Itália, naquele momento, não bastava. Mas estava decidida.

Os primeiros meses passaram rápido. Encontrei um bom emprego como compradora de uma ótima cadeia de lojas *duty-free* onde se usava predominantemente o inglês. Isso me dava tempo de aprender o italiano, pois, quando cheguei a Florença, ainda não dominava a língua.

Escolhemos 21 de abril de 1990 para o casamento. Uma data muito conveniente por vários motivos. Marcava o início da primavera e, naquele ano, a Páscoa coincidia com o feriado de Tiradentes. Ótimo para os meus amigos que viriam do Brasil e dos Estados Unidos.

Meu pai deu um orçamento bem legal e pediu que o noivo e os pais fossem de fraque. Francesco resistiu, mas eu achava lindo e não teve conversa. Minha mãe ajudou com vários detalhes. Encontrou uma *villa* maravilhosa que era de uma amiga do Giulio. Um casarão do século XIV, a Villa Fontalerta tinha uma linda vista para Florença de um terraço que seria perfeito para o coquetel. Se fizesse frio, a biblioteca nos acolheria. E o salão maravilhoso era o lugar perfeito para sentarmos umas 100 pessoas.

A Mummy também, lógico, me ajudou com o vestido! Eu estava perdida sem ideia do que queria. Aí, durante os desfiles de alta-costura em janeiro, minha mãe cruzou com a Eliana Tranchesi e contou nosso dilema. Afinal, a proprietária da Daslu ia às passarelas de todas as melhores marcas e poderia ter uma ideia. Inteligente e afiadíssima, logo respondeu:

— Adorei a noiva da Chanel, com um *tailleur* superacinturado.

Se tem uma coisa que sempre tive foi cintura fina! Gostei da ideia. Pesquisei nas revistas e... era aquele mesmo! Maravilhoso, minha cara! Encontramos o incrível tecido italiano na França. O gorgorão de seda pura pelo qual minha mãe pagou uma fortuna, apesar de estar bem apertada. Nos sugeriram uma ótima costureira em Florença e levamos o tecido e a página da revista com o modelo. Ela entendeu na hora e tirou as medidas, executando o trabalho de alta-costura. Primeiro tiramos a prova em tela. Era um vestido sem manga por baixo e, por cima, um casaquinho com bolsos falsos e pulsos demarcados com botões forrados, tipicamente Chanel! Uma vez que os detalhes foram acertados, passaram para a seda. O acabamento era impecável. Para que o caimento ficasse perfeito, tinha pesinhos dentro do forro em partes estratégicas.

Eram correntinhas ao longo da bainha interna do casaco, como fazia Coco Chanel! As provas eram emocionantes! O vestido ficava cada vez mais lindo e eu sempre mais magra! A costureira disse que isso era bem comum. Ela sempre precisava apertar o vestido da noiva na véspera!

Daí, tinha que resolver a cabeça. A costureira sugeriu uma chapeleira no centro da cidade. Nem sei se ela existe ainda. Os ofícios antigos estão cada vez mais raros. O alfaiate que fez o fraque do meu pai, por exemplo, não existe mais. A chapeleira era baixinha, toda animada, falava rápido. Não queríamos nada de muito elaborado e a decisão foi fácil, uma camélia (flor símbolo da Madame e da *maison* Chanel), com um laço do mesmo tecido do vestido que seguraria o véu. Mandei fazer um sapato de salto, mas confortável, em estilo Luís XVI, também com o tecido do vestido. Só faltavam as luvas brancas. Em Florença, foram fáceis de encontrar.

Então partimos para a parte divertida: o rango!! Meu pai insistiu em um menu toscano e ele tinha toda a razão! Aliás, não expliquei por que escolhemos fazer o casamento no berço do renascimento. Daddy disse:

— É onde você vai morar, é correto que nós te apresentemos à sociedade com essa cerimônia.

A única coisa de que ainda me arrependo é que, com o objetivo de fazer o evento elegante, marcamos a cerimônia durante o dia e sem dança. Se fosse hoje, faria uma festa de arromba!

Escolhi uma mini-igreja para que ficasse bem lotada! Linda e bem simples, do século XI, na colina de Maiano, pertinho da *villa*.

Inspirada no casamento da minha mãe, pedi que todas as minhas madrinhas usassem o mesmo tom. Do lado do Francesco ficaram os padrinhos de terno escuro, completando a paleta de cores. Minha mãe usou um *tailleur* Chanel marinho em buclê. Na cabeça, um chapéu de plumas maravilhoso por Philippe Model, que não ficou imune à gozação dos amigos de Francesco, dizendo que uma hora ela sairia voando. Sem perder a piada, Mummy respondeu:

— Isso não é nada! Imagine se caçadores me confundem com um faisão e dão um tiro!

...as de um casamento: Consuelo, 1990.

O casamento foi realmente lindo e até bem divertido, apesar de não termos dançado. Me senti princesa por um dia.

A adaptação à sociedade fiorentina não foi fácil. A uniformidade era a norma e nem meu talento para usar *foulards* contava a meu favor. Uma amiga me disse:

— Aqui não usamos lenços desse jeito.

Acho até que ela estava tentando me ajudar, mas não funcionou. Eu me sentia muito sozinha.

Na época, viajava pouco e meu marido, muito. Sem amigos ou *hobby*, nos finais de semana ia de igreja em igreja sozinha assistir a casamentos. Me arrumava toda e ia *church-hopping*. Eu sou tão louca que até chorava de verdade. Me via envolvida no enredo! Imaginava quem era o pai, a madrasta, a tia pão-dura, o avô sábio. Fechava o capítulo jogando o arroz na saída dos noivos e passava para a próxima.

Tenho que dizer que a vida não era ruim, mas de emocionante não tinha nada. Viajávamos algumas vezes para Nova York, que eu adorava. Alessandra morava lá e isso era tão bacana! Enquanto esperava que ela saísse da aula, arrumava o seu quarto. Tinha tanto sapato fora do lugar que os coloquei como se estivessem caminhando da porta onde se amontoavam em direção ao armário!

Morávamos no apartamento da avó de Francesco, que preferia morar com a filha viúva. A casa era simpática, mas ela podia entrar a qualquer hora, o que para nós, recém-casados, era um pouco inconveniente. A desculpa de estarmos cansados toda vez que ela entrava e nos encontrava na cama ia acabar levantando suspeita de alguma doença!

Depois de dois anos e meio, compramos uma casa. É onde moro até hoje. Foi aqui que encontrei minhas raízes, embora isso ainda demoraria uns 20 anos.

A agente imobiliária gostou da nossa cara e decidiu mostrar o local ao lado do seu, que estava vazio. Ou seja, ela quis escolher os vizinhos. Bela estratégia! Quando chegamos, disse a Francesco:

— Seria tão bom se fosse essa...

— Acho que é...

— *Wow*!.......

Parecia bom demais para ser verdade! Na colina que leva a Siena, ao sul de Florença, fica só a dez minutos do centro. Não é gigante nem tem atributos arquitetônicos importantes, pois tinha sido uma estufa de plantas no século XV, adaptada para virar uma casinha. Só que não era a estufa de qualquer casarão, mas de uma *villa* que pertencera a Américo Vespúcio! A mesma que, tantos anos antes, minha avó passava em frente quando caminhava com suas amigas do Poggio Imperiale! Tem um pequeno jardim com vista para um lindo vale toscano, completamente inserido no verde. Nem parece que estamos tão perto da cidade!! Tudo isso e... o aluguel cabia no nosso orçamento! Iuhuuu!

Passei muita coisa naquela casa, algumas das quais ainda vou contar. Meus bebês nasceram e meu casamento acabou. Com a ajuda dos meus pais, mais tarde compramos a casa. Foi um ótimo investimento! É difícil explicar o quanto eu amo esse canto. Cada dia que abro as persianas e vejo a minha árvore (que já virou vedete no meu Instagram), me apaixono mais. A Toscana tem dessas coisas e eu me deixo seduzir totalmente! Sou meio leviana desse jeito...

Agora que as "crianças" moram fora, até pensei em viver mais perto delas. Mas duas coisas impossibilitam isto. Meus filhos não querem que eu venda a casa e amo viver aqui. Quem diria! Acho que a Consuelo de 26 anos nunca acreditaria nisso...

Em 1992 comecei a pensar em ter filhos. Já estava com 28 anos e como minha vontade era ter dois, um menino e depois uma menina, precisava dar início às tentativas. Já tínhamos os nomes escolhidos, Cosimo e Allegra, só faltava concebê-los.

Nem bem um mês depois, meu pai nos convidou para passar férias no Caribe e... *voilà*, saí de lá grávida. Não me dei conta até fazermos uma outra viagem ao Japão, um mês depois. Já no avião, achei estranho ter que me levantar tantas vezes para ir ao banheiro. Em Tóquio, a menstruação não vinha. Na dúvida, quis comprar um teste na farmácia, mas não consegui. Esperamos a volta via Los Angeles e, no aeroporto mesmo, comprei e fiz o teste. Vieram os intermináveis minutos acompanhados da descrença (*Não é possível! Será que ficamos grávidos no primeiro mês de tentativa?!*) e de um segundo exame. Finalmente, nos encaramos com os olhos esbugalhados e nos perguntamos: "E agora?!". Querer um filho é uma coisa, saber que ele está no forno é bem outra...

O parto foi rápido, umas quatro horas com a santa epidural a partir da terceira. Acho tão importante explicar que, do momento que te levam embora da sala de parto, a dor já foi esquecida. Ela é substituída por medo e preocupação. Outra coisa: apesar de ter sentido uma grande ternura pelo meu "Cosimino" imediatamente, o amor chegou aos poucos, nos primeiros dias, enquanto juntos buscamos a conexão através da amamentação e do cuidado que eu tinha com ele. Pelo menos foi assim para mim.

Fiquei no hospital por uns três ou quatro dias. Tinha chamado a Blanche e foi a melhor coisa que fiz. Ela me disse que viria como uma avó e ficaria uns seis meses. Foi ótimo! Ajudou muito e me deu coragem.

Quando a levei ao aeroporto, na volta olhei para o Cosimo e disse:

— *Now it's you and me!**

Talvez porque essa fosse a língua com a qual me sentia mais confortável, talvez porque quisesse que meu filho herdasse essa parte da minha cultura, durante os primeiros anos falava inglês com ele.

Estava estourando de felicidade. Para mim, ser mãe não é apenas bom; a maternidade me define! Por isso agora, 25 anos depois, estou tendo tanto problema com o ninho vazio! Mas esse drama é para depois.

---

* Agora somos só eu e você!

O Cosimo foi meu supercompanheiro por dois anos e meio. Ele era adorável e tão doce, com seus olhos gigantes e bochechinhas rosadas! O pai trabalhava muito e eu, àquela altura, já tinha saído do meu emprego. Babás e faxineiras eram caras e difíceis de se achar, além de eu não estar mais feliz com meu trabalho. Não entendia por que tinha que fazer algo de que não gostava para pagar alguém que fizesse o que eu adorava, que era cuidar do meu filho. Então decidi que queria ser "do lar".

Aprendi a passar as camisas sociais do meu marido. Me perdoem, mas detesto prendas domésticas. Não é a minha praia. Meus atributos são outros. Mas naquele momento era a minha realidade, então iria fazê-las do melhor modo possível. Eu colocava o Cosimo em um pula-pula em forma de avião e cronometrava o tempo que levava para passar cada camisa! Tentei de todos os modos, mas não conseguia em menos de 15 minutos. Nossa! Achava uma perda de tempo. Paciência, passou (ou passei, melhor dizendo)... E o Cosimo ficou com pernas fortíssimas!

Amamentei por oito meses e não emagreci até parar. Bem em tempo de ficar grávida de novo. Dessa vez, queria absolutamente uma menina. A minha Allegra. Como boa capricorniana, estudei certinho o que precisava ser feito para que assim fosse. Eu tinha bolado tudo até o último detalhe, mas acabei fazendo o teste cedo demais. A linhazinha do "sim" estava tão fraquinha que levei o palitinho com xixi e tudo ao farmacêutico para ter certeza. Daí eu me pergunto por que o pessoal me olha torto...

Sim, Allegra estava a caminho. E nasceu toda perfeitinha!!

Foi numa terça-feira de manhã. Francesco estava tomando café enquanto a Blanche – que já tinha chegado para me ajudar – arrumava a cozinha. De repente eu percebi uma poça nos meus pés. Por um segundo, achei que tivesse feito xixi, mas a ficha caiu, me dei conta de que a bolsa tinha estourado. Chamei meu marido, que, em vez de agarrar a malinha e me levar para a maternidade, resolveu que era uma boa ideia fazer o que nunca tinha feito na vida: pegou o rodo e começou a enxugar o chão. As coisas que a gente faz nesses momentos são inacreditáveis!

Quando chegamos ao hospital, as enfermeiras me levaram para a sala de parto enquanto Francesco conduzia a Blanche e o Cosimo até a sala de espera. Como da primeira vez, graças aos meus quadris largos, o nascimento foi muito rápido. Tão rápido que a coroa começou a aparecer antes que o Francesco tivesse tempo de chegar. Deitada na mesa com os pés nos estribos, em meio a contrações e incentivos do médico para que eu empurrasse, eu cruzei minhas pernas e gritei:

— Não sem meu marido!

Por sorte ele não demorou muito.

Eu dei à luz, literalmente! No exato momento que Allegra nasceu, um raio de sol entrou pela janela e pousou bem em cima da minha filha, enquanto a enfermeira pronunciava:

— 13h02 do dia 13/02.

A Allegra tem algo de especial. Blanche, que na época tinha 82 anos, ficou por mais oito meses. Dormia com minha filha e disse que, de todos os bebês que cuidara na vida (e não foram poucos), nunca tinha visto um tão alegre (como seu nome), que cantava quando acordava e quando ia dormir.

Desde o primeiro dia, enquanto eu a amamentava ela me olhava direto no olho. Ao contrário do Cosimo, que ficava bêbado com o leite, Allegra mamava só uns cinco minutos e, quando estava saciada, me empurrava com os bracinhos. Eu ficava toda preocupada, pois achava que era pouco tempo. Em vez de ouvir o que a sábia Blanche tinha a dizer com sua vasta experiência, me matava no telefone com o SOS amamentação. Eles me tranquilizaram.

É verdade que filho não vem com manual de instruções. Menos para mim, que pelos primeiros meses tive o melhor manual de instruções já feito: Blanche Raval. Mas ela foi embora e precisei lidar com minhas incertezas sozinha. Entre as inúmeras pressões de ser mulher tem aquela dos mitos e tabus a respeito da maternidade. Sem querer generalizar, mas já o fazendo, vejo que os filhos vêm de mãos dadas com a culpa. Agora eu vou ser motivo de imenso orgulho para minhas companheiras capricornianas e montar lindas listas. Elas sempre foram meu fraco. Quando era menina, fazia listas dos meus afazeres, as separava por categorias e fazia listas das listas. É claro que essa é a minha verdade. Uma grande amiga, Kika, uma vez me disse:

— Não existe um *script* só. Cada um escreve o seu.

Nossa! Acho isso tão certo. Tento me lembrar sempre disso quando me sinto julgada.

Segue abaixo o que aprendi com minhas crianças.

Mitos:

O dia mais feliz da vida é o dia do parto: não. O parto para mim foi um mistério inexplicável. Toda a dor, o medo antecipando a impossibilidade de passar um bebê por um buraco tão minúsculo, a sujeira e especialmente os hormônios deste samba-enredo – o mais animado da minha existência – colaboraram para que aquele fosse um dos dias mais desconfortáveis que já tive. Por favor, tentem me entender. Eu quis ter meus filhos de parto natural. Não trocaria o êxito daqueles dois dias por nada neste mundo. Mas dizer que foram os mais felizes da minha vida? Não! O crescimento e as pequenas vitórias cotidianas me trouxeram dias cada vez mais felizes. E não é melhor assim, em vez de ficar olhando para trás?

A paixão pelos filhos é imediata: não. Senti imediatamente uma atração e uma enorme sensação de querer proteger aquela figurinha que existiu por meses dentro de mim. Adorei a gravidez, sentir a companhia de meus filhos, que me chutavam e empurravam. Mas me apaixonei após alguns dias. Amamentar, para mim, foi o que mais nos uniu. O amor foi crescendo à medida que vi suas personalidades, e isso me divertia e me seduzia.

Mãe é tudo igual: não. Eu sou muito melhor como mãe de crianças grandes. Não sou boa de horário, paciência, nem de cozinha, características importantes para crianças pequenas. Mas sou boa de conversa, debate, discussão e direção. O maior presente que recebi na vida foram as cartas que meus filhos escreveram no meu aniversário: os dois, sem saber um do outro, me contaram que fui a coluna que os havia sustentado ao longo de suas vidas.

A presença física é sempre necessária: não. Apesar de ser importante, nós nos vermos para poder discutir ideias e pontos de vista de forma natural e sem "ordem do dia", deixá-los resolver seus problemas sozinhos (com a minha orientação) não criou pessoinhas perdidas, mas, sim, independentes e modernas. O que é importante é eles saberem que estou e sempre estarei presente quando precisarem.

Nossa casa é uma democracia: não. Sou eu que tomo as decisões em casa e as regras são minhas. Se erro, admito e mudo de rota. Muita liberdade cria anarquia e em uma realidade como a minha, divorciada, não é controlável. Porém, em ocasiões especiais, como quando dei a chave de casa ao Roberto, meu atual namorado, faço uma votação e tem que ser unânime. O núcleo somos nós.

Verdades:

Os filhos são nossa razão de ser: para mim, absolutamente sim! Cada dia acordo querendo ser uma pessoa melhor porque eles existem.

Você nunca mais dorme como antes: de fato, não consigo dormir direito sem saber onde e como eles vão apoiar as suas cabecinhas no travesseiro.

Ama-se os dois da mesma maneira: já tentei, várias vezes, entender se gostava mais de um ou de outro. (É, sou esquisita assim mesmo.) E não teve jeito. Amo os dois "do mesmo tamanho"! Posso me dar melhor com um do que com o outro em momentos diferentes ou procurar o conselho de um deles em casos específicos, mas o amor permanece igual para cada um.

A coisa mais difícil é deixar os passarinhos voarem para fora do ninho: me achava uma mãe moderna. Eu mesma saí de casa aos 18 anos. Sempre desejei que eles cursassem universidades fora da linda, mas pequena e provinciana, Florença. Pensei que, quando chegasse o momento, estaria pronta. Dei até um empurrãozinho. Mas quando a Allegra foi morar nos Estados Unidos meu mundo desmoronou! Chorei muito! E olhem que viajo mais de metade do ano e sou muito ocupada, mas saber que eles não estão mais no ninho tem sido um lento e difícil aprendizado...

Mas como é difícil ser mãe!! Isso que escrevi de não existir manual é tão verdade! Fui improvisando. Aqui estão alguns dos meus maiores desafios...

Nunca fui boa de horário, mas com crianças pequenas não se tem escolha... Por 11 anos acordei às sete da manhã para prepará-los e levá-los à escola. Mas assim que terminou, voltei à minha rotina!

Adoro comer, mas não sei e nem me divirto ao cozinhar. As crianças tiveram que se acostumar a comer refeições queimadas, com pouco ou muito sal etc. até eu trazer uma santa do Brasil chamada Leni! Ela ficou conosco 12 anos. Ainda sonho com o cheirinho pela casa quando voltávamos dos esportes das crianças e o jantar estava quase servido! Hmmmm! Ela também tratou deles durante os dez dias de catapora que pegaram quando eu estava viajando.

Lição de casa, ainda por cima em italiano, não é comigo. Até tentei com o Cosimo, mas adormecia e acordava só quando ele me oferecia um travesseiro para eu ficar mais confortável!

Quando eu não trabalhava e o mundo infantil dominava o meu cosmos, sentia que era fundamental entender que eu não tinha caído da face da Terra. Fazia um esforço para me manter informada e não me alienar.

Lições que tentei passar a meus filhos: falar inglês, saber nadar e se exercitar, valorizar o núcleo familiar, ter respeito pelos outros, jogar limpo, mas não ter medo de se sujar.

O que meu pai nos ensinou, que espero ter transmitido para eles: se rodear de coisas bonitas – que podem ser tão simples quanto um lindo vaso de flores – e se divertir e aprender com qualquer pessoa! Todo ser humano tem algo a ensinar. Para isso você tem que saber se comportar em qualquer situação, daí o valor das regras de etiqueta.

E assim as crianças cresceram...

Apesar de dizer que sou mãe de filho grande, por ser uma fase mais simples para mim, me lembro com enorme ternura deles pequenos. De quando eu era tudo para eles, de quando escutava seus pezinhos descalços no meio da noite pararem na porta do quarto e pedirem licença para subir na minha cama. Chegavam com o travesseiro debaixo de um braço e o copinho de água na mão.

Os dois cursaram o ensino fundamental no Poggio Imperiale, a mesma escola onde estudou a minha avó, me dando uma sensação de ciclo completo, de volta às origens.

Um dos momentos mais felizes da minha vida foi quando, observando o relógio do computador com uma ansiedade enorme, bate as quatro da tarde e escuto um berro vindo do quarto do Cosimo. Saíra o resultado do exame para ingressar na universidade. Ele havia passado na Bocconi, uma das mais prestigiadas escolas de Finanças e Administração da Europa. Mas o que me fez mais feliz foi ele correr para vir me abraçar e dizer: *"Ce l'ho fatta!"* ("Consegui!"). O sucesso foi dele e o orgulho, meu. É como acredito que deve ser!

Os desafios da Allegra são mais elaborados. Ela sempre cursou escolas italianas, mas conseguiu entrar em uma ótima universidade americana, Sarah Lawrence – a escolha foi perfeita para alcançar seu objetivo: trabalhar com Cinema e Televisão. Suas notas são incríveis e ela tem uma originalidade em tudo que faz que adoro observar. Sua trajetória me traz tanta felicidade! Escolheu uma estrada difícil, mas acredito nela. (Se a mãe não acreditar, quem vai, né?) Em mim, sempre terá uma aliada.

Meus filhos jogam suas cartas da melhor maneira possível.

O que me surpreendeu foi como minha mãe abraçou a vida de avó. Ela se provou muito mais dedicada nesse papel do que foi como mãe.

Entre Cosimo e Allegra, em Florença, Consuelo festeja seu aniversário de 55 anos.

38.

Costanza

Costanza estava no final do tratamento do câncer, em 1993, quando o Cosimo nasceu. Não pôde ir à Itália assistir ao parto. Chegou para o batizado.

A primeira vez que vi meu neto fiquei numa felicidade! Mais do que felicidade, era um éblouissement, *como diriam os franceses, um encantamento, uma surpresa. Não aquela felicidade que você diz "Ahhhh!". Quando minhas filhas nasceram, também, eu olhava para a Consuelo e depois para a Alessandra e pensava:* Como pode?! *Era um deslumbramento. Ainda por cima a Consuelo estava ótima, animadíssima, todos estavam com saúde.*

Você meio que renasce pra vida. Uma vez que você já passou um monte de coisa, já teve os filhos, que estão grandes etc. e tal, de repente, renasce. Das questões de descendência, ser avó é o mais generoso, porque você não tem que fazer nada. Os pais criam, você ajuda no que pode e só aproveita. Então é uma coisa prazerosa e fácil.

39.

Alessandra

Nunca me encaixei muito bem socialmente. Tenho alguns bons amigos, pessoas que me conhecem e acham graça no meu jeito um tanto ríspido de ser. Mas essa coisa de fazer parte de uma turma nunca foi comigo. Então, não é de espantar que quando fui aceita na turma do Café das Flores, fiquei encantada.

Em 1986, ingressei na faculdade de Letras da USP, que resolvi cursar à noite para não ter que acordar cedo. Isso foi alguns anos antes da morte do Giulio, nós ainda morávamos no Sumarezinho. No caminho de volta para casa, sempre entre 22h30 e 23h, na rua dos Pinheiros, passava pelo Café das Flores – que, de tão bonitinho, resolvi parar e entrar. Eu andava ainda mais solitária do que de costume. Minha amiga Monica já tinha ido morar na França. A Elena estava às voltas com o namorado e eu, que acabava de sair de uma onda de relacionamentos em série, me sentia completamente órfã.

Eu gostava da turma da faculdade. De vez em quando íamos tomar uns drinques no Riviera, lá na Consolação, mas o curso era noturno e eles tinham emprego. Menos eu, a ociosa. Nossas saídas eram esporádicas e certamente não preenchiam a dor que eu carregava sempre comigo. Um vazio que engoliria os sete oceanos.

Entrei, sentei no bar e pedi um *Irish coffee*. Uma delícia. Na saída dei de cara com uns amigos da Monica, com quem costumava sair na época do cursinho. Me juntei a eles e ficamos conversando e bebendo. Na semana seguinte, parei lá outra vez e, de novo, encontrei o Ângelo e o Jon, com uma turma que não conhecia. Eles eram divertidos e, o mais importante, me aceitaram de cara.

Melhor ainda, sempre tinha alguém de bobeira. Então, quando me sentia muito só (o que era quase sempre), passava lá. Do café saíamos para outros lugares ou ficávamos dando risada até altas horas. Chegando em casa, por volta das três da manhã, era recebida pela minha mãe com um discurso arrasador:

— Você quer me mataaaar! Onde já se viu chegar a essa hora?!!!! Eu achei que você estivesse morta em algum canto! Que cheiro é esse de bebida barata?! Você parece uma vagabunda!

Até hoje ela sustenta que eu queria chamar sua atenção. Sinceramente, eu andava tão, mas tão triste e dolorida, que só queria um lugar ao qual pertencer. Anos depois consegui colocar o nome certo e um freio nessa dor, mas naquela época ela se chamava Miguel e tudo o que eu queria era apagá-la com o que quer que aparecesse pela frente.

Olhando para trás, eu fico admirada com minha resiliência. Podia ter morrido várias vezes durante essa fase. Dirigindo bêbada pela cidade, encontrando um carinha numa festa com quem eu ia dar uns "guento" no meu carro em um beco sem saída...

Foi também nessa época que eu resolvi experimentar drogas. O desaparecimento do meu primo Lane me marcou muito. Durante muito tempo fiquei com um medo e uma profunda aversão às drogas. Por influência da Monica até fumei maconha uma ou duas vezes, mas, sinceramente, não gostava. Aí chegou a turma do Café das Flores. Eles cheiravam cocaína! *Putz, o que é que eu vou fazer?!*, pensava. Eles nunca me pressionaram, só cheguei à conclusão de que, se eu fosse tomar uma postura antidrogas, precisaria pelo menos saber do que estava falando.

Como disse a Luiza, a psicóloga que estava me tratando na época:

— Se eu disser que cocaína é ruim, vou mentir. Se fosse ruim, as pessoas não cheiravam.

E era bom, mas bom mesmo. Até a hora que passava o efeito e era horrível; eu caía numa depressão fenomenal. A solução, diziam meus amigos, era:

— Cheira outra carreira pra te levantar!

Mas tem uma hora que as carreiras acabam...

Minha mãe não gostava da Luiza, achava que ela não me ajudava em nada. Isso porque não via melhora em minha atitude supostamente rebelde. De fato, meu relacionamento com a Mummy nunca foi tão turbulento. Mas a verdade é que eu precisava passar por aquela fase e, graças a Deus, tinha alguém para me ajudar a navegá-la.

A Luiza, possivelmente, salvou minha vida. Eu comecei a me tratar com ela alguns anos antes, por recomendação do dr. Daniele Riva, aquele mesmo que tratou a depressão de minha mãe. Como eu não fazia nada senão dormir, ela mesma achou por bem me levar nele. O dr. Riva me medicou e disse que seria bom eu fazer terapia. Indicou a esposa dele, que tinha um consultório na rua Ceará. Ela era jovem, moderninha e falava de qualquer assunto sem nenhum tipo de preconceito. Drogas, sexo casual, era tudo ok. Não que ela me incentivasse a ter esse comportamento, mas era alguém com quem podia conversar sem censura nem julgamento.

Minha fase *junkie* durou mais ou menos um mês. Cheguei a comprar cocaína uma vez, para uma festa que dei em casa, quando a Mummy estava viajando. O que sobrou meus amigos disseram que era bom guardar em um livro pesado, bem grosso, para que o pacotinho ficasse hermeticamente fechado. Eu achei uma boa ideia guardar dentro da Bíblia. Esse restinho cheirei um dia qualquer, a caminho do Café das Flores. Cheguei lá feliz da vida e de repente me deu um troço, saí para andar pelas ruas de Pinheiros enquanto chorava compulsivamente. Na próxima sessão com a Luiza contei o ocorrido.

— Com seu histórico de depressão, você não pode cheirar cocaína de jeito nenhum!

Depois disso, parei.

Uma noite, lá no Café das Flores, eu estava já na minha segunda vodca com gelo, imitando a voz do Barney Rubble...

— Hey, Fred, vamos jogar boliiiche!

... quando vi um carinha me olhando; bonitinho, com um sorriso indelével, estranhamente insistente. Não era um caso de assédio, mas ele estava sempre lá com cara de "Se você me quiser, eu topo". Ficamos, ficamos e começamos a namorar.

Com o André eu, finalmente, consegui uma certa tranquilidade. Não estava exatamente apaixonada, mas contente. Eu tinha me livrado daquela dor que me perseguira durante tantos meses.

Ele era um bom companheiro, divertido e, muito importante para mim, tinha uma casa e uma família aconchegantes. Duas, na verdade. A da mãe dele e a do padrasto. Ele tinha se separado da mãe e construído outra família, mas ainda mantinha um relacionamento muito próximo com o André e seu irmão. O pai deles morava em Brasília e eu o vi poucas vezes durante o ano e meio em que ficamos juntos...

Um ano e meio depois eu estava dirigindo na marginal Tietê a 140 por hora, chorando e berrando de ódio e de dor. Tinha levado o fora, e aquela mesma dor que antes se chamava Miguel agora mudara o nome para André.

Naquela noite mais cedo, embora já tivesse levado o pé na bunda, insisti para nos encontrarmos no *show* do Eric Clapton no Olympia, uma casa de eventos que nem existe mais. Como era de se esperar, estava lotado. Mesmo assim consegui encontrar o André, que me ignorou solenemente. Arrasada, fui tentar achar um bom lugar. Ainda era cedo e me acomodei bem na frente do palco, onde conheci um cara gracinha que segurou meu casaco e meu lugar enquanto eu fui ao banheiro. Ao tentar voltar do xixi – o povo já se amontoando –, fui ziguezagueando, procurando chegar até o carinha e meu casaco, mas estava ficando cada vez mais difícil. Até a hora que passei por um sujeito que me chamou de folgada.

— Tenho que encontrar meu amigo lá na frente, ele está com meu casaco – respondi, virei as costas e continuei meu caminho tortuoso.

Foi quando ouvi ele fazer uma piadinha sem graça e me chamar de mentirosa. Emputecida, dei uma volta de 180 graus já com o braço estendido e a mão espalmada para acertar um tapa na cara dele. Não só acertei como mandei os óculos dele longe. Ele, por sua vez, me jogou no chão e começou a me chutar. Por sorte seus amigos o seguraram, mas não consegui mais encontrar nem o rapaz nem meu casaco (eu adorava aquele casaco). E pensar que fui para lá toda alegrinha, com esperança de reatar o namoro. Não assisti ao *show*, peguei meu Chevette vermelho e me joguei na marginal, dirigindo o mais rápido que podia. Mal enxergava a pista de tanto que chorava e gritava. Mais uma vez, meu anjo da guarda fez hora extra. Cheguei tarde em casa, levei bronca da minha mãe e fui dormir.

No dia seguinte, o rapaz que ficou com meu casaco (e meu número de telefone) me ligou. Naquela mesma noite, fui me encontrar com ele. Não sei por que cargas-d'água pegamos seu carro e fomos tomar um drinque no Guarujá. Com muita neblina, não dava para ver o carro da frente. Chegando lá, tive um chilique e quis voltar. Fui para casa com meu casaco e nunca mais vi o rapaz. Sorte dele se livrar da louca.

Durante anos, meu coração não era mais meu. Era algo que eu passava de mão em mão à procura de alguém que o aceitasse. Qualquer um. O critério era este: alguém que aceitasse meu coração. Ele foi ignorado, maltratado, dilacerado, simplesmente por eu permitir que ele fosse. Minha canoa virava, por deixá-la virar. E eu era a Maria, que não sabia remar.

Enquanto isso, minha vida acontecia. Às vezes tinha a sensação de ser uma espectadora da minha própria história, mas, apesar de tudo, ia que ia, nem que fosse me arrastando.

Em dezembro de 1990, Miguel deu uma festa de despedida. Eu não sabia muito bem o que estava fazendo naquela casa depois de quase dois anos sem pisar lá. No começo de meu namoro com o André, Miguel até deu uma de Madalena arrependida. Dizia que queria voltar, o que me deu muita raiva. Eu tinha sofrido tanto, mas tanto com a separação, finalmente conseguia me reerguer e lá vinha ele de novo me azucrinar. Olhei feio e dei um basta naquilo. Ele parou, mas continuamos conversando ao telefone esporadicamente. Agora eu estava destruída novamente e o Miguel me convidou para aquela festa que comemorava sua partida para uma nova vida em Milão. Entrando naquela sala branca, com chão de mármore, olhei em volta e me deu um certo arrependimento de ter ido. Não conhecia ninguém. Seu grupo de amigos mudara e todos ali compartilhavam uma intimidade que não era minha.

— Oi, eu sou o Gunter.

— Alessandra.

— O Miguel me falou muito de você! Quer tomar alguma coisa?

Não ia responder que o Miguel nunca tinha me falado dele. E, apesar de ter achado aquela pessoa muito simpática, não entendia por que ela estava dando uma de anfitrião numa casa que eu conhecia tão bem, com a qual tinha bastante intimidade. Por que tantos cuidados comigo? Eu sabia onde pegar a água, o gelo e a vodca, não carecia de toda aquela atenção. Conversa aqui, conversa ali. Blá, blá, blá, ha, ha, ha... lá pelas tantas, a tia mal-humorada do Miguel, já um tanto quanto bêbada, virou-se para mim e disse:

— Eu não sei, não entendo, não consigo entender. Eles vão juntos pra lá e o quê? Vão morar juntos? Dormir no mesmo quarto? Vão casar?

Foi aí que minha ficha caiu, quase levando meu mundo junto com ela. É claro que o Gunter era anfitrião: estava namorando o Miguel e ia morar com ele em Milão. Eu sei que pode parecer idiota. Afinal, nós não estávamos mais namorando já fazia tempo. Mas, sei lá, o Miguel era o Miguel. Como explicar? Juntos ou não, para mim, era minha alma gêmea. Nós tínhamos uma sincronia, um entendimento que é raro de encontrar. É verdade que namoramos muito pouco e nunca foi uma coisa fluida, mas na época eu achava que, embora estivéssemos separados, um dia, num futuro hipotético, iríamos nos encontrar de novo. Além do mais, fiquei magoada por ele não ter me dito nada e deixado que eu descobrisse daquele jeito.

Naquela noite, voltei para casa tarde. Fui dar boa-noite à Mummy e avisar que tinha chegado, mas ela não estava. Achei que estivesse no quarto do Giulio, ou talvez ainda não tivesse chegado de sua festa. No dia seguinte, acordei relativamente cedo para um almoço na casa de minha amiga Fernanda. Percebi que a Mummy e o Giulio não estavam em casa. Às vezes acontecia de ela levá-lo ao hospital para um *check-up* e eles passarem a noite lá, então não fiquei muito preocupada. Além do mais, eu estava exausta física e moralmente e, se for sincera, ainda meio bêbada.

Apesar do bode, o almoço foi uma delícia. Me diverti à beça com minhas amigas de colégio, algumas com as quais não falava já fazia anos. Chegando em casa, nossa cozinheira, Otília, veio me falar que a Mummy tinha ligado do Sírio:

— Ela disse que o sr. Giulio morreu – e começou a chorar.

Não acreditei que fosse verdade, mas telefonei para a Consuelo, que viera com o Francesco passar o Natal e estava ficando na casa do Daddy. Desliguei e fui para o hospital.

E assim ele se foi, de um dia para o outro. O homem que tinha mudado minha vida, com quem eu jantava quase todas as noites, trocava confidências, que me fazia rir quando estava triste, o grande amor da vida da minha mãe não existia mais. De um momento para o outro, sem nenhum tipo de aviso.

Alguns meses depois, nos mudamos para o apartamento novo, mas eu não fiquei muito tempo lá. Fiz um estágio num projeto de livros da Editora Abril, que ficava no escritório da Olga Krell. Ela se afastara da *Casa Claudia* e abrira sua própria revista, mas continuava ligada à Abril por causa de todo o tempo que passou trabalhando lá e de sua longa amizade com Roberto Civita. Logo depois, em setembro de 1991, fui morar em Nova York para fazer mestrado em Língua e Literatura Russas na Columbia University. Fui recomeçar minha vida e tentar deixar toda aquela inhaca para trás.

40.

Costanza

Ela adorava abrir a porta daquele apartamento em Nova York nas tardes de inverno e dar de cara com o sol entrando pelas janelas, que cruzavam a sala espaçosa de ponta a ponta. Bem, digamos que a sala era espaçosa para os padrões nova-iorquinos. O apartamento tinha sido comprado pelo Robert quando a Consuelo se formou na faculdade. Depois que ela se mudou para Florença, foi alugado para um primo do Francesco e agora quem morava lá era a Alessandra. Sua filha caçula tinha terminado seu curso na Columbia e trabalhava numa agência literária, Sterling Lord Literistic. Costanza adorava o nome, era sonoro, elegante, embora não entendesse direito o que fazia uma agência literária. Enfim, depois de tantos problemas, era bom vê-la se encaixando em algum lugar e trabalhando.

O calor do sol era especialmente bem-vindo naquela tarde. Ela tinha acabado de voltar de um almoço com Nelson Motta e carregava um sentimento estranho, que não sabia explicar direito. Era a segunda vez que eles se viam. Quer dizer, já se conheciam de passagem de festas e eventos, mas nunca tinham conversado muito. Uns dois meses antes, a Amalia Spinardi, uma jornalista amiga sua, ligara:

— Oi, Costanza, eu estive com o Nelsinho Motta outro dia, ele me disse que queria te conhecer.

— Ah, é?

— Sim, ele mora em Nova York, mas está aqui em São Paulo de passagem.

— Tá bom, dá meu telefone pra ele.

Ele ligou. Tiveram um jantar agradável, divertido. No dia seguinte partia para Nova York. Ela ficou de chamá-lo quando fosse visitar a Alessandra.

Esse segundo almoço foi ótimo! Costanza entendeu que havia alguma coisa forte.

Então, por que a tristeza? Já fazia quase quatro anos da morte do Giulio. Costanza já tinha namorado o Jua Hafers. Que amor, o Jua! Ela o conheceu na casa de seu amigo de infância Luli Misasi, irmão da Vera e da Linda, um ano depois que o Giulio morreu. Era bem mais velho do que ela, mas ultraeducado e elegantérrimo, *à la* duque de Windsor, com uma suposta displicência em misturar padrões e cores. Mas, por mais bizarro que pareça, o que mais chamou a atenção de Costanza foi sua nuca, que a fazia lembrar do Giulio.

Além de tudo, o namoro era cômodo, porque o Jua morava em Nova York. Ela podia tocar a vida em São Paulo normalmente e, de vez em quando, ir namorar na *Big Apple*. Com o bônus de poder ver a filha Alessandra com mais frequência.

Mas daí Costanza foi diagnosticada com câncer. Provavelmente ainda um reflexo do luto intenso pelo qual tinha passado. Não era nada de muito agressivo; na verdade, era um pré-câncer. Mas tinha que operar e fazer radioterapia. Precisava pensar nela, não dava para cuidar de um relacionamento. Então, terminou.

E continuou a vida tranquila...

De repente, surgiu o Nelsinho.

Naquela tarde, Costanza chegou ao apartamento vazio – Alessandra ainda demoraria algumas horas para chegar do trabalho – e fez algo que não costumava fazer: foi tomar um banho no meio do dia. Entrou no chuveiro, lavou a cabeça e começou a chorar, chorar, chorar...

Como previsto, engataram o namoro. Estava tudo quase ótimo, embora Costanza sempre sentisse falta de algo.

Aí, dois ou três anos de namoro adentro, ela de viagem marcada para Paris, ele fez um pedido estranho:

— Compra "La Valse des Lilas", do Michel Legrand.

— É? Mas você já não tem?

— Tenho, mas compra pra você, e escuta.

Ela achou o pedido meio estranho e até quase se esqueceu, mas no dia antes de ir embora passou na Fnac, comprou e ouviu:

A Minha Valsa (La Valse des Lilas)*

Quem tentou viver
Assim que nem você
Trocou o sim
Por causa de um talvez

Sem ter ninguém
E sem um pouco mais
Que uma tristeza

Por algumas folhas de melancolia
Você fechou o livro que se abria
E acreditou que tudo tinha fim

---

* Tradução Nana Caymmi.

Mas todo lilás
Tudo que faz viver
Não cessará
Não cessará jamais
De se abrigar nos corações que se amam
Se amam, se amam, se amam

Céu que vai mudar
Que vai mudar o céu
Até jorrar
Até jorrar o mel
O amor será
O amor trará canções
Mais uma vez aos nossos corações[*]

---

[*] On ne peut pas vivre ainsi que tu le fais
D'un souvenir qui n'est plus qu'un regret
Sans un ami et sans autre secret
Qu'un peu de larmes.
Pour ces quelques pages de mélancolie
Tu as fermé le livre de ta vie
Et tu as cru que tout était fini...
{Refrain:}
... Mais tous les lilas
Tous les lilas de mai
N'en finiront
N'en finiront jamais
De fair' la fête au cœur des gens qui s'aiment, s'aiment.
Tant que tournera
Que tournera le temps
Jusqu'au dernier
Jusqu'au dernier printemps
Le ciel aura
Le ciel aura vingt ans
Les amoureux en auront tout autant...
Si tu vois les jours se perdre au fond des nuits
Les souvenirs abandonner ta vie
C'est qu'ils ne peuvent rien contre l'oubli...

Ela ouviu, mas não entendeu a mensagem. Não percebia o quanto ainda estava perdida naquela dor do passado. Através da música, Nelsinho estava propondo uma renovação, mas Costanza não conseguia ouvir.

Em 1998, Nelsinho propôs casamento.

— Não, não precisa.

— Mas eu quero!

Ele insistiu e ela topou. A cerimônia foi no Harlem, na igreja gospel que ele apadrinhava, Mount Moriah, onde todos os domingos legiões de brasileiros faziam fila para ver a missa cantada, com direito a foto com o Nelsinho "Mickey Mouse" Motta na entrada e *brunch* no Sylvia's na saída.

Costanza entrou acompanhada por um lindo coral gospel. Estava com um vestido de crepe de seda marfim acinzentado, de mangas compridas, até o joelho e com uma capa que abraçava os ombros, feito sob medida por Gloria Coelho. Para completar o *look*, brincos de estrela HStern, meias grossas brancas, sandália *kitten heel* de Louboutin na mesma cor do vestido e uma flor branca nas mãos. Depois da cerimônia, foram para um restaurante no Brooklyn. Ela tinha uma bolsa Fendi de estampa de zebra e fecho de turquesa e óculos escuros com corrente tartaruga. Estava linda com seu cabelo aloirado, curto, penteado em ondas e muito feliz.

Foi uma cerimônia alegre, para comemorar uma paixão tardia. O encontro certo no momento certo e, enquanto durou, foi muito bom para os dois. Houve uma troca entre mundos completamente diferentes que, durante cinco anos, se tocaram e se misturaram.

Na prática continuou tudo mais ou menos igual. Ele lá, ela ali. Em parte, talvez, o segredo do sucesso: em São Paulo, vida normal; em Nova York, amor e festa. Ela gostava de cuidar dele. Renovou seu guarda-roupa, tudo Prada, muito chique. Mudou o cabelo, acertou o visual. Ele era um intelectual, tinha amigos interessantíssimos, jornalistas, escritores, músicos, conversas animadas em jantares bacanas.

Depois, ele se mudou para o Rio; por coincidência, Alessandra também estava morando lá, trabalhando na Editora Objetiva. Editora que publicou o livro dele e o dela.

Ele lançou *Noites Tropicais*, um sucesso retumbante. Ela, *O Essencial*, também um *best-seller*.

Até que, uma madrugada de sábado, o telefone de Alessandra tocou.

— Filhinha, estou indo para aí.

Eram quatro da manhã.

— Tá tudo bem, Mummy?

— Tá, eu terminei com o Nelsinho.

Ela chegou de táxi na frente do predinho no Leblon. Eram três andares de escada sem elevador, pelos quais Alessandra, de roupão, carregou a mala da mãe.

No dia seguinte, elas foram caminhar na praia. A filha estava convencida de que era uma briga passageira, mas Costanza disse que não, era definitivo. Naquele dia, mais tarde, ligou para a dona Maria Cecília, mãe de Nelsinho, e disse:

— Estou devolvendo seu filho.

Um ano depois, ela deu uma entrevista para Nina Lemos na revista *TPM* (por coincidência, quem figurava na capa daquela edição era o *rockstar* Dinho Ouro Preto, casado com a Maria Cattaneo, filha de Giulio). Foi uma entrevista bombástica e nada simpática em relação ao Nelsinho, que nunca mais falou com ela, conforme a própria Costanza havia planejado ao responder às perguntas da jornalista. Queria queimar de vez aquela ponte.

Ah, vai, você vai pôr isso no livro? Ele já ficou chateado porque eu dei aquela entrevista pra Nina. E eu fiz de propósito pra me forçar a não ter ideia de procurar ele de novo, tá? Foi isso que eu fiz.

A sabedoria popular dita que não é bom ir ao cabeleireiro depois de terminar um relacionamento importante. Pois bem, esse conselho deveria servir para todo mundo, até mesmo para a Papisa da moda.

Não se passou muito tempo do rompimento com o Nelsinho, Costanza foi encontrar a filha mais velha em Milão.

— Filhinha, eu estou precisando lavar o cabelo e dar uma aparada nas pontas. Vou nesse cabeleireiro que parece que é muito bom.

— Mummy, você não precisa que eu vá junto com você?

— Não, meu amor, você faz as suas coisas e a gente se encontra daqui umas três horas na frente do salão.

Na hora marcada, Costanza apareceu com o cabelo praticamente raspado. Consuelo, se sentindo meio mãe da própria mãe, ficou culpada por tê-la deixado ir sozinha. Mas talvez fosse algo que ela precisasse fazer. Virar uma página.

O problema era que o penteado de Costanza Pascolato era icônico. Mulheres levavam sua foto para o salão, pedindo que o cabeleireiro fizesse igual. Depois do corte, a paravam na rua para dizer:

— O que você fez com seu cabelo é um crime!

E ela respondia:

— Mas, sabe, é cabelo: ele cresce. Não é dente.

Depois de Nelsinho, Costanza nunca mais namorou. Não foi por falta de apresentações ou pretendentes, mas simplesmente por achar que superara aquela fase de sua vida. Tinha autossuficiência financeira e emocional. Para ela, o tesão sempre veio pelo intelecto. Até descobriu um termo na internet para se referir àqueles "tarados por inteligência": sapiosexualidade. Costanza se considera uma sapiosexual e requer um longo, árduo e incerto processo de conhecer o outro até chegar na atração. Algo para o qual ela não tem mais paciência. Hoje, prefere sair com os amigos para conversar e dar risada. Fora, é claro, o trabalho, que adora!

Na verdade, a grande tara de Costanza, neste momento da vida, são os netos. As filhas também, mas os netos...

— Você não quer trabalhar pra mim?

— Onde?

— Nas joias.

— Mas Roberto, eu não entendo nada de joia.

— Nem eu.

Foi o convite que Costanza recebeu de Roberto Stern, filho e herdeiro de Hans Stern, para ajudá-lo a renovar o *design* das joias da empresa. Desde o final dos anos 1980 ela fazia trabalhos esporádicos para eles, produzindo os catálogos de linhas clássicas com pedras brasileiras. Até que, em 1990, Roberto resolveu modernizar seu portfólio.

Ele entendeu que, pela primeira vez, as mulheres que começavam a se destacar no mercado de trabalho compravam suas joias por conta própria. Não precisavam mais ganhá-las do marido. Nos Estados Unidos, a Tiffany lançara uma espécie de *prêt-à-porter* das joias, com peças menos caras e elitistas para serem usadas no dia a dia, não só em ocasiões especiais. Embora com preço mais acessível, o *design* moderno era assinado por artistas famosas como Paloma Picasso e Elsa Peretti, que nos anos 1980 fez muito sucesso com a identidade visual da linha de perfumes da grife americana Halston. A ideia de Roberto era transformar a HStern em uma espécie de Tiffany brasileira. Costanza renovaria o catálogo e seria a primeira a assinar sua coleção de joias.

Para ela foi importantíssimo, porque ampliava seus horizontes. Imaginava uma coleção atemporal e começava a se perguntar: *O que é que nunca sai de moda?* A natureza.

Como tudo é sincrônico nesta vida, bem naquela época foi para Miami com o Jua e viu na praia umas pedras roladas.

— Ó, que bonito – disse.

Voltou para o Brasil com essa ideia na cabeça, chamou Lygia Durand, uma *designer* que respeitava muito, e as duas trabalharam de perto com um ourives alemão maravilhoso. Sua coleção foi um grande sucesso. Depois vieram outras, assinadas por Sig Bergamin, Anna Bella Geiger, Carlinhos Brown, Irmãos Campana, Grupo Corpo e Oscar Niemeyer.

41.

Alessandra

Uma pessoa que eu nunca tinha visto antes mudou minha vida. Eu desisti do mundo acadêmico no final de 1993. Saí de Columbia sem ideia do que fazer. Comecei a procurar emprego, mas minhas qualificações eram muito específicas. O que se faz com uma especialização em Língua e Literatura Russas? Cheguei até a fazer entrevista para um *telemarketing* russo e pensei em me inscrever no programa de treinamento da CIA.

Para não ficar à toa e deprimida em casa, meu pai sugeriu que eu encontrasse um emprego qualquer que preenchesse meu tempo. De vendedora, garçonete, o que fosse. Era época de Natal, então não deveria ser muito difícil. De fato, logo comecei a trabalhar na loja do Metropolitan Museum of Art, no Rockefeller Center. O salário era baixíssimo, não ganhava comissão, mas podia entrar de graça no museu até as segundas-feiras, quando ele estava fechado. Enquanto eu procurava algo mais definitivo, deveria bastar.

Aí, minha mãe me ligou:

— Filhinha, eu jantei outro dia com aquele menino do banco, como chama? Ele é amigo do Nelsinho... É sócio de uma editora aqui em São Paulo... Sabe?

— Não sei, Mummy...

— Sabe, sim!

— ...

— Peraí... – e foi procurar na agendinha, onde escreve tudo. – João Moreira Salles, ele disse que é sócio da Companhia das Letras e que talvez consiga alguma coisa para você aí. Vai pra Nova York semana que vem e disse pra você ligar pra ele.

Tímida, quase não liguei. Mas a necessidade de encontrar alguma direção falou mais alto e marcamos um almoço. Muito simpático, ele me explicou o que era um *literary scout*, uma agência que garimpa os livros mais bacanas do mercado americano para editoras do mundo todo. Como o mercado é muito dinâmico, os próximos *best-sellers* têm de ser encontrados antes de chegarem às livrarias.

É claro que a Companhia das Letras era cliente da *scout* mais importante dos Estados Unidos, Maria Campbell. Com uma apresentação de João, ela me ofereceu um estágio na hora. Eu tenho certeza de que ele nem se lembra do episódio e que não foi algo especialmente trabalhoso para ele. Mesmo assim, gastou seu tempo e transformou minha vida. Algo de uma generosidade que nunca fui capaz de retribuir ou passar adiante. Espero que um dia consiga.

Passados os três meses de estágio, Maria não me contratou, mas me indicou para um curso de verão sobre o mercado editorial em Radcliffe, uma faculdade irmã da Universidade Harvard. Na verdade, tinha sido criada como a escola para moças de Harvard. Quando finalmente esta última começou a admitir mulheres, Radcliffe continuou existindo em paralelo.

Mesmo com as inscrições encerradas, a indicação de Maria Campbell me garantiu uma vaga. Passei lá seis semanas, fiz amigos que guardo até hoje e, ao final, consegui um emprego de assistente de um agente literário chamado Peter Matson, presidente da Sterling Lord Literistic. Na época, a terceira agência mais importante dos Estados Unidos.

Eu conheci o Pedro em Nova York. A mãe dele era muito amiga do Jua. Ele morava em Boston e estava recém-divorciado. Deprimido, vinha bastante para a *Big Apple* tentar se distrair e se livrar da tristeza da separação. Nós ficamos amigos e formamos uma turminha com a Patricia, uma conhecida em comum que estava rapidamente se tornando uma das minhas amigas mais queridas.

A vida seguiu, ele se mudou para Nova York e formou um círculo de amizades, enquanto eu tinha o meu. Ainda nos falávamos ao telefone. De vez em quando ele me convidava para festas que dava na sua casa ou para jantar em turma, sempre em grupos bastante numerosos. Mas os amigos do Pedro eram advogados ou trabalhavam no mercado financeiro, enfim, ganhavam muito mais do que eu, com meu salário de assistente. Iam a restaurantes caros e pediam vinhos bons (também conhecidos como caros), uma garrafa depois da outra. Eu, por minha vez, além de tudo, bebia pouco, já que herdei a intolerância ao álcool da minha mãe. Quando ia, chegava para o cafezinho, assim não precisava pagar a conta, e depois saía com eles para alguma balada.

Eu nunca fui promíscua, mas uma pessoa solteira em Nova York tem sua cota de noitadas. E foram anos de solteirice. Não sei muito bem dizer por que, depois de ter namorados em série durante minha juventude, de repente não conseguia emplacar um relacionamento. Talvez, tendo vivido de perto o romance de minha mãe com o Giulio, eu achasse que o amor tivesse de ser algo tão avassalador a ponto de mover montanhas e destruir famílias. E nada do que eu encontrava chegava perto de deslocar um cupinzeiro sequer. Nem dava tempo...

Cada ilustre desconhecido com quem passava uma noite já se transformava na paixão da minha vida. Se ele não me ligasse nos dias seguintes era a morte; a rejeição, arrasadora. Qualquer zé-mané tinha o poder de me deixar deprimida durante dias, com direito a acessos de choro incontroláveis debaixo do chuveiro.

Não seria justo reclamar demais. É sempre bom pôr as coisas em perspectiva. Eu era bem feliz em outras áreas de minha vida. Tinha bons amigos com quem me divertia aos montes. Gostava do meu trabalho. Não ganhava muito, mas era o suficiente para pagar minhas contas. Além disso, morava num lindo apartamento na Terceira Avenida com a rua 77. Mas, no quesito sentimental, era um desastre. Sofria horrivelmente por pessoas de que nem lembro o nome, e aquilo sugava minha energia. E dá-lhe terapia, sem muito resultado.

Com o Pedro, eventualmente, também rolou. É lógico que durante um tempo isso deu um nó na minha cabeça, mas depois virou uma coisa esporádica que simplesmente acontecia. Eu me lembro da última vez que ficamos juntos, lá pelas tantas ele virou para mim e disse:

— Me faça um favor, *don't sell yourself short* – que, numa tradução livre, seria "não se desvalorize tanto".

Ele estava bêbado, mas achei fofo.

"É muito estranho acordar com um homem do meu lado!" Era o que diziam as cartas e mais cartas que eu recebia do Miguel. Essa frase graduou para "Eu sinto falta de você" e, de repente, quando dei por mim, me veio uma oferta de voltarmos a ficar juntos.

Àquela altura, ele já se mudara de volta para São Paulo e queria que eu fosse morar no Brasil, o que não estava nos meus planos. Pelo menos não naquele momento. Eu tinha *status* de residente, um ótimo apartamento, um emprego bom com perspectiva de carreira, amigos. Para que eu iria voltar?

Só que aí, no começo de 1997, recebi um telefonema do meu médico:

— Você poderia voltar aqui no consultório? Apareceu algo esquisito no seu exame.

Já fazia alguns anos que eu andava às voltas com um endocrinologista tentando entender o que se passava com minha tireoide. Na época, meu único esporte e terapia ocupacional era patinar. Em Nova York, eu patinava no Central Park, que fechava a circulação para carros aos domingos. Quando viajava, levava meus patins. No meu curso de verão em Radcliffe, não foi diferente. A faculdade ficava em Cambridge, uma cidadezinha bem simpática na área metropolitana de Boston. Durante o verão, era ideal para meus passeios sobre rodas. Pena que eu não enxerguei aquela rachadura no asfalto que travou uma das minhas rodas e me fez cair de bunda. Vi estrelinhas! Era tanta dor, de fato, que fui ao centro médico da universidade ver se não tinha quebrado nada. Graças a Deus, estava tudo em ordem. Com exceção de um nódulo no meu pescoço que não tinha nenhuma relação com a queda.

— Faz quanto tempo que isso está assim?

— Não sei, só vi hoje.

— É a tireoide, seria bom você procurar um médico quando voltar para casa.

O tempo passou, consegui meu emprego e junto com ele um bom plano de saúde. As consultas custavam dez dólares em um excelente médico a dez minutos a pé de casa. Eu ia uma vez a cada trimestre para ser examinada, fazer um ultrassom do pescoço e uma punção. Durante anos, os resultados da punção deram negativo. Até que recebi aquele telefonema. Fui lá:

— Pode não ser nada, o resultado foi dúbio, mas eu recomendo, já que você está com esse nódulo há anos, que faça uma tireoidectomia parcial. O cirurgião cortaria fora só o lobo esquerdo. Se precisar, depois da operação é feita uma reposição hormonal.

E foi assim que ele me indicou um cirurgião, também ótimo, que operava num hospital a uma quadra do meu apartamento. Me lembro de voltar para casa, dois dias após a cirurgia, a pé. O que achei bem bizarro. Mas isso veio depois...

Antes da operação, recebi duas visitas. Meu apartamento era perfeito para abrigar hóspedes. Era espaçoso, bem iluminado, a localização, ótima e tinha um armário com uma cama embutida na sala. Eu gostava das visitas. Normalmente eram curtas, as pessoas educadas e me faziam companhia.

No início do ano veio o Marcelo, irmão do Miguel, com uma grande amiga dele, a Simone. Como sempre era o caso com aqueles dois, a visita foi divertidíssima. Rimos um monte. De dia eu ia trabalhar e eles passeavam. À noite fazíamos alguma coisa juntos. Na véspera da partida deles, tivemos uma conversa séria sobre a proposta do Miguel:

— Eu não sei se você sabe, mas seu irmão está morando com um homem – eu disse.

— Se o Miguel fosse *gay*, eu te diria, mas ele nunca teve esse perfil, muito pelo contrário – disse o Marcelo, que também é *gay*. – Não sei o que aconteceu ali, mas ele quer mesmo ficar com você...

A conversa durou horas. Mesmo depois disso, continuei impávida. Até que, alguns meses depois (e duas semanas antes da minha cirurgia), veio o Miguel. Nas palavras dele:

— Eu vim pra te levar de volta pra São Paulo, mas vi que não era tão simples assim.

A visita foi muito gostosa, mas nada aconteceu. Só conversamos muito, só. Depois de minha cirurgia, iria para São Paulo e veríamos como ficava essa história. Ele ainda estava vivendo com o Gunter, disse que terminaria tudo com ele até minha volta, mas eu não acreditei muito.

Na semana seguinte, fui operada. Assim que acordei da anestesia, ainda grogue, o cirurgião veio dizer que removeu a tireoide inteira e não só a metade – porque, com certeza, eu tinha câncer. Alguns dias depois, a biópsia confirmou o diagnóstico. Não era grave, esse tipo de tumor não é agressivo. Como disse meu médico:

— Se eu tivesse que escolher algum tipo de câncer, essa seria minha primeira escolha.

O tratamento subsequente foi simples: quatro dias de isolamento no hospital após tomar uma pílula com iodo radioativo e só. Mesmo assim, a palavra "câncer" assusta. Tem uma conotação de morte, e a ideia de que havia algo de pernicioso crescendo dentro de mim sem que eu soubesse me deu um nó na cabeça.

Aí fui para São Paulo. O Miguel tinha terminado com o Gunter, conforme prometido, e nós ficamos juntos no apartamento dele. Nada de muito dinâmico, mas, ao final de minha estadia, eu já estava balançada.

Às vésperas de partir almocei com meu pai, que estava de muito mau humor por causa de uma forte dor nas costas. Ele já tinha feito acupuntura, massagem, tomado remédio e nada. Para meu pai reclamar de dor era porque estava ruim, ruim mesmo.

No dia seguinte, ele me deixou no aeroporto. Chegando a Nova York soube que Ana, a namorada de meu pai, o levou direto do aeroporto para o Einstein. Ele foi internado na hora; estava com sépsis, uma infecção no sangue que atingia o corpo todo. Foram semanas com telefonemas diários e meu pai entre a vida e a morte. Ele chegou a receber alta, mas, dias depois, foi internado novamente. Enquanto isso, na Itália, meu sobrinho Cosimo, com três anos de idade, também estava no hospital correndo risco de vida com um caso grave de listeriose. Eu passava meus horários de almoço na missa da Igreja de Santo Antonio de Pádua, no Soho, perto do escritório. Sentava lá ouvindo o padre e deixava as lágrimas escorrerem aos borbotões, sem força nem para soluçar. Era uma triste resignação. Acho até que, depois de alguns dias, o padre fez um sermão para mim.

Certa manhã minha mãe me ligou:

— Filhinha, acho que você precisa voltar pra São Paulo, seu pai está muito mal.

Naquela tarde, eu já procurando passagem de avião, recebi um telefonema dizendo que ele reagira de forma surpreendente.

Não sei se foi um milagre de Santo Antonio ou simplesmente sorte, com uma grande ajuda do tio Roberto Civita, que chamou de urgência seu amigo e mestre infectologista David Uip. Ele entrou na UTI, deu uma olhada no meu pai, saiu e disse:

— Em uma semana ele vai estar bom.

O Daddy estava sofrendo uma reação alérgica aos antibióticos que os médicos aplicavam nele em doses cada vez mais altas. Só sei que, em poucos dias, ele saiu da UTI e foi para casa. Não demorou muito, o Cosimo também recebeu alta.

Enquanto isso, em Gotham City... meu chefe me chamou para almoçar. Peter era um intelectual excêntrico, muita gente não gostava dele por causa de seu jeito rabugento de ser. Na verdade, nos primeiros seis meses trabalhando com ele, quase fui demitida. Mas consegui perseverar. Eu tinha profundo respeito pela competência e inteligência dele, além de adorar seu senso de humor cáustico. No almoço, fui pega de surpresa:

— Minha filha mais nova se forma daqui a dois anos. Quando isso acontecer, quero passar a maior parte do tempo em minha casa de campo em Connecticut e gostaria que você assumisse as coisas de Nova York.

Era uma honra! Ganharia uma bela promoção e ainda receberia um aumento. Além de ser um emprego de responsabilidade, minha carreira estaria praticamente garantida. A longo prazo, herdaria sua lista de clientes, que era bem importante.

Mas era um projeto de vida, um compromisso pelas próximas décadas... e eu não queria mais estar longe de casa.

Eu não quero morrer em Nova York. Era o que me vinha à cabeça. Não que tivesse a intenção de morrer tão cedo, mas a perspectiva de passar as próximas décadas naquela cidade não me deixava mais feliz. Então, decidi voltar.

Despachei um contêiner com o enxoval que comprei para minha vida com Miguel, fazendo planos, mandando fotos por *e-mail*, discutindo tudo com ele. Em seguida peguei o avião para São Paulo. Cheguei ao aeroporto imaginando que ele viesse me buscar, mas disse que estava ocupado. Tudo bem, nos vimos naquele dia mais tarde.

— Vamos ver o apartamento?

— Vamos!

Chegando lá, meu espanto. O apartamento estava completo, prontinho, cheio com as coisas dele, lindo! Só não tinha espaço para mim e para as coisas que eu comprara para nossa vida juntos. Ao longo dos dias fui percebendo como aquela decoração era uma metáfora de nosso relacionamento. Fui me sentindo claustrofóbica ao vê-lo preso na história errada.

Não lembro que filme era, só que estava passando no Belas Artes. Eu sempre gostei de ir ao cinema sozinha. Em Nova York, quando me sentia muito solitária entrava num daqueles *multiplex* e assistia a dois, três filmes em seguida. Como eu estava sempre dura, pagava uma entrada. Quando meu filme terminava, entrava no banheiro e esperava a hora de começar a sessão de outro, e assim por diante.

Pois então, neste dia, em São Paulo, fui ao Belas Artes. Só tinha voltado fazia alguns meses, mas estava na cara que minha história com Miguel não iria adiante. Deprimida e sem saber o que fazer, fui ao cinema. E quem eu vejo lá? O Gunter sozinho, completamente arrasado. Perto dele, eu parecia a fada Sininho pirlimpimpando por aí. Não sei se ele me viu ou não. Eu meio que me escondi.

— Aposto que você ainda pensa no Gunter. Você ainda fala com ele? – disse eu, no calor de uma das várias brigas logo nas primeiras semanas de minha chegada.

— Acho que ele não quer mais nada comigo.

E a ficha caiu... Quer dizer, ficha não, o que caiu foi um cofrão em cima de mim, me deixando achatada no asfalto. Tipo cena de desenho animado dos anos 1950, 1960.

— Quer, sim, eu vi ele no cinema outro dia. Ele estava arrasado! Tá na cara que ainda não te esqueceu.

E foi assim que eu selei meu destino. Talvez, se tivesse ficado quieta, a coisa demoraria mais algum tempo, mas de que jeito?

Ao me consolar, amigos me diziam que tinha sido melhor:

— Já pensou se vocês tivessem casado e tido filhos?!

Em momentos de fraqueza, cheguei a pensar se não preferia ter feito família antes de me separar. Não pelo casamento, mas pelos filhos. Mas só em momentos de fraqueza, mesmo. Por mais que tenha doído na época, tenho certeza de que fiz a coisa certa.

As perguntas que sempre ouço são:

— Mas você não sabia o que ia acontecer? Achou mesmo que poderia casar com um *ex-gay*?

São perguntas justas. De fato, onde é que eu estava com a cabeça? Mas realmente gostava dele. Além do mais, foi ele que veio me procurar, ele que insistiu, insistiu até eu ceder. E foi persistente! Talvez eu procurasse uma desculpa para voltar ao Brasil, difícil saber. Foi o que foi e o que me trouxe até onde estou, que é um lugar bom.

Profissionalmente, eu estava bem. Tinha entrado na Abril liderando um projeto de audiolivros. Nessa capacidade, mandei uma carta a todos os maiores editores de livros do país os convidando para uma conversa sobre o mercado.

Aquele contato me rendeu uma oferta de trabalho para gerenciar a editoria de títulos estrangeiros da Objetiva. O único problema era que ficava no Rio de Janeiro. Com o coração partido, aceitei e fui, mais uma vez, morar longe de casa.

O Rio de Janeiro me tratou bem. Meu apartamento era supergracinha, no Leblon. Fiz bons amigos. Fiquei lá quase cinco anos, mas não sentia que minha perspectiva profissional era muito promissora e resolvi, com o incentivo de meu pai, voltar a São Paulo e abrir minha própria editora.

Durante os anos em que morei no Rio, eu ia muito a São Paulo para ver meus pais e amigos. Uma amiga dizia que eu não morava no Rio, só trabalhava lá... Numa dessas idas, encontrei o Pedro. Aquele de Nova York. Estávamos em uma turma grande no Mercearia São Roque. Ele tinha voltado a São Paulo fazia alguns anos e estava noivo.

— Cadê ela?

— Não está aqui, a gente teve um desentendimento.

Na hora de ir para casa, ele me deu uma carona.

— Meu apartamento fica no caminho. Quer ver?

— ...

Estava na cara que ia rolar um "Vale a pena ver de novo", o que nunca é uma boa ideia, ainda mais com alguém comprometido. Mas como eu estava meio bêbada e não tinha nada melhor para fazer, fui. Depois de um certo aquecimento, eu estava morrendo de vontade de fazer xixi:

— Peraí que eu vou no banheiro.

Estava sentada na privada quando ouvi a campainha.

— Pedro, precisamos conversar! – veio uma voz feminina ao longe.

O Pedro abriu a porta do banheiro e disse:

— Fodeu, fodeu!!!

E jogou minhas roupas lá dentro.

— Pedro, abre essa porta, eu consigo ouvir você se mexendo aí dentro!

Interessante como as pessoas mais inteligentes fazem os planos mais idiotas na hora do pânico:

— Não dá pra eu fingir que não estou, ela viu meu carro na garagem! Faz assim: eu vou fingir que estou bêbado, desmaiado na cama, você abre a porta e diz que me trouxe aqui porque eu não estava em condições de dirigir.

A idiota aqui topou. Abri a porta, disse o que ele me disse para dizer, ela entrou no quarto e eu fui embora. Só que, na confusão, ele escondeu meus sapatos e meus óculos.

Ainda meio bêbada e sem enxergar direito pela falta de óculos, eu andava descalça pelas ruas dos Jardins à procura de um táxi. O sentimento não era de tristeza, de certa forma achava até graça no ridículo daquela situação. O que predominava era uma raiva de mim mesma por ser tão idiota e me valorizar tão pouco. Aquele foi, decididamente, o fundo do meu poço emocional.

No dia seguinte, Pedro deixou minhas coisas na portaria do prédio da Mummy. Ele se casou com a noiva e nós não nos vimos nem nos falamos mais, o que me causa tristeza. Perdi um amigo à toa.

Como dizia minha avó, "moral da históira ": decidi ser celibatária até que encontrasse alguém que eu considerasse digno do meu tempo. Também parei de vez de beber.

Não foi difícil cumprir minha promessa. Longe de querer fazer um tratado antifeminista combatendo o sexo casual para mulheres, muito menos começar uma sessão de psicanálise. O que eu digo é que, para mim (ênfase em PARA MIM), sexo casual nunca foi bom. Eu queria tanto me sentir amada que qualquer noitada vinha carregada de expectativas irreais. Para mulheres mais bem resolvidas, talvez seja bom. No meu caso, era horrível! Eu ficava jogando caxangá com o meu coração. Passando de mão em mão, "tira, põe, deixa ficar...", o que me custou muito caro. Por sorte, me dei conta disso e resolvi que era hora de pendurar as chuteiras. Fiquei três anos assim, na minha. E acho que me fez bem.

Isso tudo foi em meados de 2002. Pouco depois, tive uma crise de choro que durou dias. Sem mais saber o que fazer, pedi ajuda a minha querida amiga Andrea, que me indicou um psiquiatra. Mais uma vez, comecei a tomar remédio e fazer terapia. Foi nessa época que decidi sair da Objetiva e voltar para São Paulo.

Meu pai montou uma equipe de profissionais superbacana e, juntos, desenvolvemos um plano de negócios para a "Editora A". Chamei um amigo, Ruy Galvão – que fora meu chefe no projeto de livros na Abril, em 1989 –, para ser meu sócio e cuidar da parte comercial e financeira.

Na época, estava na moda ser brasileiro. O país crescia, Lula, o homem do povo, tinha acabado de ser eleito, "a esperança vencera o medo" e Gisele Bündchen vestia nosso lindo pendão da esperança em capas de revista. Eu levei meses para encontrar um nome que refletisse esse sentimento, que despertasse nos leitores a mais forte e querida memória afetiva de nossa Pátria Amada, salve, salve. No fim, a editora foi batizada de Jaboticaba.

Eu tinha acabado de fundar a Jaboticaba. Assoberbada pelas tantas tarefas que uma editora demanda, telefonei para minha avó, então com 86 anos. Ela ainda ia todas as manhãs para a Santaconstancia, embora sua presença ali tivesse se tornado quase simbólica. Já havia passado adiante suas responsabilidades. Primeiro a parte de criação e desenvolvimento de produtos para minha mãe, depois a parte de organização da equipe de limpeza e da cozinha para minha prima Gabriella, filha de Alessandro. Mesmo assim, fazia questão de não faltar um dia. Chegava pontualmente, passava as manhãs lendo jornal e assinando cheques, caso Alessandro não estivesse lá. Depois do almoço, voltava para casa, onde ocupava seu tempo lendo, assistindo à televisão ou pondo em ordem o apartamento, sua agenda, sua bolsa ou qualquer outra coisa que precisasse de organização.

Naquela tarde, telefonei com a desculpa de combinar nosso almoço do final de semana. Uma tradição antiga que retomei assim que voltei a São Paulo. Todos os sábados, minha avó ia a pé à igreja do Colégio Sion. Às vezes eu assistia à missa com ela, outras a buscava na saída para irmos almoçar fora junto com a

Blanche. Conversamos um pouquinho ao telefone, combinamos o horário de sábado, ela me perguntou como iam as coisas e acho que demonstrei uma certa fragilidade. Para a minha surpresa, ela me disse o seguinte:

— No começo eu também me sentia muito insegura. Nunca tinha desenhado tecidos e, de repente, a vida me jogou naquele papel. Mas, com o tempo, fui vendo que aquilo estava dando certo. Meus tecidos recebiam muitos elogios, vendiam bem, e eu fui ficando mais confiante.

Aquela declaração me deixou sem fala. Foi uma das poucas vezes em que a vi mostrar seu lado vulnerável.

Até aquele momento, eu nunca tinha me dado conta de como foram difíceis os primeiros anos de Santaconstancia. Só agora, fazendo a pesquisa para este livro, descobri que, por mais de uma vez, minha avó ameaçou desistir. Não havia descanso, finais de semana, nada a não ser cuidar da fábrica, dos filhos, da casa e montar uma vida social digna. Isso ainda sem conhecer direito a cidade, seus costumes e língua.

42.

Gabriella

Em 4 de julho de 2003, Renato Kherlakian fez um desfile da Zapping – o braço *teen* de sua marca Zoomp – que chamou a atenção pela ousadia. O evento abriu com uma banda tocando ao vivo na passarela enquanto modelos jovens dançavam *funk* e ensaiavam passos de *break*. Da metade do desfile em diante, dez pessoas de mais de 60 anos roubaram a cena desfilando com a mesma jovialidade de seus pares pós-adolescentes. Por fim, foi a vez de Renato entrar trazendo Gabriella Pascolato pelo braço. Vestia um *tailleur* de *jeans* desenhado especialmente para ela. Chegando em frente aos fotógrafos, o estilista parou e fez sinal de reverência àquela que considerava a rainha da moda. Do teto, se desenrolava um painel com a imagem de dona Gabriella vestindo uma coroa e a seguinte frase: *"God Save The Queen of Fashion"*.

Durante mais de dez minutos o público aplaudiu de pé a homenagem para aquela que, mesmo aposentada havia quase 20 anos, permanecia como um ícone da moda. Lisonjeada, como era seu estilo, ela apenas sorriu, delicada, mas não deu muita bola para toda aquela pompa e circunstância. Para Gabriella, o importante não eram os confetes. Ela se orgulhava da Santaconstancia, dos filhos, dos netos. Ficava feliz ao testemunhar a competência de Alessandro e Costanza em levar adiante aquilo que criara.

— Acho que consegui ensinar alguma coisa a eles – dizia, satisfeita.

43.

Alessandra

Durante sua infância, meu pai ia nadar na casa de Bertha Klabin, avó do Chico Lorch, um palacete na Vila Mariana. O Chico era colega de classe do Lane e acabou ficando amigo de todos os irmãos Blocker. Certa vez – Daddy devia ter uns oito ou nove anos –, depois do banho de piscina, os meninos foram se vestir só para encontrar suas cuecas com os botões estourados. Naquela época, as roupas de baixo não tinham elástico, precisavam ser abotoadas. A brincadeira de moleque consistia em bater com força os botões na quina de uma mesa para que eles saíssem voando, deixando as cuecas imprestáveis.

O principal suspeito da pegadinha daquela tarde era o primo mais velho do Chico, Ilia Warchavchik, que até hoje nega veementemente sua autoria. Mas ele estava lá, na casa da avó e, na ausência de outro provável culpado, meu pai foi tirar satisfação: deu um chute na bicicleta de seu algoz, amassando um os raios da roda da frente. Era uma Bianchi importada e, durante a guerra, muito rara e difícil de ser consertada. Ilia, seis anos mais velho, ficou tão bravo que deu um soco na cara do Daddy, encerrando o assunto. Trinta e poucos anos depois, eu, já de volta a São Paulo, começo a estudar no Graded com a Luisa Lorch, filha do Chico.

— Meu pai conhece seu pai!

— Sim, estudaram juntos!

Ficamos bem amigas, frequentávamos a casa uma da outra, íamos a festas, aniversários etc.

Já formada do Graded, a Luisa foi estudar nos Estados Unidos e eu, aqui no Brasil, acabei ficando muito amiga do André, irmão mais velho dela. Ia em festas na casa dele e cheguei até a ir com uma turma para Campos do Jordão na casa da avó deles.

Passaram-se mais alguns anos, eu em Nova York, a Luisa também estava lá. Quando foi embora, veio seu irmão André. Foram anos de amizade entre minha família e a dos Lorch. Anos frequentando a casa e as festas uns dos outros. Quantas vezes será que eu cruzei com o Carlos Warchavchik, filho do Ilia, durante esse tempo? Dezenas. Mas ele era casado e eu estava quebrada, e não era para a gente se conhecer até a hora de a gente se conhecer.

Nunca fui uma pessoa intuitiva. Pelo contrário, todas as vezes que segui minha intuição, quebrei a cara. Mesmo assim, contrariando todas as expectativas, daquela vez eu sabia que ia dar certo. E deu.

— De solteiro só vem o Giba, que, bom... e o Dudu Warchavchik. Carlos Eduardo, meu primo.

Foi o que o André me disse quando me convidou para seu aniversário.

Eu já tinha passado pelo Giba sem muito sucesso, então restava o Dudu/Carlos, que eu só conheci uma vez, numa outra festa do André alguns anos antes. Na época, o achei interessante. Só que, embora ele estivesse lá sozinho, não parava de falar na mulher e nos filhos.

Eu nunca me relacionei com homem comprometido. Não mesmo. Era uma regra que eu seguia à risca. Especialmente depois de minha irmã se separar. Meu cunhado a deixou por outra mulher e ela sofreu tanto, mas tanto. Não desejaria aquilo a ninguém. Além do mais, é ruim do ponto de vista cármico e emocional: não importa o que ele diga, não vai largar a mulher. E, se largar, as chances de ele trair a nova mulher e trocá-la por uma terceira aumentam exponencialmente. Então, com exceção do Miguel (que era uma doença crônica) e do Pedro (que foi uma idiotice sem fim), homem comprometido sempre foi, como se diz em inglês, *a big no no* para mim.

— Eu sei quem é, mas ele não é casado? – perguntei ao André.

— Não, está se separando.

— Hmmm...

O conto de Rumpelstilzinho

Era uma vez um moleiro muito pobre, mas que tinha uma filha muito bonita. Para se fazer de bacana para o rei, ele disse que sua filha conseguia fiar palha e transformá-la em ouro. Pois bem, o rei, que não era rei à toa, a pôs em um quarto cheio de palha e disse:

— Se até amanhã você não conseguir transformar tudo isso em ouro, eu te mato.

Saiu e trancou a porta atrás dele. Desesperada, a menina começou a chorar. Eis que surge um homenzinho que pergunta:

— Mas, minha garota, o que aconteceu?

Ela conta tudo e ele:

— O que você me dá se eu te ajudar?

— Esse meu colar.

Ele pegou o colar e começou a fiar a palha. No dia seguinte, o rei ficou maravilhado e a colocou numa sala maior ainda, com palha até o teto, prometendo novamente cortar sua cabeça caso ela não transformasse tudo em ouro. De novo o homenzinho apareceu. Dessa vez, ela lhe ofereceu seu anel. E ele transformou toda aquela palha em ouro.

Na terceira noite que o rei ameaçou a vida da moça, saiu do quarto pensando: *Amanhã, se a sala estiver cheia de ouro, me caso com ela. Afinal, ela pode ser filha de um pobre moleiro, mas nunca encontrarei mulher mais prendada*. Pois bem, como ela não tinha mais nada para oferecer ao homenzinho, ele propôs:

— Quando você for rainha, eu quero seu primogênito.

Achando que nunca na vida seria rainha e desesperada para manter a cabeça grudada ao resto do corpo, ela topou.

Deu tudo certo, o rei, conforme prometido, casou-se com ela e tiveram seu primeiro filho.

Tudo lindo, tudo maravilhoso, até que aparece o homenzinho para reivindicar o pagamento. Caso ela não mantivesse a promessa, ele contaria ao rei que sua rainha era uma farsa. Ela ofereceu todas as riquezas do reino, ao que ele respondeu:

— Não, não. Prefiro uma criaturinha viva a todos os tesouros do mundo.

Ao que a rainha implorou que ele poupasse seu filho. Ele, certo de sua vitória, disse:

— Tudo bem, eu lhe dou três dias. Se ao final do terceiro você não tiver adivinhado meu nome, seu filho será meu.

Imediatamente a rainha se pôs a anotar todos os nomes que lhe vieram à cabeça. Também mandou emissários aos quatro cantos do reino recolher nomes. Primeiro dia, fracasso; segundo dia, também. Ao terceiro, ela estava em pânico e, sem conseguir mais nome algum, quando chegou um de seus mensageiros lhe disse:

— Percorri todo o reino e não descobri nenhum nome novo. Mas, passando ao pé de uma montanha, justamente na curva onde a raposa e a lebre se dizem boa-noite, avistei uma casinha muito pequenina; diante da casinha havia uma fogueira em volta da qual estava um gnomo muito grotesco a dançar e pular com uma perna só. Estava cantando:

"Hoje faço o pão, amanhã a cerveja;
a melhor é minha.
Depois de amanhã ganho o filho da rainha.
Que bom que ninguém sabe direitinho
que meu nome é Rumpelstilzinho!"

No dia seguinte, a rainha fez um charme. Disse um nome, outro, até que perguntou:

— Seria seu nome Rumpelstilzinho?

Ele, de raiva, bateu o pé direito no chão com tanta força que quebrou o assoalho e afundou até a cintura. Com as mãos, tentou se levantar pelo pé esquerdo e se rasgou ao meio.[*]

Sempre gostei desse conto pela sua bizarrice, mas nunca, até agora, o havia compreendido. A questão central é o nome: só quando damos o nome certo a nosso monstro é que conseguimos vencê-lo.

— O que você está sentindo é uma dor narcísica.

— ...?

Pela milésima vez eu me encontrava no consultório de algum psicólogo, analista, psiquiatra, psicanalista, psicoterapeuta tentando dar um fim àquela dor que me perseguia.

Nunca gostei de análise profunda. Talvez eu seja pragmática e superficial demais para entender a necessidade de se saber a origem de todos nossos males. O que eu sempre quis foi fazer aquela dor parar. Uma dor que me aleijava, que me deixava soluçando debaixo do chuveiro. Que me levava a fazer todo tipo

---

[*] Disponível em: <https://www.grimmstories.com/language.php?grimm=055&l=pt&r=en>.

de cretinice e a sabotar meus relacionamentos antes mesmo de começarem. Uma dor que não ia embora.

Como é que eu ia saber que a solução era tão simples? Ela precisava de um nome. Dar um nome e um sentido à dor me permitira entendê-la e superá-la.

Dor narcísica. Uma ferida no nosso narcisismo.

Segundo o dicionário *Houaiss*, narcisismo é o "amor pela própria imagem". Só isso? Sim e não. O amor pela própria imagem é o amor que você nutre por si mesmo. Todo mundo tem narcisismo em maior ou menor grau. Uma ferida nesse amor, dependendo da intensidade da ferida e da profundidade do amor, pode destruir a imagem que temos de nós mesmos, o que nos reduz a pó. Não é só uma perda de identidade, mas uma perda de si mesmo. A dor que eu sentia a cada fora que levava, a cada vez que o telefone deixava de tocar, não era um luto pela ausência do outro, mas pela minha própria ausência. Narciso morreu afogado por não entender que aquele que amava era ele mesmo.

E daí a famosa frase:

— O que tem de errado comigo?

Como assim?! Não tem nada de errado com ninguém! Só por que alguma coisa não deu liga ou porque algum cretino me esnobava, eu achava que não era digna do amor do outro? Na maior parte das vezes nem gostava do sujeito, mas o afeto dele é que determinava o meu valor. Juntando a isso o fato de eu ser uma balzaca solteirona, o resultado era explosivo.

Existe uma crença forte que estabelece o valor da mulher pela presença ou ausência de um homem em sua vida. Valor medido pela quantidade e qualidade de pretendentes: se são bonitos, se têm dinheiro... Enfim, é uma percepção 100% machista, mas bastante impregnada em nosso subconsciente. Eu, que já me sentia "uó", polvilhada com pitadas desse preconceito... que belezura de resultado.

Na época em que o André me ligou convidando para a festa dele, eu começara a fazer terapia pela milésima vez, exausta e ansiosa para encerrar aquele círculo vicioso de coração partido.

Àquela altura, eu e o Roberto (meu analista) já vínhamos conversando com uma certa frequência sobre a tal dor narcísica e eu começava a entender que a dor que eu sentia era minha, assim como a minha capacidade de amar. Não que eu tivesse me curado do dia para a noite, lógico (ou que eu tenha me curado de vez). Ainda andava às voltas com algum pretê que não quis levar adiante um relacionamento que nem sequer existia. Estava mergulhada num discurso cheio de "mas e se ele...". Sinceramente, não sei como o Roberto me aguentou. De fato, tive dois terapeutas anteriores, também homens, que se irritaram tanto que soltaram a pérola:

— Uma mulher de verdade não faria isso.

Ao que eu, tomada pela Pombagira, respondia:

— Quem é você para me dizer o que uma mulher de verdade faz ou deixa de fazer?!

Duas vezes, de dois terapeutas completamente diferentes! Era só o que me faltava. Eu já estava me sentindo o cocô da mosca do cocô do cavalo do bandido e me vinha um homem – que supostamente estava tentando me ajudar – me dizer que eu não agia como uma mulher de verdade? Por favor!

Talvez seja esta a maior qualidade de um bom terapeuta: a compaixão. A capacidade de sentir (não apenas imaginar, mas realmente sentir) o que o outro sente. Provavelmente vai ter um monte de profissional da saúde mental de cabelo em pé. Eu só sei que, só ao me sentir realmente compreendida, comecei a melhorar.

Mas voltando à história. O Carlos.

Mesmo aos trancos e barrancos, eu sabia, desde antes da festa do André, que aquilo ia dar certo. Não sei explicar direito. Como já disse, não sou uma pessoa intuitiva. Muito pelo contrário. Geralmente, se eu quiser que algo dê certo, eu tenho que seguir o caminho oposto do que diz minha intuição. Mas, dessa vez, eu sabia.

Por coincidência, naquele mesmo dia fui a uma astróloga que me disse que eu nunca iria me casar. Normalmente, aquilo me deixaria arrasada e completamente sem confiança. Mas não dei bola.

Me arrumei e fui. Com o coração recém-partido, estava supermagrinha e, modéstia à parte, bonitinha. Entrei na festa já me achando e quase tropecei em cima do Carlos. Ele estava na porta falando com a mãe do André, que, é claro, eu conheço desde pequena. Me apresentei a ele e aproveitei para ficar lá um tempinho conversando com os dois. Depois circulei.

Ao final da festa, fui me despedir do Carlos e ele disse que uma turma estava combinando de ir comer uma *pizza* no final de semana. E assim começou. Saímos em grupo algumas vezes até que pensei: *Tá na hora de ele me convidar pra jantar fora.*

Poucos dias depois, ele me ligou convidando para jantar no D.O.M., um restaurante estrelado, considerado um dos melhores do Brasil e do mundo. Daí entendi que o negócio era sério. E tudo começou...

Sem o trabalho que eu vinha fazendo com o Roberto, talvez nosso relacionamento tomasse um rumo diferente. Mas, se o Carlos não tivesse sido tão paciente comigo, eu não teria conseguido me segurar naquele relacionamento.

Foi um começo difícil. Muitas vezes ele não entendia por que eu tinha crises gratuitas de choro ou ataques de insegurança. O Carlos não é uma pessoa exatamente fofa e carinhosa, mas ele é sólido. Se estava lá, era para ficar e eu sentia isso. Vinda de uma família onde meu pai nunca dizia "Eu te amo", mas estava sempre lá, e uma mãe que não parava de repetir juras de amor, mas às vezes faltava, eu preferia a primeira opção.

Por fim, consegui entender que não precisava viver um romance arrebatador, do tipo que movia montanhas e destruía famílias. Muito pelo contrário, o que eu precisava era de solidez, confiança, respeito e muito senso de humor. E assim, com muitos desvios, encontrei meu melhor amigo, amor da minha vida.

44.

Consuelo

Quando Francesco e eu fomos ao analista de casais, logo entendi que existia um método. Como tantos anos atrás no psicólogo da Escola Americana do Rio, eu, capricorniana, virei para ele e disse:

— Doutor, o senhor já sabe como vai acabar essa história. Pode me dizer?

— Em 80% das vezes, os casais se separam.

Lógico que eu não queria acreditar. Tinha certeza de que não seria esse o meu destino. Mas, na dúvida, fiz mais uma pergunta:

— Se é assim, doutor, qual é a fórmula para que um casamento dure?

— Bem, cada membro da união chega com uma série de regras da vida anterior. Ao iniciar um percurso com uma pessoa, é necessário que os dois criem juntos uma nova série de regras. Se o casal consegue fazer isso, criam um núcleo e a chance de o casamento durar é bem grande.

Ao analisar o meu casamento dessa forma, vejo que não havíamos criado nossas regras. Estava no país dele, no mundo dele e me adaptei a isso. À medida que fui crescendo, e quando me tornei mãe, fiquei mais intransigente. De repente, as minhas necessidades ficaram mais importantes! As prioridades de Francesco eram o trabalho e, talvez, sua virilidade. As minhas eram sobreviver àquela tarefa impossível de ensinar duas criaturinhas a virar gente.

O fim estava quase garantido!

Nunca me senti tão sem chão… Foi no verão de 2000. Depois de dez anos de casamento, Francesco começou a se comportar de forma estranha. Eu estava passando uma temporada numa casa de veraneio com as crianças e ele ficou na cidade. Vinha nos visitar nos finais de semana. Sempre disponível no celular, de repente não o encontrava mais e as desculpas começaram: "esqueci no escritório", "estava no silencioso" etc. Para qualquer um que não estivesse envolvido emocionalmente como eu, estava na cara. Mas não quis ver. Não queria saber.

Voltando a Florença, as brigas começaram. Um dia estava tão, tão brava que arranquei a aliança do dedo – que não havia tirado desde o dia do casamento – e a joguei do outro lado da sala, na sua cara... só para correr e colocá-la de volta. Me sentia nua sem ela...

Finalmente, ele disse que não aguentava mais e sairia de casa. Achei que iria morrer, mas fingi ser forte. Conhecendo a pessoa, quis forçar a barra. Dei um ultimato:

— Se for para ir embora, vai agora. Não quero você em casa quando eu voltar – e, de fato, ele foi.

Fiz isso pois sabia que, do contrário, ele ficaria no lero-lero. Tive uma intuição de que ele ficaria entre duas vidas. Não queria aquilo. Queria ele de volta para mim.

É terrível como nos sabotamos! Apesar de o relacionamento já estar difícil e de saber que não sentíamos mais um pelo outro o mesmo amor do início, quando ele partiu tive a certeza de que estava perdidamente apaixonada. Durante a crise, numa visita ao Brasil, disse isso à Nonna, que simplesmente revirou os olhos. Ela, obviamente, já sabia o que iria acontecer.

Ao saber que Francesco saíra de casa, Daddy mudou seus planos de viagem e veio para Florença. Eu disse a ele:

— Não se preocupe, acho que é temporário – mas ele insistiu. Ainda bem!

Fui consultar um advogado para saber quais eram os meus direitos. Meu pai veio junto e foi imprescindível ter alguém inteligente e lúcido por perto. Só então algumas amigas decidiram me contar a verdade. Elas não queriam se envolver, mas como eu havia começado a falar com advogados, tinha que saber a verdade. Ele estava vendo outra mulher. Mesmo que suspeitasse de algo, aquelas palavras foram um soco no estômago! Lembro tão bem. Demorei meses para superar. A vida nunca mais foi a mesma. Uma certa inocência foi roubada de mim para sempre.

Quando o confrontei, alegou ser uma coisa temporária. Falou para eu esperar, pois certamente passaria... O quê?! Fui conversar com o padre da minha paróquia e ele me disse a mesma coisa...

Tentei... esperei, me desesperei, emagreci (essa foi a única parte boa), me senti muito só. Estranhamente, os amigos desapareceram. Nem os culpo. Sei que é uma situação complicada e constrangedora, mas teria sido muito bom ter uma amiga por perto.

Meu pai me segurou a mão várias vezes, uma delas literalmente! Uma noite em que eu não conseguia dormir de jeito nenhum, ligava desesperadamente para o Francesco, que não respondia. Então, às cinco da manhã, estava ficando tão enlouquecida que liguei para o Daddy no hotel. Ele se vestiu, veio até a minha casa de táxi e, mesmo não sendo muito bom de contato físico, deitou-se ao meu lado na cama, por cima das cobertas, e segurou minha mão. Só então consegui encontrar o sono. Foi um ato simples, mas tão importante para mim.

Minha mãe chegou depois para fazer a troca da guarda. Com carinho e amor, me escutou *ad infinitum* e me observou quando, sem forças por causa da dor, andava me apoiando nas paredes, literalmente. Nossa, coitados, quanto me escutaram! Como pode uma pessoa repetir a mesma história tantas vezes? Hoje, acredito que é uma estratégia do corpo e da mente para se adaptarem à nova situação. Por isso pode ser tão importante contarmos com um profissional para nos ajudar, já que, depois de um tempo, só ele mesmo para escutar a mesma ladainha.

Havíamos dito para as crianças que o pai estava na casa dos avós para ajudá-los com algumas coisas. Mas, depois de tentar tudo (inclusive uma volta de três meses), exigi que disséssemos a verdade a eles. Explicamos que os amávamos muito e que isso não havia mudado de forma alguma. Que nada do que estava acontecendo era culpa deles. Que o papai e a mamãe se gostavam muito, mas não se amavam mais como antes. Eles ficaram tristes, choraram, mas hoje são pessoas tranquilas e nos dizem que fizemos bem em sermos honestos. Acredito até que meu ex-marido foi um pai melhor depois da separação. Fazia mais questão de vê-los.

Nunca proibi Francesco de ver os filhos. Acredito que seja importante não falar mal do ex para as crianças. Muito importante. Elas não têm nada a ver com nossos problemas!

Não é fácil superar um divórcio. Lógico que encontrar outro namorado ajuda. Mas, se você não estiver bem consigo mesma, não é a solução. Melhor deixar passar o luto e, quando digerir melhor a separação, aí, sim, pode partir para um novo relacionamento.

Mas como superar? Além do analista, que por sorte se recusava a me dar remédios, fiz muita ginástica. Incrível o quanto ajudou! Não só por causa das endorfinas, mas pela autoestima. Também me enfiei nos livros! Tive a sorte de estar bem na época da Bridget Jones. Me diverti muito com suas histórias; me transportava para dentro delas. Sensacional! Mas o objetivo de tudo isso era me reencontrar; descobrir aquela que iria criar as novas regras de sua nova vida.

Para mim, a superação demorou uns oito meses. Foi uma gangorra de emoções, choros, tristezas e introspecção até encontrar um equilíbrio. Foi aí que conheci o Andrea. Separado há pouco, magro, nem tão alto, com olhos superazuis e louro, o que mais me seduzia era seu ar misterioso! Ele realmente não queria ter nada a ver com minhas regras ou com encontrar as nossas. Ele não era ruim, mas fugia de qualquer compromisso. O bom disso foi que eu tive de reencontrar minha independência! Com o Francesco, até a conta bancária tínhamos em comum. Se posso dar um conselho, nunca faça isso!

O que chamo de mistério no Andrea me deixava muito insegura. Eu morria de ciúme! Foi um relacionamento de nove anos com vários altos e baixos. Engraçado como hoje, quando o encontro e batemos um papo rápido, imediatamente reconheço o seu jeito de falar sem dizer nada. Para todas as perguntas que eu fazia, ele me dava três respostas até uma delas colar. Me acostumei com seu jeito, mas quando saí do namoro senti um enorme alívio. Envolvida, não me dava conta do quanto aquilo, para mim – que gosto de preto no branco e detesto cinza –, foi uma tortura!

Logo depois, saí por menos de um mês com o Carlo. Bonitão, tinha uma Harley Davidson, mas era um malandro! Tudo que sempre achei proibido. Temia aquele tipo de pessoa, pois sabia que não tinha nada a ver comigo ou com a minha moral e que podia me machucar. Cheguei até a apresentá-lo a meus filhos... e eles o odiaram! Rsss! O instinto acertou na mosca. Perdi interesse rapidinho e a história acabou. Na verdade, nem começou. Mas acho que foi bom para tirar o Andrea do meu radar.

Daí encontrei o Roberto!

Estávamos na página de Facebook de um amigo comentando um clipe do Pink Floyd. Pedi a amizade dele e começamos a trocar mensagens no *chat* (hmmm, safadinha!). Conversa vai, conversa vem... Ele se fazia de difícil. Então dei um chega pra lá. Foi quando (de novo, como aconteceu com o Mark, ser difícil é uma estratégia que funciona) ele me convidou para tomar um chá. Eu não gosto de chá e achei meio antiquado. Mas ele me explicou mais tarde que era porque dura mais do que café.

Quando cheguei ao lugar combinado, ele estava me esperando sentado de pernas cruzadas, lendo o jornal com dois buracos grandes para os olhos! Ele diz que queria ter certeza de que eu não era um caminhoneiro com perfil falso no Facebook. Dali foram dois palitos antes que nos apaixonássemos perdidamente um pelo outro.

Agora, pensando, o Roberto sempre entendeu que eu tinha as minhas regras. Eu também entendi as suas. E, apesar de ele ser muito mais flexível do que eu, encontramos um equilíbrio. Decidimos não morar juntos. Ele vem jantar e dormir em casa quase todos os dias. Minha grande prova de amor foi lhe dar uma gaveta! É comum, especialmente nos finais de semana, ele trazer uma malinha que coloca embaixo da cadeira do quarto. Eu a chamo de "gaveta clandestina".

Ele sempre me traz flores e faz surpresas lindas, como trazer uma *mozzarella* fabulosa ou gravar um *CD* (isso bem no início do relacionamento, agora caducou com as novas tecnologias). Adoro isso!

Me sinto casada com o Roberto. Usamos alianças. No papel? *Been there, done that!*[*] A independência física e econômica é essencial para minha felicidade. Foi sorte encontrar quem me entende? Sim... ou talvez não. Talvez estivesse pronta para encontrá-lo. Ele me atraiu por quem ele é, e vice-versa.

---

[*] Já fiz isso!

Assim que ouvi falar de Facebook, senti uma conexão imediata, uma intimidade com a mídia, entendendo seu potencial. Brinquei muito nas suas páginas. Talvez por isso, quando a Santaconstancia me pediu que criasse um *blog* para o novo site, respondi imediatamente que sim! Eu já trabalhava na fábrica, fazendo pesquisa de mercado na Europa e enviando amostras de peças para ajudar na elaboração da cartela de cores e das estampas e no descobrimento de novas tecnologias. Montar um *blog* me daria mais uma responsabilidade. Acreditei que poderia fazê-lo muito bem, mas intuí que não iria funcionar para a fábrica. Portanto, logo perguntei se teria a propriedade intelectual do *blog*. Me confirmaram. Assim nasceu o Consueloblog.

Como imaginei, um ano e meio depois nem o *blog* nem eu servíamos mais para a fábrica. Aos 47 anos, divorciada e com dois filhos em casa, do dia para a noite fiquei desempregada. O choque foi grande, mas percebi a importância daquele espaço. Sabia que poderia fazer algo para que crescesse.

Isso era 2011. Me joguei de cabeça. Os *posts* iniciais eram simples, com poucas fotos sobre moda, e eu nunca aparecia. Perguntei a pessoas que respeitava o que achavam. Na época ainda era um conceito novo. Jussara Romão, ótima jornalista, me disse que eu deveria aumentar o tamanho das fotos. Fiz isso e realmente deu outro aspecto à página. A Marta, uma amiga de São Paulo, sugeriu que eu aparecesse nas imagens.

Como em qualquer trabalho, existe sempre uma parcela de intuição. Eu tinha duas certezas: uma que eu precisava postar todos os dias na mesma hora, para que a leitura do *blog* virasse um hábito. A outra, que minha interação com o leitor era imprescindível. Na verdade, ansiava por ler o que eles tinham a dizer. A minha cabeça estava 100% no *blog* e queria saber o que pensavam sobre meus registros. Amava responder aos comentários! Mas uma coisa incrível aconteceu: os leitores começaram a falar entre si e criou-se uma comunidade. Eu a chamei de *Salotto*, que significa "sala de estar" em italiano, mas também era o nome dado aos saraus onde, no fim do século XIX e início do XX, os intelectuais se encontravam para discutir o momento cultural. De alguma forma, estávamos fazendo isso. Foi um período realmente incrível.

Tenho certeza de que minha imersão no trabalho tomou muito do meu tempo com os filhos e o Roberto, afetando um pouco minha relação com eles. Contudo, sei que tinham orgulho de mim. Gosto de pensar que, para o Cosimo e a Allegra, isso serviu como exemplo de profissionalismo e superação. Eles viram o quanto sofri com o divórcio.

Comecei a viajar muito, então comprei um carrinho usado e velho, que tinha o chassi de plástico e o motor de uma Vespa. Com ele, as crianças podiam guiar com 16 anos, ir à escola, às atividades esportivas e até ao dentista, quando eu não estava em Florença. Coitadinhos, aos 14 e 16 anos tinham de ser muito independentes. Não sei quantas vezes precisaram fazer uma chupeta no meu carro porque a bateria havia morrido. Ah! E no inverno?! O vidro ficava com gelo fora E dentro! Na correria de ir para a escola, sempre em cima da hora, o drama de raspar o gelo era cruel! Então Cosimo buscou no Google "descongelar carrinho" e encontrou uma solução: uma mistura de água e álcool que derramavam no vidro e funcionava... um pouco. Pelo menos melhor do que quando eles tinham que ir para a escola com a cabeça para fora numa temperatura de três graus negativos (os dois são normais por um milagre da natureza!).

Eu deixava a geladeira cheia (além do cartão do supermercado), uma senhora vinha todos os dias para limpar, lavar, passar e fazer uma comidinha, os seus cartõezinhos de débito repletos com a mesada, e lá ia eu...

Por cinco anos postei sete vezes por semana, às vezes mais. Aí, chegou um momento que me deu um piripaque e tive que diminuir para cinco. Eu sempre trabalhei sozinha. Tenho o Leonardo, que me ajuda com a parte técnica, e a santa Heleandra na contabilidade. O resto, eu faço tudo. Pensei no que poderia delegar, mas achei que as mídias perderiam o meu diferencial, que é o contato direto com o leitor. Hoje, não consigo mais responder a todos. Mesmo assim, passo de três a cinco horas por dia me comunicando com eles. Adoro o carinho e, ao mesmo tempo, tenho um *feedback* do que mais interessa aos meus seguidores.

Logo chegou o Instagram. Sua ascendência foi lenta, mas quando nós, *influencers*,* entendemos o que podia ser feito nessa plataforma, nos jogamos de corpo e alma. Ali a mensagem era a imagem, o texto ficava para o *blog*. Entendi que as fotografias precisavam ser cada vez melhores. Um ótimo fotógrafo, o Roberto me ajuda muito nisso. Desde o começo do *blog* me deu dicas preciosíssimas, tirou lindas fotos de mim, além de ter me presenteado com uma excelente câmera.

A cada mídia social que aparece, a pressão para me reinventar se intensifica. Quando surge algo de novo, a primeira coisa que faço é registrar meu nome. Depois começa o *brainstorming* para tentar entender que tipo de conteúdo vai caber ali, como a nova plataforma vai complementar o meu trabalho e de que modo ela vai servir para mim e para os meus clientes.

Mas que tipo de formadora de opinião sou eu? Para manter uma coerência e ser fiel aos meus seguidores, era fundamental que me encontrasse. Voltando ao discurso das cartas que me foram dadas na vida: sou uma blogueira relativamente velha, que mora na Europa, escreve em português e tem uma mãe famosa. Receber seu aval, a confirmação de que tem peso o que eu tenho a dizer trouxe muita segurança.

Quando uma marca de *lingerie* brasileira me contratou por dois anos, decidimos que a modelo seria eu. O Roberto colocou apenas uma condição: que ele fosse o fotógrafo. É claro que eu não iria me opor. Afinal, eu ficaria muito mais à vontade posando para meu namorido e sabia que ele faria as fotos com amor. O resultado foi ótimo! Elas transmitiram uma delicadeza, um conhecimento do meu corpo que nenhum outro fotógrafo seria capaz de capturar. Antes de lançar a campanha, conversei com minha mãe. Estava muito insegura. Imagine eu, a patinha feia, virar modelo de *lingerie*?! Ela disse que eu deveria confiar no meu gosto e na elegância das fotos do Roberto. O resultado ficou lindo, nem um pouco vulgar e a campanha foi um sucesso. Ainda falam dela anos depois.

---

* Termo de que não gosto, pois acho prepotente, mas do qual não tem muito como fugir. A única alternativa é "formador de opinião", não muito melhor.

O que não quer dizer que tudo foram flores. Recebi críticas de pessoas que diziam que eu era muito velha e gorda para fazer aquelas fotos. Cheguei até a receber xingamentos. Alguns falaram que eu deveria ter mais vergonha na cara. Por sorte, tive a chance de responder aos críticos num artigo de duas páginas que Sylvain Justum me pediu para escrever para a *Bazaar*. Ao elaborar a matéria, me perguntava o que as pessoas viam de tão inadequado na campanha. A conclusão a que cheguei foi que no Brasil envelhecer não é ruim, é errado! Existe uma grande indústria dando corda a um conceito absurdo.

Cuidar de mim é uma responsabilidade que tenho comigo mesma e com aqueles ao meu redor. Fingir que o tempo não passa é um peso horrível de se carregar. Especialmente porque cada fase do amadurecer traz lindos momentos. Envelhecer é um privilégio e não porque não estamos mortos, mas porque a sabedoria dos anos e as experiências são o crochê da vida que nos fazem tão especiais. Reconhecer a beleza de cada idade é maravilhoso!

Foi então que decidi falar sobre ser uma mulher contemporânea, madura. É um conceito, se não novo, maltratado, especialmente no Brasil. Fico triste quando vejo que existe resistência e até uma certa agressividade entre algumas leitoras com relação à palavra "empoderamento". Talvez por ter sido superutilizada com fins comerciais, seu sentido foi deturpado. Na verdade, empoderamento significa dar o devido valor à mulher, não o tirar de outros. Portanto, por que ser contra? É o que desejo a todas que me seguem. Que elas sintam que têm o poder de fazer qualquer coisa, de transformar sua vida se assim o desejarem.

As dicas de viagens são outra parte importante do meu trabalho. Dividir com minhas seguidoras os passeios que faço pelo mundo é um dos meus maiores prazeres. Poder compartilhar esse privilégio é uma bênção. Certa vez a Gloria Kalil me disse:

— Fico até com *jet lag* de acompanhar suas fotos no Instagram.

Não é maravilhoso?! E o que é melhor, quanto mais divido e quanto mais as pessoas gostam, mais convites tenho para conhecer lugares diferentes. Um círculo virtuoso que me enche de orgulho.

Por fim, algo que me surpreende muito hoje em dia: várias pessoas me seguem pela minha maneira de vestir! Mais e mais tenho visto que as mulheres querem um estilo jovial e confortável,

capaz de refletir uma naturalidade do momento que estão vivendo. Encontram em mim a solução.

Percebi que sempre que monto um *look* uso esta fórmula:

Originalidade + Sensualidade + Elemento surpresa = Meu estilo

A originalidade faz com que peças adequadas à mulher madura fiquem mais modernas, a sensualidade as tornam joviais e o elemento surpresa colore o *look*. Afinal, "madura" não significa careta ou sem graça. Para o elemento surpresa, uso muito os acessórios, que viraram minha marca registrada. Como, por exemplo, o "pulseirismo". Uma mania que peguei do Robbie (como eu chamo o Roberto), que usa muitas pulseiras há anos!

Um bom corte de cabelo é importantíssimo! Ele define e molda o rosto. Por isso, é fundamental encontrar um profissional que ajude a criar essa moldura! A Mummy sempre diz:

— É mais importante um bom corte do que quatro pares de sapato.

Ou seja, é preciso investir no lugar certo! E quanto a cabelos grisalhos ou não, acho que também tem a ver com o seu estilo. É muito triste quando outros querem impor a verdade deles. Por quê?! *Vive la différence!* Deixe cada um ser feliz com o seu próprio jeito de ser e se vestir.

Hoje respeito mais uma periguete que tem intimidade com o seu visual do que alguém que só copia o estilo alheio. E com isso não quero dizer quem se inspira em outros *looks*. Faço isso o tempo todo!

Por fim, consegui me organizar da seguinte maneira: o Consueloblog é a origem de tudo e também a base que sempre estará lá. É onde minhas leitoras podem encontrar as dicas de viagens e onde escrevo algo mais elaborado. O *feed* do Instagram é a plataforma para fotos maravilhosas e para o *look* do dia, que é gostoso de ver e de postar. O Stories é talvez onde mais me divirto. Lá sou espontânea e compartilho meu dia a dia. Até surgiu um jargão que virou minha marca registrada:

— Bom dia, Instagrammmmersss!

De alguma forma, isso traz alegria e esperança às pessoas. Coisa que me faz muito feliz! Se estou triste, preocupada, brincalhona ou até meio bebum, é lá que me encontram. Jantares, festas e viagens – vivemos juntos ali. A nova incógnita é o IGTV. Eu gosto dele para vídeos um pouquinho mais longos, tipo dez minutos. Tenho usado para responder a perguntas dos leitores e obtido ótima reação. Mas isso é hoje, amanhã já são outros quinhentos!

O desafio de uma presença digital é a velocidade com a qual nós, *influencers*, temos que nos reinventar. Isso não só porque aparecem plataformas novas e revolucionárias à velocidade da luz, mas porque o leitor exige um conteúdo moldado à sua necessidade. E qual seria? Nem ele sabe. O talento do comunicador é intuir e sentir se sua aposta está certa.

O Roberto me pega várias vezes olhando para o vazio… Estou fazendo exatamente isso… tentando entender. Ele diz que ouve as engrenagens rodando na minha cabeça. Eu viro, acordo, olho nos seus olhinhos sorridentes com uma ponta de orgulho e rio de felicidade!

45.

Alessandra

A dor era mil vezes maior do que uma cólica menstrual e reverberava pelo meu corpo até sair pela boca em forma de um berro, constrangendo toda a equipe médica do Fleury. Diante da minha reação, o doutor não parou, continuou injetando o maldito contraste no meu útero com força redobrada, como se quisesse fazê-lo explodir. E eu continuava gritando, soluçando não tanto pela dor física, mas pela certeza de saber que eu não poderia ter filhos.

Sempre tive certeza de que seria mãe. Desde pequena adorava brincar de boneca. Esqueça a história de que menina brincar de boneca é um estereótipo imposto pela sociedade. Eu adorava. A Blanche, em uma das pouquíssimas vezes que saiu de férias, me trouxe uma boneca idêntica a um bebê, chamada Manuela. Era linda. Eu passava horas trocando suas roupas, penteando seus cabelinhos loiros, limpando seu rosto... tudo. Aí, meu pai se casou de novo. A tia Maritza tinha netos pequenos. Quem é que brincava com eles? Eu. Aí, a Bianca nasceu. Quem é que cuidava dela quando a Monika não estava? Bem... a Blanche. Mas, na falta dela, eu. Troquei fralda, brinquei, tentei educar, ajudei com a lição. Sempre feliz da vida. Aí, fiz 30 anos e nada de ter um relacionamento sério. Já naquela época, chorava ao ver um casal passeando com uma criança pequena. Foi mais ou menos naquela época que comecei a pensar em fazer uma produção independente, mas eu morava sozinha em Nova York ganhando salário de assistente... Achei que ainda teria tempo. Tempo este que foi passando. Cheguei a negociar com dois amigos solteiros a possibilidade de produzirmos um filho. É claro que tudo ficou só na ideia. Aí, finalmente, com 40 anos encontro o meu amor, mas ele já tinha dois filhos. Nada mais normal para alguém da minha idade. Afinal, a maior parte dos quarentões disponíveis é reciclada.

Eu sempre me dei muito bem com os meninos do Carlos, em grande parte graças ao meu pai.

— Não podemos deixar que as meninas sofram mais do que o minimamente necessário com essa separação.

Foi uma das primeiras coisas que o Daddy disse para a Mummy depois que ela saiu de casa.

De fato, apesar de toda a traição que sofreu, meu pai sempre manteve um ótimo relacionamento com minha mãe e com o Giulio. Meus amigos achavam estranhíssimo ver nossos pais e padrasto se dando tão bem nas festas de família, mas para nós aquilo era normal. Só anos mais tarde, à medida que fui vendo como os pais dos meus amigos se tratavam e como usavam os próprios filhos durante seus divórcios, é que me dei conta do quanto a atitude do Daddy foi importante.

Não havia muito o que eu pudesse fazer em relação ao divórcio do Carlos com sua ex-mulher, que, como geralmente é o caso, não foi tranquilo. Mas eu procurei sempre me relacionar bem com a mãe dos meninos e criar um ambiente leve e divertido quando eles estavam conosco. Eu não queria me impor nem forçar uma amizade que talvez nem acontecesse. Mas entendia o que eles estavam vivendo durante todo aquele processo chato e procurava fazer com que sofressem o menos possível.

A amizade veio por consequência e porque eles são rapazes maravilhosos. Na época estavam com 13 e 11 anos, mas pareciam bem mais novinhos. Acompanhei seu crescimento, a transformação da infância para a vida adulta, o que me deu muito prazer. Mas, embora cuidasse deles (até aprendi a cozinhar!), ajudasse no que fosse possível, educasse dentro dos meus limites, não sou mãe. Ser madrasta é não ser mãe, algo que eu sempre tive bem claro na minha cabeça, também como forma de autopreservação. Não tem nada que eu não faça por aqueles dois. Sei que gostam de mim, mas eles têm mãe. Não seria justo com ninguém se eu tentasse ir além de minhas limitações.

Então, depois de um ano e pouco de namoro, tive a dura conversa com o Carlos – aquela, que pode acabar com o relacionamento:

— Eu já tinha pensado nisso. Imaginei que você quisesse ter filhos. É claro que eu não tinha planejado ter outro filho, mas a gente pode tentar.

Choque total e amor profundo por aquele homem surpreendente!

No dia seguinte, já estava no ginecologista. A conversa não foi animadora. Com minha idade avançada, muita coisa conspirava contra. Os ovos não eram mais aqueles de 20 anos atrás, os hormônios blá... blá... blá...

— Mas vamos fazer alguns exames de sangue para ver sua taxa hormonal e uma histerossalpingografia.

Eu não tenho medo de exame. Pelo contrário. Durmo no aparelho de ressonância magnética. Mas aquele nome... Google... uma radiografia com contraste do útero e das trompas para averiguar se não há anomalias. O processo é razoavelmente indolor, a não ser que as trompas estejam obstruídas. Nesse caso, o contraste não tem para onde ir e distende o útero como se fosse um balão de água, causando uma forte cólica.

Voltamos então à cena de humilhação no Laboratório Fleury: eu, deitada na mesa de exame, berrando, soluçando e constrangendo a equipe médica. Até que, por fim, o doutor veio falar comigo:

— Às vezes, se a gente aplica um pouco de pressão com o contraste, consegue desobstruir as trompas mecanicamente. Eu tentei, mas você estava com tanta dor... Se quiser, pode marcar outro dia e a gente refaz com anestesia geral.

Mas eu sabia que não ia adiantar. Era uma certeza física, uma noção absoluta de que havia algo de muito errado.

Fui para meu médico com os resultados. Ele sugeriu que eu fizesse uma laparoscopia exploratória, uma pequena cirurgia com câmeras *high-tech* para constatar o que meu corpo já sabia: minhas duas trompas estavam obstruídas. O único jeito de consertar era fazendo um "canal alternativo", tipo uma ponte de safena; uma cirurgia complexa, cara e sem garantia de sucesso. Então optamos por um tratamento de fertilização *in vitro*. Ele me recomendou uma médica e lá fomos nós.

Fui ver minha nova médica no 19º andar de um prédio no coração de Higienópolis. No corredor entre a sala de espera e o consultório, uma parede coberta com fotografias de bebês que previam o sucesso da empreitada. Depois das perguntas convencionais, fui à mesa ginecológica para um ultrassom transvaginal.

— Que ovários lindos! Estão cheios de folículos promissores!

— Ah... obrigada! – Dizer o quê? Antes ter ovários lindos, não é mesmo?

Ela montou um protocolo de hormônios, fui até uma salinha onde coletaram meu sangue, me deram uma geladeira de isopor com os medicamentos e instruções precisas. Na recepção, marquei o retorno para dali a alguns dias e fiz o cheque para uma pequena fortuna, a maior parte devido ao custo dos remédios.

Os hormônios eram administrados por injeções diárias na barriga com uma agulha bem fina, que eu aplicava sozinha. Em pouco tempo, comecei a me sentir mais inchada, os peitos enormes e sensíveis.

Retornei lá duas ou três vezes – a doutora supersatisfeita com o progresso dos meus folículos –, até o momento em que seria feita a coleta dos ovos.

— Preste muita atenção. Essa injeção tem que ser administrada na hora exata! Nem antes nem depois. Se você tomar esse remédio muito cedo, vai ovular antes do tempo e perder todo o seu trabalho – e dinheiro.

No dia da coleta, cheguei lá bem cedo, fui levada a uma sala que parecia de cirurgia, me deram uma leve sedação. Enquanto isso, o Carlos foi ao banheiro com um copinho para coletar o material dele. Acordei numa outra sala com meu marido e um lanchinho a minha espera.

— Coletaram onze óvulos.

— Isso é bom?

— Ótimo! Agora vamos fertilizar os ovos e acompanhar o desenvolvimento dos embriões. Se tudo der certo, daqui a alguns dias você volta para a implantação.

Tudo deu certo. O médico encarregado da parte celular do processo era marido da doutora, tipo um casal 20 da FIV. Ele disse que meus embriões estavam lindos e implantou seis de uma vez.

Ouvindo a notícia, o Carlos ficou paranoico, achando que teríamos uma renca de filhos. Bem que eu teria gostado.

— Agora é só esperar duas semanas para fazer o exame de sangue.

"Só esperar duas semanas." Até parece! Foram as mais demoradas da minha vida.

Eu fiquei grávida duas vezes, por menos de um mês cada uma. Da primeira – na terceira ou quarta tentativa –, senti meu corpo diferente. Passadas as duas semanas de espera torturante depois da implantação dos embriões, fui correndo fazer meu exame de sangue. Como nas vezes anteriores, Carlos e eu passamos o dia entrando no *site* do laboratório para verificar o resultado. Às vezes eu passava 40 minutos só clicando no botão de *refresh*. O "positivo" que finalmente apareceu na tela não parecia verdadeiro. Olhei uma, duas, três vezes.

Verdade que sentia algo diferente, mas a ficha não caía. Quando finalmente caiu, falei com as poucas pessoas que sabiam que eu estava fazendo tratamento: meus pais e a Consuelo. Naquela noite, fomos jantar fora, só eu e meu marido. Foi uma noite feliz, embora eu estivesse reticente. Tanta coisa podia dar errado... e deu. Uma semana depois, tive um sonho estranho seguido de uma forte cólica. Acordei em pânico, corri para fazer um exame de gravidez caseiro. Deu negativo. Liguei para minha médica.

— Vem aqui, a gente faz um ultrassom.

Eu não estava mais grávida.

A segunda vez foi na minha sexta tentativa. Eu não me sentia tão grávida quanto da primeira. Fiz o exame com menos entusiasmo. O resultado foi um positivo fraquinho, os níveis de HCG estavam muito baixos. Não houve celebração. Além dos outros remédios, a doutora me passou uma série de injeções que Carlos teve de aplicar todos os dias. E fazia exames de sangue quase diários para ver se meus níveis de HCG aumentavam. Eu nem lembro quanto tempo durou. Mas, de novo, dormi mal, tive uma forte cólica e, mais uma vez, minha gravidez acabou.

A tristeza que acompanha um tratamento frustrado não vem só da perda de tempo e da desesperança. O que mais doía era o luto por um filho que já existia em meu universo emocional. Era palpável. Além da flutuação de humor por causa do bombardeio hormonal, a cada tentativa meu sonho de ser mãe se dissipava mais um pouco. Foram seis tentativas com a doutora. Por fim, ela sugeriu que eu tentasse com o óvulo de outra mulher, pois os meus estavam desgastados com a idade. Fui perguntar ao meu ginecologista sua opinião e ele sugeriu que eu procurasse outro médico que tinha uma tecnologia um pouco mais avançada.

Nós decidimos esperar alguns meses, não só para nos restabelecermos física, financeira e emocionalmente, mas porque decidimos nos casar.

Não houve pedido de casamento. Honestamente, nem lembro como é que decidimos juntar os trapos, ou, no caso, juntar os gatos – dois meus, dois dele. Só sei que tudo começou com uma casa.

O avô do Carlos foi um famoso arquiteto modernista. Ucraniano de nascença, Gregori Warchavchik (aquele que projetou a casa de que eu tanto gostava, de meu segundo namorado, Marcelo) veio para o Brasil após uma estadia na Itália, onde trabalhou para um arquiteto de renome chamado Piacentini. Trouxe consigo pouca coisa além da ideologia modernista, que procurou implantar em seus projetos brasileiros. Casou-se com Mina Klabin, uma mulher moderna, muito envolvida com os artistas da Semana de 22. Em 1930, Warchavchik construiu uma casa no Pacaembu usando técnicas novas como o concreto armado, que abria o leque de possibilidades arquitetônicas com ambientes mais amplos, limpos e sem colunas de sustentação. Com o intuito de montar uma exposição ao público que ilustrasse a estética modernista, Gregori decorou a casa com móveis desenhados por ele e objetos de arte de seus amigos Tarsila do Amaral, Anita Malfatti, Victor Brecheret e Lasar Segall, e pediu que sua esposa fizesse o jardim. Apesar de não ter uma educação formal como paisagista, Mina fazia alguns dos jardins mais interessantes da época. Antes mesmo de Roberto Burle Marx, ela foi, talvez, a primeira a usar plantas tropicais em seus projetos, e é reconhecida como uma das pioneiras do paisagismo brasileiro. A exposição foi um sucesso. Durante um mês, mais de 10.000 pessoas visitaram a casa e apreciaram a nova filosofia da vida moderna.

Essa casa ficou com a família e foi alugada para diversas pessoas ao longo do tempo. Até que em 2008 a inquilina anunciou que iria sair. Carlos, que também é um arquiteto de mão cheia, resolveu restaurá-la. Fez um trabalho tão bom que decidiu que era hora de refazer a Exposição Casa Modernista, por coincidência 80 anos após a primeira. Mas e depois da exposição, que duraria apenas alguns meses? Num primeiro momento, pensamos que eu poderia me mudar para lá e manter a Jaboticaba na edícula, mas fiquei apreensiva. Cogitamos outras possibilidades, até decidirmos que nós dois iríamos nos mudar juntos. Resolvemos, então, comemorar com uma "festa de casamento" que faríamos na própria Casa Modernista assim que terminasse a exposição.

...as de um casamento: Alessandra, 2008.

Modéstia à parte, a festa foi linda. Eu tinha decidido não "entrar de noiva", mas minha prima Gabriella me ligou dizendo que a filha dela, Carolina, queria muito ser daminha.

— Ela disse que está ficando "velha" e talvez seja a última chance que vai ter de ser daminha.

Então resolvi que a cerimônia seria quase tradicional. Minha mãe mandou fazer o meu vestido e os de minhas primas Carolina, Isabella e Micaela. Chamou a Kazue, uma ótima costureira que adaptou o modelo de um vestido que o Dener fizera para ela nos anos 1960.

Desde o casamento da Consuelo em Florença, decidi que queria me casar de dia. Achava muito mais bonito e, por algum motivo, poético. O casamento seria em maio e, como tanto o Carlos quanto eu nascemos no dia 22, a escolha da data foi óbvia. O tempo estava lindo, decoramos a casa respeitando suas linhas modernistas. Até as flores quis que fossem tropicais. O almoço ficou por conta de Nina Horta. Não só porque eu achava o seu bufê o melhor e mais chique da cidade, mas porque sua filha tinha morado na Casa Modernista pelos últimos 20 e poucos anos. O neto de Nina nascera ali.

O engraçado é que casamos, partimos para a lua de mel e, na volta, fomos cada um para seu apartamento. Só nos mudamos um mês depois: o Carlos com seus dois gatos, eu com os meus e a Nani, uma cachorra vira-lata que eu tinha adotado alguns anos antes. Os meninos do Carlos vinham nos visitar todas as quartas-feiras e num final de semana sim, outro não.

No dia da minha última tentativa de engravidar, como das outras vezes, acordamos cedinho para ir ao consultório fazer a implantação.

Eu estava triste. No dia anterior, enterramos no nosso quintal meu gato Balthazar, que já estava bem fraquinho por causa de uma doença que combatia fazia meses. Morreu ao lado da minha cama. Quarenta dias antes, minha cachorra Nani também adoecera do nada e, em menos de uma semana, morreu de falência total dos órgãos. Mas estava esperançosa: haviam colhido uma boa quantidade de óvulos de dois ciclos diferentes e me informado que os embriões estavam crescendo saudáveis. Pensei que pelo menos uma coisa boa viria dessa época bizarra. Daí, enquanto me vestia, recebi uma ligação do consultório:

— Não precisa vir, os embriões não eram geneticamente viáveis. O doutor quer marcar uma consulta para conversar com vocês...

O médico repetiu o discurso da outra doutora. Meus óvulos estavam muito degradados por causa da minha idade avançada. Se eu quisesse ter filhos, teria que usar os óvulos de outra mulher.

Eu teria topado, mas o Carlos disse que seria demais para ele. Engraçado que o bebê teria a genética dele e não a minha, mas foi ele quem vetou.

Tivemos uma conversa longa na qual ele deixou claro que aquele fora seu limite. E não era um limite raso. Foram anos, de aguentar meus humores, de pagar meus tratamentos caríssimos, de me acompanhar nas consultas e me consolar durante as sete tentativas frustradas com dois abortos espontâneos. Tudo o que eu posso fazer é agradecê-lo por seu amor e sua generosidade.

Pode não ser o final que eu imaginei para mim, mas sou genuinamente feliz.

A lembrança daquela época e a ideia de que nunca vou ser mãe me deixam triste. Mas a tristeza não é sinônimo de infelicidade. Tristeza e alegria são momentos trazidos à tona por lembranças ou acontecimentos bons ou ruins. A felicidade é um estado de ser. O fato de ser feliz não me impede de ficar triste. Ficar triste é o que me faz humana.

Lido com meu instinto maternal cuidando da minha família, que inclui o Carlos, os meninos, até certo ponto meus sobrinhos e o tanto de gatos e cachorros que eu tiver naquele momento. Talvez eu não tenha aceitado 100% o fato de que nunca serei mãe. Às vezes ainda penso em adotar uma criança. Talvez eu ainda faça isso, talvez não.

Com tudo o que aconteceu, a editora acabou ficando para segundo plano. Aos poucos fui diminuindo a produção. Comecei a trabalhar em parceria com outras editoras e, hoje em dia, só trabalho em projetos pontuais. Há alguns anos comecei a escrever este livro.

Gabriella se foi aos 93 anos, três meses depois do meu casamento.

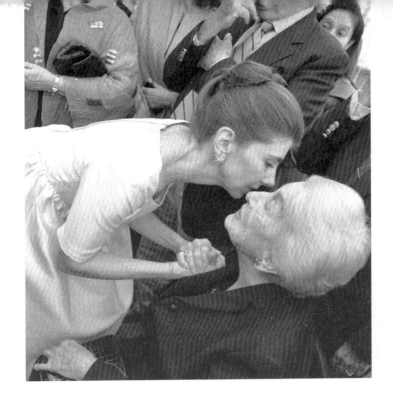

Últimas fotos de Gabriella, no casamento de Alessandra, em 2008. Ela morreria três meses depois desta cerimônia, e Blanche, na foto acima, ao lado dela, viria a faceler um ano depois.

Sem ela, fiquei um pouco órfã. Espero ter sido uma boa neta. Sei que falhei algumas (várias) vezes, mas procurei fazer o melhor. Não sei o quanto ela se orgulharia de mim e deste livro, que escrevi com a Consuelo. Espero que sim. Sei que ela sempre nos amou incondicionalmente e cuidou de nós com uma dedicação implacável. Não era calorosa, nem fofa, nem fisicamente carinhosa. Não abraçava ou dava beijinhos, não oferecia colo. Se frustrava, reclamava, brigava, mas estava sempre lá. Sempre interessada e pensando no que podia fazer para ajudar. Ela e o Nonno estiveram conosco na parte mais complicada de nossa vida. Num momento em que estávamos completamente confusas e perdidas, trouxeram solidez e alegria.

No enterro da Nonna, a Blanche olhava para o caixão com um certo desespero e dizia:

— *Eo pensê que eo ia morrerr āntes...*

Não demorou muito, teve um derrame que a deixou sem movimentos e quase sem fala. Foi um ano de entradas e saídas do hospital. Um fim desnecessariamente arrastado e sofrido para alguém que dedicou sua vida a cuidar dos outros. Especialmente de mim, que a amava como a uma mãe.

46.

Consuelo

*"If I have seen further, it is by standing upon the shoulders of giants."** (Isaac Newton)

---

* (Se vi mais longe, é por estar de pé sobre os ombros de gigantes.)

Deixo estas páginas com um sentimento de doce tristeza. Foi um percurso dolorido e lindo em que cada uma de nós olhou para o passado e para como ele nos definiu. Também foi uma descoberta da trajetória das mulheres desta família no último século. Não conhecia todos os detalhes, mas tenho certeza de que a segurança que me acompanha em meus desafios vem desses ombros fortes onde me encontro.

Me sinto no auge da vida. Ainda tenho energia, curiosidade, vontade de conquistar e muito, muito desejo de ser feliz. Meus maiores desafios agora são intuir a próxima revolução midiática, envelhecer da melhor maneira possível e superar o ninho vazio.

Tenho enorme orgulho dos seres humanos que meus filhos estão se tornando, de como buscam seus objetivos para fazer algo de fantástico no mundo! Eles não são perfeitos. Cosimo precisa trabalhar na sua arrogância e Allegra na sua procrastinação. Mas são bons, inteligentes e determinados. Apesar do aperto no coração por morarem em outros cantos do mundo e dos suspiros que dou pra cá e pra lá, o fato de sentirem a responsabilidade de criar algo que os faça felizes e completos – e de me incluírem nesse processo – terá que me consolar por enquanto. Não é justo ser um peso. Fiz tanto para que encontrassem a própria liberdade!

Me permito chorar e virar *stalker* de suas mídias digitais. Preencho meu dia com trabalho, devoro informação e séries televisivas, tento caminhar cinco vezes por semana. Amigos, amor, livros, cinema, boa gastronomia e vinho fazem o resto! Aguardo as ligações, *e-mails*, mensagens monossilábicas com uma ansiedade de adolescente. Sei que Skype e WhatsApp encurtaram muito as distâncias e que ainda tenho o papel de dar apoio moral sempre que precisarem!

Como disse uma seguidora no Instagram, "Ser feliz tem sabor de simplicidade!"*. Amei isso!

Apesar de não me faltar nada, sou a rica mais pobre que conheço. Cheguei a ter só 200 euros na conta várias vezes. Hoje, é a primeira vez que tenho um certo conforto financeiro e isso me dá muita segurança. Sempre respeitei o dinheiro por saber o trabalho que dá. Sou

---

* A @ra_birnie.

parcimoniosa. Acho que ser muito rica dá trabalho demais para conquistar e manter. Então, gosto da simplicidade da minha vida. Moro num lugar lindo sem um custo excessivo. Um pouco foi sorte, um pouco escolha. Mas estou feliz aqui, nesta etapa do meu jogo de cartas.

Há mais de dez anos, ajudando a Allegra a estudar para uma prova de ciência, vimos a descoberta de Lucy, o elo perdido, por Donald Johanson. Parei e disse a ela:

— Você sabia que ele é meu amigo?

— Não é verdade!!

— Sim! Eu o conheci através do Guglielmo, quando fez um retrato seu para a revista *Life*. Ele vem muito a Florença. Te prometo uma coisa.

— O quê?!!!

— Quando vier a próxima vez, eu o convido para jantar.

Ela arregalou os olhos.

Dito e feito. Don é uma pessoa sensacional e generosa. Diz que é famoso por causa de uma senhorinha muito velha. Por saber que ele tem sido um mentor incrível a seus alunos, perguntei qual a fórmula para o sucesso. Sem bater a pestana, ele respondeu:

— É fácil, são quatro etapas: primeiro, saber o que você quer fazer. Certamente é a mais difícil. Segundo, uma vez que individualizou o seu sonho, estude aquilo por dentro e por fora. Se possível, transforme-se no maior *expert* no assunto. Terceiro, ter paixão o suficiente para perseverar. E quarto, um pouco de sorte. A descoberta de Lucy foi assim. Quando soube que queria ser um paleoantropologista, estudei muito, com paixão. Cheguei à conclusão de que o elo perdido tinha que estar na Etiópia. Portanto, quando a sorte me fez escolher um caminho diferente para o jipe da expedição e reparei em um pedaço de osso enterrado, eu sabia que só podia pertencer a um ser que andasse sobre duas pernas. Naquela noite na África comemoramos escutando "Lucy in the Sky with Diamonds", dos Beatles. Daí seu nome!

De algum modo, essa fórmula também se aplica ao jogo da minha vida. Hoje, as luzes amarelas de Florença me trazem alegria, e os pesadelos recorrentes que tinha com a minha falta de direção cessaram. Com um pouco de sorte, encontrarei aquela sensação maravilhosa e tão efêmera da paz na felicidade!

47.

Costanza

Acho difícil falar de mim mesma. Dizer como estou hoje, neste outono da vida. Entretanto, vamos lá.

Confesso, a curiosidade sempre foi minha companheira. Para o bem e para o (quase) mal. Desde pequena, o que estava acontecendo além de mim serviu de combustível para me aventurar, indagar, experimentar etc. Talvez tenha sido essa a razão de não ter seguido sempre as regras, como era considerado conveniente e como minha família, culta e formal, teria desejado.

É verdade que, tendo nascido em 1939 e estando viva e relativamente esperta até hoje, considero uma sorte ter assistido a um dos mais interessantes períodos da história recente da humanidade. Acho que levei vantagens e tive oportunidades por ter vindo de uma família educada e bem relacionada. Na minha juventude, presenciei a reestruturação, a todo vapor, do mundo ocidental como o conhecíamos, após as duas guerras mundiais. Isso, para minha família e para nós, como imigrantes italianos no Brasil, país novo, vivendo a reconstrução do próprio futuro, parecia ser o mais importante. Tanta coisa fantástica, inovadora e realmente revolucionária aconteceu. E eu prestei atenção, sempre, com aquela curiosidade que nunca me abandonou. E talvez, de uma maneira meio arriscada e desajeitada, tentei viver um pouco de todas essas novidades. O que fez de mim uma menina e adolescente difícil de educar à maneira convencional. Dei trabalho, sim. Numa época em que os pais realmente se esforçavam, cada um à sua maneira, em dar um norte aos filhos.

Eu não estudava nada de que não gostasse, por exemplo. O que criou um cataclismo de problemas. Repeti de ano. E pior: não contei nada em casa. Gabriella e Michele, Mamãe e Papai, superatarefados com seus negócios, só foram descobrir alguns meses depois. Castigos mil e nada de férias. Estudar. Além dessa inaptidão pelas disciplinas escolares, era considerada namoradeira, mesmo saindo sempre com minha governanta, a Blanche, e meu tipo de namoro jamais incluir relações sexuais. Mas meu espírito repleto de fantasias e arrebatamentos românticos provocava euforias secretas a cada entusiasmo vivido e, hoje suspeito, também convocava os hormônios em ebulição. A coisa me acompanhou por muito tempo.

Do meu casamento com Robert Blocker, pai de minhas filhas, conservo ótimas lembranças. E a felicidade de ter me feito mãe. Se, dez anos depois, me deixei envolver por uma onda de paixão que me fez acreditar que estava vivendo o amor de minha vida, tive a sorte e a coragem de acreditar que aquele sentimento foi realmente verdadeiro. Apesar de toda a dor de todos os envolvidos. De minhas filhas, principalmente. E se agora o mundo em transformação parece viver colapsos, declínio e até decadência, a verdade é que nada dura para sempre. Nenhuma fórmula. Tudo está em mutação. Assistimos ao começo de mais uma revolução. Na nossa, na vossa, na vida de todos.

Após ganhar uma biografia das mais ricas, animadas e variadas, hoje vivo meu "menos tempo para existir" de uma maneira muito cuidadosa. Talvez até demais. Isso porque espero durar ainda uns bons anos com qualidade, corpo e alma. Fico feliz ao perceber que, quando penso em Consuelo e Alessandra, meu coração transborda com a consciência do grande amor. E com os meus netos Cosimo e Allegra, posso dizer que meu mundo se completou, e está feliz.

agradecimentos

Consuelo

Toda vez que começo um livro, corro aqui para entender o que se passa no coração do autor. Este livro não é uma obra de amor, mas sim de paixão! Minha irmã, Alessandra, fez um trabalho mastodôntico transcrevendo as palavras escritas em caneta tinteiro por minha avó. No processo saíram histórias de superação da Nonna, de minha mãe e nossas. O fio da trama de quatro mulheres de uma única família, mas tão parecidas com tantas outras. Uma saga que, se tudo der certo, continuará com cada pessoa que ler este livro.

Para que isso acontecesse, temos que agradecer a visão de Marcia Pereira, que teve a ideia; de Isa Pessoa que se apaixonou pelo projeto e ajudou a construir sua forma final; à Pat Hargreaves e Nina Lemos, pelo primeiro *insight* externo e encorajamento.

Obrigada, Blanchinha, pois sem você talvez nenhuma de nós estivesse por aqui para contar sua história.

Este é um livro de gerações femininas, mas elas se apoiaram em seus fortes homens. E a eles o agradecimento é gigantesco: Nonno, Daddy, Giulio, Carlos e Roberto.

Ao Salotto, minhas leitoras, agradeço pela coragem que vocês me dão a cada dia. Tantas de vocês pediram este livro, e cá está!!! <3 Eu o entrego fragilmente e com carinho a vocês, que já fazem parte íntegra do meu dia a dia; ele carrega um pedaço do meu coração.

E mais que tudo, do fundo do meu coração e cheinha de orgulho, agradeço à Alessandra, minha linda e sensível irmã, por ter feito um livro lindíssimo! A Nonna está lá em cima, sorrindo com algumas lágrimas escondidas!

Alessandra

Bom, a minha irmã já disse tudo, mas não posso deixar de fazer agradecimentos especiais aos meus pais e avós Gabriella e Miki, que sempre me ensinaram a força de um bom texto e uma boa educação, e a meu marido, Carlos, que a seu modo sempre me apoiou. A Isa Pessoa, que me ajudou a dar forma ao sonho. A meu primo Robert Blocker, por me falar de seu irmão e Silvana Mattievich, por dar este lindo rosto ao nosso sonho. A Andre Bortolanza, por nos emprestar as fotos da matéria da revista *Claudia*. A Gregório, Mônica e Karen Zolko pela linda imagem da casa da Gávea. A Rita Lobo, Mariana Caltabiano, Viviane Ka, Paulo Tadeu e Matinas Suzuki, por suas opiniões.

bibliografia

Giovanni Bianco e Paulo Borges. O Brasil na Moda vol. 1. São Paulo: Coleções Caras.

Bosworth, R.J.B. Italian Venice, a History. New Haven: Yale University Press, 2014.

Salvatore Ferragamo, Shoemaker of Dreams, the autobiography of Salvatore Ferragamo. Londres: Gerge G. Harrap & Co. Ltd, 1957.

Rita Lee. Rita Lee: uma autobiografia. São Paulo: Globo, 2016.

Nina Lemos. "Chiquita Bacana", TPM. São Paulo, setembro de 2002.

Costanza Pascolato. Confidencial: segredos de moda, estilo e bem-viver. São Paulo. Jaboticaba. 2009.

Sergio Ribas. Gabriella Pascolato: Santa Constância e outras histórias. São Paulo. Jaboticaba. 2007.

crédito das imagens

Fotos de capa: Cesar Godoy, Fernando Benvenuti, Mariana Maltoni, Paulo Freitas e acervo de família.

Fotos de contracapa: Fernando Benvenuti, Marcela Schneider Ferreira e acervo de família.

Acervo de família: págs. 29, 47, 88, 89, 97, 107, 108, 109, 147, 158, 161, 192, 231, 234, 237, 238, 239, 243, 271, 280, 281, 297, 304, 311, 314, 334, 337, 381, 420, 421 e 499.

Cesar Godoy: págs. 1, 2, 3, 510, 511 e 512.

Fernando Benvenuti: págs. 478 e 479.

Marcela Schneider Ferreira: págs. 431, 473, 500 e 501.

Paulo Freitas: págs. 488, 489, 492 e 493.

Revista *Claudia*: pág. 296, 351 e 368.

Ruy Teixeira: págs. 420 e 421.

Copyright © 2019 Tordesilhas Livros
Copyright © 2019 Alessandra Blocker e Consuelo Blocker

Todos os direitos reservados. Nenhuma parte desta edição pode ser utilizada ou reproduzida – em qualquer meio ou forma, seja mecânico ou eletrônico –, nem apropriada ou estocada em sistema de banco de dados, sem a expressa autorização da editora.
O texto deste livro foi fixado conforme o acordo ortográfico vigente no Brasil desde 1º de janeiro de 2009.

CAPA E ARTE Silvana Mattievich
PROJETO GRÁFICO Cesar Godoy
PREPARAÇÃO Mariana Zanini
REVISÃO Claudia Gomes, Rosi Ribeiro Melo
ASSISTENTE DE EDIÇÃO Mariana Correia Santos
EDIÇÃO Isa Pessoa

1ª edição, 2019 (4 reimpressões)

Dados Internacionais de Catalogação na Publicação (CIP)
(Câmara Brasileira do Livro, SP, Brasil)

Blocker, Alessandra
O fio da trama : três países, uma guerra e a história de superação de quatro mulheres / Alessandra Blocker, Consuelo Blocker ; [colaboração Costanza Pascolato]. -- São Paulo : Tordesilhas, 2019.

ISBN 978-85-8419-102-4

1. Blocker, Alessandra 2. Blocker, Consuelo 3. Depoimentos 4. Diários 5. Família Pascolato - História 6. Imigrantes - Brasil - Biografia 7. Italianos - Brasil - Biografia 8. Moda - Brasil - História 9. Pascolato, Costanza 10. Pascolato, Gabriella, 1917-2010 11. Superação - Histórias de vida I. Blocker, Consuelo. II. Pascolato, Costanza. III. Título.

19-30426   CDD-920.72

Índices para catálogo sistemático:
1. Mulheres : Biografia 920.72
Maria Paula C. Riyuzo - Bibliotecária - CRB-8/7639

2021
Tordesilhas é um selo da Alaúde Editorial Ltda.
Avenida Paulista, 1337, conjunto 11
01311-200 – São Paulo – SP
www.tordesilhaslivros.com.br

 /tordesilhas   /tordesilhaslivros   /etordesilhas

Este livro foi composto com as famílias tipográficas Baskerville e Italian Garamond. Impresso para a Tordesilhas Livros em 2021.